LE TAVOLE D'ORO

GEORGINA HOWELL

La regina del deserto

traduzione dall'inglese di
Alessandro Zabini

NERI POZZA EDITORE

Titolo originale:
Daughter of the Desert
© Quilco Ltd, 2006

Il nostro indirizzo internet è: www.neripozza.it

Per, con, e anche da
Christopher Bailey

Nel febbraio 1905, Gertrude Bell si accampò con il maltempo a Tneib, a est del Mar Morto, nei pressi di Madeba. Fu raggiunta dai beduini della tribù Beni Sakhr, e scrisse: «Siamo diventati grandi amici, io e i Beni Sakhr. "*Mashallah! Bint Arab!*" hanno detto loro. "Come Iddio ha voluto, una figlia del deserto!"».

Tanto più siamo uno quanto più siamo molti
Perché abbiamo creato vasto spazio all'amore nella breccia che
*   ci divide.*
La nostra differenza rivela il suo radioso respiro di bellezza
*   nell'unica vita comune*
Come cime di monti nel sole mattutino.

Rabindranath Tagore

1.
Gertrude e Florence

È il 22 marzo 1921, ultimo giorno della conferenza del Cairo e ultima opportunità per i britannici di determinare il futuro postbellico del Medio Oriente. Come tutti i turisti, i delegati compiono la consueta visita alle piramidi e sono fotografati a dorso di cammello, con gli abiti in lieve disordine e la Sfinge dal volto sfigurato sullo sfondo. Il gruppo include due degli inglesi più famosi del XX secolo, ossia il ministro delle Colonie, Winston Churchill, caduto poco prima dal cammello con divertimento di tutti, e T.E. Lawrence, in gessato attillato e feltro floscio come un tipico funzionario civile. Fra loro è del tutto a suo agio in sella Gertrude Bell, unica delegata a possedere la conoscenza indispensabile per condurre la conferenza. Il suo viso, per quanto sia possibile osservarlo sotto la falda del cappello di paglia ornato di rose, è trasfigurato per la felicità. Il suo sogno di una nazione araba indipendente sta per avverarsi e la sua scelta di un re sta per essere appoggiata. Il suo Iraq diventerà una nazione. Quella stessa mattina, poco prima di lasciare il Semiramis Hotel, Churchill ha inviato un cablogramma di vitale importanza a Londra: «Faysal, figlio dello *sharif*, offre la miglior soluzione al minor prezzo»[1].

Quale processo evolutivo ha consentito a una discendente di pastori del Cumberland di diventare la personalità più influente del Medio Oriente? Era inglese fino al midollo, originaria delle cime tempestose dello Yorkshire. Gli agricoltori e i pastori di quella regione settentrionale hanno caratteristiche estremamente singolari fin dall'XI secolo, quando, unici fra gli inglesi, rifiutarono di sottomettersi a

Guglielmo il Conquistatore. Fisicamente e psicologicamente duri, sono di poche parole e si esprimono in modo schietto, senza fronzoli.

Il bisbisnonno di Gertrude Bell era un fabbro di Carlisle. Il bisnonno aprì la prima fabbrica e la prima fonderia a Jarrow. Il nonno, il famoso e potente Sir Isaac Lowthian Bell, nacque nel 1816, fu chimico metallurgico, e diventò forse il principale industriale del paese. Produttore d'acciaio su larga scala, fornì un terzo del metallo impiegato in Gran Bretagna e gran parte di quello utilizzato per costruire ponti e ferrovie nell'Impero in rapida espansione. Divenne *fellow* della Royal Society, la più illustre istituzione scientifica britannica. Studiò ingegneria alla Edinburgh University e alla Sorbona di Parigi, poi in Danimarca e nella Francia meridionale. Autore dell'opera *The Chemical Phenomena of Iron Smelting*, fu considerato il «gran sacerdote della metallurgia britannica» e fu il primo a riconoscere il valore dei fertilizzanti al fosforo quali derivati della produzione dell'acciaio. Chiamato "Sir Isaac" o più familiarmente "Lowthian", fu eletto sindaco di Newcastle upon Tyne nel 1854. In seguito divenne parlamentare liberale per Hartlepool e sceriffo della Contea di Durham. Fu contemporaneo e amico di Charles Darwin, Thomas Huxley, William Morris e John Ruskin, ai quali possono essere attribuite innovazioni antesignane del progresso scientifico, artistico e sociale dell'epoca. Lowthian fu presidente o vicepresidente di otto istituti nazionali d'ingegneria e di chimica, inclusi alcuni da lui stesso fondati. Inoltre fu direttore della North Eastern Railway.

La ditta Bell Brothers, costituita da Lowthian e dai suoi due fratelli, John e Tom, aveva oltre quarantasettemila dipendenti e possedeva miniere di carbone, cave e miniere di ferro, fabbriche e fonderie, le cui fornaci ardevano ventiquattr'ore al giorno, arrossando incessantemente i cieli notturni. La famiglia si vantava di poter produrre qualsiasi oggetto, «da un ago a un bastimento»[2]. Oltre alle prime ferriere e acciaierie di Newcastle, e poi quelle di Port Clarence,

Middlesbrough, Lowthian allestì uno stabilimento chimico per la prima fabbrica di alluminio del paese. Fino ad allora questo metallo era stato prezioso come l'oro: il giorno di apertura della fabbrica, Lowthian percorse in carrozza le strade di Newcastle salutando la folla con il suo cappello a cilindro in alluminio. Fu il primo padrone di ferriera britannico a possedere una macchina per fabbricare cavi in acciaio.

La più notevole fra le opere a carattere scientifico scritte da Lowthian[3] fu una valutazione logica ed esauriente delle prospettive di competitività a livello mondiale della Gran Bretagna nella produzione dell'acciaio[4]. Contribuì alla ricerca in questo campo con ingenti investimenti, deciso a spingere il paese a sviluppare innovazioni tecniche e industriali. Nella speranza che tutta l'industria britannica seguisse il suo esempio, perorò il sostegno dello stato alla ricerca scientifica e allo sviluppo tecnico, e in questo, nonostante l'impegno profuso nel corso di tutta una vita, fallì. Come lui stesso aveva previsto, altre nazioni – in particolare la Germania con le industrie Krupp, che producevano armamenti, e con le industrie Thyssen, che producevano acciaio – accrebbero la loro competenza tecnica e la loro produttività sino a superare la Gran Bretagna, ammassando quella ricchezza e quel potere che successivamente avrebbero impiegato nella prima guerra mondiale.

Insieme alla moglie Margaret Pattinson, Lowthian, gigante dell'industria, personalità formidabile, patriarca con quasi sessanta nipoti (secondo una stima contestata), fornì alla famiglia Bell un modello di vita tendente all'agio piuttosto che al lusso. Se si considerano l'immensità delle imprese e la condizione di Bill Gates della sua epoca, Lowthian condusse un'esistenza tutt'altro che stravagante, e forse ciò dipese anche dall'influsso di Margaret, proveniente da una famiglia di commercianti e di scienziati. La sua prima abitazione, Washington New Hall, situata sei chilometri a sud di Newcastle upon Tyne, a un tiro di sasso dalla casa degli

11

antenati di George Washington, non era affatto una villa lussuosa, mentre la dimora che costruì al culmine del suo potere, Rounton Grange, non aveva nulla di maestoso. Anche se si concesse qualche divagazione nel gotico, in genere si attenne allo stile meno sfarzoso e meno bizzarro di William Morris, che proponeva i metodi e le forme dell'artigianato tradizionale quale rimedio universale agli scempi della Rivoluzione industriale. Questo sarebbe rimasto lo stile caratteristico dell'edilizia privata e pubblica dei Bell. A differenza di molti altri eredi di grandi patrimoni, Hugh Bell, figlio maggiore di Lowthian e padre di Gertrude, condusse un'esistenza che per un capitano d'industria poteva considerarsi modesta: lo rivela la sua prima casa, Red Barns, nel villaggio di pescatori di Redcar sulla costa dello Yorkshire, a breve distanza ferroviaria da Clarence. Dopo la morte di Lowthian, la sua casa londinese fu venduta e presumibilmente il ricavato venne diviso tra i figli, cioè Hugh, Charles, Ada, Maisie e Florence.

Ammirato più che amato, Lowthian sembra fosse severo e autoritario con la famiglia. Gertrude, le sue sorelle e i suoi fratelli lo chiamavano "Pater". Un alfabeto familiare illustrato[5], da loro composto per il Natale a Rounton nel 1877, quando Gertrude aveva nove anni, riflette i sentimenti dei nipoti nei confronti dell'arcigno nonno.

A for us All come to spend Christmas week
B for our Breathless endeavours to speak
C is the Crushing Contemptuous Pater...

Al verso dedicato a Lowthian, che può essere interpretato come "T è il Tirannico e Tracotante Pater", Elsa, sorellastra minore di Gertrude, aggiunse a matita «Sir Isaac Lowthian Bell», per evitare che fosse erroneamente associato al più gentile Hugh.

Un aneddoto di famiglia rivela il timore reverenziale ispirato da "Pater" ai Bell. Lowthian proibiva a tutti di montare i suoi cavalli. Una sera, a cena, quando una delle nipoti svenne in seguito a un incidente di equitazione che le aveva provocato la frattura di una clavicola, tutti cospirarono per nascondere la verità, cioè che aveva preso a prestito uno dei cavalli proibiti per partecipare a una battuta di caccia. Nonna Margaret sapeva essere caustica quanto Lowthian. Una volta, all'ora del tè, quando una visitatrice commentò: «I vostri pasticcini sono deliziosi», l'anziana gentildonna ribatté: «Lo vedo! Da quando siete arrivata non avete allontanato la mano dal vassoio!»[6]

Alcuni aneddoti su Lowthian, rimasti ignoti per lungo tempo, sono raccontati nei documenti rinvenuti di recente in una casa della famiglia Bell, Mount Grace Priory, l'abbazia medievale in rovina dove si sono concluse le vite del padre e della matrigna di Gertrude. I documenti sono stati trovati sotto un tavolato, durante il restauro che avrebbe poi consentito a English Heritage di aprirla al pubblico. Vi si legge un'allusione a un tragico evento accaduto a Washington New Hall, dove «nel 1872 uno spazzacamino di sette anni è rimasto soffocato nel camino». Se il fanciullo perse la vita in quel modo fu perché Lowthian aveva violato la legge: ventisei anni prima, infatti, il parlamento aveva proibito l'impiego di fanciulli nella pulitura dei camini. Può darsi che il padrone delle ferriere fosse stato informato della presenza del piccolo spazzacamino soltanto quando era ormai troppo tardi. A ogni modo, forse perché ne rimase profondamente angosciato, o forse per evitare spiacevoli ripercussioni, Lowthian si trasferì al più presto a Rounton Grange, costruita da poco, lasciando Washington New Hall abbandonata e invenduta. Diciannove anni più tardi la donò affinché diventasse un orfanotrofio, a condizione che fosse ribattezzata Dame Margaret Hall. Oggi è un condominio di appartamenti di lusso. Molti anni più tardi, forse anche in relazione a questo spaventoso incidente, Hugh Bell promosse con successo un progetto di legge per la protezione dei minori dai lavori pericolosi. (Negli anni Sessanta del XIX secolo, il conte di Shaftesbury riferiva che in alcune fabbriche lavoravano ancora bambini di quattro o cinque anni, dalle sei del mattino alle dieci di sera.)

Nei documenti fortunosamente ritrovati si legge fra l'altro: «Una notte d'inverno [Sir Isaac] uscì di casa e a cassetta della sua carrozza trovò il vetturale congelato». L'accaduto rimane misterioso. È possibile che lo sventurato vetturale sia morto per un attacco di cuore, anziché di freddo; nondimeno appare chiaro che la principale qualità di Lowthian non era la considerazione per il benessere altrui.

Questi documenti, in cui sono riferiti numerosi avvenimenti confermabili della vita e dell'opera di Lowthian, sono probabilmente stati redatti da Miss K.E.M. Cooper Abbs, parente dei Bell e ultima residente di Mount Grace. Forse fu indotta a testimoniare la vita di Lowthian dal furore per la distruzione, casuale o intenzionale, di numerosi documenti e archivi di famiglia, bruciati dai parenti dopo la morte del patriarca. Tuttora non esiste alcuna biografia di colui che nella sua epoca non fu meno famoso di Isambard Kingdom Brunel.

Più amabile e più cordiale, Sir Hugh, padre di Gertrude, ereditò un vasto patrimonio e diresse le industrie Bell. Come il padre, studiò a Edimburgo, alla Sorbona e in Germania, dove approfondì la matematica e la chimica organica. A diciotto anni iniziò a lavorare alle Bell Brothers Ironworks di Newcastle, poi diventò direttore delle acciaierie di Port Clarence, che dominavano il torvo paesaggio urbano di Middlesbrough, e infine diresse tutte le imprese di famiglia, in tutte le loro ramificazioni. Estrasse i minerali di ferro dalle colline di Cleveland, lavorò il carbone di Durham, portò il calcare dalla spina dorsale dell'Inghilterra, visse sul Tees e fu direttore della North Eastern Railway, che trasportava i materiali grezzi alle fonderie. Nelle opere filantropiche non fu secondo a nessuno, soprattutto dopo il matrimonio con Florence Olliffe. Istituì biblioteche, finanziò le ferie delle famiglie dei dipendenti meritevoli che avevano bisogno di riposare in campagna, costruì scuole, circoli, case popolari, un centro ricreativo per gli impiegati e per gli operai di Rounton, e anche il famoso Transporter Bridge, tuttora utilizzato per consentire ai lavoratori e ai turisti di attraversare il fiume Tees in breve tempo e con poca spesa. Nel 1906 divenne lord luogotenente di North Riding e accolse i nobili e altre prestigiose personalità che si avventuravano nel ventoso paesaggio dello Yorkshire. Per tre volte fu eletto sindaco di Middlesbrough.

Con le forniture all'Impero, le ferriere e le acciaierie Bell aprirono una prospettiva globale all'industria britannica. Abile oratore, Sir Hugh pronunciò discorsi persuasivi su argomenti quali il libero scambio, di cui fu sostenitore appassionato, e la *home rule* irlandese, di cui fu oppositore altrettanto appassionato. Leggendo i suoi discorsi si percepiscono il vigore e l'umorismo con cui affascinava gli ascoltatori di ogni genere e di ogni classe sociale. Eccone un esempio:

Il libero scambio è come la qualità della merce, due volte benedetto, perché ne beneficiano colui che offre e colui che prende, e io per primo non farò mai nulla per imporvi alcuna restrizione. Il libero mercato è la nostra maggior salvaguardia contro la tirannia della ricchezza. Assisto con timore all'accumulo di grandi patrimoni nelle mani dei singoli. [...] In questo paese milioni di persone dipendono dai salari settimanali e dai lavori che possono perdere alla fine di qualsiasi settimana. È di loro che mi preoccupo, è per loro che sono angosciato, e non per la classe alla quale appartengo[7].

Sir Hugh accolse favorevolmente la nascita dei nuovi sindacati, avvisando nel contempo che gli scritti di Karl Marx avrebbero potuto condurre i socialisti a movimenti rivoluzionari capaci di distruggere l'industria britannica e l'occupazione nel mondo competitivo da lui approvato e sostenuto.

Alla nascita di Gertrude, la regina Vittoria sedeva sul trono da trent'anni. Spinta dall'inflessibile determinazione del

15

principe Alberto, la sovrana aveva sostituito l'intemperanza e la dubbia moralità dell'epoca georgiana con l'operosità e il decoro dell'età vittoriana. La Gran Bretagna, e l'Inghilterra in modo particolare, erano alla guida del mondo con la loro superiorità tecnologica, come si evince da quel peana all'Impero che fu l'Esposizione universale al Crystal Palace nel 1851. Le forze armate britanniche, in grado di inviare truppe in ogni parte del mondo, costituivano quella che fu probabilmente la più grande potenza militare di tutti i tempi. La marina militare britannica dominava gli oceani, proteggeva i commerci e manteneva la pace. Mentre l'Impero russo e quello ottomano erano caratterizzati dalla permanenza del servaggio feudale e dalla corruzione istituzionalizzata a tutti i livelli, l'esempio britannico, ispirato da Vittoria e da Alberto, spiccava per la moderazione, la filantropia e l'onestà. Alla metà del XIX secolo il concetto di impero si stava trasformando da quello di puro e semplice sfruttamento commerciale a quello di orgoglio per una forma di governo onesta e benevola. Commercialmente aggressiva ma socialmente responsabile, la famiglia Bell incarnava questa nuova tendenza e beneficiava di tutta la fiducia delle persone giuste nei posti giusti, al momento giusto.

A ventitré anni Hugh sposò Mary Shield, figlia di un prestigioso mercante di Newcastle upon Tyne. Il matrimonio fu celebrato sull'isola scozzese di Bute, sul Clyde, dove la famiglia Shield aveva una casa in cui trascorreva le vacanze. La primogenita, Gertrude, nacque nel 1868 a Washington New Hall, dimora del padre di Hugh. La vita familiare era imperniata sulla figura straordinaria e imponente dell'industriale grazie al quale la famiglia Bell era la sesta più ricca d'Inghilterra. Non doveva essere facile convivere con lui, del cui temperamento altezzoso e della cui caustica ironia rimangono numerose testimonianze. Anche se Hugh aveva manifestato un'inclinazione per la carriera politica, gli era stato brutalmente chiarito che il suo futuro era a Middlesbrough, nell'industria dell'acciaio in rapida espansione. Dalle ferriere di Newcastle, Lowthian si recava a intervalli irregolari alle acciaierie di Port Clarence per compiere ispezioni e molto probabilmente per criticare ogni aspetto dell'operato del primogenito.

Senza dubbio fu con grande sollievo che Hugh e Mary lasciarono Washington New Hall per trasferirsi altrove con la figlia di due anni, e condurre una vita domestica più quieta, anche se la serenità non durò a lungo. Bella ma cagionevole di salute, Mary sopravvisse soltanto tre settimane alla nascita del secondogenito, Maurice, nel 1871.

Per qualche tempo Hugh divenne una figura angosciata e toccante. Quando aveva costruito Red Barns, a Redcar, aveva immaginato per la sua famiglia un'esistenza sana e felice in riva al mare. Invece fu necessario che sua sorella Ada si trasferisse da loro per amministrare la casa e per occuparsi dei bambini. Hugh lavorava sei giorni la settimana a Clarence e doveva condividere le domeniche con la sorella, una bambinaia e mezza dozzina di domestici. Trascorreva i momenti di libertà sulla spiaggia oppure in campagna, mano nella mano con la vivace figlioletta, dato che Maurice era ancora troppo piccolo per le passeggiate. Conversava con lei e scrutava il suo viso candido per scorgervi una somiglianza con la moglie defunta. Fu così che in quel primo periodo si sviluppò fra padre e figlia un'affettuosa intimità che si sarebbe mantenuta per l'intera durata della vita di Gertrude.

La condizione di Hugh suscitava compassione e attrazione. Un vedovo giovane e affascinante, lasciato con due figli orfani di madre dalla morte precoce della moglie, sarebbe stato considerato un buon partito anche se non fosse stato erede di un patrimonio immenso. Il suo cordiale senso dell'umorismo e il suo sorriso, malizioso e al tempo stesso gentile, erano particolarmente attraenti. Nondimeno il matrimonio con un Bell sarebbe stato giudicato socialmente degradante dalle figlie dell'aristocrazia, e comunque Hugh non era affatto uno snob. Sua sorella Maisie aveva vinto le resistenze di

Lady Stanley di Alderley e così ne aveva sposato il figlio, l'arguto Lyulph, che in seguito sarebbe diventato Lord Sheffield. La formidabile nobildonna era famosa per la sua abitudine di abbandonare una conversazione in corso per volgersi ad altra compagnia commentando ad alta voce: «Gli stolti sono così noiosi!» Nonna di Bertrand Russell, era stata tra i fondatori del Girton College di Cambridge. Per avere acconsentito al matrimonio del figlio con Maisie, Lady Stanley si considerava di mentalità estremamente aperta, perché i Bell, dopotutto, erano «commercianti». In seguito lo stesso Bertrand Russell avrebbe dichiarato: «Dato che Sir Hugh era multimilionario, non ne fui molto impressionato».

Giovane, graziosa e incline per temperamento alla vita di società, Ada sentiva la mancanza di Londra e senza dubbio soffriva per essere costretta a svolgere il ruolo assai poco allettante di zia zitella, tanto comune fra le donne nubili dell'epoca vittoriana. Così, in breve tempo, con la complicità della sorella Maisie, individuò una possibile moglie per Hugh e complottò per fargliela incontrare.

Grazie al comune interesse per la musica, la famiglia Bell conobbe la ventiduenne Florence Eveleen Eleanore Olliffe, che studiava al Royal College e cantava nel Bach Choir[8]. Trasferitasi a Londra nel 1870 da Parigi, dove suo padre, il distinto e affabile Sir Joseph Olliffe, era stato medico all'ambasciata britannica, aveva trascorso le vacanze pasquali in Surrey, nella casa del nonno, Sir William Cubitt, parlamentare ed ex sindaco di Londra. Talvolta soggiornava a Penton Lodge, nella proprietà del prozio Thomas, in Hampshire[9]. Aveva trascorso le vacanze estive a Trouville e a Deauville, stazioni balneari alla moda per le ricche famiglie parigine. All'inizio della guerra franco-prussiana, quando suo padre era morto improvvisamente, la famiglia aveva dovuto affrettarsi a lasciare la Francia. Così, a diciannove anni, Florence aveva detto addio a Parigi e si era trasferita a condurre un'esistenza assai meno affascinante a Londra, al numero 95 di Sloane Street, in una casa angusta e tetra, tutta polverosi velluti rossi e mobili massicci, con un persistente fetore di gatto. La società inglese dell'epoca, una volta descritta come «una serie di porte chiuse», senza dubbio contrastava in modo doloroso con la brillante società cosmopolita che Florence aveva appena abbandonato.

Alta e snella, Florence aveva capelli neri e occhi azzurri dalle palpebre pesanti. Era molto socievole e parlava inglese con un leggero, incantevole accento francese. Maisie provvide affinché fosse invitata ai ricevimenti di famiglia ogni volta che Hugh si recava a Londra; Ada la invitò un paio di volte a Red Barns. Dopo queste visite, la zia insistette affinché Gertrude, che allora aveva sei anni, scrivesse lettere affettuose a Florence, firmandosi «la vostra affezionata, piccola amica».

Tuttavia il piano di Ada e di Maisie rischiò di fallire proprio a causa dell'impegno eccessivo. Florence non tardò a comprendere le loro intenzioni, dichiarò che non avrebbe mai sposato un inglese e lo ribadì con forza sempre maggiore nel corso dei due anni in cui Hugh non le chiese di sposarlo. All'insistenza con cui le sorelle cercavano di convincerlo a convolare a seconde nozze, Hugh reagì dichiarando ad Ada che non si sarebbe mai risposato e immergendosi sempre di più nel lavoro. Eppure, dalla descrizione fatta da Florence della prima volta che lo vide tra filari di rose nel giardino di Maisie si ha l'impressione che il suo cuore ne sia stato immediatamente conquistato. Lo vide «bello, ma estremamente triste [...] con folti capelli ricci e una luminosa barba castano-ramata»[10].

La ritrosia di Hugh, che pure si sentiva sempre più attratto da Florence, era in parte dovuta all'idea che una donna nata e cresciuta nella società più sofisticata della città più bella del mondo fosse incapace di adattarsi a vivere nei pressi di Middlesbrough. Una biografa di Gertrude descrive le proprie impressioni della città in quello stesso periodo, in occasione della sua prima visita a una zia che vi abitava: «La zona intorno a Middlesbrough e alla sponda del Tees dalla

19

parte del mare era incrostata di sporcizia. [...] Nel raggio di trenta chilometri l'aria puzzava di sostanze chimiche, di cenere e di fuliggine, come le case affollate puzzavano di cavolo, di formaggio e di gatti. I seminterrati [...] si coprivano di fango nero e vischioso ogni volta che pioveva»[11]. La definizione «oscurità diurna» fu coniata per descrivere lo smog delle industrie. Un contemporaneo dichiarò che soprattutto Middlesbrough e Cleveland «riuscivano a escludere quasi completamente la luce del giorno dalla zona circostante»[12].

Il luogo dove molti facoltosi industriali di Middlesbrough costruivano le loro nuove dimore di famiglia era Redcar, nel North Yorkshire, un villaggio di vie acciottolate, sferzato dai venti che soffiavano dal mare con furia tempestosa, destinato a diventare in breve tempo una cittadina. La grande casa accanto a quella dei Bell, per esempio, apparteneva a un industriale metallurgico. Là i capitani d'industria potevano allevare i loro figli lontano dalla fuliggine e dall'atmosfera inquinata. Anche se costituivano una comunità ristretta e privilegiata, erano alquanto arretrati rispetto alla società in cui Florence aveva vissuto.

Dunque era molto probabile che la vita in quel contesto presentasse una prospettiva deprimente a una giovane donna avvezza a un *hôtel particulier* di rue Florentin, con l'elegante cortile appartato, protetto da squisiti cancelli del XVIII secolo. Nata nel 1851, il tumultuoso primo anno del Secondo Impero di Napoleone III, Florence aveva passeggiato ogni giorno con la sua nutrice nei giardini delle Tuileries, dove aveva potuto viaggiare in eleganti vetture, giocare a croquet, o comprare treccine d'orzo e pan di zenzero ai chioschi con le merlate tende da sole a strisce. Da casa sua bastava girare l'angolo per arrivare in place de la Concorde, con le sue «allegre fontane di cascate e spruzzi ingioiellati». Molto tempo più tardi, la stessa Florence scrisse: «Quale privilegio essere nata a Parigi, conoscere innanzitutto Parigi, conoscerla sempre, crescere in uno dei suoi quartieri più belli, sicura di esservi e di appartenervi, avere la certezza che essa appartenesse a me. Non è forse abbastanza?»[13] Nonostante le sommosse popolari, Florence ebbe una fanciullezza molto felice e fu lieta di frequentare un piccolo *cours* che assicurava un'istruzione intermedia fra quella offerta da un'istitutrice e quella di una piccola scuola privata, senza apprendere molto più delle buone maniere e della musica.

In verità, la donna scelta per Hugh da Ada e da Maisie era straordinariamente appropriata. Figlia di un medico, Florence non apparteneva alla "classe mercantile" e neppure all'aristocrazia; inoltre, nutriva due passioni che le consentivano di compensare abbondantemente tutti gli svantaggi di Middlesbrough: amava la vita domestica e adorava i bambini. Giunta di recente in Inghilterra, a Londra appariva quasi un'apolide, smarrita e alla deriva, ancora con la nostalgia di Parigi. Desiderava immensamente la sicurezza di una famiglia propria e si era già formata numerose opinioni sull'educazione dei figli e sui modi giusti e sbagliati di amministrare una casa. La vita non poteva offrirle nulla di più entusiasmante del dono di un dominio tutto suo, quale che fosse.

Finalmente Hugh cedette al progetto delle sorelle – e a Florence –, la notte della rappresentazione privata di *Barbablu*, un'opera composta dalla stessa Florence e interpretata da amici e parenti il 4 giugno 1876, nella dimora di Lady Stanley, in Harley Street. Ada e Maisie si esibirono nel canto, accompagnate al pianoforte da Anton Rubinstein. Più tardi Hugh chiese a Florence il permesso di condurla a casa. Smontato dalla vettura dinanzi all'ingresso del numero 95 di Sloane Street, scortò Florence in salotto. «Lady Olliffe, ho portato vostra figlia a casa, e sono venuto a chiedervi se posso riportarmela via»[14] dichiarò Hugh alla madre della giovane donna. A quel bel discorsetto, Lady Olliffe rispose scoppiando in lacrime.

Il 10 agosto, dopo una tranquilla cerimonia nuziale nella chiesetta di Sloane Street, gli sposi novelli trascorsero una luna di miele urbana a Washington, DC, ospiti di Mary, amatissima sorella di Florence, e del marito Frank

Lascelles, allora segretario all'ambasciata britannica. Ritornati a Londra, presero un treno per il Nord. Nell'arrivare alla sua nuova casa per la prima volta, Florence tremava di emozione in quella che era per lei, e che forse sarebbe stata per qualunque altra sposa e matrigna novella, un'occasione davvero memorabile. In quanto eredi del direttore della North Eastern Railway, il signore e la signora Hugh Bell appartenevano all'alta nobiltà dei trasporti. A Middlesbrough il capostazione si tolse il cappello e li condusse al treno per Redcar. Molti anni più tardi, Lady Richmond, figlia di Florence, rammentò un'occasione in cui il padre l'aveva accompagnata alla stazione di King's Cross ed era rimasto con lei in attesa della partenza del treno affollato, che non era in orario. Dopo aver commentato il ritardo, padre e figlia avevano continuato a conversare sino a quando erano stati avvicinati da una guardia, la quale si era tolta il cappello e aveva suggerito: «Se desiderate continuare la conversazione, Sir Hugh, saremo pronti a partire appena l'avrete conclusa»[15]. Il treno di Redcar aveva una fermata riservata alla famiglia Bell, con una piccola banchina nel giardino di Red Barns. Così Hugh, di ritorno dal lavoro, poteva semplicemente smontare dal treno e attraversare il giardino di rose presso la fontana per raggiungere l'ingresso posteriore, dove lo accoglieva gioiosamente Gertrude, che lo aspettava là per accompagnarlo in casa. Da piccola era sempre stata portata sulle spalle da lui. Diventata ragazzina, era solita corrergli accanto, parlando a gran voce e portandogli la valigetta.

Così, al ritorno dalla luna di miele, gli sposi furono attesi alla banchina della famiglia Bell da Gertrude e Maurice, ben lavati e ben pettinati. Dietro di loro erano schierati i domestici, pronti a salutare con inchini e riverenze. Nella speranza di stabilire subito un solido rapporto con loro, Florence si era prefissa di chiedere al bambino e alla ragazzina di mostrarle ogni angolo della casa, dalla cantina all'attico. Con suo sgomento, tuttavia, quando furono a Middlesbrough si unì a lei e a Hugh il fratello di questi,

Charles, il quale, dimostrandosi privo di sensibilità seppure animato dalle migliori intenzioni, li accompagnò a Red Barns. Analogamente poco dotato di romanticismo, Hugh si recò subito nel proprio ufficio al pianterreno per esaminare una serie di documenti. Così, abbandonata in salotto con Charles, il quale si era installato in poltrona e si sforzava di trovare qualcosa da dire, Florence si adattò a conversare distrattamente, con l'appassionato desiderio che il cognato se ne andasse.

Ada partì felice per Londra, e così una nuova vita incominciò per Gertrude, che aveva otto anni, e per Maurice, che ne aveva cinque. A quell'età non si presume che i genitori abbiano una vita indipendente da quella dei figli, perciò fratello e sorella rimasero senza dubbio sconvolti nell'apprendere che il loro padre aveva sposato Florence. In seguito, parlando della matrigna, Maurice confessò di avere pensato che avesse ottant'anni, mentre Gertrude l'aveva giudicata un po' più giovane, forse sulla sessantina. In realtà la povera Florence aveva ventiquattro anni, otto meno di Hugh.

Fu così che nella vita di Gertrude entrò la donna affettuosa, comprensiva e generosa che più di chiunque altro avrebbe esercitato influenza su di lei e avrebbe contribuito a formarne la personalità, non senza occasionali contrasti, ma principalmente in modo essenziale e positivo. Florence possedeva numerosi talenti. Amava e capiva la musica e la letteratura, scriveva romanzi, saggi e drammi, sapeva instaurare rapporti cordiali con persone di ogni estrazione, ed era profondamente interessata alla sociologia e all'istruzione infantile. Tutto ciò che faceva rimaneva entro i limiti dei ruoli che lei stessa considerava più importanti per una donna, quello di moglie e quello di madre. Si dedicava alla famiglia con generosità estrema, e nel frattempo si prodigava a beneficio della comunità. Per questo suo impegno ottenne pubblici riconoscimenti e infine fu nominata Dama Comandante dell'Ordine dell'Impero britannico. Amava scrivere drammi e commedie da rappresentare in privato, concepiti inizialmente per le recite natalizie dei bambini e per altri convegni familiari. Col tempo, mediante l'intervento di amici nell'ambiente del teatro, compose tre drammi che furono rappresentati nel West End. Com'era tipico di lei, scelse di restare anonima.

Nei primi tempi Florence fu sconcertata dalle usanze settentrionali. Appena ebbe conosciuto i suoi vicini, organizzò ricevimenti del martedì per offrire rinfreschi analcolici alle coppie del vicinato e rimase perplessa nello scoprire che gli uomini dello Yorkshire non accompagnavano le mogli in occasioni del genere. La sua biografa, Kirsten Wang, riferisce che una gentildonna, presentatasi a casa Bell con il marito, stupì Florence sussurrandole: «Sono riuscita a portare con me Mr T. È stato così difficile convincerlo!» Apparentemente persuase che il numero garantisse protezione, le donne arrivavano in gruppo, poi sedevano in disparte il più possibile e sprofondavano nel silenzio. Disperata, Florence le invitava a trasferirsi accanto al fuoco e si sentiva rispondere: «Grazie, sto benissimo dove sono». In uno dei suoi romanzi, Florence scrive della sua eroina, una maestra trasferitasi di recente nel Nord: «La ragazza era a disagio con le donne dello Yorkshire a causa delle loro maniere brusche e schiette. [...] Quando non aveva nulla da dire, quella gente non diceva nulla, e quando parlava i modi rudi erano ancora più inquietanti. Eppure le donne, a modo loro, non erano sgarbate con lei»[16]. Tuttavia la nuova Mrs Bell perseverò, e in breve tempo i suoi "ricevimenti" diventarono eventi obbligatori della vita cittadina.

Ma Florence era di gran lunga più interessata a consolidare il suo rapporto con i figli di Hugh. La bimba di otto anni la scrutava pensosamente. Quell'estranea accolta all'improvviso in famiglia aveva qualcosa che la piccola non era in grado di riconoscere, ossia l'eleganza e i modi parigini. Benché essenzialmente seria e incline al moralismo, Florence non criticava mai l'interesse altrui per le apparenze, né derideva come frivola la passione per l'abbigliamento. Le sue opinioni scrupolosamente ponderate su questa e su altre materie erano spesso manifestate in modo indiretto. Era estremamente riservata e preferiva esprimersi mediante narrazioni e saggi. In un romanzo scrisse della sua eroina:

Ursula aveva ciò che i francesi chiamano *genre*. [...] L'equivalente inglese più prossimo è *style*, che tuttavia [...] suggerisce vistosità e aggressività, mentre *genre* è grazia innata e non dipende dall'abbigliamento, bensì dal modo d'indossare gli indumenti. E la ragione per cui non ne esiste un vero equivalente inglese, è che fra gli inglesi lo si trova tanto raramente che non è necessario definirlo con un termine preciso.

A sua volta Gertrude, seguendo l'esempio di Florence, acquistò *genre*, tanto che chi la incontrava per la prima volta notava in lei «maniere di Mayfair e vestiti parigini». Comunque Florence non seguì mai la moda. Continuò a indossare abiti edoardiani per tutta la vita perché sentiva che le si adattavano, persino negli anni Venti, quando tutte le altre donne portavano gonne corte. Sua nipote ricordava la volta in cui l'aveva vista scivolare e cadere su un marciapiede londinese. Nello scoprire che sotto le gonne Florence aveva un normale paio di gambe, la bambina era rimasta sbalordita. Tendente a una modestia eccessiva, Florence portava quasi sempre guanti di seta grigia, sia al chiuso sia all'aperto, persino quando suonava il pianoforte.

Abituata a competere per le attenzioni del padre con la zia Ada, con la sua istitutrice, con il fratello e con i numerosi domestici, Gertrude era disubbidiente e cresceva in fretta. Sarebbe stato facile per la matrigna provare antipatia per lei e inimicarsela. Invece Florence era affettuosa, sempre gentile, incoraggiante e comprensiva, attenta al fratello non meno che alla sorella, curiosa e spiritosa. Perennemente attiva, amava che i figliastri fossero analogamente impegnati, e quando non erano intenti a qualche attività li esortava a leggere, anziché a «oziare». Era sempre pronta a leggere loro qualche racconto. Maurice, che era un po' sordo, non poteva avere alcun ricordo della madre, e subito si affezionò a Florence.

Gertrude invece era indecisa sul conto della matrigna, che era incoraggiata a chiamare "madre". Senza dubbio Hugh fece del suo meglio per indurla ad accogliere benevolmente Florence e a ubbidirle in tutto, ma molto probabilmente la bambina soffrì per l'inclusione nel suo intimo rapporto con il padre di una donna che all'inizio le apparve come un'intrusa. Infatti il legame fra Hugh e Gertrude era straordinario: significavano tutto l'uno per l'altra e rimasero sempre uniti, anche quando vivevano agli antipodi. Come scrisse Florence: «Sin da bambina, Gertrude sentì perennemente l'influsso del suo rapporto con il padre. La sua devozione per lui, la sua ammirazione incondizionata, la confidenza, la sintonia e l'armonia che li univano, il mutuo, profondo affetto, furono per entrambi le fondamenta stesse dell'esistenza sino al giorno della morte di lei»[17]. Con queste parole Florence rivelava anche il proprio intuito nobile e generoso. Non cedette mai alla gelosia, non tentò mai di dividere padre e figlia, uniti da reciproca devozione.

Nel 1876 l'artista Sir Edward Poynter della Royal Academy dipinse un doppio ritratto che, a differenza di quanto ci si potrebbe aspettare, non raffigura Hugh e Florence, sposi novelli, bensì Gertrude a otto anni, con i ricci rossi che cadono sulle spalle del grembiulino orlato di pizzo, e Hugh, che sorride fieramente nel cingerla con un braccio. Dato che questi aveva un proprio ritratto nuziale con Mary, sua prima moglie, è possibile che subito dopo il secondo matrimonio abbia pensato di commissionarne uno con Florence. In tal caso è molto probabile che la stessa Florence gli abbia suggerito di farsi ritrarre, invece, con la figlioletta. È plausibile supporlo perché sarebbe stato tipico della sua sollecitudine.

Invece è meno plausibile ipotizzare che Gertrude possa aver apprezzato una simile rispettosa cortesia. Florence era troppo gentile e troppo discreta per lasciar trapelare le difficoltà che incontrava nel rapporto con la figliastra, tuttavia numerosi dettagli permettono di intuire che tale rapporto non dovette essere affatto facile. *Angela*, un dramma di Florence pubblicato nel 1926, cioè, forse significativamente, dopo la morte di Gertrude, narra la storia del secondo matrimonio di un industriale dello Yorkshire, la cui sposa deve affrontare il legame straordinariamente solido che unisce il padre alla figlia orfana di madre.

«Gertrude era una bambina piena di spirito e d'iniziativa» scrisse Florence nella sua introduzione a *The Letters of Gertrude Bell*, e talvolta tale spirito e tale iniziativa erano eccessivi per lei.

Molto intraprendente, [Gertrude] era solita condurre il fratellino, che alla sua tenera età non era sufficientemente equipaggiato per simili imprese, a correre le più pericolose avventure. Per esempio gli imponeva, terrorizzandolo, di imitarla nel saltare al suolo dalla cima del muro di cinta del giardino, alto quasi tre metri, e di rado lui atterrava in piedi, come invece riusciva di solito a lei.

Una volta, uno schianto e un tintinnio sinistro indussero Florence ad accorrere dal salotto alla serra. Gertrude aveva guidato Maurice a un'arrampicata sul colmo del tetto. Lei era scesa incolume dopo averlo percorso tutto, abile e rapida, mentre il suo fratellino, nel seguirla con esitazione, spaventatissimo, aveva sfondato un vetro ed era precipitato fra i cocci. In un'altra occasione Gertrude aveva infilato giù per il camino della lavanderia il tubo per innaffiare il giardino e aveva spento il fuoco. Allora Florence aveva finalmente perso la pazienza e Gertrude, imitata da Maurice, aveva reagito tirandole addosso tutti i cappellini appesi nell'atrio. Aveva smesso soltanto quando un cappellino di Florence era caduto tra le fiamme. «Già da bambina Gertrude era estremamente interessata al vestiario» ha riferito un familiare.

Per quasi tutti i suoi otto anni, Gertrude era stata abituata a tiranneggiare la servitù e a dimostrarsi più intelligente della sua istitutrice. Non sopportava la disciplina e si divertiva a esasperare il prossimo. Quando Miss Ogle se ne andò indignata, Florence sperò che andasse meglio con Miss Klug. Anche se la signorina tedesca rimase molto più a lungo, Florence fu periodicamente tormentata dalla necessità di placarla dopo le monellerie di Gertrude.

La casa in cui Mrs Bell iniziò a instaurare il proprio dominio era un fabbricato di mattoni in stile Arts and Crafts, uno dei primi e alquanto confusi esperimenti di Philip Webb; l'architetto aveva progettato in precedenza la Red House di William Morris, da cui aveva ripreso numerosi elementi per il suo secondo incarico, cioè Red Barns, i cui interni erano stati decorati proprio da Morris con la sua incantevole carta da parati floreale. Era una casa solida e piccola, rispetto alle dimore eleganti della giovinezza di Florence, tuttavia era destinata a espandersi con l'allargamento della famiglia. Il portico su Kirkleathan Street conduceva a una vasta piazza con case georgiane intorno a un prato brullo. Con una breve passeggiata ci si poteva recare da Red Barns alla lunga spiaggia di Redcar, che da Coatham si prolungava a meridione fino alle falesie di Saltburn. In estate, intorno alla nuda falce sabbiosa dove, con la bassa marea, rimanevano arenate le barche da pesca, c'erano le cabine balneari di tessuto a righe e gli asinelli montati dai bambini. La campagna circostante era piatta e non particolarmente bella, eppure Florence aveva sempre pensato che i figli si dovessero allevare in campagna, e senza dubbio Gertrude e Maurice amavano quella località.

Con una costante successione di pony, sorella e fratello praticamente crebbero a cavallo. Spesso le temerarie imprese di Gertrude conducevano inevitabilmente Maurice a tornare a casa coperto di lividi per avere tentato di imitarla. Famosa fra i suoi coetanei come l'amazzone più intrepida, Gertrude si vantava moltissimo delle proprie prodezze nelle sue lettere alle zie e ai cugini. «La mia cavalla si è comportata come una belva, scalciando in continuazione. Temo che mia madre si troverebbe in difficoltà se facesse così con lei»[18] scrisse al cugino Horace.

A quell'epoca le ragazze, a passeggio, al galoppo lungo la spiaggia, oppure a caccia, montavano all'amazzone con indumenti appropriati, cioè giacca nera e gonna abbottonata sopra i calzoni. «Ieri ho montato come una circense» scrisse Gertrude, intendendo di avere inforcato la sella in modo maschile. I piccoli Bell trottavano sulla sabbia accompagnati e sorvegliati dallo stalliere, dalla bambinaia o dall'istitutrice. Se li accompagnava l'ansiosa Miss Klug, appena non erano più visibili da casa Gertrude spronava il pony e fuggiva al galoppo, lasciando l'istitutrice a inseguirla disperatamente gridando il suo nome. Un giorno, dopo aver accompagnato i bambini a passeggiare sulla spiaggia, Miss Klug ritornò sola e piangendo a dirotto interruppe una fantasticheria letteraria di Florence. Riferì che quando li aveva chiamati per ricondurli a casa per il tè, sorella e fratello erano scappati a nascondersi fra le barche da pesca, da cui aveva tentato di recuperarli per una mezz'ora tanto spossante quanto infruttuosa.

Disubbidiente e autoritaria, Gertrude esigeva un'attenzione costante e si aspettava che il padre, quando era a casa, dedicasse ogni suo momento a intrattenerla. Tuttavia Hugh era estremamente impegnato al lavoro e spesso rincasava soltanto un giorno la settimana. Naturalmente Florence desiderava trascorrere un po' di tempo in privato con il marito, e la sua insistenza vittoriana sull'ordine e sulle consuetudini domestiche, seppure discreta, interferiva inevitabilmente con la libertà dei bambini. Dopo avere scoperto di non poter piegare la volontà della matrigna con la stessa facilità con cui piegava quella del padre, Gertrude reagì alle imposizioni

29

aspettando il ritorno di Hugh e cercando di indurlo con le lusinghe a difenderla.

Nel frattempo nacquero i figli di Florence, ossia Hugo, nel 1878, Elsa, nel 1879, e Molly, due anni più tardi. Così fu aggiunta a Red Barns un'ala di due piani, con camere da letto, bagno, aula scolastica e stalle. Già intrepida arrampicatrice d'alberi, Gertrude pensò che le impalcature fossero magnifiche aggiunte alla casa. Una volta Florence la vide da una finestra mentre vi si arrampicava. Allora corse in giardino e le ordinò di scendere subito, ma la ragazzina finse di non sentire, costringendola a sollecitare l'intervento di Hugh. Rientrata in casa e affacciatasi alla finestra, Florence vide con orrore il marito salire una scala a pioli per raggiungere la figlioletta... con un bambino sotto ogni braccio!

Padre meraviglioso, Hugh non si lasciò mai dominare da eccessivi timori che i figli si facessero male. Come rammentava Elsa in età adulta, la domenica li accompagnava sulle dune, e «all'improvviso con il suo bastone da passeggio ci sgambettava facendoci precipitare dai crinali». Lo ricordava «correre sulla sabbia dura tenendoci per mano e poi farci sbattere l'una contro l'altra». Alle domande di Gertrude forniva ampie risposte da lei ascoltate con profonda attenzione. In questo Gertrude era diversa dai fratelli e dalle sorelle. Se affioravano interrogativi quali: «Cosa provoca l'alta marea?» oppure: «Cos'è il bimetallismo?» loro gridavano subito: «Non dirmelo!» e Hugh scoppiava a ridere, replicando: «Ragazzacci!»

A poco a poco la vita di Hugh migliorò, finché giunse un momento in cui si rese conto di avere di nuovo una famiglia felice e comprese che chiedere a Florence di sposarlo non era stato un errore. Una lettera rivelatrice di Florence a Molly racconta come avvenne la svolta nel suo rapporto con Hugh e nella loro vita in comune, durante il primo periodo di convivenza a Red Barns.

Ricordo come se fosse ieri l'arrivo a Redcar, quando avevamo circa la tua età. Allora tuo padre avrebbe potuto entrare [in parlamento] quasi con la stessa facilità con cui poteva recarsi a Middlesbrough ed era freneticamente ansioso di dedicarsi alla politica, perché sai bene quanto essa lo interessi e lo abbia sempre interessato. Non pensava ad altro. Suo padre (questa è una lettera molto privata!) era contrario e non lo comprendeva affatto, come sempre. Gli affari non andavano bene e ne parlammo, passeggiando su e giù per il vialetto. Finalmente decise che avrebbe rinunciato alla politica e non si sarebbe dedicato ad altro che a Middlesbrough. Sai come allora si gettò nel lavoro. Eppure fu... la rinuncia di una vita e il rammarico di una vita, e in quel momento ne fummo consapevoli. Poi tuo padre sentì come sarebbe stato per lui se fosse stato solo. Quale gioia fu condividere quella preoccupazione e quella decisione, essere in sintonia tanto intima e profonda. Quale immensa differenza è, in ogni aspetto della vita, essere sposati e avere accanto una persona che condivide completamente i sentimenti suscitati da ciò che accade[19].

Per Gertrude l'esistenza a Red Barns era perfetta, e anche lei arrivò a rendersi conto che l'arrivo di Florence aveva soltanto migliorato la vita familiare. I bambini stavano all'aperto per tutta l'estate e avevano i loro giardini, così Gertrude scoprì di amare i fiori e di avere un talento innato per le piante. Scrisse in un diario di quel periodo, in un corsivo accurato: «Adesso abbiamo crochi gialli, primule e bucaneve»[20].

Per l'ortografia, la musica, tanto amata da Florence, e la cucina Gertrude non aveva alcun interesse, dunque non eccelleva, nonostante gli sforzi della matrigna. Invece era sempre immersa nei libri. Leggeva qualunque testo disponibile. Fra i suoi preferiti erano *The Days of Bruce*, di Grace Aguilar, e *History of the English People*, di John Richard Green, da lei consultato ogni giorno prima di colazione. «Sto leggendo un libro molto bello intitolato *La torre di Londra* [...] tutto pieno di omicidi e di torture».

Quando Florence fu misteriosamente "indisposta" o, in altre parole, incinta, Gertrude e Maurice furono inviati a stare presso gruppi di cugini, sia in una più mite località balneare sulla costa meridionale, sia in Scozia, dove fecero scampagnate e merende, impararono ad arrampicarsi e a pescare.

Mia cara madre,
ci stiamo divertendo molto qui. Ieri abbiamo catturato un'anguilla viva. Tutte le mattine, in costume, andiamo sugli scogli e giochiamo a saltare dove l'acqua è più profonda. Lo chiamiamo buttarsi di testa. È così divertente. Trasmetti il mio affetto a papà. La tua affezionata figlia,

Gertrude

Il suo compagno preferito era Horace Marshall, suo primo cugino, figlio di Mrs Thomas Marshall, sorella di sua madre, Mary Shield. Poi c'erano i fratelli Lascelles con la loro sorella, Florence, che portava lo stesso nome della sua matrigna e fu sempre una delle sue amiche predilette, benché più giovane di alcuni anni. Con la paghetta Gertrude acquistava uova d'uccello per la sua collezione, rivaleggiando con Horace («5 taccole, 2 scriccioli dalla cresta dorata, 1 verdone, 1 montanello» come scrisse nel suo diario) e per comprare tutti gli animali da compagnia o gli uccelli permessi da Florence. Il suo corvo, Jumbo, viveva nel capanno del giardino, in modo da essere sempre protetto dal gatto chiamato "lo Scià". Quando morirono, Gertrude mitigò il dolore organizzando funerali sontuosi, con bare di cartone, croci, fiori e un corteo funebre composto di familiari e domestici.

Oltre il giardino di Red Barns e la ferrovia si stendeva un vasto parco privato recintato (ora diventato giardino pubblico), dove i bambini potevano montare i pony e giocare da soli, quasi in vista della casa. Sui sentieri fra gli alberi intorno al laghetto potevano cavalcare e camminare sui trampoli fino a quando il gong li chiamava a pranzo o al tè (loro ultimo pasto prima di coricarsi). Talvolta, la domenica, Hugh portava i due figli più grandi a cavalcare nella campagna intorno a Redcar, oppure sulla spiaggia, con una merenda preparata da Florence. Sopra una tovaglia a scacchi, Gertrude serviva i panini a Hugh e a Maurice.

Per i giorni di pioggia Gertrude e Maurice avevano inventato un gioco simile a nascondino, chiamato "cameriere". Molti anni più tardi, nel deserto, quel gioco assunse un significato molto diverso per lei, che non lo aveva mai dimenticato. Si cominciava in cantina, dove i due fanciulli potevano stare in piedi, mentre gli adulti erano costretti a chinare la testa. Il gioco consisteva nel correre in silenzio per i numerosi corridoi e salire le strette scale a chiocciola che conducevano alle camere da letto delle cameriere senza essere visti dalla servitù. Chi era scoperto strillava e poi tornava indietro per ricominciare. Si poteva iniziare anche dal serbatoio dell'acqua in soffitta, raggiungibile mediante una corta scala a pioli assicurata al muro, per poi scendere in lavanderia e nella stanza della governante, situata nel tranquillo seminterrato. Le credenze color crema erano addossate alla carta da parati di William Morris, stampata a merli che cantavano, appollaiati su graticci inghirlandati di foglie e di frutta stagliati sullo sfondo del cielo azzurro. Ne restano tracce ancora oggi.

Gertrude era fortunata ad avere una matrigna dolce come Florence, la quale, se fosse stata più severa, avrebbe potuto minare la sua fiducia in se stessa, o più probabilmente trasformarla in quella ribelle che invece, in qualche modo, non diventò mai. Molly, figlia minore di Florence, divenuta Lady Trevelyan, scrisse della madre: «Non ricordo che sia mai stata sgarbata con noi, o che ci abbia sgridati urlando per qualche malefatta. Era gentile e paziente, colma di tenerezza con tutti i bambini, generosa e comprensiva molto più di qualunque altra persona io abbia mai conosciuto. [...] Si poteva sempre infallibilmente contare sulla sua presenza protettiva»[21].

Florence era anche molto giocosa. In giardino, i fanciulli avevano trasformato la rimessa in una casa di giochi chiamata "Wigwam". Con un timbro apposito ne stampavano il nome su inviti molto formali a tè o a cena, che poi inviavano ai genitori, al giardiniere o all'istitutrice. In risposta a uno di questi inviti, Florence uscì di casa abbigliata con il suo abito da sera più elegante e con i capelli adorni di diamanti. I fanciulli l'aspettavano con un carretto trainato da una capra per condurla al Wigwam. Durante il viaggio rovesciarono il carretto sulla ghiaia, e Florence, sebbene tutta sporca e graffiata, partecipò eroicamente al ricevimento pomeridiano, dimostrandosi allegra e per giunta offrendo un ottimo esempio di compostezza.

Un altro invito per «Mr e Mrs Hugh Bell a un tè, sabato 13 agosto 1892, alle cinque del pomeriggio», conteneva la richiesta «RSVP», "si prega di rispondere". Bersaglio di molte burle dei fanciulli a causa del proprio accento francese, Florence rispose analogamente: «A Monsieur e Mesdames de Viguevamme, Red Barns, Coatham e Redcar, la Marchesa di Crepapelle avrà il grande piacere di cenare questa sera con Mr Damerino, Miss Archettodiviolino e Miss Pizzicato alle 7:30». Probabilmente per non rischiare di sacrificare un altro vestito da sera, aggiunse: «Si rammarica delle proprie cagionevoli condizioni di salute, le quali purtroppo non le consentono d'indossare per l'occasione il suo abito di corte e le piume, e neppure d'incipriarsi la chioma».

Sebbene divertente e tollerante, Florence era anche rigorosa per quanto riguardava il comportamento. Scrisse numerosi saggi quali *The Minor Moralist* ("Il moralista minore") o *Si Jeunesse Voulait...* ("Se gioventù volesse..."). Le sue regole relative alle buone maniere non erano negoziabili, sia che si trattasse di redarguire un vetturale in attesa smontato di cassetta per ripararsi dalla pioggia, sia che si trattasse di rimproverare un bambino che non aveva salutato correttamente gli ospiti. Forse riferiva una conversazione con Gertrude già cresciuta quando scrisse: «Per quanto siano preziose le facoltà intellettuali di cui si è dotati, è ovvio che se il modo per attirare su di esse l'attenzione altrui è quello di schiaffeggiare in pieno viso, allora è assai probabile che non si riesca a suscitare gentile interessamento nei confronti delle proprie future imprese»[22].

A questo proposito l'impaziente Gertrude aveva qualche difficoltà. A suo avviso si conversava per scoprire qualcosa, oppure per dire qualcosa a qualcuno. Avrebbe potuto ribattere di non sentirsi granché interessata al giudizio altrui nei confronti delle proprie imprese. Eppure Florence talvolta era in sintonia perfetta con Gertrude, per esempio nel deplorare «la tendenza manifestata da molte persone altrimenti ragionevoli a credere che la loro razza sia d'interesse affatto peculiare, che le caratteristiche familiari dei loro lineamenti siano le più degne di nota, che le scuole da loro frequentate siano le uniche possibili, che il quartiere di Londra in cui vivono sia il più gradevole, e che la loro dimora sia la migliore». Era «un pericolo insidioso contro cui lottare». Per metà inglese e per metà irlandese, Florence era sensibile alle battute sprezzanti come quelle che si leggevano comunemente nelle vignette del *Punch* a proposito dei francesi, delle loro abitudini, della loro igiene, della loro cucina e della loro moralità, benché in tutto ciò fossero spesso superiori agli inglesi, come lei stessa sapeva per esperienza. La disponibilità e la comprensione nei confronti dei modi di vita e dei criteri di valutazione altrui furono la migliore iniziazione ai viaggi ricevuta durante la fanciullezza da Gertrude, la quale, diventata adulta, le avrebbe condotte alla loro logica conclusione, superando di gran lunga ogni possibile intenzione di Florence.

Per quanto fosse stata "corretta" la sua educazione, Florence aveva vissuto, prima del matrimonio con Hugh Bell, in una società cosmopolita che l'aveva inserita nell'ambiente intellettuale e artistico, come probabilmente non le sarebbe mai accaduto se fosse cresciuta in Inghilterra. Soltanto dopo l'ascesa al trono di Edoardo VII le attrici, gli artisti

35

e i mercanti arricchiti sarebbero stati accolti negli ambienti aristocratici, che in precedenza avevano potuto frequentare soltanto beneficiando delle particolari libertà accordate dal mecenatismo. Nel corso della sua vita Florence ebbe grandi amici fra gli attori, in particolare Coquelin, una stella del teatro francese, Sybil Thorndike, e l'attrice americana Elizabeth Robins, che portò i drammi di Ibsen sui palcoscenici inglesi. Florence conobbe la Robins poco dopo essere arrivata a Londra e le due diventarono amiche intime, sebbene l'attrice partecipasse attivamente a un movimento che lei non avrebbe mai potuto approvare, cioè quello delle suffragette. Nel 1893 la Robins fu protagonista del dramma più famoso di Florence, cioè *Alan's Wife*, sulla vita delle classi lavoratrici, rappresentato nel West End. L'attrice diventò una delle ospiti abituali della famiglia Bell, contribuendo grandemente alla tessitura del retroterra intellettuale in cui Gertrude fu allevata e istruita. Era chiamata amichevolmente Liza e divertiva i fanciulli conducendoli nella propria camera da letto e gettandosi bocconi sul tappeto in una perfetta dimostrazione di caduta teatrale. Diventata adulta, Gertrude restava sveglia fino a tardi con Liza, dopo che Florence si era coricata, a discutere i pro e i contro del suffragio femminile. Florence era tanto appassionatamente contraria, e tanto impegnata a sostenerlo con i propri scritti, che discuterne con Liza le era impossibile. Per tutta la vita Gertrude e Liza mantennero la loro corrispondenza, e spesso la perenne viaggiatrice confessò, nelle lettere scritte dalle tende nel deserto, quanto le mancassero le loro «chiacchierate accanto al fuoco».

Florence riferì a Gertrude e a Maurice di avere conosciuto Charles Dickens, la cui figlia, Kitty Perugine, era stata una delle sue prime amiche. Come Thackeray, suo contemporaneo, Dickens era stato amico intimo di Sir Joseph e Lady Olliffe, i genitori di Florence, e spesso aveva fatto loro visita a Parigi. Florence rammentava che una volta, prima di una lettura pubblica all'ambasciata britannica per sostenere un'iniziativa filantropica di suo padre, Dickens era entrato in sala e aveva chiesto: «Dove siederà Miss Florence?» Con decisione, Lady Olliffe aveva risposto: «Florence non sarà presente. È troppo giovane». Allegramente, Dickens aveva replicato: «Benissimo! In tal caso non sarò presente neppure io!» Alla fine Florence si era seduta in prima fila e aveva pianto a dirotto per la malinconica morte di Paul Dombey. In seguito Dickens aveva scritto in una lettera: «Alla lettura Florence si è tremendamente commossa».

Florence aveva concezioni pedagogiche avanzate per l'epoca, molto influenzate dalla sua ammirazione per le nuove teorie riformiste europee. Nel 1911, quando i suoi figli erano adulti ormai da molto tempo, si recò a Roma per studiare l'opera di Maria Montessori. Se ci si poteva permettere un'istitutrice, per lei era preferibile che le fanciulle studiassero in casa, cioè l'istruzione che lei stessa aveva scelto per le sue figlie, Elsa e Molly. Quest'ultima scrisse:

Secondo mia madre, la formazione necessaria alle sue due figlie era quella che poteva prepararle a essere buone mogli e buone madri, nonché a partecipare alla vita sociale della nostra classe di appartenenza. Era indispensabile parlare alla perfezione il francese e il tedesco, conoscere bene, seppure non approfonditamente, l'italiano, saper suonare il pianoforte e saper cantare un po', danzare bene e saper intrattenere una conversazione superficiale. Gli aspetti più seri dell'istruzione non erano inclusi nei progetti che mia madre aveva per noi. Scienza, matematica, economia politica, greco e latino... Nulla di tutto ciò era considerato necessario[23].

Nessuna delle ragazze conosciute dalle sorelle Bell imparò una qualsiasi professione, e nessuna della loro «classe di appartenenza» frequentò una scuola. Comunque questo metodo risultò abbastanza efficace per Elsa e per Molly, come appare evidente dal gradimento di cui godeva la loro compagnia, giudicata deliziosa. Meno formidabili di Gertrude, ma contraddistinte come lei dal portamento eretto e dal buon gusto per l'abbigliamento, divennero una coppia attraente e piacevolissima, molto richiesta. Virginia Stephen, poi Virginia Woolf, accenna a loro in una lettera sul suo primo ballo di maggio a Cambridge: «Fu il ballo al Trinity [...]. C'erano Boo, e Alice Pollock, e le figlie di Hugh Bell (se le conosci, MAP le chiama "le più brillanti conversatrici di Londra", e Thoby [fratello della Woolf] era molto attratto da loro, e loro da lui)»[24].

Florence accettò la teoria medica, comune all'epoca, secondo cui troppa attività mentale sottoponeva le ragazze a una tensione eccessiva, tanto che l'istruzione era considerata un grave rischio per la salute, soprattutto nel caso delle adolescenti. Ancora nel 1895, quando Gertrude aveva ventisette anni, il dottor James Burnett, autore di *Delicate, Backward, Puny and Stunted Children* ("Bambini cagionevoli, sottosviluppati, mingherlini e rachitici"), informava il mondo che durante la pubertà una fanciulla sarebbe sempre stata inferiore ai fratelli nei successi accademici a causa del suo «disordine della vita pelvica», e assicurava i lettori di non avere «mai osservato nessuna eccezione a tale constatazione». Nel suo libro *Principles of Education, Drawn from Nature and Revelation* ("Princìpi educativi tratti dalla Natura e dalla Rivelazione"), Elizabeth Missing Sewell sosteneva che le ragazze avrebbero dovuto essere sempre protette dallo studio, perché «se si consentisse loro di correre rischi, la qual cosa sarebbe indifferente per i maschi, svilupperebbero probabilmente qualche malattia che, seppure non fatale, le danneggerebbe comunque per tutta la vita». Florence si assicurò che le piccole Bell fossero tanto attive quanto i fratelli, tuttavia cominciò a rendersi conto che quando si trattava di istruzione, la sua formula non valeva per tutte le ragazze. Come dichiarò lei stessa: «Per mille di noi capaci di percorrere una strada pianeggiante e giungere in fondo con successo, ce n'è soltanto una capace di attraversare a nuoto un fiume o di scalare un dirupo, o di superare ogni ostacolo». E aggiunse che Gertrude era una di queste eccezioni.

Quando Maurice entrò in collegio, la quindicenne Gertrude ne sentì la mancanza più di quanto si fosse aspettata. Le sue sorellastre e il suo fratellastro erano molto più giovani, e la vita cominciava a sembrarle alquanto vuota. Ormai da tempo non aveva più nulla da imparare dalla povera Miss Klug, costantemente offesa dalla dura opposizione, dal disprezzo o dall'indifferenza della sua riottosa allieva. Per tutta la vita Gertrude faticò ad adattarsi alle abitudini sedentarie e a rimanere al chiuso. Ormai la si trovava a tutte le ore del giorno distesa sul tappeto a sfogliare con impazienza un libro, oppure a torturare un lavoro a maglia che non avrebbe mai concluso. Si aggirava per casa come in cerca di preda, con la fronte corrugata, esprimendo le concezioni acquisite di recente, argomentandole con chiunque fosse disposto a discuterne con lei, e intralciando il lavoro delle domestiche. Invitata ad andare a divertirsi in giardino, inventò un gioco chiamato "racchette", simile allo squash, a cui poteva giocare da sola, scagliando la palla il più violentemente possibile contro la porta della rimessa. Con molta probabilità i fragori incessanti e le grida di furore che accompagnavano i colpi mancati irritavano enormemente Florence, che forse stava cercando di concentrarsi su qualche storia per bambini o su un trattato di pedagogia. Nonostante le rimostranze del padre, Gertrude s'intestardiva a gettare il proprio cane nel lago ogni giorno perché «lo detestava moltissimo».

Con tre figli piccoli da accudire, Florence non sapeva come occuparsi di un'adolescente, e non fu l'unica componente della famiglia a scoprire che Gertrude aveva un carattere difficile. Molly Trevelyan scrisse: «Gertrude è piuttosto scorbutica e presto litigherò di nuovo con lei. Contesta tutto quello che nostra madre dice e fa di tutto per essere scortese e sprezzante»[25]. Non fu difficile per Florence giungere alla decisione che Gertrude era un caso speciale e che le qualità di una quindicenne così sicura di sé, così capace, così assetata di conoscenza, avrebbero dovuto essere sfruttate.

Con la figliastra, Florence aveva esordito nel modo migliore, esercitando su di lei un influsso permanente, anche se non sempre Gertrude procedette nella direzione desiderata dalla matrigna. Comunque, nelle cose importanti, ovunque si avventurò, Gertrude seguì sempre l'esempio della matrigna. Rispettò le convenzioni e gli obblighi della sua classe sociale, fu sempre devota alla famiglia, e per quanto fosse lontana da casa, non si allontanò mai da essa, né mai la trascurò.

Un bel giorno Gertrude, senza fiato per l'entusiasmo, apprese che avevano deciso di mandarla a studiare a Londra.

2.
Istruzione

Mia cara, carissima madre, odio tanto essere qui. [...] Se soltanto tu fossi in città. Non potrei sentirmi più desolata di come mi sento ora. Sento la tua mancanza ogni giorno di più. [...] Per favore, potresti mandarmi l'*Elegia* di Gray e anche due portaspazzole di stoffa da appendere e una sacca da notte, e infine un libro in tedesco di Carl Oltrogge, intitolato *Deutches Lesebuch*?[1]

Così Gertrude fece i bagagli e insieme a Florence si recò a Londra con un biglietto di terza classe, perché aveva riflettuto che non le avrebbe giovato affatto se fosse apparsa più ricca delle altre allieve. Durante il primo anno di studi avrebbe abitato con Lady Olliffe, la madre di Florence, al numero 95 di Sloane Street, in una casa imponente, ma ancora sporca e tetra, ravvivata soltanto dalle visite del biasimevole Tommy, fratello di Florence, il quale, nel giocare a biliardo con la giovane nipote acquisita, s'ingessava sempre il naso oltre che la stecca. Era dispettoso, abilissimo nel fare infuriare le ragazzine e nel flirtare con le giovani donne, nei confronti delle quali le sue intenzioni, come lui stesso aveva assicurato una volta a un padre dal viso cupo, erano «assolutamente disonorevoli». Una volta sua sorella Bessie, la quale, «sorda e stupida», viveva con la madre[2], lo aveva visto dalla finestra mentre flirtava con una giovane gentildonna seduta su una panchina, in giardino. Allora aveva aperto la finestra, gli aveva tirato una palla da tennis, e sfiorando colei che era l'oggetto delle sue attenzioni lo aveva centrato alla tempia.

Nello scegliere la scuola Gertrude era stata facilitata dal fatto che di recente Camilla Croudace, una vecchia amica di

Florence, era diventata Lady Resident del Queen's College in Harley Street[3]. Ospitato in un elegante palazzo georgiano color crema di quattro piani e fondato vent'anni prima della nascita di Gertrude da Frederick Denison Maurice, riformatore nel campo dell'educazione e socialista cristiano, l'istituto femminile era la culla dell'istruzione accademica e dei titoli di studio riconosciuti per le donne, e nel 1853 aveva beneficiato del primo regio decreto legge per l'istruzione femminile. Formava giovani donne sicure di sé e capaci di svolgere ruoli preziosi nella vita intellettuale, economica e sociale del paese. Fra le sue alunne vi sarebbe stata in seguito la scrittrice Katherine Mansfield, ma nel 1884, quando Gertrude vi fu ammessa, molte studentesse erano destinate a diventare a loro volta istitutrici.

Anche se frequentare la scuola fu la miglior cosa che potesse capitarle, Gertrude non tardò, nonostante l'entusiasmo, a essere sopraffatta dalla nostalgia di casa, di cui all'inizio soffrì molto perché in precedenza aveva lasciato la cittadina in cui era nata quasi esclusivamente per trascorrere le vacanze in compagnia delle sorelle, dei fratelli e dei cugini. Di sicuro la lontananza accrebbe il suo affetto per la matrigna. Osservò con estrema attenzione le compagne di classe e non tardò a scrivere a Florence per chiederle di inviarle «alcuni corsetti» simili a quelli con stecche di balena che, come aveva scoperto, le sue compagne indossavano sotto gli indumenti dalle cinture strettamente allacciate.

Le allieve erano accompagnate ad assistere ai concerti e a visitare mostre d'arte, chiese e cattedrali. In breve tempo Gertrude sviluppò opinioni personali su tutto e le manifestò con vigore, anche nelle lettere alla famiglia: «Rubens *non mi piace*, non mi piace affatto. [...] In corridoio la carta da parati è del verde più spaventoso che si sia mai visto. [...] Quanto mi ripugna la cattedrale di St Paul, quanto la detesto! [...] Non c'è un singolo dettaglio che non sia orrendo, per non dire disgustoso»[4].

Le giovani gentildonne erano scortate e scrupolosamente

sorvegliate ovunque si recassero, e Gertrude, molto desiderosa di visitare la città con maggiore libertà, non sopportava che le fosse proibito di esplorarla autonomamente. A questo proposito, scrisse ai genitori: «Vorrei tanto andare alla National, ma purtroppo non c'è nessuno che mi ci accompagni. Se fossi un maschio potrei andarci ogni settimana!»[5]

Al Queen's College non meno che a Red Barns il più severo rispetto delle convenzioni dell'epoca non era negoziabile. Mrs Croudace spiegò a Gertrude che doveva accettare le regole quale condizione della libertà e dell'indipendenza di cui ora beneficiava. Nel rispondere alle lagnanze della figliastra, Florence si limitò a dichiarare di non volere che utilizzasse abbreviazioni come "National" per la National Gallery. Irritata, Gertrude rispose rabbiosamente:

L'ho letta tutta [la tua lettera] con fatica, considerandola una grande impresa di autodisciplina, poi mi sono vendicata bruciandola subito. [...] La prossima lettera che ti scriverò, quando non sarò troppo arrabbiata per prendermi la briga di trovare le parole, abbonderà di aggettivi quanto la prosa di Carlyle. [...] Vorresti che dicessi, nel parlare della sovrana, la Regina d'Inghilterra, Scozia e Irlanda, Imperatrice d'India e Paladina della Fede? La mia vita non è abbastanza lunga per pronunciare sempre tutti i titoli completi[6].

È possibile che nel leggere questa lettera alquanto polemica Florence abbia sospirato, mentre Hugh avrebbe faticato nel reprimere un sorriso di fronte alla vivacità e al vigore dell'argomentazione della figlia.

Questi sfoghi erano presto seguiti da contriti messaggi ai genitori con cui Gertrude annunciava nuove decisioni ed esprimeva la speranza che in futuro Florence l'avrebbe giudicata una figlia migliore e più ubbidiente.

Probabilmente Gertrude non aveva mai pensato prima di allora di chiedersi se gli altri la trovassero gradevole. Adesso fu costretta a riconoscere di non essere molto apprezzata a scuola, e per reazione iniziò a manifestare quello che forse era un sentimento reciproco, l'inizio di un'altezzosità e di un'avversione nei confronti della compagnia delle donne "ordinarie" che l'avrebbe caratterizzata per tutta la vita. Con tutto il tatto possibile, Florence le consigliò di non assecondare la sua tendenza alla superbia, provocando ancora una volta una reazione aggressiva. Gertrude dichiarò che le sue compagne di scuola non suscitavano in lei «nessun interesse», e poi, trovando un altro modo per esprimere il suo ansioso imbarazzo, aggiunse: «È un processo molto sgradevole scoprire di non essere migliori della gente comune. [...] Me ne sono resa conto compiendo un duro percorso da quando sono arrivata al College e non mi piace affatto»[7].

Il secondo anno diventò convittrice e andò più d'accordo con le compagne. Le fu chiesto di rimanere per il fine settimana da Anne, Mrs Richmond Ritchie, figlia di Thackeray, amica di gioventù di Florence, e da Mrs J.R. Green, vedova dello storico di cui lei stessa aveva divorato le opere prima di colazione. Tuttavia gli approcci delle sue nuove amiche di scuola furono severamente censurati da Redcar. Infatti Gertrude apprese di non poter accettare nessun invito che non fosse stato giudicato adeguato, e di conseguenza approvato, da Florence e da Hugh dopo una verifica di Mrs Croudace. Così Gertrude fu costretta a respingere tre inviti già accettati, la qual cosa non contribuì a renderla più benvoluta. Nonostante ciò che si è presunto, è improbabile che le famiglie esaminate fossero state giudicate «non abbastanza buone» per i Bell, cioè non abbastanza prestigiose, perché Florence proibiva alla figliastra di frequentare le case in cui si consumavano alcolici, in cui le feste erano pretesti per le attività extraconiugali e in cui le ragazze non erano rigorosamente sorvegliate, ossia, in altre parole, le case dell'aristocrazia, spesso dissoluta, e le cerchie che avrebbero potuto includere persino il principe di Galles.

Nello studio Gertrude eccelleva. Era apprezzata come studentessa eccezionale, che si offriva volontaria per passare a un corso superiore quando le materie erano troppo facili. Durante il primo anno, in una classe di una quarantina di ragazze, fu la prima in storia inglese, la sua materia preferita, con una valutazione di ottantotto su ottantotto. Fu seconda in grammatica inglese, terza in geografia e quarta in francese e storia antica. Non andava affatto bene negli studi biblici. Quando le fu chiesto come mai, visto che otteneva ottime valutazioni in tutte le altre materie, la sua risposta fu categorica: «Non credo a una sola parola!»[8] Hugh e Florence frequentavano la chiesa soltanto occasionalmente e nessuno avrebbe mai potuto convincere Gertrude dell'esistenza di un dio. Infatti, cominciò a definirsi atea.

In modo analogo reagiva alle critiche mosse ai suoi studi storici. Quando Mr de Soyres argomentò che un saggio su Cromwell da lei composto non meritava il giudizio consueto di "eccellente" perché si fondava su elementi presunti, non comprovati, e ignorava gli argomenti contrari alla tesi sostenuta, scrisse indignata al padre per giustificarsi: «Il difetto del mio saggio è che ho cercato di dimostrare che Cromwell *aveva ragione*, mentre avrei dovuto soltanto dimostrare che *non aveva torto*»[9].

Sentiva di avere molto da fare, e implorò Florence di permetterle di interrompere il ricamo e le lezioni di pianoforte, due attività che considerava facoltative, se non superflue. Dichiarò che imparare a suonare era un «puro spreco di tempo» e aggiunse astutamente: «Immaginate quanti altri libri potrei leggere in quelle ore»[10]. La matrigna, persuasa che nulla si potesse ottenere senza perseveranza, non cedette a quella allettante prospettiva e le scrisse che avrebbe dovuto continuare. Dopo qualche settimana Gertrude si appellò al padre, il quale, come sempre, intervenne a suo favore. Così le fu infine permesso di rinunciare al pianoforte, se non all'ago da ricamo.

Nel frattempo si innamorò sempre più della poesia, un piacere che avrebbe coltivato per tutta la vita. A quattordici anni aveva rimproverato il cugino Horace per non avere letto l'ultima opera di Robert Browning. Ora scrisse alla famiglia: «Ho letto Milton per quasi tutto il giorno. Ho sempre sentito la mancanza di un modo adeguato per esprimere la mia delizia per Licida o Como. È molto difficile tenere per me stessa la consapevolezza di tanta squisita bellezza senza discuterne con nessuno»[11].

Dalla sua corrispondenza con la famiglia traspare la differenza fra il rapporto che aveva con il padre e quello con la matrigna. Dipendeva ancora dal giudizio del padre per gli argomenti di più vasta portata, come la politica. Per esempio, gli scrisse appositamente per domandare la sua opinione a proposito della *home rule* irlandese, nonché del destino di Gladstone e del Partito liberale. Scriveva a Florence in tono diverso per le proprie necessità, come la volta in cui chiese un abito nuovo per potersi presentare con il suo aspetto migliore quando si fosse recata a Eton da Maurice e dal cugino, Herbert Marshall. Ormai era diventata una giovane donna molto attraente. I suoi occhi verdi avevano uno sguardo alquanto battagliero e il naso era un poco aguzzo, ma aveva una figura snella e vigorosa, un bel portamento e una gran massa scompigliata di capelli castano-ramati.

I suoi insegnanti di storia, Mr de Soyres, Mr Rankine e Mr Cramb, la giudicavano un'allieva brillante. Avevano deciso che si era guadagnata il diritto a proseguire la propria istruzione, così Gertrude scrisse al padre per chiedergli di poter andare a Oxford. Fu tutt'altro che facile convincere lui e Florence. Forse quest'ultima avrebbe ceduto più facilmente se non si fosse trattato di un'università che non aveva mai considerato per l'istruzione di una figlia. Alla fine, comunque, dopo un viaggio a Londra per discuterne con Mrs Croudace, la richiesta fu accolta e nel 1886 Gertrude fu ammessa al Lady Margaret Hall, uno dei due collegi femminili di Oxford.

Dopo un incontro con la minacciosa Lady Stanley, che era stata fra i fondatori del Girton College a Cambridge, Gertrude scrisse a Florence: «Mi sono sentita piuttosto in colpa nello stringerle la mano, quasi come se avessi scritto in fronte "Non andrò al Girton". Eppure lei non ha detto nulla!»[12]

Nel 1885 apprese che suo nonno, Lowthian, era stato nominato baronetto e gli scrisse per congratularsi con lui. Tuttavia confessò a Hugh: «Penso di poterti dire che sono davvero molto dispiaciuta. È un vero peccato. Anche se sono persuasa che lo meriti, avrei preferito che avesse rifiutato il titolo quando gli è stato offerto»[13]. Non sapeva che Hugh non ne era ancora stato informato. «Immaginate il mio sbalordimento nell'aprire il *Times* e leggere l'annuncio» egli scrisse in seguito alla propria madre. «Pater sarebbe stato nominato baronetto! Perché nessuno di voi mi ha avvisato?» Era evidentemente dispiaciuto per quella trascuratezza, anche se aggiunse: «Sono lieto che i meriti del caro, sagace Pater siano riconosciuti». Soffriva per non essere stato consultato. Dopotutto sarebbe stato lui a ereditare il titolo. A quanto pare, Gertrude e Hugh concordavano nel ritenere che i titoli dovessero essere attribuiti per merito anziché per nascita. Forse avevano ereditato dalla tradizione quacchera dei Pattinson un'attitudine all'eguaglianza e alla vita semplice. In tal caso è probabile che questa sia stata la ragione per cui Hugh scelse di scrivere alla madre.

L'anziana gentildonna era ormai malata, allorché divenne Lady Bell, e sopravvisse soltanto un anno. Poco tempo dopo la sua morte, la famiglia fu afflitta da un altro lutto: zio Tommy, lo scapestrato fratello di Florence, perse la vita, investito da una vettura di piazza a Londra.

Ritornata a Redcar, Gertrude fu coinvolta nelle opere filantropiche di Florence, come sempre quando si tratteneva a casa troppo a lungo. Poco dopo il matrimonio, la sua matrigna aveva avviato un progetto titanico dedicato a Charles Booth, il quale, pochi anni più tardi, avrebbe iniziato a pubblicare il suo voluminoso studio sulla povertà, *Life and Labour of the People in London*. Nel corso di quasi un trentennio lei e il suo comitato intervistarono le famiglie di mille operai delle acciaierie a Clarence, esaminandone l'esistenza al microscopio. Gertrude partecipò saltuariamente alle attività del comitato parlando con le mogli degli operai e svolgendo funzioni di tesoriera per alcuni progetti nel 1889. In seguito, durante le assenze di Florence, organizzò ricevimenti per il tè e festeggiamenti natalizi per gli operai, e tenne conferenze proiettando con la lanterna magica le immagini delle sue stesse avventure.

Il libro pubblicato da Florence nel 1907, *At the Works*, era concreto, esauriente e documentato, fornendo vasto materiale di ricerca a coloro la cui missione era promuovere cambiamenti sociali. È facile giudicare incompleta l'opera di Florence, dato che descrive le sofferenze patite dalle più povere famiglie operaie, soprattutto nei periodi più difficili, senza approfondire le contraddizioni della società vittoriana e senza suggerire soluzioni. Definire ambigua la posizione di Florence in quanto moglie del padrone di ferriere significa trascurare il carattere straordinario di suo marito e delle industrie Bell. Pur essendo capitalista e capitano d'industria, Hugh non vedeva conflitti fra padroni e operai, anzi, li riteneva dipendenti gli uni dagli altri. I suoi lavoratori erano ben pagati e potevano beneficiare di agi e di piaceri negati a molti poveri delle zone industriali, nonché a coloro ché faticavano nelle più arretrate proprietà agricole. Proseguendo la missione del padre, Hugh promuoveva l'istruzione, la cui mancanza era causa di numerose avversità per le famiglie povere. Non era progressista soltanto nel modo di pensare, lo era anche nell'impegno attivo in politica. Partecipò al dibattito sul dovere da parte dello stato di tutelare gli individui. Credeva nella funzione dei nuovi sindacati e riteneva che i datori di lavoro dovessero incoraggiarli a condividere la preoccupazione per il benessere dei lavoratori. Il socialismo era già molto diffuso, anche se non nella forma marxista più estrema, e Hugh contribuiva alla spinta per la creazione dello stato sociale, realizzato nel corso della sua esistenza da Lloyd George e da Churchill mediante le leggi sulla tutela dei malati e dei disoccupati, nonché sulle pensioni. Tutto ciò era sufficiente perché Florence descrivesse le sofferenze degli operai e ne mostrasse l'origine. Senza dubbio poté intervistare i lavoratori stessi e le loro mogli, e visitarne le case, perché Hugh rispettava la sua intelligenza e la sua determinazione.

Per comprendere l'importanza dell'opera di Florence occorre ricordare che a quell'epoca il ceto medio conformista aveva una visione disinformata e moralistica della classe operaia. Le mogli dei commercianti e le lady alle cene londinesi sarebbero state applaudite se avessero dichiarato, per esempio: «Non posso provare alcuna simpatia per le donne della classe operaia perché non curano adeguatamente i figli e non tengono pulite le loro case. I bambini muoiono per colpa delle madri». Ebbene, Florence descrisse le condizioni materiali di vita degli operai e delle loro famiglie tanto veridicamente che nessun lettore di *At the Works* avrebbe più potuto ripetere simili affermazioni. Si era assunta un compito che poteva svolgere pur essendo moglie di un padrone di ferriere, il cui patrimonio derivava dallo sfruttamento dei lavoratori. Con l'analisi dei fatti descritti riuscì a produrre un'impressionante indagine che lasciava le conclusioni ai sociologi e ai riformatori sociali, e gli aspetti emotivi all'amico di famiglia Charles Dickens, dotato di un talento prodigioso che gli consentiva di assegnare viso e anima indimenticabili ai più miserabili.

A proposito di costoro, i lettori di *At the Works* appresero «quanto spaventosamente prossimi all'orlo della rovina [...] vivono coloro che in condizioni normali hanno esclusivamente il minimo indispensabile per sopravvivere». I salari settimanali, compresi fra i diciotto e gli ottanta scellini, dovevano essere proporzionalmente ripartiti per assolvere alle necessità essenziali, ossia affitto, carbone e legna, indumenti e trasporti, in una zona «dove per molti operai il luogo di lavoro si trova oltre il fiume, il cui attraversamento a bordo di un traghetto a vapore costa mezzo penny». Una famiglia povera di tre persone si nutriva per sette giorni con la quantità di cibo che una famiglia benestante consumava in due giorni. Spesso le donne della classe operaia erano disprezzate dai ricchi a causa delle gonne sporche che trascinavano nel fango. Ebbene, Florence rivelò la verità, cioè che preferivano nascondere le condizioni deplorevoli delle loro misere calzature. Le adolescenti si sposavano piene di speranza e di entusiasmo, finché una serie di gravidanze e di parti non guastava la loro salute, lasciandole troppo depresse e deboli per affrontare le fatiche fisiche dei lavori domestici, del rammendo, della cucina. «Non è affatto sorprendente che trascurino di rammendare gli indumenti e di ramazzare i pavimenti». Inoltre Florence descrisse il naufragio del matrimonio quando lo stanco lavoratore iniziava a cercare «conforto e gioia fuori casa», spinto dalla moglie a imboccare un percorso di vita sbagliato «non per cattiva intenzione, ma semplicemente per incapacità di affrontare l'esistenza, benché lottasse con tutte le forze, e soprattutto per il declino delle condizioni di salute». L'ovvio paragone era con la donna della media borghesia, che poteva delegare i lavori domestici alla servitù. «Lo comprenderemo meglio se lo ammetteremo senza cercare di ingannare noi stessi e riconoscendo apertamente che [...] purtroppo esistono due codici di comportamento, uno riservato ai ricchi e uno imposto ai poveri».

Come guide sociali e come benefattori, i Bell costruirono aule pubbliche, biblioteche, scuole e uffici. Florence riconobbe che a Middlesbrough era necessario un luogo di ricreazione in cui gli operai spossati potessero recarsi la sera per sfuggire ai pianti dei bambini, e volle fornire un'alternativa al pub, dove gli uomini erano indotti a spendere troppa parte del loro salario e dove spesso scoppiavano risse. Nel 1907 inaugurò il Winter Garden, un locale spazioso, moderno e ben riscaldato, «luminoso e allegro [...] aperto a tutti coloro che scegliessero di pagare un penny». Con un altro penny si potevano avere una tazza di tè e un biscotto, ma non erano serviti alcolici. All'inaugurazione Hugh pronunciò uno dei suoi consueti discorsi accattivanti, dichiarando che non avrebbe preferito nessun'altra condizione a quella di «collaboratore, capitano d'industria di un esercito come quello che comando», e si augurava che il Winter Garden migliorasse la vita di quell'esercito. Le donne erano le benvenute, nonostante Florence fosse consapevole che molte madri erano costrette a rimanere a casa, la sera, per accudire i figli. In ogni modo, come commentò gioiosamente quel primo giorno, arrivarono «moltissime donne!»

Oltre alle spese per la bonifica del terreno e per la costruzione del fabbricato, sostenute da Hugh, furono investite duemilasettanta sterline raccolte con una sottoscrizione. Il locale fu arredato con ceste di fiori, biliardi, file di sedie e di tavoli forniti di quotidiani e di periodici. Nei giorni feriali e nel fine settimana si esibivano bande di ottoni, cantanti e artisti di strada di ogni genere. Dopo le ore di lavoro era sempre affollato, e di solito Florence, quando vi si recava in visita, era pregata di suonare il pianoforte e di dirigere i canti. Il Winter Garden, successivamente ribattezzato Dame Florence Bell Garden, ebbe fin dall'inizio un successo che in seguito non scemò mai. In occasione di un loro anniversario di matrimonio, Hugh donò a Florence l'atto di proprietà del fabbricato[14].

La partecipazione di Gertrude a quella iniziativa fu parziale. Nell'osservare direttamente quanto impegno fosse necessario per dedicarsi a migliorare le condizioni di vita del prossimo, i costanti sforzi di solidarietà necessari, la capacità di resistenza che consentiva di operare anno dopo anno senza riconoscimenti, la giovane donna giunse a comprendere che le imprese di quel genere non le si addicevano. Erano riservate a Florence. Con il tacito riconoscimento degli enormi successi della matrigna in quel campo, Gertrude iniziò a esplorare orizzonti più vasti. Avrebbe agito a livello internazionale, anziché a livello locale, fornendo contributi di portata mondiale.

Perfezionata la propria visione attraverso le lunghe conversazioni con il padre, Gertrude aveva già solide convinzioni a proposito di molti temi di attualità, fremeva per il desiderio di discuterne e sperava di averne la possibilità ai numerosi pranzi e cene a cui ormai era invitata. Quando si confrontava con le prospettive "normali" delle persone "normali", tuttavia, s'infuriava spesso per la loro incapacità di comprendere le sue argomentazioni e le sue tesi. Da Londra scrisse alla famiglia: «Ne ho abbastanza di questi pranzi e di queste cene, in cui la gente dice sempre "io penso"»[15]. Voleva parlare con persone bene informate o disposte a informarsi correttamente. È facile immaginarla seduta a tavola fra due adulti gentili, irrequieta, impegnata a fare del suo meglio per far deragliare il goffo treno della conversazione che serpeggiava lentamente verso le conclusioni consuete. Se l'argomento fosse stato il libero scambio, la discussione si sarebbe svolta più o meno come segue.

Commensale: Abbassare i dazi doganali sulle importazioni aumenterebbe terribilmente la disoccupazione perché non possiamo competere con l'inferiore costo del lavoro all'estero».

Gertrude: Assurdo! Come lo sapete?

Commensale: Perché, mia cara e giovane amica, le nostre fabbriche chiuderebbero.

Gertrude: Forse le fabbriche chiuderebbero, ma non necessariamente ne conseguirebbe un vasto aumento della disoccupazione.

Commensale: E come giungete a tale conclusione?

Gertrude: Perché se la Gran Bretagna potesse acquistare il cotone a prezzo inferiore dall'India, la popolazione avrebbe più denaro da spendere per altre merci prodotte in Gran Bretagna.

Commensale: E cosa mi dite del povero contadino che perderebbe i mezzi di sostentamento e non potrebbe più guadagnarsi da vivere?

Gertrude: Si trasferirebbe a Middlesbrough, imparerebbe a lavorare la ghisa a Clarence e acquisterebbe capacità più qualificate che gli assicurerebbero un compenso maggiore.

Spesso Gertrude, figlia di Florence non meno che di Hugh, s'impegnava nelle discussioni sulla classe operaia. Liberale, sostenitrice di Gladstone, argomentava i propri giudizi sulle controversie politiche contemporanee con ragionamento logico e solida prospettiva storica. Quando entrò all'università era già diventata qualcosa di simile a una bomba a mano sociale.

Nel 1886, a Oxford, gli studenti usavano ancora il calessino, il dottor Jowett presiedeva ancora il Balliol e di quando in quando si poteva vedere Lewis Carroll attraversare il cortile di Christ Church. Anche se aveva due college femminili, l'università restava un bastione di misoginia. A diciotto anni Gertrude entrò in un mondo quasi esclusivamente maschile sotto la guida della prima direttrice del Lady Margaret Hall, ossia Miss Elizabeth Wordsworth, pronipote del poeta. Scoprì che persino là, dove sarebbe stato possibile attendersi il fiorire dell'emancipazione, le donne dovevano essere accompagnate ogni volta che accedevano a un college maschile, o si intrattenevano con gli uomini, o frequentavano compagnie miste. Miss Wordsworth era prudente e sosteneva che la donna, destinata a essere «compagna di Adamo», doveva coltivare i «talenti minori». Con riluttanza Gertrude si sottomise ad apprendere la calligrafia e «i modi di aprire e di chiudere le porte». Oltre a studiare, si recò ovunque in bicicletta e si avventurò in tutte le cerchie disposte ad accettarla. Nuotò, remò, giocò a hockey, recitò, danzò, prese la parola nei dibattiti, e continuò a sprecare ore preziose nel ricamo. In breve tempo imparò a confrontare la straordinaria libertà di cui aveva beneficiato in famiglia con le norme di comportamento della società. «Oggi andrò da Mary per un tè a incontrare un suo parente, preside a Wellington. Lei è molto infelice perché Miss Wordsworth ha dichiarato che sarà più opportuno riceverlo in salotto! È tutta un'altra cosa offrire il tè a qualcuno nella propria stanza»[16]. In breve tempo coprì il pavimento della sua camera, alquanto tetra, con i consueti mucchi di libri e di carte. Chiese a Florence d'incaricare il giardiniere di inviarle un vaso di bucaneve.

La presenza femminile suscitava timore e apprensione in tutta l'università, dove le donne sarebbero state ammesse a pieno titolo soltanto nel 1919, mentre Cambridge avrebbe continuato a rifiutare di fare altrettanto. All'epoca di Gertrude, molti studenti consideravano l'università come un insieme di circoli esclusivamente maschili che favorivano una grande quantità di conoscenze utili alla carriera futura nelle forze armate, in parlamento, nella Chiesa o nell'Impero. Le donne non vi appartenevano, non più di quanto partecipassero ai piaceri, ossia bere, giocare d'azzardo, scommettere sulle corse di cavalli, o andare a donne. Era una società maschile amministrata dai maschi, in cui la presenza femminile era profondamente sconcertante: per gli studenti maschi era come se fossero le loro madri e le loro sorelle a frequentare l'università insieme a loro, e si sentivano in imbarazzo a comportarsi come si comportavano gli uomini in assenza delle donne.

Era l'epoca in cui persino le gambe di pianoforte erano drappeggiate in modo da non apparire troppo provocanti. A Oxford la concezione dell'inferiorità della donna era insita nell'insegnamento. Soltanto con richieste speciali si ottenne il permesso alle donne di assistere alle lezioni e di presentarsi a certi esami. «Il sovraccarico dei loro cervelli potrebbe portare a una deficienza della loro capacità riproduttiva» scrisse il filosofo contemporaneo Herbert Spencer. Da New College Chapel, il decano John Burgon aveva tuonato: «Dio vi ha fatte inferiori a noi e rimarrete tali fino alla fine dei tempi!»[17]. Quando un professore, un certo Mr Bright, costrinse le donne presenti a sedere mostrandogli la schiena, le spalle di Gertrude iniziarono a tremare. La risatina contagiò rapidamente le tre donne, e in breve tempo tutte scoppiarono a ridere incontrollabilmente. Come Gertrude scrisse a Hugh, il problema era di Mr Bright, non suo.

Studiava sette ore al giorno, ogni giorno, eppure scrisse alla famiglia:

La mole di studio non lascia speranze. La settimana scorsa, ad esempio, avrei dovuto leggere la biografia di Riccardo III, quella di Enrico VIII in due volumi, la storia di Hallam e Green da Edoardo IV a Edoardo VI, il terzo volume di Stubbs, e sei o sette lezioni di Mr Lodge, oltre a dare un'occhiata ad alcune delle ultime di Mr Campion e di Mr Bright, e infine avrei dovuto scrivere sei saggi per Mr Hassall. Ebbene, vi chiedo, è mai possibile?[18]

E così, indossando un'ampia toga nera che ondeggiava intorno agli stivaletti allacciati, Gertrude si cacciò un tocco con la nappa sui capelli raccolti, e in fila per due con le altre studentesse attraversò University Parks per recarsi al Balliol College per la sua prima lezione di storia. Nell'aula, i duecento studenti che occupavano già le panche rimasero seduti con sbalorditiva scortesia, rifiutando di alzarsi. Le studentesse furono scortate al palco, dove trovarono sedie accanto al professore. Alla fine della lezione Mr Lodge si volse a loro per chiedere con insopportabile condiscendenza: «E mi chiedo che cosa abbiano compreso le giovani gentildonne…» Con i verdi occhi lampeggianti, Gertrude ribatté a voce alta: «Oggi non abbiamo imparato nulla di nuovo, credo. Infatti ritengo che non abbiate aggiunto nulla di nuovo a ciò che avete scritto nel vostro libro». Le sue parole furono accolte dallo scoppio di una risata fragorosa e forse l'atmosfera si rilassò un poco.

Dotata di una straordinaria fiducia in se stessa, Gertrude una volta, durante un esame orale, iniziò a discutere con un docente dell'ubicazione di una città tedesca: «Mi spiace, ma si trova sulla riva *destra*. Ci sono stata e *lo so*»[19]. In un'altra occasione offese l'illustre storico, professor S.R. Gardiner, interrompendo così il suo discorso: «Temo di dover dissentire dalla vostra valutazione di Carlo I»[20]. Quando ne fu informata, Miss Wordsworth si scandalizzò e si irritò: «È forse il genere di persona da cui si possa essere assistiti quando si è malati?» Ma Gertrude non ambiva a diventare infermiera. Superò gli esami finali dopo due anni, anziché dopo i consueti tre, dichiarò che erano stati «deliziosi», e subito si recò a disputare una vigorosa partita di tennis. Poi andò a Londra ad acquistare un abito di seta verde smeraldo per il ballo celebrativo e ritornò con un enorme cappello di paglia coperto di rose. In breve fu informata di avere ottenuto il massimo dei voti.

Laurearsi con il massimo dei voti è il vertice della qualifica intellettuale. Una valutazione inferiore è assegnata per la diligenza nell'acquistare vaste conoscenze e nel fornire risposte logiche e ponderate alle domande dell'esaminatore. Per ottenere il massimo dei voti lo studente deve saper vedere oltre le teorie attualmente accettate e impiegare le proprie conoscenze per esplorare nuovi orizzonti di comprensione e sfidare le menti più acute nel loro stesso ambito di competenza senza esitare.

Un *limerick* anonimo di quel periodo potrebbe benissimo essere stato scritto per Gertrude da uno studente maschio da lei incontrato.

> *Ho passato tutto il tempo con una studiosa indefessa*
> *e sono riuscito a prendere soltanto un voto basso,*
> *mentre quella ragazza laggiù,*
> *con i capelli rosso fuoco,*
> *ha preso il massimo senza fatica, accidenti a lei!*

Anche se Gertrude si considerava intraprendente, la moglie di un suo insegnante la descrisse come «schizzinosa e compassata». Per età e periodo, la si potrebbe paragonare a Lucy Honeychurch, personaggio del romanzo *Camera con vista*, di E.M. Forster, pubblicato nel 1908: era intollerante, si considerava diversa e per questo affascinante, ed era colma di ideali elevati. Amava la compagnia maschile e aveva già sviluppato quella che sarebbe diventata la consuetudine per tutta la sua vita, ossia disprezzare le mogli, da lei definite «cagne ottuse». Al tempo stesso si sentiva superiore agli entusiasmi maschili come se fosse una cinquantenne, anziché una diciannovenne. «Dove alloggiamo c'è un gruppo di lettura di uomini di Oxford. [...] A giudicare dal fracasso che fanno, direi che leggono davvero molto poco»[21].

Si sentiva di gran lunga più affine alle donne di Oxford da lei conosciute che alla maggior parte delle compagne di studio, anche se la sua nuova amica, Edith Langridge, proveniva dal Queen's College, proprio come lei. Apprezzava Mary Talbot, nipote del rettore di Keble, ma la sua migliore amica era Janet Hogarth, il cui fratello, l'archeologo e arabista David Hogarth, sarebbe diventato molto importante per lei in seguito. Janet scrisse un ritratto rivelatore della diciannovenne Gertrude.

Credo che fosse la creatura più brillante mai giunta fra noi, la più viva in ogni aspetto, con la sua energia instancabile, la sua splendida vitalità, la sua illimitata capacità di lavoro, di conversazione, di gioco. Manifestava sempre uno strano connubio fra maturità e fanciullezza, adulta nel giudizio sugli uomini e sugli eventi, fanciulla nelle sue certezze, estremamente affascinante per la sua assoluta fiducia nel padre e nel vivace mondo intellettuale in cui era stata cresciuta[22].

Tuttavia la più limpida comprensione dell'anima di Gertrude ci è fornita dalla donna dolce a cui quella bambina straordinariamente intelligente era stata affidata, colei che aveva saputo guidarla con grande sensibilità quando sarebbe bastato un errore a trasformarla in una ribelle. Dopo avere violato tutte le regole per assicurarle un'istruzione pari a quella maschile, Florence la vide allontanarsi in modi inaspettati ma positivi, senza mai provare alcun risentimento, anche se Gertrude, con le sue avventure e con la sua carriera, divenne più cosmopolita di lei, scrittrice e amministratrice migliore, intellettuale più rispettata, donna più famosa, più influente e più ammirata, se non più amata. A sua volta Gertrude iniziò ad amare Florence e, anche se non l'amò mai come amava il padre, rimase sempre in confidenza con lei e fu protettiva nei suoi confronti, nascondendole talvolta i pericoli che affrontava. Di solito le sue lettere al padre erano più appassionate e più affettuose, proprio come le lettere di Florence ai suoi figli, Elsa, Hugh e Molly, erano caratterizzate da una speciale intimità. Intenerita dall'affetto senza essere accecata dall'amore, Florence scrisse della figliastra dopo la sua morte: «In verità la base autentica della natura di Gertrude era la sua capacità di provare emozioni profonde. Nella vita ebbe grandi gioie e grandi dolori. Come sarebbe potuto essere altrimenti, con un temperamento tanto avido di esperienze? Nel percorrere il suo cammino, con la sua personalità ardente e magnetica, attirò vite altrui nella propria».

3.
Donna colta e raffinata

Il trionfo di Gertrude, prima donna a ottenere il massimo dei voti in storia moderna, fu annunciato dal *Times*. Così da Oxford tornò a Red Barns una ragazza intellettualmente arrogante e talvolta presuntuosa, tanto che Florence manifestò a Hugh la necessità di levarle quelle sue «maniere oxoniensi», altrimenti nessuno avrebbe mai voluto sposarla. Decise di domarla e d'insegnarle che la vita non consisteva soltanto nel superare esami e nell'argomentare con successo. Prima però Gertrude meritava una vacanza.

Fu stabilito di mandarla a Bucarest dalla sorella di Florence, zia Mary, il cui marito, Sir Frank Lascelles, era ambasciatore britannico in Romania. Mary era particolarmente affezionata a Gertrude, che la divertiva moltissimo. Aveva dato il nome di sua sorella Florence alla figlia, una delle migliori amiche di Gertrude. Aveva anche due figli, Gerald, il minore, e Billy, il maggiore; quest'ultimo, lasciata di recente l'accademia militare di Sandhurst, era in attesa di un brevetto nella Guardia. Oggetto del suo primo «amoreggiamento fluttuante», Billy avrebbe incontrato Gertrude a Parigi, dove sarebbe giunta con Hugh, poi l'avrebbe accompagnata a Monaco, e là Gerald si sarebbe unito a loro. Insieme avrebbero proseguito per l'Europa orientale.

L'entusiasmo di Gertrude era alle stelle, e la ragazza si attendeva un periodo di estatica felicità. Negli ultimi due anni si era snellita. Non era più un maschiaccio trasandato, ma una giovane donna elegante dai bellissimi, morbidi capelli castano-ramati, i cui ricci ribelli addolcivano lo sguardo penetrante. Era Natale, e Bucarest nel 1888 era una delle più raffinate e vivaci capitali d'Europa, il cui nucleo era costituito dalla corte e dalle ambasciate. Gertrude viaggiava con bauli di splendidi abiti alla moda per quattro mesi di balli volteggianti, ricevimenti, cene e serate all'opera; il guardaroba comprendeva cappotti con il collo di pelliccia e stivaletti bianchi allacciati per pattinare sul ghiaccio nella foresta, scialli indiani, e cuffie e manopole per le spedizioni in slitta sulle colline, dove si potevano visitare castelli medievali e locande dalle insegne sgargianti.

Non trascorse molto tempo prima che i Lascelles la presentassero a re Carlo e alla regina Elisabetta, bella e malinconica, con la quale Gertrude sviluppò una breve amicizia. Meglio nota con il *nom de plume* di Carmen Sylva, la sovrana era molto più amata del marito, austero e alquanto mediocre. A proposito di questi, Gertrude scrisse al cugino Horace: «Il re era così simile a tutti gli altri funzionari che non riuscivo mai a ricordare chi fosse. Soltanto la misericordia della provvidenza mi ha impedito più volte, nel corso della serata, di salutarlo con un breve, cordiale cenno della testa, come se fosse uno dei miei numerosi conoscenti. [...] Una volta, nel ballare il valzer, io e Billy gli abbiamo pestato i piedi. "Attenta al re" ha sussurrato Billy quando era ormai troppo tardi»[1]. Molte debuttanti al loro primo incontro con una coppia di altezze reali sarebbero pressoché ammutolite. Gertrude invece manifestò la propria capacità di rapportarsi alle personalità più prestigiose senza diventare ossequiosa né provare imbarazzo.

Non puoi immaginare quanto sia incantevole la regina. Ieri siamo andati a un ballo di beneficenza [...] e lei ha conversato a lungo con zia Mary e con me. Infine mi ha consegnato dieci franchi e mi ha mandato a comprare cartelle per la tombola. [...] Ho avuto una lunga conversazione con la regina, della cui presenza accanto a me mi sono accorta all'improvviso. [...] Eppure non era costretta a rivolgermi la parola, a meno che le facesse piacere. Mi ha raccontato come trascorre solitamente l'inverno. Sembra abbastanza depressa, povera nobildonna[2].

I Lascelles l'accompagnarono a compiere numerose visite turistiche e le procurarono parecchie occasioni per vivere le esperienze che desiderava. Ascoltò dibattiti governativi appassionati e quasi violenti. Molti ricevimenti e balli protratti sino a notte inoltrata si rivelarono all'altezza delle sue speranze. Danzava molto bene e conosceva tutti i balli, come il nuovo Boston, che insegnò alle segretarie dell'ambasciata. In una lettera a Florence descrisse la peculiare usanza romena di formare nuove coppie.

Non si finisce mai nessun ballo con la stessa persona, ed ecco come succede. Un uomo vi chiede un ballo. Fate tre o quattro volte il giro della sala insieme, poi con un elegante inchino lui vi lascia alla vostra chaperon e qualcun altro arriva a sostituirlo. [...] Tutti gli ufficiali sono in uniforme, naturalmente, con alti stivali e speroni, però danzano così bene da non squarciare nessuno. [...] Non tento neppure di riferire con chi ho danzato perché sarebbe impossibile ricordarli tutti[3].

Dopo queste serate, durante le quali Gertrude danzava senza sosta fino alle tre del mattino, tornavano tutti a casa sulla neve illuminata dalla luna, avvolti nelle coperte, a bordo di un paio di carrozze, al tintinnio dei finimenti dei cavalli sui ciottoli ghiacciati delle strade. All'ambasciata trovavano panini e bevande bollenti nel caldo salotto e si attardavano un'altra ora accanto al fuoco a discutere di tutti coloro che avevano incontrato. Là Gertrude si trovava in una cerchia più sofisticata e cosmopolita di quelle che aveva conosciuto sotto l'occhio guardingo di Florence. Manifestò la propria sorpresa nello scoprire che le donne divorziate erano integrate nella società. Come tutte le rispettabili giovani gentildonne dell'epoca non usava cosmetici, perciò rimase alquanto impressionata quando una civettuola damigella d'onore della regina s'incipriò senza remore e poi iniziò a incipriare tutti i giovanotti raccolti intorno alla porta del camerino. Nella folla di conti e di principi, di segretari e di ambasciatori, Gertrude conobbe due uomini destinati ad avere grande importanza nella sua vita: Charles Hardinge, diplomatico dell'ambasciata britannica a Costantinopoli, nonché futuro viceré dell'India, e il trentaseienne Valentine Ignatius Chirol, già in confidenza con i Lascelles, il quale sarebbe diventato uno dei suoi amici più intimi e lo sarebbe rimasto fino alla fine della sua vita. Da ogni parte del mondo lei avrebbe scritto al suo amato *domnul*, "gentiluomo" in romeno, a cui poteva confidare tutti i sentimenti e tutti i dilemmi che non si sentiva di rivelare neppure ai genitori. All'inizio Gertrude rimase affascinata dalla vastità delle sue conoscenze internazionali, e lui, a sua volta, era divertito dal modo indagatore e aggressivo in cui la ragazza era solita conversare, e in breve si adattò a rispondere a tono. Chirol aveva cominciato la carriera come impiegato al ministero degli Esteri poi, padrone di una dozzina di lingue, si era imbarcato in una vita di viaggi, conferenze e scrittura, che gli aveva permesso nel frattempo di acquisire informazioni sensibili e di riferirle a Whitehall. Era diventato esperto di tutti gli aspetti del potere imperiale britannico e di tutto ciò che lo minacciava. In seguito sarebbe diventato redattore esteri al *Times*.

Spesso Gertrude si metteva nei guai a causa della sua mentalità indipendente. Una volta, nell'ascoltare una discussione fra lo zio e uno statista francese preoccupato per i problemi europei, era intervenuta dicendogli: «*Il me semble, monsieur, que vous n'avez pas saisi l'esprit du peuple allemand*»[4]. Tutti i presenti avevano manifestato la loro disapprovazione, tranne Chirol, che aveva distolto la faccia per nascondere un sorriso. Orripilata, zia Mary aveva condotto via Gertrude e l'aveva rimproverata. Nel riflettere sull'incidente venticinque anni più tardi, Florence approvò la reazione della sorella: «Senza dubbio [...] fu un errore da parte di Gertrude manifestare la propria opinione, e ancor più criticare coloro che avevano più anni e più esperienza di lei». Tuttavia aggiunse: «Poi sarebbe arrivato il momento in cui molti illustri statisti stranieri avrebbero non soltanto ascoltato, bensì accettato le sue opinioni, e avrebbero persino agito di conseguenza».

La vacanza romena giunse al termine e i quattro mesi felici di Gertrude si conclusero con un viaggio a Costantinopoli insieme ai Lascelles. Con sua grande gioia, Chirol li accompagnò, mostrando loro numerosi luoghi esotici e meravigliosi di solito trascurati dai turisti. Con un caicco, Billy condusse Gertrude al Corno d'Oro. «È stato assolutamente delizioso, con il sole basso a scintillare sull'acqua, i riflessi delle bandiere dai colori sbiaditi dei bastimenti da guerra turchi e ogni bianco minareto di Istanbul trasformato in un'abbagliante colonna marmorea» scrisse Gertrude alla famiglia[5].

Ormai si avvicinava il momento in cui, come tutte le ragazze benestanti una volta conclusi gli studi, Gertrude avrebbe celebrato il rito del proprio ingresso in società quale debuttante e sarebbe stata presentata alla regina, che l'avrebbe ricevuta in quello che era chiamato "salotto". Nel frattempo, con il suo ritorno a Redcar, Florence diede corso alla minaccia di domare Gertrude. Per persone intelligenti come Florence e come Hugh, moralità non significava frequentare regolarmente la chiesa, se si era uomini, o mantenere pulita e ordinata la casa, se si era donne, tuttavia la donna intellettuale che si impegnava in "attività maschili", come la vita politica nei suoi diversi aspetti – dibattiti, riunioni, campagne elettorali –, e di conseguenza trascurava i figli, il marito e la casa, era decisamente immorale. Trent'anni prima Charles Dickens aveva rappresentato questa figura in *Casa desolata,* con l'indimenticabile personaggio di Mrs Jellaby, una gentildonna dotata di «forza di carattere molto rimarchevole, la quale dedica interamente se stessa alla vita pubblica», e soprattutto al «progetto africano». Teneva l'abito sbottonato sulla schiena e non si spazzolava i capelli. La sua casa era sporca e cosparsa di carte, con i bambini affamati che le giravano intorno lagnandosi, mentre il sottomesso e taciturno Mr Jellaby, la cui virilità era stata annientata dal lungo rapporto con la virago, sedeva in un angolo, con la testa dolente appoggiata al muro. Ebbene, Florence pensava che Gertrude, benché fosse una intellettuale, non sarebbe mai diventata una Mrs Jellaby.

Durante un suo viaggio, Florence affidò i tre figli minori alla figliastra, incaricandola d'insegnare loro la storia, di amministrare la casa, di dirigere la servitù, di non dedicarsi troppo ai libri e di provvedere affinché ogni sera Hugh, di ritorno a casa da Clarence, trovasse tutto in ordine. Maurice era a Eton, dove sarebbe rimasto sino a diciannove anni. Gertrude, che gioiva della compagnia dei bambini e provava profondo affetto per i fratelli e le sorelle, fece assolutamente del suo meglio. Si occupò della contabilità, visitò le mogli di Clarence, per le quali organizzò una serie di eventi, si cimentò con il cucito e con il ricamo, e inviò a Florence i resoconti delle attività quotidiane. «Sono andata in giardino in cerca di fresco, ma subito sono arrivati i bambini ad annunciare di essere nobili e di volermi derubare. Sono rimasta alquanto sorpresa dalla loro concezione delle funzioni dell'aristocrazia. [...] Abbiamo giocato tutti insieme a saltare la corda. [...] L'altro giorno Molly ha sconcertato terribilmente Miss Thomson [l'istitutrice] chiedendole come si dicesse in francese "Questo cavallo ha le vertigini"!»[6]

Senza essere una cuoca molto abile, Gertrude insegnò a Molly e a Elsa come preparare pasticcini e pan di zenzero. Negli intervalli fra le faccende domestiche prese lezioni di danza, lesse *Jonson* di Swinburne e talvolta affidò i bambini alla servitù per recarsi da Lady Olliffe in Sloane Street a provare abiti per la stagione londinese. Le difficoltà che incontrò nella contabilità rivelano il primato che Florence accordava all'economia domestica e la sua insistenza affinché la figliastra apprendesse il valore del denaro. Nessuno avrebbe potuto immaginare che le lettere scritte da Gertrude in quel periodo fossero redatte da una discendente della sesta famiglia più ricca del Regno Unito.

A proposito dei vestitini delle bambine, Hunt [la bambinaia] vorrebbe farne confezionare uno per Molly, con percalle che abbia lo stesso disegno di quello di Elsa, sedici scellini la yarda di quaranta pollici di larghezza, e altri due di cotone leggero, più facile da lavare, tredici scellini la yarda di trentotto pollici di larghezza, con due inserti, uno da sei [scellini] e un quarto, non molto bello, e uno da dieci [scellini], davvero molto bello, però più caro di quattro scellini per yarda. [...] Mr Grimston dice di non poterci procurare montone a nove scellini la libbra, perché adesso è rincarato parecchio. Chiedendo agli altri macellai ho scoperto che lo vendono tutti a dieci scellini, oppure a dieci [scellini] e mezzo la libbra. [...]
Con quello che hai mandato ho pagato tutti i conti, tranne quello del macellaio, e ho risparmiato una sterlina, che ho conservato per la prossima volta. [...] Oggi sono andata a Clarence per organizzare la conferenza d'infermieristica di domani. [...] Ho fatto qualche visita e sono tornata a casa con papà alle quattro e trentacinque, poi io e Molly abbiamo raccolto le primule[7].

Pagato il tributo alla famiglia, Gertrude si trasferì a Londra per il suo debutto in società. Durante la serie di ricevimenti, feste di fine settimana e balli a cui erano invitate, le giovani gentildonne erano presentate a un assortimento di scapoli desiderabili raccolti in una lista ufficiale, fra i quali si presumeva scegliessero i loro mariti. Con veste bianca e strascico, com'era obbligatorio, e lunghe piume bianche saldamente infilate fra i capelli rossi, Gertrude si recò a Buckingham Palace con Florence e Hugh, al seguito di un lento corteo di vetture, e con una formale riverenza rese omaggio all'anziana regina. Sempre accompagnata e sorvegliata, partecipò ai trattenimenti in decine di lussuose dimore, incluse quelle dei duchi di Devonshire, Londonderry e Stanley. Alloggiò a Audley Square presso Lord e Lady Arthur Russell: una delle loro numerose figlie, Flora, era sua ottima amica. Si recò ad Ascot con un cappellino magnifico. Assistette alla partita di cricket fra Eton e Harrow. Nei fine settimana partecipò a tutte le feste organizzate nelle case di campagna. Scrisse a Florence: «Ricordi che abbiamo discusso di come le altre ragazze trascorrano le loro giornate? Ebbene, l'ho scoperto! Passano tutto il tempo a correre da una casa all'altra per le settimane del cricket, la qual cosa significa cricket tutto il giorno e danza tutta la notte»[8].

Amava molto conversare con persone di ogni genere. «Lord Carlisle si è seduto accanto a me, così abbiamo discusso di calcio e di chiesa! È rimasto particolarmente sorpreso nello scoprire che conosco molti pettegolezzi ecclesiastici, mentre io mi sono stupita nell'apprendere che lui conosce tanto bene il calcio. Debbo dirti che indossavo un abito molto bello, che ha avuto molto successo».

Proprio come Oxford le era parsa soffocante dopo la libertà di cui aveva sempre goduto a casa, Gertrude si sentì vincolata dalla società londinese a convenzioni di cui a Bucarest non era stato severamente imposto il rispetto. Dato che la società era dominata da famiglie aristocratiche quali Cecil, Howard, Cavendish e Stanley, essere invitati o esclusi da costoro, arbitri della vita sociale, determinava il grado di approvazione riscosso da ogni giovane donna. Come già lo era stato al Queen's College e a Oxford, era molto oneroso per Gertrude dover essere accompagnata da una chaperon ovunque, persino per visitare una mostra di pittura o una chiesa. Abituata a galoppare saltando recinti nelle riserve di caccia di tutto lo Yorkshire, fu costretta, durante i fine settimana nelle case di campagna, a limitarsi a uscire in passeggiata, al passo, insieme agli altri ospiti, con un ingombrante contorno di stallieri e vetturali. Doveva essere prudente persino con i libri che portava con sé. Leggere in francese non la protese dalla disapprovazione e da un rimprovero per *Il discepolo*, di Bourget, romanzo in cui si narra di un precettore che applica alla vita quotidiana le teorie naturalistiche del suo maestro.

Di quando in quando Gertrude fuggiva. La sua buona

amica dei tempi del Lady Margaret Hall, Mary Talbot, pia donna che avrebbe sposato il futuro vescovo di Chichester, stava dedicando la sua vita tragicamente breve a lavorare nei bassifondi dell'East End di Londra. Un giorno, senza dubbio nel riflettere sulle direzioni diverse che le loro esistenze stavano imboccando, Gertrude si sottrasse alla sorveglianza della sua chaperon e suscitò il dispiacere di Florence, recandosi da sola, con la nuova ferrovia sotterranea, a Whitechapel, dove trascorse una giornata affascinante accompagnando Mary nei suoi giri.

Florence aveva manifestato la propria disapprovazione per l'amoreggiare di Gertrude con Billy Lascelles, sostenendo che il fatto di essere cugini non autorizzava a violare le convenzioni, soprattutto perché Billy trascorreva molto tempo a Londra mentre i suoi genitori si trovavano all'estero. Impegnata sul suo onore a comportarsi bene, Gertrude si irritò, come le accadeva spesso. «Io e Billy siamo rimasti seduti in giardino per una lunga conversazione, […] lui voleva portarmi a Paddington e rimandarmi a casa con una vettura di piazza, ma non temete, non sono andata. D'altronde, cosa sarebbe successo se lo avessi fatto? Erano le dieci»[9] scrisse Gertrude a Florence, riferendo inoltre che un certo Capitano X l'aveva portata a una mostra e poi, con una vettura di piazza, l'aveva riaccompagnata a casa, sola, e se mai aveva sperato di amoreggiare era rimasto deluso. «Spero che questo non vi scandalizzi. Per tutto il viaggio di andata ho discusso di credenze religiose, e per tutto il ritorno, invece, di concezioni molto metafisiche della verità. […] Amo discutere con chi si esprime in modo davvero assennato di cose che desidera davvero discutere»[10]. Quando Florence le scrisse per rimproverarla di tanta indiscrezione, Gertrude replicò in modo disarmante: «Non credo che molte conoscenti da te incaricate di sorvegliarmi mi abbiano vista, domenica. Era un pomeriggio afoso e sono certa che non ti sarebbe piaciuto. D'altronde, come sai, non è piaciuto neanche a me!»[11]

Quando con l'andar del tempo toccò a lei fare da chaperon per Elsa e per Molly ai balli londinesi, Gertrude si divertì immensamente nell'aiutarle a vestirsi con eleganza, per poi annoiarsi subito dovendo rimanere in disparte a sorvegliarle. Ricordando che una volta, a proposito dei balli di maggio, Florence aveva confessato quanto la facesse sentire vecchia il ruolo di chaperon, Gertrude le scrisse: «Sono rimasta seduta su una panca a guardarle danzare e allora finalmente ho capito come ti sentivi a Oxford»[12].

Com'era Gertrude a poco più di vent'anni? È affascinante presumere che almeno in parte sia ispirato a lei un personaggio di quel raffinato analista di caratteri, lo scrittore Henry James, buon amico di Florence e di Elizabeth Robins, incontrato da Gertrude in alcune occasioni, talvolta come ospite dei Bell e più di una volta a cena dai Russell, di cui egli era spesso ospite. Dopo averlo ascoltato burlarsi di un romanzo di Mrs Humphry Ward, Gertrude lo giudicò «*il* critico, così moderato, così giusto, e così sprezzante! Ogni frase era un chiodo conficcato con precisione assoluta nella bara della reputazione che Mrs Ward aveva come romanziera»[13]. A proposito del protagonista del romanzo, James aveva commentato: «Un'ombra, un carattere definitivamente rimandato, non arriva a nulla». È difficile credere che una donna schietta e spontanea come Gertrude non sia stata notata da James, allora o in seguito, e si è molto tentati di paragonarla al personaggio di Nanda, eroina del romanzo *L'età ingrata*, pubblicato alcuni anni più tardi, nel 1899. Gertrude avrebbe ben potuto essere una delle giovani gentildonne da cui il romanziere americano era stato ispirato. Florence Bell era una vigorosa sostenitrice e confidente di James nella sua ricerca di successo teatrale, e nel 1892 la protagonista del racconto *Nona Vincent* fu modellata proprio su di lei.

L'età ingrata aveva origine nelle esperienze vissute da James nel periodo in cui era stato inveterato frequentatore delle cene della buona società londinese, e trattava della «talvolta temuta, spesso rinviata e mai completamente annullata comparsa in primo piano» della debuttante, nonché del «"restare in disparte", a partire da un momento determinato, della spietata giovane donna nubile che in precedenza era al centro dell'attenzione», ossia una situazione che «avrebbe potuto facilmente essere sentita come una crisi [a causa della] considerazione goduta, in una cerchia di libera conversazione, da una presenza nuova e innocente, del tutto non acclimatata». Il romanzo mostra gli adulti di una cerchia sofisticata «cambiare rotta per avere improvvisamente a che fare con una mente ingenua e con un paio di occhi limpidi e scrutatori». Nel mondo jamesiano di salotti in penombra e di sottili sottintesi, Nanda spicca per il suo rifiuto dei compromessi, per la sua mente indagatrice, per la sua singolarità e per la sua integrità, sincera sino alla goffaggine. «Non così attraente» come la bella, piccola Aggie, Nanda è «padrona di se stessa [...] quasi brutalmente sincera [...] curiosamente priva [...] di timidezza e di frivolezza [...] non facile all'imbarazzo», e manifesta «una rozza, giovane limpidezza» nella conversazione. Ombreggiati da una «acconciatura [...] di capelli biondi», i suoi occhi fissano l'interlocutore con «una pacata determinazione», la quale «abbellisce tutto il resto». Ogniqualvolta è possibile, preferisce camminare anziché viaggiare in vettura.

Giunta all'età di ventiquattro anni, Gertrude non si era mai innamorata davvero, e non ci si poteva aspettare che continuasse così. Aveva debuttato in società tre anni prima, ma il suo carattere era già sin troppo deciso, la sua mente troppo acuta e il suo senso critico troppo raffinato perché lei si potesse mescolare facilmente con le personalità e gli intelletti meno sviluppati che la circondavano. Molti suoi coetanei provavano un timore reverenziale nei suoi confronti, per il suo intelletto, se non per la sua condizione sociale. Lei, come spesso era tipico delle figlie di padri famosi e potenti, non riusciva a nascondere un sentimento di superiorità verso gli uomini che non erano all'altezza di Hugh. Senza dubbio ne fu consapevole e non riuscì a liberarsi di una certa pressante aspettativa da parte della famiglia, e a causa di essa. Era femminile, attraente, vivace, pronta a essere felice, ma ricordava Bucarest come il luogo in cui più si era divertita e si era sentita maggiormente ammirata. Quando zia Mary la invitò a unirsi di nuovo ai Lascelles, questa volta in Persia, ne fu estasiata e si accinse al suo primo incontro con l'Oriente.

Appena seppe che «Sua Ecc.» Sir Frank sarebbe diventato ambasciatore a Teheran iniziò a prendere lezioni di persiano. Il suo primo insegnante fu Lord Stanley di Alderley, della famiglia con cui si era imparentata zia Maisie. In seguito studiò alla London School of Oriental Studies. Quando arrivò in Persia, sei mesi più tardi, era in grado di comprendere la lingua parlata nel paese. Con la cugina Florence viaggiò in treno dalla Germania, attraverso l'Austria, fino a Costantinopoli; poi, per Tbilisi e Baku, girò intorno al Mar Caspio. Il suo sentimento di fuga e di esaltazione si accrebbe a ogni paese attraversato e nel momento in cui mise piede in Persia si sentì rinascere.

Quello stesso primo giorno uscì da Teheran mentre il sole sorgeva. Accompagnata dalla sua guida, salì al crinale di una montagna, da cui ammirò il vasto paesaggio sottostante, che apparve ai suoi occhi più bello di qualunque altro. Quel momento è cristallizzato in una lettera al cugino Horace Marshall, datata 18 giugno 1892. È un istante di pura delizia, estaticamente descritto, da cui trapela quasi una nota di misticismo, mentre il suo sguardo viaggia verso l'orizzonte sconfinato dall'orlo di quel deserto che sarebbe diventato la sua dimora spirituale.

Oh, il deserto intorno a Teheran! Chilometri e chilometri dove nulla, nulla cresce, e tutt'intorno nudi monti coronati di neve e solcati da profondi letti di torrenti. Non avevo mai saputo cosa fosse il deserto prima di giungere qui. È una cosa assolutamente meravigliosa a vedersi, e d'improvviso, in mezzo a tutta questa vastità, dal nulla, da poca acqua fredda, emerge un giardino. E quale giardino! Alberi, fontane, laghetti, roseti e una casa, come le case delle fiabe di quando eravamo piccoli, intarsiate con belle figure di schegge di specchio, piastrellate di azzurro, coperte di tappeti, echeggianti del suono di acqua corrente e di fontane[14].

Repressa e isolata in patria, in Oriente Gertrude rinacque. Il suo spirito volò e la sua ricettività nei confronti della natura e della vita si dilatò, tanto da costringerla a riconoscere in se stessa due Gertrude. In parte la percezione di una differenza le derivò dal fatto che là trovò poche regole, poche aspettative. Dall'ombra dei Bell emerse alla luce dell'indipendenza. Tutto questo la rese umile e la condusse a conclusioni e comprensioni a cui non avrebbe potuto giungere rimanendo in famiglia e nel proprio ambiente.

Continuiamo a essere le stesse persone, mi chiedo, anche se tutto ciò che abbiamo intorno, compagnie, conoscenze, è cambiato? Qui, ciò che è me, ciò che è un vaso vuoto colmato a suo piacimento dal passante, si riempie di un vino quale l'Inghilterra non ha mai conosciuto. [...] Quanto è vasto il mondo! Quanto è vasto e meraviglioso! Mi appare ridicolmente presuntuoso avere osato attraversarlo con la mia piccola personalità e avere tentato audacemente di misurare [...] cose per le quali non esiste alcuna tabella di misurazione che si possa applicare[15].

Ogni giorno incantato cominciava con due ore di cavalcata in campagna, seguite da un bagno freddo profumato all'acqua di rose, poi colazione servita in una tenda nel giardino dell'ambasciata; e Gertrude era sempre attesa da piaceri in abbondanza: spedizioni per ammirare i panorami, lunghi pranzi deliziosi, letture in amaca, giochi e intrattenimenti, inebrianti serate di danza, cene in palazzi e padiglioni favolosi sino alle fresche, prime ore del giorno. Per lei era una rivelazione semplicemente percorrere le strade a cavallo o in vettura.

In questo paese le donne, per guardare, sollevano un velo da Madonna di Raffaello. [...] In strada mi sono quasi vergognata. I mendicanti portano i cenci laceri di cui sono abbigliati con maggior grazia di quanta ne abbia io con il mio vestito più elegante, e le donne più comuni indossano molto meglio di me il velo, che è la pietra di paragone per giudicare l'abbigliamento femminile. Sono convinta che il velo dovrebbe cadere dalla testa ai piedi, e non dovrebbe essere trasparente[16].

E finalmente giunse l'amore, nella forma di un gioviale segretario di ambasciata, Henry Cadogan, figlio maggiore dell'*Honourable* Frederick Cadogan e nipote del terzo conte Cadogan. Gertrude lo descriveva nelle sue lettere con un'abbondanza di dettagli che probabilmente permise a Florence di presentirne l'attrazione. Aveva trentacinque anni, era «alto, rosso di capelli e molto magro, [...] intelligente, grande giocatore di tennis, grande giocatore di biliardo, entusiasta di bazzica, devoto all'equitazione benché non sappia minimamente montare, [...] sveglio, schietto, ben vestito, ci considera una sua proprietà speciale da proteggere e far divertire»[17]. Henry era colto, persino erudito, e le sue attenzioni nei confronti di Florence e di Gertrude non tardarono a concentrarsi in modo particolare su quest'ultima. Leggeva e parlava la lingua del paese. Le procurò moltissimi libri da leggere e le trovò un insegnante, in modo che potesse continuare a prendere lezioni di persiano.

È certamente inaspettato e immeritato essere giunta a Teheran dopo un lunghissimo viaggio e trovarvi infine una persona tanto deliziosa. Ci accompagna ovunque, organizza le nostre attività, ci mostra le cose belle dei bazar, è sempre presente quando lo desideriamo. [...] Sembra che abbia letto tutto quello che dovrebbe essere letto in francese, tedesco e inglese[18].

Zia Mary, che forse non era del tutto in salute durante la lunga visita di Gertrude, fu tollerante laddove Florence sarebbe stata severa. Nel corso delle frequenti cavalcate e merende, Gertrude e Henry si appartavano e restavano seduti presso i corsi d'acqua e nei giardini a leggere e a conversare. Cercavano tesori nei bazar e giocavano a backgammon con un amico mercante. Visitarono la casa del tesoro dello scià, pescarono trote e cacciarono quaglie con i falchi. Quando fu troppo caldo a Teheran, le delegazioni straniere si trasferirono nelle sedi estive, nella fresca Gulahek, dove i pasti erano serviti sotto gli alberi, in giardino, oppure nelle tende aperte. Nel frattempo i vagabondaggi nei bazar furono preclusi dallo scoppio di un'epidemia di colera. Con la suprema fiducia della gioventù, Henry e Gertrude continuarono a recarsi ovunque desiderassero. Henry aveva punti di vista decisi e un atteggiamento didattico. Sapeva confrontarsi risolutamente con Gertrude e in almeno una occasione ebbero «una grave divergenza di opinioni e io l'ho cacciato senza augurargli la buonanotte! [...] Io e Mr Cadogan abbiamo fatto una lunga passeggiata domenica, discutendo animatamente di politica. Le sue concezioni a proposito della *home rule* lasciano molto a desiderare, tuttavia credo di averlo indotto a modificare le sue opinioni a proposito degli unionisti!»[19]

Subivano entrambi il fascino della Persia e del suo mistero. Lettore di poesia sufi, Henry sfilò un libro di tasca e ad alta voce lesse a Gertrude le inebrianti stanze di Hafez, maestro sufi del XIV secolo, il più famoso poeta persiano. Nei suoi versi era descritto il desiderio inappagato della persona amata, che colmava il vuoto tra profano e divino. Una mattina si destarono prima dell'alba e cavalcarono verso settentrione, sino al desolato versante montano in cui sorgeva la Cittadella dei Morti. «Avevamo percorso soltanto un breve tratto quando, con un lampo e uno scintillio improvviso, il sole balzò sopra i picchi innevati e la luce diurna inondò la pianura» scrisse Gertrude. «Una valle sassosa ci condusse al cuore della desolazione e alla fine di tutte le cose»[20]. Là trovarono la Torre del Silenzio, bianca e sfavillante, prima stazione nel viaggio della vita dopo la morte, dove gli zoroastriani usavano abbandonare i cadaveri al sole e agli avvoltoi, affinché ne fossero spolpati e purificati. «Qui vengono a gettare via il manto della carne [...] prima che le anime, varcando i sette cancelli dei pianeti, possano giungere al sacro fuoco del sole»[21].

I due viaggiatori girarono intorno alla torre, salirono alla piattaforma in cima e ascoltarono il grande silenzio del deserto, poi scesero, e lasciando i cavalli a briglia sciolta si rincorsero nel paesaggio desolato con tutta l'esuberanza e la passione della gioventù. Nel descrivere quel momento, Gertrude esprime la felicità e la liberazione dell'essere innamorati.

La vita ci afferrò e ci ispirò con un senso folle di felicità sfrenata, e mentre cavalcavamo il vento mormorante e la terra vibrante gridarono: "Vita! Vita! Vita!" Vita generosa e magnifica! La vecchiaia ci era lontana. La morte era lontana. L'avevamo lasciata in trono sui monti spogli, con città spettrali e fedi abbandonate a tenerle compagnia. Per noi erano la vasta pianura e il mondo sconfinato, per noi erano la bellezza e la freschezza del mattino![22]

Una sera, alla luce della luna, sdraiati sull'erba accanto a un corso d'acqua, nell'aria profumata di viole e di rose, con una musica lontana che si fondeva al verso di una civetta, Henry le chiese di sposarlo e Gertrude accettò. Lei scrisse subito a Hugh e a Florence di essere fidanzata con Henry, quindi attese a lungo la risposta, la quale, quando finalmente giunse, fu che il matrimonio era impossibile e che lei non soltanto doveva rompere il fidanzamento, ma doveva tornare a casa immediatamente, o almeno appena Gerald, fratello di Billy, fosse stato libero per accompagnarla. Allora Gertrude sentì che era la fine del periodo più felice della sua vita, nonché di tutte le sue speranze di sposare Henry. Dopo avere raccolto informazioni mediante Sir Frank e altri, Hugh aveva concluso che il reddito di Henry era «del tutto insufficiente» al sostentamento di una famiglia. Come lo stesso Hugh osservò con precisione devastante, «fascino e intelligenza non gli avevano impedito di indebitarsi». Anche se non lo disse alla figlia, Hugh aveva appreso di peggio, ossia che Henry era un giocatore d'azzardo.

Per quanto le finanze dei Bell apparissero solide, Hugh era un dirigente salariato delle acciaierie, perché le redini delle aziende, come pure tutto il capitale, erano ancora nelle mani di suo padre e di suo zio, e doveva sostenere molte spese per provvedere a una famiglia composta di moglie e cinque figli, per mantenere una casa molto bella, seppure modesta, ossia Red Barns, e per finanziare gli studi di un figlio che già si trovava a Eton, e di un altro che presto lo avrebbe imitato. Lowthian abitava a Rounton Grange, una villa di cinque piani, e aveva una casa a Londra, al numero 10 di Belgrave Terrace, di cui disponeva prevalentemente lui stesso. Di recente l'industria siderurgica aveva subito una flessione, al pari di altre industrie principali del paese, e i profitti diminuivano. Nel tardo 1889, in treno, Gertrude aveva origliato con interesse una conversazione fra due uomini[23], i quali si chiedevano se i padroni di ferriere «ammassassero gigantesche fortune», e aveva riferito a Florence: «Pensavano che dovesse essere così, quei miserabili illusi, e io non li ho disingannati!» Ora, nel luglio 1892, con tutte le sue speranze infrante e il cuore spezzato, Gertrude scrisse una lettera molto commovente a Chirol.

Mr Cadogan è molto povero. Credo che suo padre sia praticamente in bancarotta, e il mio, che pure è un angelo e farebbe qualsiasi cosa per me, non è assolutamente in grado di mantenere un'altra famiglia oltre alla propria, cioè quello che gli stiamo chiedendo di fare, in sostanza. [...] Spero che incontri Mr Cadogan a Londra e che arrivi almeno a qualche conclusione. Nel frattempo io e Henry Cadogan non abbiamo il permesso di considerarci fidanzati e temo che le probabilità di un nostro eventuale futuro matrimonio siano assai remote. Ne scrivo in modo calmo e assennato, vero? Eppure in cuor mio non sono affatto calma e assennata. Sono semplicemente troppo disperata per piangere. Arriva un momento in cui i giorni più spaventosi sono troppo terribili per tutto ciò che non è silenzio. [...] È più facile apparire felici se nessuno sa che si ha motivo di essere tutt'altro. E io soffro tanto. [...] Sto dimenticando come essere coraggiosa, anche se ho sempre creduto di esserlo.

In quella situazione, Henry non ebbe altra scelta che restare in Persia per un anno o due cercando di ottenere un incarico più remunerativo. Un'anima meno forte di Gertrude si sarebbe forse ribellata alla decisione del padre. Invece lei scrisse a Florence una lettera assai notevole per il suo senso dell'onore e persino per la sua straordinaria comprensione dei genitori.

La nostra situazione è molto difficile e siamo molto infelici. Ci vediamo pochissimo [...] da quando è giunta la lettera di mio padre. Sentiamo di non avere più alcun diritto d'incontrarci. Ciò che sopporto meno è che tu o papà possiate mai pensare che lui sia meno che nobile, gentile e buono. Non ho mai visto in lui null'altro che questo.
È orribile da parte mia scrivere tutto ciò, perché senza dubbio susciterà inutilmente e senza motivo il tuo dispiacere. Non devi pensare neppure per un momento che se potessi scegliere non mi comporterei di nuovo allo stesso modo, nonostante l'impazienza, la sofferenza e tutto ciò che deve ancora venire. Ne vale la pena. [...] Ci sono persone che trascorrono la vita intera senza questa esperienza meravigliosa [...] eppure si può soltanto piangere un poco quando si deve rinunciare a tutto per riprendere la vecchia esistenza limitata... Oh, madre! Madre![24]

Non si può minimamente dubitare che Gertrude fosse innamorata, e forse Henry ricambiava davvero il suo amore. Forse sarebbero stati felici insieme. Forse lui avrebbe rinunciato
al gioco d'azzardo e lei avrebbe imparato a sottomettersi alle
ristrettezze imposte dalla modesta carriera di Henry, seguen-
dolo da una sede all'altra. Tuttavia non ebbero la possibilità
di provarlo. Il doloroso addio fu in qualche modo sopportato e lei ritornò in Sloane Street, dove un'amorevole Florence
l'attendeva per confortarla. Arrivato dal Nord dopo un paio
di giorni, Hugh abbracciò l'amata figlia e le parlò mentre lei
piangeva.

Sconfitta per la prima volta nella vita, Gertrude scrisse poche lettere nei mesi successivi. Nutriva sentimenti
troppo profondi e tardava a riprendersi. Nondimeno a
primavera si recò in Francia e scrisse alla famiglia da un
romantico giardino di Nimes, la cui bellezza le rammentava un certo giardino in Persia, dove un tempo era stata
tanto felice.

Sono andata in carrozza al giardino in cui si trova il Tempio
delle Ninfe. Le rane gracidavano e le civettine lanciavano stri-
duli richiami dagli alberi. La calda notte profumata era così
simile, con tutte le sue voci, alle notti nel giardino lontano in
cui si udivano le strida delle civette! Ho pianto e pianto nel
Tempio, ho colmato i bagni romani di lacrime che nel crepuscolo nessuno ha visto[25].

Meno di un anno dopo la partenza di Gertrude dalla Persia, in seguito a una breve malattia provocata dalla caduta in un fiume gelido mentre era a pesca, Henry Cadogan
morì di polmonite. Così fu stabilito un tragico modello per
la vita amorosa di Gertrude. Nonostante i suoi successi in
molte imprese straordinarie, non si riprese mai del tutto da
quell'evento.

    In parte per distrarla, Florence le suggerì di scrivere un
libro di viaggio, attingendo dai suoi diari e dalle lettere che

quasi quotidianamente aveva inviato alla famiglia dalla Persia, durante i primi mesi felici del suo soggiorno in Medio Oriente. Gertrude si oppose, ma quando ricevette una lettera dalla casa editrice Bentley, probabilmente sollecitata da Florence, capitolò, seppure senza entusiasmo. Scrisse in proposito all'amica Flora Russell:

Bentley desidera pubblicare i miei scritti persiani, ma ne vuole di più, così dopo molta esitazione ho deciso di accettare e sto scrivendo altri sei capitoli. È piuttosto noioso e soprattutto preferirei di gran lunga non pubblicare nulla. Ho scritto soltanto per divertire me stessa e ne ho ricavato tutto il piacere che mi aspettavo di trarne, perché, modestia a parte, sono testi straordinariamente deboli, senza contare che detesto profondamente chi si affanna a pubblicare, inondando il mondo di testi pessimi e ripugnanti. Eppure sto per diventare proprio una di costoro. Dapprima ho rifiutato, poi mia madre ha pensato che sbagliassi, mio padre è rimasto deluso, e allora ho ceduto, dato che loro di solito hanno ragione. Nonostante questo in cuor mio mantengo saldissima la mia prima opinione. Non parlare di tutto questo; desidero che nessuno lo sappia.

Il suo giudizio era condizionato dai sentimenti, oltre che motivato dalla ragione, tuttavia era probabilmente corretto. Denison Ross, direttore della London School of Oriental Studies e grande ammiratore della sua pupilla, avrebbe scritto la prefazione a un'edizione successiva dell'opera, riconoscendo che nei capitoli scritti in Persia vi era «qualcosa [...] che manca nei successivi». Nel 1894 *Ritratti persiani* fu pubblicato anonimamente, con un compromesso fra i desideri di Florence e la riluttanza di Gertrude, che in breve tempo se ne dimenticò.

La Persia era diventata infinitamente più interessante per lei con la conoscenza della lingua. D'altronde, come scrisse Florence, «non era ancora giunta alla fase in cui chi apprende una lingua scopre estaticamente di avere acquistato una nuova conoscenza, la fase illuminante in cui non si comprende soltanto il significato letterale delle parole, bensì anche valori e peculiarità che possono essere criticamente valutati. Non trascorse molto tempo prima che Gertrude fosse in grado di leggere la poesia persiana sotto questa luce»[26].

A Londra, Gertrude continuò a prendere lezioni con lo scopo preciso di studiare la poesia d'amore di Hafez, conosciuta grazie a Henry, che con lei ne aveva discusso la metrica e il significato mistico. All'inizio lo studio fu un modo per mantenere vivo l'amore per lui, poi Gertrude decise di scrivere un libro di valore autentico, una raccolta di versioni inglesi delle poesie di Hafez, corredata da una biografia del poeta sufi, storicamente contestualizzata, un'opera che forse diventò un monumento segreto a Henry.

Nella sua prefazione, Denison Ross riferì modestamente che nell'insegnare a Gertrude aveva vissuto la salutare esperienza di comprendere i suoi limiti al cospetto di un'allieva tanto brillante. Aggiunse che comporre la biografia di Hafez sulla base delle fonti manoscritte fu un *tour de force*, dato che a quell'epoca non esisteva alcuna storia della Persia islamica.

Poems from the Divan of Hafiz, antologia di versi del poeta persiano, fu pubblicata da Heinemann nel 1897, anno del sessantesimo anniversario di regno della regina Vittoria, nonché, più tristemente per la famiglia Bell, quello della morte di zia Mary, grazie alla quale Gertrude aveva potuto vivere tante belle esperienze. Il libro ottenne tutto il successo in cui un'opera di poesia poteva sperare. Edward G. Browne, a quell'epoca massima autorità di letteratura persiana, dichiarò a proposito delle traduzioni: «Sebbene alquanto libere, è mia opinione che siano di gran lunga le più artistiche, nonché le più fedeli allo spirito di Hafez», e anche, con l'unica eccezione della parafrasi delle quartine di Omar Khayyam dovuta a Edward FitzGerald, «probabilmente le versioni migliori e più autenticamente poetiche di qualunque poeta persiano mai create in lingua inglese».

La vaghezza intenzionale della poesia di Hafez, i giochi di parole e la musicalità di forma, metro e rima in lingua persiana, rendono la traduzione pressoché impossibile, perciò Gertrude scelse la soluzione di comporre liberamente versi che si potessero giudicare ispirati agli originali, capaci di catturarne l'essenza e la funzione, per poi discostarsene. Nella sua prefazione, Denison Ross descrisse il problema e la soluzione, offrendo una traduzione letterale dell'inizio di una poesia e paragonandola alla versione di Gertrude.

Ecco i primi quattro versi della traduzione di Ross:

I will not hold back from seeking till my desire is realized,
Either my soul will reach the beloved, or my soul
*   will leave its body.*
I cannot always be taking new friends like the faithless ones,
I am at her threshold till my soul leaves its body*.

Ed ecco la versione di Gertrude:

I cease not from desire till my desire
Is satisfied; or let my mouth attain
My love's red mouth, or let my soul expire
Sighed from those lips that sought her lips in vain.
Others may find another love as fair;
Upon her threshold I have laid my head**.

---

* Non rinuncerò a cercare fin quando il mio desiderio sarà realizzato, / E la mia anima giungerà all'amata, oppure la mia anima abbandonerà il proprio corpo. / Non posso accettare sempre nuovi amici simili a coloro che sono privi di fede. / Rimarrò sulla soglia di lei fin quando la mia anima abbandonerà il proprio corpo (*N.d.T.*).

** Non smetterò di desiderare finché il mio desiderio / Sarà soddisfatto; o lascerò che la mia bocca trovi / La bocca rossa del mio amore, o lascerò che la mia bocca esali / Sospiri da quelle labbra che cercavano invano le labbra di lei. / Altri potranno trovare un altro amore altrettanto bello; / Sulla soglia di lei ho deposto la mia testa (*N.d.T.*).

Sono particolarmente commoventi gli ultimi versi della poesia, che si discostano notevolmente dall'originale:

Yet when sad lovers meet and tell their sighs
Not without praise shall Hafiz' name be said,
Not without tears, in those pale companies
Where joy has been forgot and hope has fled*.

Gertrude ebbe fortuna con i suoi insegnanti di persiano e di arabo, cioè Denison Ross e l'eminente linguista S. Arthur Strong, che lei chiamava «mio sapientone»: «il mio sapientone continua a congratularsi con me per le mie capacità. [...] Credo che gli altri suoi allievi siano spaventosamente goffi e incapaci! [...] Ieri mi ha restituito le mie poesie [le traduzioni di Hafez], di cui è davvero soddisfatto»[27].

Per tutta la vita Gertrude lesse e rilesse i poeti classici e moderni, collezionando tutte le edizioni via via pubblicate e includendo opere poetiche nella propria biblioteca di viaggio. Con sorpresa e con delusione di Florence e di Hugh, dopo tutte le lodi di cui era stata ricoperta quale traduttrice di Hafez, lei stessa parve considerare il proprio talento poetico come secondario e lo abbandonò del tutto. A questo proposito, Florence affermò: «Mi è sempre sembrato che quel dono pervadesse tutto ciò che scriveva. Lo spirito della poesia colorava le sue descrizioni in prosa, le immagini che lei stessa vide e riuscì a mostrare ad altri»[28]. La matrigna pensava che tale spirito fosse un ingrediente strano e interessante in un carattere «capace talvolta di una durezza molto spiccata e di un disprezzo deliberato per i sentimenti, nonché in una mente assai dotata per l'azione e per una comprensione della politica degna di uno statista».

---

* Eppure ogniqualvolta malinconici amanti s'incontreranno a rivelare i loro sospiri / Non senza lode il nome di Hafez sarà pronunciato, / Non senza lacrime, in quelle pallide compagnie / In cui la gioia è stata dimenticata e la speranza è fuggita (*N.d.T.*).

Forse era irragionevole attendersi che Gertrude scrivesse altre opere di poesia, oltre al suo fiume di lettere, di diari e di libri. In quell'unica occasione il desiderio struggente per l'amato irraggiungibile, metafisico oppure umano, sollecitò in lei una vena poetica superlativa. A quanto sembra, il puro potere creativo ardeva in lei come risposta a uno stimolo esterno. In un certo senso, ogni attività della sua vita fu una risposta appassionata: i libri di viaggio, l'esplorazione, l'archeologia, l'apprendimento, soprattutto delle lingue, e l'alpinismo, le operazioni al servizio dell'Impero britannico, e il suo ultimo desiderio di ricreare una civiltà araba. Nel leggere la sua traduzione della poesia composta da Hafez per la morte dell'amato figlio è impossibile non udire la voce di Gertrude e non pensare alla perdita crudele da lei subita.

Good seemed the world to me who could not stay
The wind of Death that swept my hopes away. [...]
Light of mine eyes and harvest of my heart,
And mine at least in changeless memory!
Ah! When he found it easy to depart,
He left the harder pilgrimage to me!
Oh Camel driver, though the cordage start,
For God's sake help me lift my fallen load,
*And Pity be my comrade of the road!**

---

* Buono mi appariva il mondo, e io ero incapace di arrestare / Il vento di Morte che spazzava via le mie speranze. [...] / Luce dei miei occhi e messe del mio cuore, / E mio almeno nel ricordo immutabile! / Ah! Quando fu più facile per lui partire, / Lasciò il più arduo pellegrinaggio a me! / Oh, Cammelliere, seppure con le funi allentate, / Per l'amor d'Iddio, aiutami a sollevare il mio fardello caduto, / E mi sia compagna di strada la Pietà! (*N.d.T.*).

4.
Diventare Persona

Nel dicembre 1897, a ventinove anni, Gertrude partì con Maurice per il primo dei suoi viaggi intorno al mondo. Era devota al fratello come a tutta la famiglia, e lui era molto benvoluto anche dagli operai delle acciaierie a Clarence, prima che la carriera militare lo conducesse molto lontano da Cleveland. Viaggiarono con stile, alloggiando nelle cabine private del piroscafo del servizio postale britannico *City of Rio de Janeiro*. Maurice animava vivacemente i balli organizzati dal capitano, a cui dopo breve tempo chiese il permesso di tracciare un percorso di golf a bordo del bastimento, riscuotendo grande successo presso gli altri passeggeri. Nel frattempo Gertrude fece subito amicizia con i bambini e organizzò un torneo di picchetto.

Maurice era dispettoso. Aveva portato per Gertrude un libro intitolato *Galateo per gentildonne*, e si divertiva moltissimo a leggerne passi da lui stesso alterati, mentre la sorella fumava su una sedia a sdraio, fissando l'orizzonte. «La donna inglese di oggi dovrebbe essere in grado di cucire con la stessa abilità con cui va in bicicletta» lesse, prima di chiedere a Gertrude se fosse disposta a ricucirgli i bottini durante la crociera. Allora lei gli strappò il libro di mano e glielo tirò addosso.

Ritornata nello Yorkshire nel giugno dell'anno successivo, Gertrude riprese le proprie attività a favore delle donne di Clarence, tenendo conferenze itineranti e organizzando eventi. Giocò a tennis e a golf, andò a caccia e a pesca. Durante le visite a Londra faceva lunghe passeggiate nelle notti di luna con un gruppo di amiche dal lungofiume allo

Strand, alla City, al Tower Bridge, per poi ritornare a casa, in Sloane Street, passando per Holborn Viaduct e Oxford Street. Teneva nell'atrio la sua vecchia bicicletta, con cui attraversava Hyde Park per recarsi al British Museum, oppure alle sue lezioni di arabo o alla London Library, con un mucchio di libri nel cestino appeso al manubrio. Sempre in bicicletta attraversava i Kensington Gardens per andare a pattinare sul ghiaccio a Prince's Rink, oppure per recarsi alle lezioni di scherma e di danza. Quando gli riferì quanto fosse faticoso pedalare controvento, suo padre le inviò un assegno per acquistare una bicicletta nuova. «Sono andata a comprarla oggi pomeriggio, sono montata in sella, e via che sono andata. È un sogno!» scrisse Gertrude. «Ho attraversato tutta Londra. [...] Sono preoccupata perché sento di volere fin troppe cose. Non è un bene per me, e mi piacerebbe tentare di realizzare un programma di rinunce per i prossimi mesi».

Nel 1901, dopo un lungo periodo di crisi per le industrie del carbone, dell'acciaio e delle costruzioni navali, Sir Lowthian, ormai ottantacinquenne e malato, prese provvedimenti per proteggere gli interessi della famiglia Bell. Era consapevole che nonostante tutti i suoi sforzi la Gran Bretagna non aveva ottenuto progressi tecnici analoghi a quelli della Germania, e che Stati Uniti e Giappone minacciavano di superarla nella produzione del ferro e dell'acciaio. Così decise di fondere le sue società con quelle del suo antico rivale, Dorman Long, in modo da assicurare le risorse necessarie per il futuro. La vendita di azioni e delle aziende chimiche, insieme alla fusione con la North East Railway, procurò grandi somme di denaro alla famiglia. Ciascuno dei pronipoti e dei nipoti, maschi e femmine, ebbe cinquemila sterline. Senza dubbio questo colpo di fortuna contribuì a stimolare in Gertrude e nel fratellastro Hugo la decisione di assistere a un evento unico nella vita, il *durbar*, ossia la celebrazione dell'ascesa di Edoardo VII al trono di imperatore dell'India, organizzata da Lord Curzon a Delhi. In seguito avrebbero proseguito il viaggio per altri sei mesi, compiendo il secondo giro di Gertrude intorno al mondo.

L'evento, nel gennaio 1903, all'apogeo dell'Impero, fu indimenticabile per tutti coloro che vi parteciparono o che vi assistettero. A Delhi, Gertrude e Hugo si unirono al gruppo composto dai Russell, da Valentine Chirol, e da un cugino, Arthur Godman. Ovunque andarono, incontrarono il mondo intero, come scrisse la stessa Gertrude. Alloggiarono nell'accampamento del viceré, nelle tende riservate agli ospiti illustri, e assistettero alla spettacolare processione dalle prime file. Nel diario Gertrude scrisse:

Fu lo spettacolo più sontuoso che si possa immaginare. [...] Prima i soldati, poi la guardia del corpo del viceré, la cavalleria nativa e Pertab Singh alla testa dei cadetti, tutti figli di rajah, poi il viceré e Lady Curzon, seguiti dai Connaught, tutti a dorso di elefante, poi ancora un centinaio di rajah sugli elefanti, una folla sfavillante di oro e di gioielli. I rajah erano adorni di perle e di diamanti dal collo alla cintola, con fili di perle appesi alle spalle, nappe di perle che pendevano dai turbanti, e vesti di cangiante tessuto dorato o di velluto ricamato in oro. Gli elefanti avevano nappe di gioielli penzolanti dalle orecchie[1].

Che accettasse in dono una bicicletta nuova o si concedesse la vacanza più favolosa, Gertrude si domandava spesso in che modo il suo tempo e le sue risorse avrebbero dovuto essere impiegati adeguatamente. Era indecisa fra perseguire la realizzazione personale e dedicare le proprie energie a servire la comunità senza alcuna ricompensa. Atea dichiarata, era in prima fila a sostenere il nuovo modo di pensare che riconsiderava radicalmente l'individuo e la società. L'utilitarismo, posto come base della filosofia morale da Jeremy Bentham, indicava la ricerca della felicità e la fuga dal dolore e dall'angoscia quali scopi fondamentali dell'esistenza umana. Riconosceva che soltanto chi era libero poteva perseguire tali scopi, ma sosteneva che la libertà non doveva essere goduta senza un corrispondente senso di responsabilità personale e morale nei confronti del prossimo e del mondo circostante. John Stuart Mill aveva affrontato i problemi pratici del conseguimento della libertà responsabile proponendo possibili forme di governo che consentissero alla società di svilupparsi armoniosamente, assicurando al tempo stesso la libertà individuale.

Si dibatteva di continuo del modo in cui ci si doveva comportare in società, e le conclusioni raggiunte si applicavano moralmente a tutti gli aspetti della vita. Per esempio, si discuteva se chi giocava a tennis dovesse chiedersi se il suo tempo fosse davvero ben speso, o se dovesse lasciar vincere il suo avversario, o se fosse giusto giocare a tennis mentre moltissimi altri lavoravano duramente, o se una partita di tennis dovesse essere soltanto una partita di tennis.

Questa era la sostanza della discussione che infuriò a intermittenza fra Gertrude e Hugo nel corso dei loro viaggi. A Redcar, prima di partire per l'India, avevano ricevuto la visita del reverendo Michael Furse, il professore del Trinity College che aveva incoraggiato il desiderio espresso da Hugo, suo allievo a Oxford, di dedicarsi alla carriera ecclesiastica. Tale ambizione aveva sorpreso l'intera famiglia Bell, definita da Gertrude «felicemente irreligiosa», e Florence ne era stata considerevolmente delusa perché aveva sperato che Hugo seguisse il suo talento musicale e diventasse pianista concertista o compositore. Gertrude era profondamente legata alla conoscenza scientifica, perciò si trovava al polo opposto rispetto alle convinzioni religiose del fratellastro. Dopo pranzo condusse a passeggiare in giardino il reverendo Furse, che in seguito sarebbe diventato vescovo di Pretoria e di St Albans, e a un tratto si girò a fronteggiarlo con una domanda: «Immagino che non approviate il progetto di Hugo di fare il giro del mondo insieme a me, vero?»[2]

Perplesso, Furse replicò: «Perché mai non dovrei approvare?»

E Gertrude rispose: «Be', perché potete star certo che non tornerà cristiano».

«Per quale ragione?»

«Oh, perché io ho un cervello molto migliore di quello di Hugo» ribatté Gertrude, con la solita sfrontatezza. «È fatale che un anno in mia compagnia distrugga la sua fede». Dopo essere scoppiato a ridere, Furse le suggerì di non sentirsene troppo sicura. E fu una sfida a cui Gertrude non seppe resistere.

Ai genitori, Hugo scrisse:

Gertrude è un'eccellente compagna di viaggio, perché a parte il fatto che [...] nutre un grande interesse per le cose orientali, ha anche solide convinzioni atee e materialistiche, la qual cosa è per me estremamente stimolante, in quanto l'effetto di tali convinzioni sarà, come dice Michael Furse, quello di mettermi alla prova. A volte lei le difende con accanimento, e credo che con tutta probabilità reagirò difendendo le mie in modo altrettanto aggressivo. Quindi prevedo uno scontro senza esclusione di colpi!

All'inizio la discussione si mantenne su toni scherzosi e Gertrude raccontò un aneddoto su colui che era stato vescovo di Londra, il dottor Temple, il quale una volta si era recato a Fulham con una vettura di piazza e aveva lasciato una mancia che non aveva soddisfatto il vetturale. Quando questi aveva commentato: «Se fosse qui, san Paolo mi darebbe una sterlina e sei pence», il vescovo aveva risposto con grande dignità: «Se fosse qui, san Paolo sarebbe a Lambeth, e con una corsa di un solo scellino arriverebbe a Fulham».

Nelle discussioni con Hugo sull'utilitarismo, Gertrude sosteneva che la ricerca della felicità personale era la motivazione più persuasiva delle azioni umane, sempre rammentando che essa non doveva compromettere la felicità altrui. Bisognava usare il cervello. La poesia era un passatempo migliore del croquet perché aveva maggiori probabilità di risultare utile alla comunità. Per Hugo, ogni azione era morale o immorale, e l'individuo doveva sforzarsi di seguire il sentiero della moralità. Gertrude affermava di scalare montagne esclusivamente per il proprio piacere, senza nuocere a nessuno, e che tale azione non era morale né immorale. Esasperando il dibattito, Gertrude dichiarò che Cristo era come il profeta Maometto e come il Buddha, cioè tutti e tre erano stati grandi uomini; ma nulla più che uomini. Poi reagì al turbamento di Hugo prendendolo in giro e provocandolo. Quando sostenne che se i poveri fossero diventati davvero consapevoli dell'eguaglianza di tutti gli uomini non vi sarebbero più stati servi, Hugo se ne andò, e poi per qualche tempo rimasero separati.

Turista insaziabile, Gertrude non si lasciò sfuggire nessun tempio, museo o rudere che fosse raggiungibile, né smise di leggere e di studiare lingue. Un giorno, con stupore, Denison Ross ricevette un suo telegramma da Rangoon con una strana richiesta: «Vi prego di mandarmi il primo emistichio del verso che termina con "*a khayru jalisin fi zaman kitabue*"»[3]. Quale che fosse la grafia distorta con cui la telegrafia gli trasmise il testo, Ross fu in grado di rispondere: «"*A'azz makanin fiddunya zahru sabihin*"», e così Gertrude ebbe modo di completare il verso:

Il luogo più bello al mondo è il dorso di un cavallo veloce,
e la migliore delle compagnie un libro.

Il viaggio intorno al mondo terminò negli Stati Uniti e in Canada, dove Gertrude trascorse un giorno o due ad arrampicare sulle Montagne Rocciose prima di recarsi a visitare Chicago. «Abbiamo fatto il giro della morte con l'otto volante e non posso dire che sia stato piacevole» scrisse Gertrude ai genitori. «Ho sentito soltanto una caduta, una corsa, una folata, e ho rischiato di perdere il cappellino»[4].

Alla morte di Lowthian, nel 1904, quando Gertrude aveva trentasei anni, Hugh ereditò il titolo di baronetto e la famiglia si trasferì da Red Barns a Rounton Grange, una grande villa color miele in una proprietà di tremila acri, fra gli alberi antichi che Lowthian aveva proibito di abbattere, con camini massicci e tetto rosso di tegole alla fiamminga, caratteristica peculiare delle dimore della famiglia Bell. Terminata nel 1876 dall'architetto Philip Webb, era un modello di architettura Arts and Crafts. Quasi tutti gli abitanti dei due villaggi inclusi nella proprietà lavoravano a Rounton. Manovali e braccianti vivevano in un paesino a breve distanza dalla villa, nelle villette a schiera progettate da Webb. Florence assunse le figlie di alcuni operai delle acciaierie di Clarence per insegnare loro a diventare cameriere e lavandaie, inoltre si assicurò che la «locanda», costruita per consentire alle loro famiglie di trascorrere brevi periodi di riposo in campagna, fosse sempre occupata.

La villa, la più grande progettata da Webb sino a quel momento, era ornata con elementi decorativi postmedievali e gotici. Un'ampia scala a spirale saliva al piano superiore dall'atrio, con il suo enorme caminetto, e un ballatoio correva lungo un intero lato del fabbricato. Il salotto, con un caminetto Adam e due grandi pianoforti, aveva il pavimento coperto da un tappeto tanto grande che occorrevano otto uomini per trasportarlo fuori quando doveva essere battuto, una volta all'anno. Alcuni gruppi sparsi di tavoli e di sedie consentivano di accomodare numerosi invitati in occasione dei ricevimenti. Nella sala da pranzo, lussuosamente decorata da William Morris, era appeso un arazzo che raffigurava *Il romanzo della rosa* di Chaucer, disegnato da Morris e da Burne-Jones, e realizzato nel corso di alcuni anni dalla prima Lady Bell e dalle sue figlie, sorelle di Hugh. Il maggiordomo, la governante e la prima cuoca avevano alloggi personali e la servitù aveva una propria sala. La lavanderia era su due piani. Ogni quarto d'ora le «campane di Rounton» squillavano dalla stalla. Hugh non avrebbe tardato ad aggiungere una rimessa per gli chauffeur e per il parco macchine della famiglia Bell.

Una lista natalizia del 1907 redatta nella calligrafia di Florence elenca venti domestici e i loro doni, ossia fazzoletti, spille, cinture, cardigan e spilloni da cappello per le donne, fermacravatte, fazzoletti e guanti per gli uomini. Per la famiglia, borse e libri, boa, astucci per forbici, l'*Enciclopedia Larousse*, guanti e attrezzi, cavallini a rotelle e sonagli per i bambini. Inoltre sono annotati i doni per i quattro domestici della casa londinese. Nel 1900, dopo la morte di Lady Olliffe, la sua casa al numero 95 di Sloane Street, dove, a quanto pare, la famiglia aveva sempre preferito abitare durante i soggiorni nella capitale, fu interamente ristrutturata da Florence, che fece persino rifare i pavimenti. Gertrude, che vi aveva un appartamento, scrisse a Chirol il giorno di Natale: «I lavori al 95 procedono spediti. Al tuo ritorno ci troverai sistemati nella più bella casa di Londra!» Un mese più tardi fu felice di riferire che la sua amica, Flora Russell, ne era rimasta «molto impressionata».

Quando la famiglia si trasferì nella casa di suo nonno, Gertrude aveva trentasei anni e non conduceva affatto una vita isolata da vecchia zitella, tuttavia Rounton ampliò il suo mondo in due modi importanti. Come padrona di casa al pari di Florence, ebbe la possibilità di ospitare numerose persone e nei periodi trascorsi in Inghilterra organizzò spesso feste per amici e parenti. La prima di queste feste fu il ballo per il Capodanno del 1906, a cui furono invitati tutti gli amici e i conoscenti.

Subito Gertrude si assunse la responsabilità del vasto giardino, con gli ampi prati, il bosco di asfodeli, il roseto e due laghi, uno dei quali abbastanza grande per la navigazione da diporto. Con immenso piacere progettò nuove piantagioni con l'aiuto di Tavish, il giardiniere scozzese, e dei suoi dodici assistenti. Così, in breve tempo, trasformò il giardino di Rounton in uno dei più belli d'Inghilterra.

I fiori erano preziosi per lei sin dal suo nono compleanno, quando aveva avuto un appezzamento tutto suo in cui aveva coltivato «primule e bucaneve». Il suo primo diario rivela quanto spesso si recasse «in giardino» ad ammirare i fiori. Scrivendo libri di viaggio manifestò senza ritegno il suo amore per i fiori selvatici e l'effetto che avevano sul paesaggio. Nel descrivere un muro antico, per esempio, indugiò sulle viole cresciute nelle crepe. Il deserto irrigato suscitava la sua meraviglia, con il miracolo istantaneo del colore e del profumo. Scrisse: «Ho montato il campo in un albicoccheto innevato di fiori e ronzante d'api. L'erba era fitta di anemoni e di ranuncoli scarlatti»[5], e raccontò:

Quando arrivammo nella pianura del Giordano, ecco che il deserto era fiorito come una rosa. Fu indimenticabile […] immersa fino alla cintola nei fiori. Là trovai il giaggiolo più bello che abbia mai visto, grande e dal profumo dolce, con petali cadenti di un porpora tanto cupo da sembrare quasi nero. Adesso orna la mia tenda[6].

Mentre si trovava sulle Alpi ad arrampicare, scrisse alla sorella perché le inviasse un libro sulla flora alpina che l'aiutasse a identificare i fiori «incantevoli» che vedeva. A Glion, in Svizzera, descrisse «prati colmi, ricolmi di fiori, interi versanti collinari imbiancati come se vi fosse appena caduta la neve, bianchi di grandi narcisi. Non ho mai visto nulla di altrettanto bello. […] È strano come l'intera flora cambi da valle a valle»[7]. Nel 1901, salendo i bassi versanti dello Schreckhorn, Gertrude fu distratta dal profumo delle viole: «Mentre le mie guide cucinavano la cena, ho passeggiato sul monte a osservare le piante alpine, trovandone di ogni genere, persino pallide viole dal profumo dolcissimo sotto grandi massi. Avevo tutto soltanto per me»[8].

Nel 1899, mentre si trovava a Gerusalemme con i Rosen, suoi amici, si abbandonò a «uno sfrenato giardinaggio» presso il consolato. A giudicare dalla frequenza con cui Gertrude gli scriveva di piante e di giardinaggio, Chirol condivideva questa sua passione: «I miei alberi giapponesi stanno fiorendo e tutte le mie radici siriane stanno prosperando.

Quando arriverai ti offrirò un mazzo di giaggioli neri del Moab!»[9]

Al ritorno dai suoi viaggi portava sempre gli esemplari botanici più sensazionali, e talvolta li inviava. Una volta portò pigne di cedro del Libano e piantò un albero a Rounton. Un altro si può ancora ammirare a Wallington Hall, dimora della famiglia Trevelyan, con cui la sua sorellastra Molly si imparentò tramite il marito. In un'altra occasione portò la mandragora, la pianta misteriosa la cui radice fittonante ha una forma che ricorda quella umana. Sin dal Medioevo si credeva che a sradicarla "strillasse", emettendo un suono che conduceva alla follia. Nelle antiche illustrazioni, un uomo si copre le orecchie con le mani, mentre la mandragora è divelta da un cane che vi è incatenato e impazzisce al posto del padrone. Rounton ebbe la sua mandragora: «Vi spedisco un pacchetto di semi» scrisse Gertrude alla famiglia. «Più che per la bellezza della pianta sono interessanti per ciò a cui essa è associata, dato che si tratta della famosa e favolosa mandragora. A proposito, la radice della mandragora può raggiungere i due metri di lunghezza, perciò direi che senz'altro qualcuno strilla quando la si sradica, se non la mandragora stessa, allora colui che la strappa»[10].

Durante il viaggio intorno al mondo con Hugo, dopo la celebrazione del 1903, Gertrude sostò a Tokyo abbastanza a lungo per incontrare Reginald Farrer, «un grande giardiniere». Farrer amava la riservata bellezza dei giardini giapponesi e ne disprezzava le popolari imitazioni inglesi dell'epoca. Originario di Clapham, North Yorkshire, non lontano dalla proprietà di famiglia dei Bell, era nato con il labbro leporino che gli causava grandi difficoltà nel parlare e che lui nascondeva sotto un paio di folti baffi neri. Era destinato a diventare uno dei più grandi collezionisti di piante del mondo e prediligeva i giardini naturali, di cui scriveva in una prosa wildeana. Aveva una casa in Giappone, dove si era trasferito dopo che Aubrey Herbert, figlio del conte di Carnarvon e attaché dell'ambasciata britannica a Tokyo, di cui si era innamorato al Balliol College, lo aveva invitato, come altri amici di Oxford, a raggiungerlo. Con Gertrude e Hugo viaggiò nel Giappone rurale e in Corea. In una lettera del 28 maggio, Gertrude lo descrisse mentre scendeva dal Monte Fuji portando un «*cyprodium* [*cypripedium*] rosa». «Tutti, Reginald Farrer, i Collier e Mr Herbert, sono venuti a trovarci e hanno portato Hugo in una sala da tè a trascorrere la serata in compagnia di una geisha! Mi chiedo come si sia comportato»[11].

Il contrasto fra Gertrude e una geisha era molto accentuato, e nel suo libro *The Garden of Asia*, pubblicato l'anno successivo, Farrer dedica un capitolo alle condizioni di vita delle donne giapponesi, indubbiamente argomento di vivace conversazione fra lui e i Bell. La concezione giapponese secondo cui le donne potevano essere geishe o mogli concordava con le convinzioni di Farrer a proposito delle sue compatriote, le quali potevano essere noiose, ossia adeguate a essere mogli, oppure potevano non essere noiose, e perciò inadatte a essere mogli. Ancora nubile a trentacinque anni, con tutta la sua radiosa curiosità ed energia, Gertrude fu forse la catalizzatrice di questa idea, da cui Farrer fu intrigato per tutta la vita.

Il giardinaggio prima del XX secolo era alquanto diverso da quello che conosciamo oggi. Era giudicato essenziale l'utilizzo della serra, che costringeva migliaia di piante a fiorire, permettendo così ai giardini delle case sontuose e ai parchi pubblici di avere sgargianti aiuole fiorite di forma geometrica e i tappeti viventi delle bordure, lunghe anche decine di metri. Nel 1877 furono piantati nei parchi londinesi due milioni di piante coltivate in serra. Il principale sostenitore della coltivazione di piante resistenti, il giardinaggio oggigiorno più naturale, fu William Robinson, giardiniere e scrittore, il quale organizzò una campagna di protesta per denunciare le aiuole di tappezzanti. Collaborando con Gertrude Jekyll, utilizzò bordure di piante erbacee perenni e parate di fiori per produrre gli effetti di quello che tuttora è conosciuto come «giardino all'inglese».

Farrer fu tra i primi a progettare giardini rocciosi e Gertrude ne volle uno a Rounton, intorno al lago, con i fiori alpini di cui si era innamorata durante le sue escursioni in montagna. I giardini rocciosi di Farrer e di Gertrude non erano mucchi di macerie fra cui stentate piante spinose lottavano per sopravvivere. Furono allestiti presso cave di calcare, concepiti alla stregua di imponenti versanti rocciosi naturali nelle cui fenditure sbocciassero i fiori, come sulle montagne a primavera. Il libro di Farrer *My Rock Garden* fu pubblicato nel 1907, quattro anni dopo il suo incontro con Gertrude, che si era stabilita a Rounton due anni prima. Con blocchi di pietra provenienti dalle cave di ferro sulle Cleveland Hills, e molto probabilmente con la manodopera di tutti i giardinieri di Rounton e di molti assistenti arruolati al villaggio, Gertrude creò una massiccia collana di rocce intorno al laghetto, dove piantò ampie estensioni di fiori cosparse di arbusti, fra cui le azalee, che spiccavano nell'album della famiglia Bell. Nell'aprile del 1910 scrisse a Chirol: «Ho trascorso molti pomeriggi nel giardino roccioso a contemplarne la bellezza, nonostante un tempo incredibilmente freddo e piovoso. Eppure il mondo è meravigliosamente bello, e quali che siano le condizioni atmosferiche, credo davvero che non esista sulla faccia della terra alcun prodigio paragonabile alla primavera in Inghilterra»[12].

Un paio di anni dopo realizzò un giardino acquatico lungo un altro tratto del lago e scrisse a Chirol: «Se si guarda con occhi fiduciosi è possibile veder fiorire i giaggioli fra i sassi e il fango. Sarà bellissimo»[13].

Nell'estate 2004 la National Portrait Gallery di Londra ha organizzato una mostra di ritratti di avventurose viaggiatrici, intitolata: «Fuori dai sentieri battuti». Gertrude era rappresentata da tre oggetti: un ritratto da adolescente ad acquerello eseguito da Flora Russell, una mappa e un teodolite, piccolo e molto bello, donatole insieme al Gill Memorial Award dalla Royal Geographical Society nel 1913. Fu la prima donna a ottenere il premio della prestigiosa istituzione per le numerose esplorazioni e spedizioni da lei compiute. L'unica didascalia a lei dedicata affermava: «Nonostante le sue imprese, si oppose attivamente alla concessione del diritto di voto alle donne britanniche». Tale giudizio, sebbene tecnicamente corretto, è ingiusto rispetto all'essenza delle sue intenzioni e non considera la sua posizione, in quanto figlia della Rivoluzione industriale, né la complessa situazione politica dell'epoca. Spesso le viene mossa questa accusa semplicistica, parzialmente responsabile della sottovalutazione delle sue imprese.

Il suffragio femminile era una delle questioni morali e intellettuali più dibattute dell'epoca, e Gertrude, sin da quando ebbe il permesso di cenare insieme agli adulti, ne sentì discutere con fervore da tutti i punti di vista. Hugh e Florence erano contrari per motivi assai convincenti, mentre alcuni loro amici, in primo luogo l'attrice Elizabeth Robins, erano incondizionatamente favorevoli. Tutti i Bell concordavano con John Stuart Mill, il maggior sostenitore dell'emancipazione della donna nella sua epoca, secondo cui era essenziale per le donne essere "persone", tanto che divenne uno scherzo di famiglia affermare che di rado le donne si sentivano abbastanza Persone.

A questo proposito, Florence è stata criticata per non aver espresso alcuna opinione nel suo libro *At the Works*. Eppure il suo giudizio era estremamente chiaro e deciso: «Non potrà mai esservi più di una determinata percentuale di donne in grado di sostenere l'immenso fardello da cui sono gravate le donne lavoratrici nelle attuali condizioni». Con «donne lavoratrici» Florence intendeva le mogli degli operai, e questa concisa affermazione contiene gran parte delle sue argomentazioni contro il suffragio femminile.

Se mai Florence influenzò Gertrude a proposito di qualcosa, fu proprio per il sostegno al movimento che si opponeva alla concessione del diritto di voto alle donne, sebbene oggi possa apparire strano. Nell'accompagnare la matrigna in visita alle famiglie operaie di Middlesbrough, Gertrude constatò personalmente che le donne erano già al limite delle loro capacità. Senza le mogli a prodigarsi con generosità estrema, ventiquattr'ore su ventiquattro, per assolvere alle necessità della casa e della famiglia, la famiglia stessa si sarebbe disgregata, e così si sarebbe sfaldata l'intera struttura sociale. Molte donne crollavano, molte famiglie perivano di stenti, molti uomini si uccidevano con l'alcolismo, e Florence e Gertrude ne erano testimoni. Ebbene, Florence sottolineava che tali problemi non erano meno importanti dell'attività parlamentare. Come avrebbe mai potuto una moglie e madre di Clarence abbandonare i figli per andare a votare, o trovare il tempo di leggere per comprendere i problemi politici del momento, oppure per imparare a leggere, se fosse stata analfabeta? Cos'avrebbe mai potuto sapere, una moglie e madre di Clarence, a proposito dei temi su cui sarebbe stata chiamata a pronunciarsi mediante il voto, quali il libero scambio, le riforme, la corruzione, l'amministrazione della giustizia, l'*home rule*? Era di questi problemi che si occupavano i governi dell'epoca, e allora si giudicava che per esercitare il diritto di voto, oggi considerato universale, fosse indispensabile un livello elevato di istruzione e di consapevolezza politica.

Problemi come la salute, l'istruzione, le attività ricreative, i servizi sociali, la povertà, l'assistenza sociale erano affrontati dalle amministrazioni locali, e Florence era profondamente coinvolta in tali attività, al pari di molte donne di sua conoscenza appartenenti alla classe media, il cui timore era che le richieste delle suffragiste, le quali rispettavano la legge, e delle suffragette, che la violavano, suscitassero reazioni repressive tali da annientare i progressi già ottenuti dalle donne.

Oltre che dall'influenza della famiglia, Gertrude fu spronata all'azione dalla militanza di Christabel Pankhurst, che nel 1904 incitava le donne a opporsi a quello che lei stessa definiva «il carattere pernicioso della sessualità maschile». Le suffragette sue seguaci condannavano il matrimonio come prostituzione legalizzata. Erano impegnate in una guerra fra i sessi e agivano in gruppo, con metodi analoghi a quelli del terrorismo. Provocavano sommosse e infliggevano danni materiali, fracassando vetrine, devastando carrozze ferroviarie, calpestando aiuole, sfregiando ritratti di donne nude nelle gallerie d'arte, versando pece e acido nelle cassette postali. Aggredivano i maschi, strappando loro gli indumenti per poi frustarli. Arrivarono persino a inviare pacchetti di acido solforico a Lloyd George e a tentare di appiccare il fuoco alla sua casa, nonché ad assalire individui somiglianti al primo ministro, Herbert Asquith. Il 28 ottobre 1908 Gertrude scrisse: «La notte scorsa ho partecipato a una deliziosa festa dei Glenconners. Poco prima del mio arrivo, quattro suffragette hanno aggredito Asquith, come al solito. Allora Alec Laurence, furibondo, ne ha afferrate due e ha torto loro le braccia fino a farle strillare. Così una di loro gli ha morso a sangue una mano. [...] Nel raccontarmi la storia era tutto intriso di sangue»[14]. Evidentemente Gertrude si rammaricava di non avere assistito al drammatico incidente, ma forse questa fu una fortuna. Per quanto disdegnasse la violenza, ci si domanda come si sarebbe comportata se fosse stata presente. Si sarebbe forse gettata nella mischia, spaccando un vaso in testa a una suffragetta? In tal caso, comunque avesse reagito, ne sarebbe derivato un danno alla sua reputazione.

A parte le preoccupazioni di Florence per le mogli degli operai, soggette a condizioni di vita oppressive, e il danno inflitto alla causa femminile dalle suffragette militanti, i Bell avevano valide ragioni per opporsi alla fragorosa campagna per procurare il diritto di voto alle donne. In conseguenza della Grande Riforma del 1832 e dei provvedimenti successivi, il numero dei votanti era salito da mezzo milione a cinque milioni nel 1884, nonostante avessero diritto di voto soltanto i possidenti, vale a dire un quarto della popolazione maschile britannica. Dato che tale diritto era negato a tanti uomini, il parlamento non intendeva certo estenderlo a tutte le donne.

Oggi la soluzione potrebbe sembrare evidente, ossia concedere il diritto di voto a tutti gli adulti, a prescindere dal sesso e dalla classe sociale. Tuttavia, se questo fosse accaduto, gli elettori che non pagavano alcuna tassa, vale a dire la maggioranza, avrebbero preteso la maggior parte dei benefici. Si discusse molto della possibilità di concedere il voto alle donne possidenti, ma la legislazione vigente stabiliva che, con le nozze, le proprietà della moglie fossero immediatamente trasferite al marito. Ciò significava che il diritto sarebbe stato negato alle mogli e concesso alle vedove, alle zitelle e alle prostitute.

Per questo le donne indipendenti e razionali, come Florence Nightingale, sostenevano che non si poteva affrontare la questione del suffragio femminile senza prima cambiare la legislazione sulla proprietà. I bastoni e i sassi delle suffragette non sarebbero stati nulla rispetto a dieci milioni di lavoratori mobilitati a difendere i loro diritti di proprietà. Per i riformatori liberali come i Bell, esistevano problemi sociali più urgenti della lunga battaglia per creare un nuovo equilibrio elettorale.

Nel 1908, Gertrude partecipò al movimento contro il suffragio femminile, iscrivendosi alla Lega nazionale antisuffragista e impegnandosi con l'entusiasmo e con la determinazione di vincere che l'avevano contraddistinta a Oxford. Con il suo carattere, non poteva fare nulla a metà. Probabilmente fu proprio lei, con il suo talento per l'efficienza amministrativa, a organizzare la prima raccolta di duecentocinquantamila firme per la petizione antisuffragio del 1909. Nondimeno lasciò trapelare di non sentire come una «missione» il proprio impegno nel movimento antisuffragio, la qual cosa suggerisce che in gran parte lo abbia assunto per compiacere Florence. A proposito della prima riunione della Lega, scrisse:

La presidentessa è Lady Jersey. [...] Io sono stata costretta a diventare segretaria onoraria, cioè una cosa orribile[15].

Per quasi un mese la nostra vita è stata pressoché sconvolta dall'organizzazione della grande manifestazione antisuffragio di Middlesbrough. Ce l'abbiamo fatta ed è stata un grande successo, benché di breve durata. [...] Anche se è stata molto interessante, ha richiesto una quantità spaventosa di tempo, incluse moltissime ore a scrivere lettere e a fare propaganda[16].

In seguito, Gertrude s'impegnò considerevolmente a favore delle donne musulmane in Iraq, contribuendo a fondare le prime scuole femminili a Baghdad, promuovendo una raccolta fondi per un ospedale femminile e organizzando la prima serie di conferenze di un medico donna riservata a un pubblico femminile. Gertrude riconsiderò la sua attività antisuffragio con sentimenti contrastanti e ne parlava «divertita dal suo stesso atteggiamento», come riferì la sua vecchia amica, Janet Hogarth.

Entro la fine del decennio il suo impegno antisuffragio cessò, mentre si sviluppavano in lei interessi nuovi ed esclusivi. L'archeologia, motivo di avventure nel deserto, cominciava a ossessionarla; inoltre stava per innamorarsi profondamente. La studentessa priva di tatto era diventata una donna capace ed estremamente raffinata. Era ricca, libera da relazioni sentimentali e non aveva figli di cui preoccuparsi. Lo spettro dei suoi talenti andava dalla poesia all'amministrazione, dall'avventura e dall'impresa sportiva all'archeologia. Era dotata di una rara capacità di comprensione della storia mondiale e dei problemi politici contemporanei, oltre che della passione per il bel vestiario. Parlava e scriveva correntemente sei lingue. E tutte queste abilità affondavano le loro radici nelle qualità umane più dolci, ossia profondo senso della famiglia, del paesaggio e dell'architettura, amore per la vita in se stessa. Poche altre persone sono state altrettanto poliedriche. In quanto Persona, Gertrude era giunta a realizzare le aspirazioni auspicate da John Stuart Mill per le donne.

5.
Alpinismo

Sin dall'infanzia Gertrude aveva sempre posseduto una straordinaria vitalità mentale e fisica. Sebbene minuta, era forte e atletica. Sentiva molto la necessità di esercizio fisico, meglio se arduo. Praticava la caccia, la danza, il ciclismo, il tiro con le armi da fuoco, la corsa, il giardinaggio, il pattinaggio, e durante le vacanze non si stancava mai di compiere escursioni per visitare i luoghi più affascinanti. Non sopportava di essere considerata pigra e viziata. A trent'anni, quando le sue coetanee erano ormai mogli e madri, era pronta per una nuova sfida che le consentisse di dimostrare di non essere velleitaria e inconcludente. Fu allora che scoprì l'alpinismo. Della sua prima ascesa importante, nel 1899, scrisse: «È stato spaventoso, assolutamente spaventoso! Ero su una parete a strapiombo e non mi ero mai trovata in una situazione simile. Probabilmente, se avessi saputo con precisione che cosa mi aspettava, non avrei affrontato quell'esperienza. [...] Tuttavia non ho ceduto, non ho rinunciato»[1].

Due anni prima, durante una vacanza con la famiglia sulle Alpi francesi, aveva promesso di tornare per scalare la Meije, il cui profilo innevato torreggiava sul villaggio di La Grave e sulla piccola locanda di montagna in cui alloggiavano i Bell. Allora i familiari le avevano espresso la loro disapprovazione. La montagna, che poteva essere scalata soltanto da alpinisti molto esperti, imponeva difficoltà estremamente diverse da qualunque altra che lei avesse mai affrontato. E quando intraprese l'ascesa di quella montagna alta quasi quattromila metri, Gertrude ritenne conveniente farlo in biancheria intima. Non esistevano «indumenti adatti» a donne alpiniste, perciò quando arrivò il momento di legarsi in cordata con le guide si tolse la gonna, che rimise in seguito, una volta ritornata sul ghiacciaio.

Per le famiglie ricche della tarda età vittoriana, una vacanza estiva sulle Alpi rappresentava un intermezzo esotico e romantico, paragonabile alle attuali vacanze invernali nelle isole alla moda, come le Barbados o Saint-Barthélemy. Salutari passeggiate in montagna, cibi sani, faticose biciclettate, navigazioni lacustri e partite a carte prima di andare a dormire erano le attività previste. Sebbene esperti viaggiatori, i Bell non erano diversi da chiunque altro sotto questo aspetto, e anche se Gertrude portava le escursioni all'estremo, le Alpi non le avevano mai suggerito nulla di più fino all'imminente conclusione di quelle due settimane a La Grave.

Per la famiglia Bell il 1897, anno del sessantesimo anniversario di regno della regina Vittoria, fu anche quello del cordoglio per la morte di Mary Lascelles, sorella di Florence, che era stata testimone di ogni fase dell'adolescenza di Gertrude, aveva tentato di rendere più femminile la giovane donna «oxoniense» nell'ambiente socialmente vivacissimo di Bucarest, e aveva osservato con preoccupazione il suo rapporto amoroso con Henry Cadogan. La sua morte avvenne circa un mese dopo il soggiorno di Gertrude presso i Lascelles a Berlino, dove Sir Frank era ambasciatore britannico. Quattro mesi di lutto non erano bastati per raggiungere la rassegnazione, così Hugh e Florence decisero che tutta la famiglia aveva bisogno di una vacanza e che in agosto si sarebbe riunita al completo. Florence, proveniente da Potsdam, dove aveva fatto visita ai Lascelles, si recò a Parigi per incontrare Hugh, Gertrude, Hugo, Elsa e Molly, arrivati da Londra. Poi tutti insieme, seguendo un itinerario culturale accuratamente pianificato che includeva le visite alle gallerie d'arte di Lione e alle chiese di Grenoble, proseguirono per il Massif des Écrins, nel Delfinato.

Là, Hugh e Gertrude presero l'abitudine di alzarsi presto per uscire a camminare o in bicicletta. All'inizio Florence rimase a letto a causa di un grave raffreddore. Gli altri si rilassavano restando seduti al sole e bevendo cioccolata calda. Padre e figlia, perfettamente adatti a quelle agevoli escursioni, ammiravano con gioia i panorami e i fiori, conversando e smarrendosi piacevolmente nell'isolamento della reciproca compagnia. Hugh decise di accompagnare Gertrude in un'ascesa del Bec de l'Homme che includeva qualche tratto in arrampicata. Salendo i ripidi prati coperti di stelle alpine giunsero alla base del ghiacciaio, si legarono in cordata e arrampicarono per una mezz'ora. Fecero colazione sull'arête, ammirando il panorama, poi scesero. Per Hugh era sufficiente, ma Gertrude continuò le escursioni, avventurandosi sempre più in alto e ritornando sempre più tardi. Con le guide locali Mathon e Marius organizzò una propria spedizione al Pic de la Grave (3667 metri), più basso della Meije (3983 metri) e in gran parte più agevole da scalare. Il 7 agosto Gertrude scrisse nel diario: «Elsa e papà sono rimasti al Col, mentre io sono salita con le guide al Pic de la Grave, scavando gradini nel ghiaccio per tre ore e mezza. [...] Papà e Elsa sono ritornati al rifugio da soli»[2].

Poco prima della fine della vacanza Gertrude salì alla Brèche, condotta dalle guide a evitare la via più estrema sulla roccia e sul ghiaccio. Trascorse la notte in rifugio, a due ore di cammino dalla locanda. La mattina successiva, con grande entusiasmo, scese di corsa per l'ultimo tratto fino a La Grave. «Fieramente rientrò nel villaggio [...] affiancata dalle guide, molto soddisfatta di se stessa» scrisse Florence, che proprio quel giorno era uscita per la prima volta in terrazzo, ben coperta con giacca, soprabito e scialli. Così, a trent'anni, Gertrude aveva scoperto l'esaltazione e il pericolo dell'arrampicata. Ormai il dado era tratto. Quando i Bell lasciarono l'alberghetto al seguito del loro bagaglio, lei sapeva che sarebbe ritornata.

Mantenne la promessa due stagioni più tardi, dopo avere

compiuto, nel frattempo, il giro del mondo. Sola, arrivò a La Grave da Bayreuth, dove lei e Hugo, appassionato di musica, erano stati raggiunti da Frank Lascelles, da sua figlia Florence e dal caro Domnul conosciuto da Gertrude in Romania e ora diventato Sir Valentine Chirol, il quale, con calma e assennatezza, fece del suo meglio per dissuaderla dalle sue nuove, pericolose avventure. A quell'epoca non era insolito che gli scalatori, spesso studenti universitari britannici in vacanza, affrontassero le Alpi senza alcuna esperienza di arrampicata, affidandosi alle capacità delle guide. I ramponi non si usavano, non si sarebbero usati ancora per quasi un decennio, e anche allora sarebbero stati giudicati indegni dell'arrampicata sportiva. I moschettoni non erano stati ancora inventati. Le corde, che non erano di nylon, dovevano essere grosse e pesanti per risultare di qualche utilità, e quando s'impregnavano d'acqua diventavano ancora più pesanti. Senza alcun ausilio moderno, e senza avere avuto nessun'altra esperienza, Gertrude era ancora una novizia come nel 1897. Forse ancora inebriata dall'ascesa della Brèche, ritrovò Mathon e Marius e s'impegnò a scalare la Meije con loro il 29 agosto, tempo permettendo.

Trascorsero al rifugio le due notti precedenti, e dedicarono il primo giorno a un'arrampicata di allenamento. All'imbrunire un giovane inglese di nome Turner si unì a loro insieme alla sua guida, Rodier. Uscita ad ammirare il tramonto, Gertrude osservò con un certo timore reverenziale la Meije che s'innalzava sopra di loro, ammasso di nuda roccia e di ombre minacciose. Alle otto di sera tutti e cinque si sistemarono per dormire. Con la paglia come giaciglio e il mantello come cuscino, Gertrude si dichiarò «molto comoda», ma nelle prime quattro ore della notte rimase perfettamente sveglia, senza dubbio a riflettere sul proprio contatto con Turner, dato che giacevano l'uno accanto all'altra «pigiati come sardine». Poco dopo mezzanotte si lavò al fiume impetuoso sotto le stelle, poi, con Marius, seguì la lanterna di Mathon sulla neve. All'una e mezzo la luna era abbastanza luminosa per consentire loro di legarsi in cordata, iniziare l'ascesa e avviarsi sul Glacier du Tabuchet. Allora Gertrude si tolse la gonna, perché non possedeva ancora calzoni da arrampicata. «Consegnai la mia gonna a Marius perché Mathon aveva detto che non mi sarebbe stato possibile indossarla. Anche se aveva perfettamente ragione, mi sentivo molto indecente»[3].

Attraversando la Brèche da nord a sud giunsero al Promontoire, una cresta rocciosa dove riposarono per dieci minuti. Dopo essere saliti, «molto piacevolmente», per un lungo camino arrivarono sul ripido crinale del Grand Pic. In un paio di occasioni Mathon e Marius trasportarono Gertrude come se fosse un pacco.

Per quel tratto fu facile, poi arrivò il momento dell'iniziazione. A questo proposito, Gertrude scrisse in seguito: «Per due ore e mezza circa, la parete rocciosa fu terribilmente difficile [...] assolutamente spaventosa. Per la prima mezz'ora mi considerai perduta. Mi sembrava impossibile salire fino alla cima senza mai scivolare [...] poi incominciò a sembrare del tutto naturale essere appesa sull'abisso»[4].

Quando giunsero al Pas du Chat, ben noto per essere insidioso, riusciva ormai a procedere tanto agevolmente da non essersi resa conto di avere completato una delle manovre più difficili dell'arrampicata. Giunsero al Grand Pic alle otto e quarantacinque del mattino. Restavano da superare soltanto i quattro metri e mezzo di roccia quasi perpendicolare dello Cheval Rouge, così chiamato per la necessità di salirlo a cavalcioni. Poi, una volta superato un breve risalto strapiombante, si giungeva in vetta. A un tratto, quando il cinturino s'impigliò in una sporgenza e si spezzò, la piccozza di Mathon, primo a salire, volò sopra la testa di Gertrude e precipitò nel silenzio soprannaturale del vuoto sottostante. Infine fu raggiunta la vetta della Meije, a 3983 metri di quota, nel sole caldo, con un panorama incomparabile tutt'intorno. Lassù Gertrude e le sue guide furono raggiunte da Turner e da Rodier.

Dopo mezz'ora Mathon scrollò Gertrude per svegliarla. La discesa richiedeva più tempo della salita e non era meno ardua. I due gruppi sarebbero scesi insieme in corda doppia. A metà tragitto, sul Grand Pic, le guide assicurarono la corda a un chiodo a pressione per calare Gertrude e Turner sopra una piccola cengia, dove sedettero l'uno accanto all'altra, con le gambe ciondoloni sul precipizio vertiginoso. Fu necessario compiere senza corda doppia il tratto successivo, «molto brutto», a giudizio di Gertrude. Era alla Brèche, da lei scalata due anni prima seguendo un'altra via, quindi non si aspettava quello che fu uno dei peggiori momenti dell'intera avventura. Era preceduta da Mathon, il quale, legato a lei, scomparve all'improvviso oltre un angolo roccioso. Durante l'attesa che seguì, Gertrude sentì una stratta alla corda e udì la voce della guida: «*Allez, mademoiselle!*» In una lettera ai genitori raccontò: «Due piccole sporgenze permettevano di aggrapparsi a una roccia strapiombante, e sotto c'era La Grave, e io ero a mezz'aria, e Mathon oltre l'angolo teneva tesa la corda, che però era obliqua, naturalmente. Ecco, questa è l'impressione generale che ho avuto in quei dieci minuti»[5].

Dopo altre tre ore di incessante concentrazione, Gertrude ritornò sana e salva al ghiacciaio, dove la gonna le fu restituita. Maliziosamente notò che Mr Turner era «terribilmente sfinito». Soltanto gli alpinisti sanno come una lunga giornata in montagna possa ridurre una persona a un misto di lacrime e di esultanza, e come si possa allo stesso tempo agognare il sonno e voler rivivere ogni momento del pericolo appena passato. Con le membra tutte tremanti e in un tumulto di emozioni, Gertrude rientrò stancamente al villaggio insieme a Mathon e a Marius. Là, con sua sorpresa, trovò i clienti e il personale della locanda che pestavano i piedi sulla soglia gelata in attesa di potersi congratulare con lei. Ricevette una serie di pacche sulla schiena e assistette a un'esplosione di mortaretti per celebrare la sua prima salita. Crollò a letto e dormì undici ore. Al risveglio bevve cinque tazze di tè e inviò un telegramma a Red Barns: «Meije *tra-versée*».

Gertrude doveva sempre avere un progetto. Dopo la Meije, la sua prima vera esperienza alpinistica, proseguì, si esercitò per qualche giorno su pareti meno impegnative, e finalmente affrontò la cima più alta delle Alpi francesi meridionali, la Barre des Écrins (4102 metri), una sfida immane per una scalatrice inesperta come lei. Eppure era sicura di potersi misurare con quella montagna, ufficialmente catalogata come *extrême*. Quale concessione alla rischiosa impresa, acquistò un paio di calzoni da uomo, sostenuti dalla cintura ben stretta sotto la gonna. Perciò nel suo diario il resoconto di ogni giorno di arrampicata inizia così: «Via la gonna e su per la roccia!»

Con le sue guide trascorse la notte del 31 agosto al rifugio, dove pernottò un altro scalatore, il principe Luigi di Orléans, «un simpatico ragazzo che ridacchia spesso», insieme al suo portatore, Faure, che cucinava per lui. Fino all'imbrunire Gertrude lesse il resoconto della prima scalata all'Écrins di Edward Whymper, poi, sino all'ora di dormire, rimase seduta a conversare con il principe Luigi e con alcuni tedeschi arrivati nel tardo pomeriggio. Partirono all'una e dieci del mattino. Quel giorno accaddero alcuni incidenti, forse a causa del freddo intenso. Marius lasciò cadere la piccozza e Gertrude rimase seduta sulle proprie mani, nel tentativo di mantenerle calde, mentre Faure scendeva a recuperarla. Una volta Gertrude scivolò sul ghiaccio e cadde supina, però Mathon la resse con la corda e tutti e due si ferirono gravemente le mani. Con difficoltà a causa delle dita intirizzite, Gertrude scattò alcune fotografie. A mezzogiorno furono avvolti dalle nubi cariche di neve spinte da un vento tagliente e furono costretti a ritardare la discesa dalla cima. Erano quasi le tre del pomeriggio quando pranzarono sul ghiacciaio con pane, prosciutto e sardine. Per qualche tempo, durante la discesa, Mathon si smarrì, e Gertrude, su un tratto ghiaioso, si torse dolorosamente una caviglia. Nel corso della salita si era strappata i calzoni, perciò al termine della discesa era congelata. «Ero a brandelli, così per decenza indossai la gonna, o meglio, fu Mathon a mettermela, perché io non sentivo più le dita»[6]. Rientrarono alla locanda dopo diciannove ore sull'Écrins, un'escursione un po' troppo lunga persino per Gertrude.

Quell'anno la scalata dell'Écrins non fu la sua unica arrampicata, ma dato che a Gertrude non interessava farsi pubblicità, i suoi biografi si sono alquanto confusi a proposito del suo programma. Per giorni si era destata poco dopo mezzanotte e si era coricata nei rifugi a tarda sera, quindi è improbabile che abbia potuto scrivere regolarmente il diario e le lettere alla famiglia, oppure qualcosa è andato perduto e nemmeno l'Alpine Club, la più antica associazione alpinistica, ha conservato un resoconto accurato delle sue imprese.

Per la stagione di arrampicate del 1900 Gertrude scelse le Alpi svizzere. Con le sue due nuove guide, Ulrich Führer e suo fratello Heinrich, trascorse ore felici a Chamonix studiando le mappe e progettando la sua nuova impresa. Aveva deciso di scalare la cima più alta delle Alpi, il Monte Bianco (4810 metri), spiegando di averne osservato la candida cima dal lago di Ginevra e di essersene sentita beffardamente sfidata. Benché non fosse la più difficile delle arrampicate, era impegnativa e molto faticosa. A oggi, più di mille alpinisti sono morti nel tentativo. Eppure Gertrude vi si cimentò, soltanto un anno dopo l'esperienza della Meije. Un famoso rocciatore suo contemporaneo confidò all'Alpine Club che il suo ricordo più vivido dell'ascensione del Monte Bianco era lo sforzo richiesto per seguire Miss Bell. La sua fama di alpinista stava cominciando a diffondersi. In quel periodo scrisse alla famiglia: «Sono una Persona! E questa è una delle prime domande che tutti sembrano porre: "Avete mai conosciuto Miss Gertrude Bell?"»[7].

Durante le stagioni 1899-1904 Gertrude diventò una delle più prestigiose scalatrici delle Alpi. Nel compiere la classica conquista del Monte Bianco seguì le orme di una straordinaria donna francese, Marie Paradis, che aveva portato a termine l'ascensione quasi un secolo prima, nel 1808. In verità, la storia delle donne alpiniste era iniziata già nel 1799, quando una certa Miss Parminter aveva compiuto alcune arrampicate alpine. Tuttavia nessun'altra donna aveva scalato il Monte Bianco prima degli anni Ottanta del XIX secolo, quando Meta Brevoort e Lucy Walker avevano gareggiato per la conquista del maggior numero di cime e di passi. Il contributo di Gertrude all'alpinismo consistette nel compiere numerose imprese in sole cinque stagioni, un successo particolarmente notevole se si considera che arrampicare era soltanto uno dei suoi numerosi interessi. Valutato nel contesto di tutta la sua vita, l'alpinismo fu poco più di una passione folle ma fugace, uno svago temporaneo, meno importante per lei dei viaggi, dell'apprendimento delle lingue, dell'archeologia, della fotografia e soprattutto, forse, del giardinaggio, della scherma e della caccia.

Nel corso di quella stagione, con i Führer come guide, scalò altre due cime sul massiccio del Monte Bianco, l'Aiguille du Grépon e il Dru. Anche se evitò giornalisti e fotografi, si vantò parecchio nell'ambito delle sue conoscenze, scrivendo con arrogante fiducia delle proprie prodezze in quel nuovo campo: «Ulrich è soddisfatto quanto Punch, e dice che sono brava come qualsiasi uomo, e da quello che vedo delle capacità degli alpinisti comuni, credo proprio di esserlo. [...] Ho un gran desiderio di scalare il Cervino e devo tentare di inserirlo nel programma. [...] Credo di poter affrontare qualunque montagna si voglia menzionare»[8].

Era spericolata, però aveva un talento naturale per l'arrampicata, era agile, forte, coraggiosa, quindi trascorse un po' di tempo prima che si trovasse in guai seri. Nel 1901 incontrò di nuovo Ulrich e Heinrich, questa volta nell'Oberland Bernese, che con i suoi centododici chilometri è la più lunga catena montuosa delle Alpi svizzere e offre la più complessa concentrazione di vie principali. E questa volta, secondo il diario di una certa Lady Monkswell, sua ammiratrice, Gertrude aveva acquistato un completo da arrampicata azzurro, inclusi i calzoni, che però indossava soltanto in montagna. Rientrata al rifugio si cambiava sempre per indossare decorosamente la gonna. A giudicare da ciò che chiese con una lettera a Molly, che si trovava a Londra, cioè «due spilloni d'oro per la mia sciarpa e grosse giarrettiere nere», è chiaro che l'aspetto semplice, elegante e mascolino che aveva in montagna influì sulla moda delle sciatrici nei successivi due decenni.

Ambiva per prima cosa a scalare lo Schreckhorn, le cui due cime si stagliano contro il cielo, innalzandosi come onde enormi in procinto di rompersi. La sua vetta più alta, su una catena lunga e stretta, è una delle più difficili di tutte le cime di quattromila metri delle Alpi europee, soprattutto a causa della torre di roccia ghiacciata alta seicento metri che ne costituisce la sommità. È dominata soltanto dall'immensa lama del Finsteraarhorn e anche con l'attrezzatura moderna è considerata troppo ardua per la maggior parte degli alpinisti.

Al rifugio Baregg, dove pernottò con le guide, Gertrude fu raggiunta da due allegri giovanotti, Gerard ed Eric Collier, accompagnati dalle loro guide, e trascorse con loro una bellissima serata. Iniziarono l'ascensione tutti insieme poco dopo la mezzanotte. A giudicare da una sua lettera alla famiglia, sembra che abbia superato i primi couloir e i primi arête senza scomporsi un solo capello. Poi: «Stavo cominciando a pensare che lo Schreckhorn avesse una reputazione esagerata, ma l'ora di arête dalla sella alla cima mi ha costretta a cambiare opinione. È un'arrampicata straordinaria [...] con un paio di tratti ottimi [...] del tutto soddisfacente»[9]. Arrivò in vetta un quarto d'ora prima di Gerard e di Eric, scese con entusiasmo, e ritornò al rifugio desiderosa di pranzare, soltanto per scoprire che tre francesi stavano bruciando la sua legna e stavano bevendo il suo té. Dopo avere detto loro quello che pensava, uscì per cambiarsi e indossare la gonna. Appena il terzetto si fu affrettato ad andarsene, sedette con i Führer a discutere un folle progetto da lei concepito, cioè salire la parete nordorientale del Finsteraarhorn, mai scalata. Tre tentativi erano falliti. Probabilmente esitando, Ulrich rispose che avrebbero preparato l'ascensione, ma per il momento si decise di mantenere il più assoluto segreto sul progetto.

Nel frattempo Gertrude si applicò a realizzare lo scopo principale del suo viaggio, cioè diventare la prima alpinista ad avere scalato sistematicamente tutte le cime degli Engelhörner, un massiccio dal profilo seghettato di guglie calcaree, romantico ma orrido, famoso per la sua preponderanza di vie perpendicolari. Conan Doyle non riuscì a trovare, per ambientare la scomparsa di Sherlock Holmes, un luogo più selvaggio delle vicine cascate Reichenbach, dove il torrente gonfio di neve sciolta scompare in una nube di spruzzi, precipitando in un abisso di roccia nera. Gertrude intendeva scalare metodicamente una cima dopo l'altra nel giro di quindici giorni. Con i Führer come guide, sarebbe stata la prima a compiere alcune ascensioni fino a quel momento considerate sfide impossibili. Scrisse ai familiari: «Mi sto divertendo follemente!»

Incontrò l'allegra famiglia Collier nel proprio albergo, a Rosenlaui, e partecipò a una partita di cricket giocata con rami di pino come paletti, recuperando con i retini per farfalle le palle cadute nel fiume. Pesanti nevicate impedivano per il momento di salire ad alta quota, così Ulrich guidò Gertrude sulle pareti più difficili che riuscì a trovare a bassa quota, salendo ardui canaloni, conficcando chiodi, allacciando corde, scavando gradini, e lei conservò sufficienti energie per scalare una ripida parete su cui nessuno aveva mai arrampicato e costruire un tumulo di sassi in cima. Ulrich ne rimase abbastanza impressionato da acconsentire al suo agghiacciante progetto.

In due settimane Gertrude scalò sette cime, incluse una di prima classe e due "vecchie", tracciandovi nuove vie, oppure conquistandole per la prima volta. Una di esse fu battezzata con il suo nome e ancora oggi è ricordata in tutta la letteratura sugli Engelhörner, la Gertrudspitze, la Vetta di Gertrude, fra Vorderspitze e Ulrichspitze. Al massimo della forma e dopo tali successi, il 6 e il 7 settembre Gertrude intraprese la sua più difficile ascesa per quell'anno, cioè la mai compiuta traversata di prima classe dell'Urbachthaler Engelhorn, il Grande Engelhorn.

Lei e le sue due guide iniziarono la scalata dalla valletta sul versante occidentale, la Ochsental, un luogo desolato circondato di pareti a strapiombo di roccia liscia a nord, a est e a sud. L'intento era quello di cominciare dall'estremità meridionale, una via che le guide locali e un paio di esperti arrampicatori avevano giudicato impossibile. «Abbiamo deciso per un luogo in cui la parete rocciosa era estremamente liscia, ma con molti canaletti scavati dall'acqua, talvolta profondi sette centimetri e larghi quattro, che potevano fornire appigli per le mani e per i piedi»[10].

Alla partenza iniziò a cadere la neve. Impiegarono tre quarti d'ora a scalare i primi trenta metri, poi arrivarono a un tratto di quasi due metri senza appigli. In piedi sulle spalle del fratello, Ulrich raggiunse una parete più promettente. Nel frattempo la neve si trasformò in fitto nevischio. Per fortuna trovarono una caverna profonda e fecero colazione, quindi proseguirono sotto la pioggia fino a un arête liscio che non offriva alcun appiglio. Così tornarono indietro e ritentarono da un altro luogo. Salendo con prudenza uno stretto couloir e un camino di roccia sgretolata giunsero in cima al passo. Dirimpetto alle quattro vette che avevano già scalato se ne innalzavano altre due, la prima delle quali, il Klein Engelhorn, nascondeva alla vista la più alta, l'Urbachthaler Engelhorn. Per salire all'Engelhorn, di cui Gertrude vedeva la metà superiore, vi era un sentiero percorso soltanto dai camosci. Né il versante settentrionale né quello meridionale della sella erano mai stati scalati, e il tempo era avverso, con la neve che cadeva fitta e bagnata. Decisero con grande delusione di non poter continuare e discesero fra torrenti di neve sciolta che s'insinuava nei colletti, nelle maniche e negli stivali. All'alba del 7 ripartirono con il sole nel cielo sereno.

Il Klein Engelhorn, che nascondeva la salita alla vetta, era a sua volta parzialmente nascosto da uno sperone roccioso che riuscirono a scalare abbastanza facilmente. Allora apparve la vetta più spaventosa che Gertrude avesse mai visto.

Il terzo inferiore [del Klein Engelhorn] era composto di rocce assolutamente lisce e perpendicolari, poi c'era una parete rocciosa molto ripida con un paio di couloir quasi indistinguibili, e infine, tra grandi lastre verticali e forcelle profonde, la vetta. La difficoltà maggiore era l'assoluta mancanza di protezione, non ci si poteva neppure incuneare comodamente in un camino. C'era soltanto la parete rocciosa da scalare[11].

Salirono, finché, superata una fenditura poco profonda, si trovarono in posizione estremamente precaria, alla base di uno strapiombo perfettamente liscio. Di nuovo Ulrich montò sulle spalle di Heinrich e si protese al massimo con le mani e con le braccia senza trovare un solo appiglio. Per un poco rimasero immobili, lassù, poi Gertrude si offrì di montare sulle spalle di Heinrich, in modo che Ulrich potesse montare a sua volta sulle sue e ritentare. Mentre i minuti trascorrevano lentissimi, i tre alpinisti eseguirono la manovra con prudenza, nel silenzio gelido rotto soltanto dai loro sospiri e dalle loro esclamazioni soffocate. Tuttavia Ulrich non trovò nessun appiglio neppure stando sulle spalle di Gertrude, la quale, con gli scarponi della guida che le schiacciavano le carni, digrignò i denti e con uno sforzo dei muscoli e dei tendini si protese in tutta la sua altezza, un metro e sessantacinque, per sollevarlo di qualche altro centimetro. Così Ulrich riuscì finalmente a trovare un minimo appiglio, e soltanto con la punta delle dita, sfruttando la sua forza formidabile, iniziò lentamente a issarsi. Non poteva fare altro, ma senza appigli per i piedi sarebbe precipitato, e Gertrude, soffrendo in silenzio sotto di lui, comprese subito il rischio. Così, appena un piede di Ulrich si staccò dalla sua spalla, lei sollevò un braccio per sostenerlo. Scrisse: «Lui ha gridato: "Non mi sento affatto sicuro. Se ti muovi ci ammazziamo tutti e tre!" E io ho risposto: "Benissimo, posso stare qui così una settimana"»[12].

Con la più assoluta prudenza, Ulrich riuscì a issarsi sopra una cengia sicura. Poi toccò a Gertrude, la quale, ultima in cordata, ma seconda in posizione, non poteva essere sollevata perché la corda, assicurata a Heinrich, cadeva sotto di lei. Così vi si aggrappò e con uno sforzo enorme si issò per quasi tre metri fino alla cengia. Seppure con due corde a disposizione, Heinrich era più in basso, quindi avrebbe dovuto issarsi per quattro metri e mezzo. Era impossibile. «Il fatto era, credo, che si era già perso d'animo. Comunque disse di non poterci riuscire [...] e non ci fu altro da fare che abbandonarlo»[13].

Sciolta la cordata, Heinrich si assicurò alla parete rocciosa e attese cupamente il ritorno dei compagni. Dopo avere scalato la placca successiva, giunti a brevissima distanza dalla vetta, Ulrich e Gertrude trovarono un tratto scivoloso che impedì loro di proseguire. Torvo, Ulrich scese sotto Gertrude e dichiarò che bisognava ritentare da quota inferiore. Si trovavano sul versante opposto a quello dove attendeva Heinrich. Costeggiato un precipizio, giunsero a un camino, dove Gertrude si incuneò il più saldamente possibile in modo che Ulrich potesse montarle di nuovo sulle spalle, e all'improvviso si trovarono in cima al Klein Engelhorn. Un altro problema si presentò quando la corda bagnata con cui si stavano calando s'incastrò fra le rocce e Ulrich fu costretto a ritornare in cima al camino per liberarla. Per due volte la corda s'incastrò saldamente, costringendolo ogni volta a risalire. Infine Ulrich la gettò giù a Gertrude e scese senza servirsene. Quando raggiunsero Heinrich fu necessario compiere una complessa operazione con la corda; comunque ritornarono alla base dello sperone, all'inizio dell'arduo tratto di arrampicata. Ripensando a quattro ore della scalata più difficile che si potesse compiere, Gertrude trovò incredibile che fossero riusciti a sopportare tanto in così breve tempo.

Con le dita tanto intirizzite, chiunque altro avrebbe interrotto l'escursione. Invece Gertrude aveva deciso di scalare anche la cima più alta, l'Urbachthaler Engelhorn, e non intendeva affatto rinunciare. A quanto pare, Heinrich accettò di partecipare soltanto perché vi fu costretto. Probabilmente si era aspettato di rincasare entro l'imbrunire e non era affatto contento. Tutti e tre, dopo avere pranzato, girarono intorno al Klein Engelhorn, salirono per l'arête e percorsero il sentiero dei camosci. «Si dimostrò facilissimo, però non era mai stato fatto prima»[14] commentò Gertrude.

Alle sette di sera ritornarono al passo, ma era già troppo buio per poter proseguire la discesa fino a valle, così decisero di dormire nell'abitazione di un pastore conosciuto dai Führer. Per Gertrude fu una sorta di idillio, un'esperienza innocente e affascinante. Lo chalet, annidato sul versante montano, era circondato da cateratte impetuose. All'interno, tre taciturni pastori intenti a fumare la pipa condividevano l'alloggio con una famiglia di grossi maiali. Il fuoco era acceso e i tre alpinisti ricevettero il pane e il latte più deliziosi che Gertrude avesse mai assaggiato. Poi, salita nel fienile, avvolta in una coperta e in un piumino, Gertrude dormì nel fieno per otto ore, finché fu destata dal grufolare dei maiali. Quasi riluttante ad andarsene, si trattenne finché alcune capre rimaste all'addiaccio per tutta la notte arrivarono sane e salve. Alle sette e mezzo scese per il sentiero di montagna con Ulrich, dato che Heinrich era scomparso all'alba, e conversarono con l'intimità che nasce dal pericolo condiviso. Al villaggio di Innertkirchen, lui la accompagnò alla propria casa e la presentò al padre settantenne. «Era una casa incantevole» scrisse Gertrude, «un vecchio chalet in legno costruito nel 1749, con soffitti bassi e lunghe file di finestre, tende di mussola e vasi di gerani sui davanzali. Tutto era immacolato, perfettamente pulito»[15].

Quando sedettero a tavola, Gertrude divorò con appetito enorme pane, formaggio, prosciutto ai mirtilli e uova. Non aveva mai trascorso due giorni più deliziosi sulle Alpi, come scrisse a Hugh e a Florence: «Sapete cosa siamo riusciti a fare in quindici giorni? Due vecchie vette e sette nuove cime, fra cui una di prima classe e altre quattro molto buone, nonché una nuova depressione, anch'essa di prima classe, e la traversata dell'Engelhorn, nuova e di prima classe. Niente male, vero?»[16]

Conclusi quei quindici giorni, Gertrude tornò a Redcar e alle piogge autunnali, agli incontri delle madri e alle proprie avventure rivissute con l'accompagnamento della lanterna magica a beneficio delle mogli di Clarence.

Ritornò in Svizzera nel 1902, per indurre Ulrich a mantenere la promessa di condurla sul Finsteraarhorn, e scoprì di essersi guadagnata una reputazione ancor più vasta. Con suo grande piacere, una guardia, sul treno, le chiese se fosse la stessa Miss Bell che l'anno precedente aveva scalato l'Engelhorn. Nell'albergo a Rosenlaui incontrò una rivale che stimolò le sue ambizioni. Scrisse:

C'è un'altra alpinista, qui, Fräulein Kuntze, molto brava, ma non molto contenta di vedermi, dato che la privo di Ulrich Führer, con cui ha arrampicato. C'è un tedesco con lei, uno stimato alpinista di Berna, e questo pomeriggio al loro arrivo sono rimasta seduta a chiacchierare con loro. […] Hanno compiuto alcune imprese sull'Engelhorn, ma da queste parti il meglio è ancora da fare[17].

Il «meglio ancora da fare» era il Finsteraarhorn. Gertrude era così decisa a conquistarlo che affrontò subito la prima delle "impossibilità" che Ulrich aveva deciso di compiere con lei, ossia l'ascensione del Lauteraarhorn-Schreckhorn. Il 24 luglio, nel salire, incontrarono – colmo dell'ironia – la formidabile Fräulein Helene Kuntze, che aveva deciso di lasciare il suo tumulo di sassi sulla cima e iscrivere il proprio nome nel registro dei primati. A quanto pare vi fu un acido scambio di battute fra le due gentildonne, ma gli allori furono meritati da Gertrude, la quale, divertita e risoluta, completò la prima ascensione senza molta difficoltà, con sua stessa sorpresa. Secondo l'*Alpine Journal*, questa rimane dal punto di vista tecnico la sua arrampicata più importante.

Così Gertrude si guadagnò veramente il tentativo al Finsteraarhorn, la montagna più alta dell'Oberland. La prima ascensione era stata compiuta nel 1812, ma il versante nordorientale non era mai stato scalato, e da due anni lei e Ulrich stavano prudentemente progettando proprio questa difficile via. Affilata come una lama, questa montagna remota e ostile s'innalza perpendicolarmente fino a una cresta sottile a 4274 metri, con una vetta maestosa, visibile per centocinquanta chilometri. Solitaria e lontana dalla civiltà, è famosa per il maltempo e per la frequenza delle valanghe. Molti alpinisti esperti avevano rifiutato la sfida che la trentacinquenne Gertrude si accingeva ad accettare in compagnia della sua guida. Fu la sua arrampicata più pericolosa. Per i successivi venticinque anni sarebbe stata considerata una delle più grandi spedizioni nella storia delle scalate alpine.

Per preparazione, Gertrude e i Führer salirono l'arête del Wellhorn, con l'unico problema del freddo intenso. Poi Gertrude si recò con Ulrich a ispezionare le condizioni delle rocce sul Wetterhorn, un avvicinamento non convenzionale al Finsteraarhorn che secondo la guida avrebbe potuto offrire un buon punto di partenza. «Stamattina sono partita alle cinque e mezzo. Ebbene, Ulrich lo chiama esaminare il movimento delle rocce. Significa che si sale e se non si è travolti da nessuna frana, allora la via è percorribile. [...]

116

Sotto un seracco ho esaminato il movimento di una roccia sul mio ginocchio [...], è stato doloroso»[18].

Avevano perso ventiquattr'ore nel tentare quell'avvicinamento, così ricominciarono il giorno successivo. In una serata perfetta arrivarono presto al rifugio e Gertrude andò a passeggiare sul prato senza giacca, sollevando i sassi per ammirare le viole. All'una e trentacinque del mattino lasciarono il rifugio diretti all'instabile arête che s'innalzava di fronte a loro da un ghiacciaio in una serie di torri e torrioni obliqui. «Le grandi cime si sbilanciano in continuazione e crollano [...], sono tutte coperte di sassi sporgenti pronti a cadere in qualsiasi momento»[19]. Infilata una mano in una fessura, Gertrude smosse un sasso sgretolato di poco più di mezzo metro quadrato, che le crollò addosso e la spinse a scivolare giù sul ghiaccio finché riuscì ad arrestare la caduta presso una piccola cengia. «Mi rialzai senza ricorrere alla corda, e fu un bene, perché poco dopo, quando mi capitò di farmela scorrere fra le mani, mi accorsi che era rimasta troncata a circa un metro dalla mia cintola»[20].

Con la corda accorciata, salì faticosamente l'arête, mentre la pendenza diventava più ripida e più sotto arrivavano da occidente fosche nubi ribollenti. La cima dell'arête era ancora lontana e la vetta della montagna era più oltre. All'inizio gli alpinisti si sentirono incoraggiati, ma trascorse un'altra ora senza procedere di molto, con il tempo che peggiorava di minuto in minuto. Iniziò a cadere la neve quando si trovavano ancora a trecento metri dalla vetta e la via si restrinse a una singola torre, una prospettiva terrificante con uno strapiombo di sei metri. Ulrich riteneva che se fossero riusciti a scalare la torre avrebbero potuto proseguire fino alla sommità. In ogni caso, non c'era altro da fare.

Nel frattempo il vento rinforzò e una densa nebbia salì dalla valle. Per arrivare alla torre furono costretti a strisciare sulla cresta affilata di un colle, poi assicurarono la corda di Ulrich a una roccia e lui si calò con prudenza fino a una cengia inclinata sotto lo strapiombo da cui tentare l'arrampicata. Dopo alcuni minuti di tentativi rinunciò, disperato perché la parete dello strapiombo si sgretolava. Così tentarono sul versante opposto della torre, dalla cui base saliva un couloir quasi verticale di ghiaccio vitreo. Anche questa via si dimostrò impossibile. A soli quindici metri dalla cima dell'arête erano in una situazione disperata. Restava un'unica, spaventosa possibilità, cioè tornare indietro, scendendo il precipizio con quel maltempo orribile. Senza posa il vento soffiava loro addosso una valanga di neve sottile e dopo mezz'ora di discesa la nebbia diventò tanto densa che non riuscirono più a vedere nient'altro se non le rocce davanti al viso. Gertrude scrisse: «Ricorderò ogni centimetro di quella parete rocciosa per il resto della mia vita»[21].

Discesero con successo un camino verticale, da cui sbucarono sopra una stretta cengia ripidamente inclinata verso il basso. Dopo essersi assicurati con le corde alla roccia, si lanciarono giù per due metri e mezzo altrimenti insuperabili, atterrando sulla neve scivolosa. Anche se potevano reggersi alla corda assicurata, erano obnubilati dalla nebbia, con l'impressione di precipitare verso la morte. Erano quasi le sei del pomeriggio. Proseguirono a fatica fino alle otto, quando ormai la bufera infuriava.

Eravamo in piedi presso una grande guglia in cima a una torre quando all'improvviso essa emise uno schianto e per un secondo s'illuminò di una fiamma azzurra. La piccozza mi scattò in mano e mi sembrò di sentire attraverso il guanto di lana che l'acciaio era diventato caldo. Prima che ci rendessimo conto di dove ci trovavamo, la roccia lampeggiò ancora. […] Precipitammo giù per un camino, l'uno addosso all'altro, seppellimmo le piccozze nello scisto e ci affrettammo ad allontanarci. Non è bello tenere in mano un parafulmine personale[22].

Quella notte non poterono proseguire e furono costretti a trascorrere le ore di oscurità a metà del precipizio, nel cuore della bufera. Non avevano altra scelta. Si pigiarono in una fenditura della parete rocciosa. Gertrude trovò spazio sufficiente per incunearsi in fondo. Ulrich le sedette sui piedi per tenerli caldi, con Heinrich sotto, entrambi con i piedi infilati negli zaini. Ciascuno si legò individualmente alla roccia sovrastante, nel caso che uno di loro fosse colpito dalla folgore e cadesse fuori della fenditura. Potevano cambiare posizione soltanto di pochi centimetri e il disagio non tardò a diventare tortura. «La regola aurea è quella di non bere brandy, perché in seguito la reazione si sente maggiormente. La conoscevo e mi sforzai di rispettarla»[23]. Gertrude si appisolò «molto spesso», destata dai lampi e dai tuoni, impressionata nonostante tutto dalla potenza della tempesta e dal modo in cui la roccia colpita dai fulmini crepitava e sibilava, come legna umida che s'incendiasse. «Dato che nessun'altra precauzione era possibile, mi godetti la straordinaria magnificenza della tempesta con mente libera [...] e tutte le cose prodigiose e terribili che accadono ad alta quota. [...] A poco a poco la notte si rasserenò, diventando meravigliosamente stellata. Fra le due e le tre sorse una sottile falce di luna»[24].

Agognavano il calore del sole, ma l'alba portò una nebbia fitta e un vento tagliente, carico di neve. Uscirono dalla fenditura intirizziti dal freddo. Gertrude mangiò cinque biscotti allo zenzero, due barrette di cioccolato, una fetta di pane e un pezzo di formaggio, con una manciata di uvetta, poi finalmente si concesse un cucchiaio di brandy. Nelle quattro ore successive i tre rocciatori ripresero la discesa, lentamente, alla cieca, con le corde rigide e viscide di ghiaccio, in un vento superiore a forza otto che turbinava loro intorno in spirali di neve. I couloir erano cascate. Appena Gertrude scavò un gradino nella roccia, questo si riempì d'acqua. Sempre, in situazioni di pericolo estremo, Gertrude riusciva in qualche modo a distaccarsi dalla sofferenza e a proseguire. Tale straordinaria capacità le consentì di manifestare il massimo coraggio. «Quando le cose volgono al peggio si smette di preoccuparsi molto. Si stringono i denti

119

e si combatte con il fato. [...] So di non avere mai pensato al pericolo, tranne una volta, e allora con calma assoluta»[25].

Quel momento arrivò più tardi, quando nello stesso tratto precipitarono tutti e tre, l'uno dopo l'altro, roteando nell'abisso e poi risalendo, con un sobbalzo così violento da rischiare fratture alle costole, perché la corda aveva retto. Pensarono che il peggio fosse passato, ma sbagliavano. La loro nemesi prese la forma di un breve pendio di roccia ghiacciata alla base di una torre. Era già stato difficile scalarlo durante l'ascensione, soltanto il giorno prima, benché sembrassero trascorsi eoni. Adesso però era coperto da uno strato di neve spesso dieci centimetri che nascondeva ogni appiglio e ogni fessura. Accanto scorreva una cateratta di neve acquosa. Ulrich e Heinrich, l'uno al fianco e l'altro al di sotto di Gertrude, erano in condizioni troppo precarie per poterla sostenere. Intorno e più oltre, le pareti che offrivano appigli erano troppo lontane. «Non andò bene. [...] Io fui costretta ad assicurare di nuovo la corda di riserva a un sasso poco sotto di me, in maniera tale che mi fu praticamente inutile. D'altronde non mi era possibile fare null'altro. La roccia era troppo difficile per me. Passai la mia piccozza a Heinrich, dicendogli di non poter fare altro che lasciarmi cadere»[26].

In quella condizione di tensione estrema, Gertrude agì tanto precipitosamente che Heinrich non ebbe il tempo di assicurarsi prima che lei saltasse. Precipitarono entrambi, legati, rotolando giù per il corridoio ghiacciato. Tuttavia Ulrich aveva conficcato la piccozza in una fenditura appena l'aveva sentita dire che stava per lasciarsi cadere e vi si aggrappò con una mano, mentre con l'altra tratteneva i compagni. In seguito stentò a credere di esserci riuscito. Gertrude scrisse: «Fu quasi fatale, e mi vergognai alquanto di ciò che avevo fatto. Quello fu il momento in cui pensai che forse non saremmo sopravvissuti alla discesa»[27].

Provò un dolore straziante alle spalle e alla schiena, probabilmente dovuto a uno strappo muscolare. Tutti e tre, fradici, tremavano di freddo. Proseguirono faticosamente. Alle otto del mattino dovevano ancora attraversare alcuni crepacci e scendere il seracco prima di raggiungere la salvezza. I seracchi, formazioni all'incontro di due flussi di ghiacciaio, sono molto pericolosi perché si spostano e si rompono costantemente sotto la pressione che subiscono. Non dovrebbero mai essere attraversati di notte. Per mezz'ora i tre alpinisti cercarono di accendere la lanterna con i fiammiferi bagnati, protetti dalla gonna gocciolante di Gertrude, poi rinunciarono e procedettero a tastoni nella notte nera come la pece. Subito Heinrich sprofondò in due metri e mezzo di neve morbida. «Quello fu l'unico momento di disperazione»[28] ricordò Gertrude.

Li attendeva un'altra notte sul ghiacciaio, in mezzo al nevischio. Ciascuno dei due fratelli portava un sacco come materasso per situazioni estreme. Cavallerescamente e insolitamente, Heinrich cedette il proprio a Gertrude e Ulrich tenne i piedi di lei con i propri nell'altro sacco. Gertrude trascorse le ore pensando a Maurice, che si trovava al fronte a combattere i boeri, comandante della Volunteer Service Company, Yorkshire Regiment, il quale le aveva scritto di avere trascorso numerose notti a dormire sotto la pioggia, assicurandole di non averne risentito minimamente.

Nella luce grigia della seconda alba, rattrappiti dal congelamento, i tre alpinisti riuscivano a stento a camminare. Tuttavia si rimisero in moto barcollando, e finalmente, stentando a credere di essere in salvo, conclusero l'ordalia. Ritornarono al villaggio di Meiringen dopo cinquantasette ore sulla montagna, scoprendo che alla locanda erano tutti in ansia per la loro sorte. Dopo un bagno caldo e una colazione a letto, Gertrude dormì ventiquattr'ore. Aveva mani e piedi congelati, le dita dei piedi così gonfie e rigide che fu costretta a rinviare di alcuni giorni il ritorno a Londra, in attesa di poter calzare di nuovo le scarpe. Le dita delle mani si ripresero abbastanza rapidamente da consentirle di scrivere al padre la lettera più lunga in assoluto, riconoscendo

121

che le previsioni di Domnul sulle probabilità che lei perisse sulle Alpi si erano quasi avverate.

Dal ghiacciaio alla sommità del Finsteraarhorn il dislivello è di novecento metri. Soltanto le ultime decine di metri avevano privato della gloria Gertrude e le sue guide. Quasi tutte le loro cinquantatré ore in cordata erano state sopportate nel peggior maltempo possibile, nel vento che soffiava giù dalla montagna, in un freddo così intenso che la neve nel cadere si era ghiacciata su di loro e sulle corde, e talvolta nella nebbia, che aveva impedito di vedere dove muovere ogni singolo passo, con un rischio costante. Mentre l'escursione sul Lauteraarhorn-Schreckhorn era stata la sua più importante, Gertrude sarà sempre ricordata per la spedizione sul Finsteraarhorn. Il tentativo, sebbene fallito, era stato glorioso. La ritirata in quelle condizioni era stata un'impresa formidabile. «In tutte le Alpi vi sono ben pochi luoghi così alti e ripidi. La scalata è stata compiuta soltanto tre volte, incluso il tentativo di vostra figlia, ed è ancora considerata una delle più grandi di tutte le Alpi» scrisse Ulrich Führer a Hugh. «L'onore appartiene a Miss Bell. Se lei non fosse stata colma di coraggio e di determinazione, saremmo sicuramente periti».

Un anno più tardi, durante il giro del mondo, Gertrude dedicò un paio di giorni ad arrampicare sulle Montagne Rocciose, presso Lake Louise, e là, con sua delizia, incontrò tre guide svizzere dell'Oberland che la presero in giro inesorabilmente, domandando: «Quanto si è divertita la graziosa Fräulein sul Finsteraarhorn?»

La sua ultima scalata degna di nota fu il Matterhorn, nell'agosto 1904, sul versante italiano, ancora una volta con Ulrich e Heinrich. Sentiva di non aver finito con le Alpi senza poter vantare la conquista di quel gigante. Il Matterhorn è colmo di storia più di qualunque altra montagna della Svizzera. Sulle sue pendici si sono avuti più incidenti che su qualunque altra vetta alpina. Gertrude aveva letto e riletto il resoconto di Edward Whymper, il rocciatore britannico che trentanove anni prima aveva compiuto la prima ascesa del Matterhorn. Durante la spaventosa discesa, quattro componenti della spedizione erano scivolati e precipitati, e Whymper e le due guide superstiti non avevano condiviso lo stesso fato soltanto perché la corda si era spezzata. Indubbiamente la morte dei compagni aveva rovinato la vita a Whymper: «Ogni notte vedo i miei compagni del Matterhorn scivolare e cadere sulla schiena, allargare le braccia, l'uno dopo l'altro, in ordine perfetto, a uguale distanza. [...] Sì, continuerò a vederli per sempre»[29].

Attraverso i resoconti altrui, Gertrude conosceva la montagna talmente bene che ogni passo le era familiare. Dopo un'alba per nulla promettente, il cielo si schiarì e l'intera ascensione fu compiuta senza disagi. Presso la vetta incontrarono il famoso strapiombo difficile, il Tyndall Grat, dove di solito si trovava una scala di corda, che tuttavia in quel periodo si era spezzata ed era stata parzialmente sostituita con una corda fissa. Impiegarono due ore a scalare sei metri. «Lo ricordo con grande rispetto. Allo strapiombo bisogna lanciarsi con la corda, e mentre si è sospesi, bisogna agganciare con il ginocchio destro una sporgenza rocciosa, da cui si può a stento raggiungere quello che resta della scala di corda. È così che si fa [...] e ricordo anche di essermi chiesta come fosse possibile riuscirci»[30].

Il povero Heinrich lo trovò «insolitamente difficile». Comunque, giunsero in vetta alle dieci del mattino e poi scesero il versante svizzero per la via tracciata da Whymper, con le corde fisse lasciate dagli alpinisti che l'avevano percorsa di recente. Gertrude descrisse la discesa «più come scivolare giù per una balaustra che arrampicare»[31].

Il più riconoscibile di tutti i profili montani è il Matterhorn, raffigurato nel pannello superiore della finestra commemorativa dedicata a Gertrude nella chiesa di East Rounton, di fronte a una rappresentazione della stessa Gertrude a dorso di cammello su uno sfondo di palme. In verità, queste due fasi della sua vita sono state in opposizione, e infine i suoi interessi si sono concentrati sull'archeologia e sul deserto. Il Matterhorn è stato la sua ultima grande montagna. Nel 1926 il colonnello E.L. Strutt, allora redattore dell'*Alpine Journal*, scrisse che fra il 1901 e il 1902 nessuna alpinista era stata più prestigiosa di Gertrude Bell:

Ogni sua impresa, fisica o mentale, fu compiuta tanto superlativamente bene, che sarebbe stato davvero strano se non si fosse fulgidamente distinta così nell'alpinismo come nella caccia o nelle spedizioni nel deserto. La sua forza, incredibile in un corpo tanto minuto, la sua resistenza, e soprattutto il suo coraggio, erano talmente grandi che persino oggi la sua guida e suo compagno Ulrich Führer – e pochi potrebbero essere giudici più competenti di lui – parla di lei con un'ammirazione equivalente alla venerazione. Alcuni anni fa ha riferito a chi scrive che di tutti i dilettanti, uomini o donne, con cui ha viaggiato, soltanto pochissimi l'hanno superata in abilità tecnica, mentre nessuno l'ha eguagliata in sangue freddo, audacia e perspicacia.

6.
Viaggiare nel deserto

«Miss Gertrude Bell conosce gli arabi e l'Arabia meglio di quasi qualsiasi altro inglese vivente, uomo o donna»[1]. Lord Cromer, che era stato alto commissario in Egitto, pronunciò queste parole nel 1915, quando ancora nulla faceva presagire la conclusione della prima guerra mondiale e le conoscenze di Gertrude stavano per rivelarsi essenziali nello sbloccare la situazione di stallo.

Nel 1900, arrivando a Gerusalemme come turista, Gertrude non poteva sapere dove ciò l'avrebbe condotta. Fu l'inizio della sua passione per il deserto. L'Occidente era profondamente ignorante a proposito di quella che era conosciuta genericamente come "Arabia", quasi che un'unica razza e un'unica nazione dominassero tutti i deserti inabitabili, le valli fertili, i monti inospitali, i territori tribali, gli imamati, gli sceiccati e le colonie in essa inclusi. Questa immensa regione di 3.349.015 chilometri quadrati, che occupa oltre il due per cento delle terre emerse e ha una forma romboidale, è compresa fra il fiume Giordano (presso la costa orientale del Mediterraneo) e un angolo superiore del continente africano, la costa dell'Oceano Indiano a sud (fra il Mar Rosso e il Golfo Persico) e il confine fra la Persia e la Russia a nord, con la Turchia che ne costituisce l'architrave settentrionale.

Questa vastissima terra non fu chiamata "Medio Oriente" fino al 1902, quando il nome venne coniato dallo stratega navale americano Alfred Thayer Mahan. Per quanto concerneva l'Occidente, dopo l'apertura del canale di Suez, negli anni Sessanta del XIX secolo, le carovaniere percorse da millenni nel deserto diventarono superflue. Quando i piroscafi britannici ebbero la possibilità di recarsi comodamente in India, prima dell'epoca del motore a combustione e del petrolio, la terraferma cessò di essere interessante per chiunque oltre le sponde meridionali e i monti settentrionali, a eccezione dei governi turchi nella remota Costantinopoli. I paesi oggi conosciuti come Siria, Libano, Israele, Palestina, Giordania, Arabia Saudita e Iraq non erano altro, a quell'epoca, che regioni dell'Impero ottomano.

Nel corso di alcune centinaia di anni, i turchi avevano assunto a poco a poco il controllo assoluto delle amministrazioni di tutte le città che sorgevano ai bordi del deserto, nel cuore del Medio Oriente, incluse le poche di grandi dimensioni. L'Impero ottomano si era sistematicamente applicato a sostituire la legge della *shari'a*, la legge divina dell'Islam, con le proprie leggi napoleoniche e aveva imposto il turco come lingua educativa e amministrativa. I turchi attirarono i condottieri arabi nella loro rete e ne ricompensarono la lealtà, finché la loro presa gentile sull'Arabia divenne una morsa inesorabile. Tutto ciò fu ottenuto con la corruzione sistematica e con lo scrupoloso incoraggiamento delle rivalità fra le popolazioni autoctone. Tuttavia il potere ottomano, come Gertrude non tardò a scoprire, si estendeva soltanto per pochi chilometri nel deserto, dove gli sceicchi beduini agivano a loro piacimento, difendendo dai vicini e dai rivali i loro preziosi pozzi, le carovaniere e i pascoli sparsi. Il deserto rimaneva senza legge, e poteva essere attraversato soltanto come Gertrude lo attraversò coraggiosamente, armandosi di una conoscenza magistrale della lingua, della politica e dei costumi delle tribù beduine, sino a essere benevolmente accolta nelle loro tende.

Nonostante il predominio della religione islamica e la maggioranza araba della popolazione, le città dell'Arabia erano straordinariamente cosmopolite. I pochi ebrei sopravvissuti all'annientamento delle loro comunità da parte dei romani nel I secolo si erano rifugiati dove avevano potuto e avevano continuato a commerciare. Greci, egiziani, persiani, armeni e assiri, cristiani e musulmani prosperavano grazie ai commerci delle carovane di cammelli fra India, Europa e Africa. Traevano profitti dal pellegrinaggio annuale dei musulmani alla Mecca e a Medina, e servivano i turchi come funzionari di grado minore.

La città più cosmopolita era Gerusalemme, che aveva una popolazione di settantamila anime. Dopo il crollo dell'Impero romano e le continue invasioni subite nel corso dei secoli, era diventata formalmente una città araba, restituita all'Impero ottomano nel 1840. Da allora era divenuta il centro d'interesse e di attività di ogni nazione europea intenzionata a rivendicare la propria storia religiosa. In particolare i francesi, i britannici, i tedeschi, gli italiani e i russi vi avevano costruito chiese, ospedali e scuole. All'arrivo di Gertrude, la comunità ebraica stava acquistando sempre maggiore influenza, con un numero crescente di colonie di profughi. Così Gerusalemme era il fulcro intorno a cui ruotavano diverse culture e interessi particolari, alle porte dell'Arabia.

A trentadue anni, Gertrude iniziò la sua carriera di viaggiatrice nel deserto accettando un invito a trascorrere il Natale con Nina Rosen, sua vecchia amica, ora moglie del console tedesco a Gerusalemme.

Il consolato tedesco era piccolo, aveva soltanto tre camere da letto, una delle quali occupata dai fratellini Rosen e un'altra da Charlotte, sorella di Nina. Intenzionata a rimanere a Gerusalemme per alcuni mesi, Gertrude prese alloggio all'Hotel Jerusalem, a due minuti di cammino dal consolato, dove raggiungeva i Rosen per i pasti e per le escursioni. Il 13 dicembre scrisse alla famiglia:

Il mio appartamento è composto di una camera da letto molto graziosa e di un ampio soggiorno, comunicanti con un piccolo vestibolo da cui si esce nella veranda che corre lungo tutto il primo piano dell'albergo e guarda il cortile interno, con il suo

giardinetto. Pago sette franchi al giorno, colazione inclusa. [...]
Il mio cameriere è un servizievole gentiluomo in fez che mi porta
il bagno caldo al mattino. [...] «L'acqua calda è pronta per Vostra
Presenza» annuncia. «Entrate e accendete la candela» rispondo.
«Sulla mia testa» replica lui. Questo significa che è ora di vestirsi[2].

Stabilirsi in un albergo mediorientale, che fosse a Gerusalemme, a Damasco, a Beirut, oppure ad Haifa, sarebbe diventato per Gertrude un lieto rituale, un preliminare quasi
sacro ai numerosi preparativi necessari per intraprendere
le spedizioni nel deserto. Quell'anno, a Gerusalemme, desiderava soltanto acquistare un cavallo e iniziare un nuovo
corso di arabo, tuttavia stabilì una consuetudine che non
sarebbe mai cambiata. Sceglieva sempre appartamenti con
due camere e una veranda, o comunque con la possibilità
di ammirare il panorama, e trasformava una stanza in un
ambiente di lavoro per la spedizione imminente. Chiedeva
due poltrone, due tavoli, e la rimozione di tutto il mobilio
superfluo. Dopo avere disimballato libri e mappe, spargendo
cenere di sigaretta ovunque, inchiodava le fotografie alle pareti con il martellino e con i chiodi di cui era appositamente
munita. «Ho trascorso la mattinata a disfare i bagagli e a
togliere il letto e altre cose dal mio soggiorno. Adesso è molto confortevole, con due poltrone, un grande scrittoio, un
tavolo quadrato per i miei libri, una enorme mappa Kiepert
della Palestina [...] e fotografie della mia famiglia alle pareti. In un angolo c'è una stufetta e il fuoco di legna è molto
gradevole»[3].
Durante quella prima visita assunse subito un insegnante e prese sei lezioni di arabo alla settimana. Il resto del
tempo, prima di Natale, lo trascorse soprattutto a cavalcare
e a condividere con i Rosen e i loro figli le attività festive,
come dipingere d'oro le noci per decorare l'albero di Natale.
La Vigilia andarono tutti a messa nella chiesa francescana
di Betlemme, poi parteciparono alla processione a lume di
candela fino alla Grotta della Natività.

Gertrude parlava già perfettamente francese e italiano, conosceva bene persiano e tedesco, inoltre comprendeva un poco l'ebraico e non avrebbe avuto difficoltà a imparare il turco, anche se quest'ultima sarebbe stata l'unica lingua di cui non avrebbe mantenuto la padronanza. L'arabo si rivelò di gran lunga più difficile di quanto avesse previsto. Comunque un lento progresso in quella lingua così complessa non le impedì di leggere la Genesi in ebraico prima di pranzo per svagarsi un poco. I primi quindici giorni delle lezioni di arabo la condussero all'orlo della disperazione.

Posso accennare, fra l'altro, che non credo riuscirò mai a parlare arabo. [...] È una lingua spaventosa. [...] Ci sono almeno tre suoni quasi impossibili da pronunciare per una gola europea. Il peggiore è quello di una *h* molto aspirata. Riesco a pronunciarla soltanto schiacciandomi la lingua con un dito! Ma non si può conversare con un dito in gola, vero? Inoltre vorrei accennare che ci sono cinque parole per indicare un muro e cinquantasei modi per formare il plurale[4].

Provò alcuni cavalli prima di scegliere uno stallone arabo piccolo e vivace, che pagò circa diciotto sterline, con la speranza di rivenderlo allo stesso prezzo prima di partire[5]. Scrisse alla famiglia: «Un cavallino incantevole, baio, bene addestrato, armonioso nei movimenti, piuttosto vistoso, agile e forte e delizioso in tutto e per tutto. [...] Potreste ordinare a Heath di inviarmi un ampio feltro grigio (non doppio, però un autentico terai[6] a falda larga) per cavalcare, e di ornarlo con un nastro di velluto nero con fiocco?»
Rimase deliziata da tutto ciò che vide a Gerusalemme e nei dintorni. A cavallo si recò al Giordano, poi al Mar Morto, «molto appiccicoso», e alla Tomba della Vergine, «chiusa!» Intanto cominciò a stancarsi di montare all'amazzone, sia per la scomodità della posizione, sia per l'abbigliamento, goffo in confronto ai costumi locali e tale da impedire i movimenti. Incoraggiata da Friedrich e Nina Rosen iniziò a

montare a cavalcioni. Provò una sella «mascolina» e le piacque così tanto che ne acquistò una. Quando le suore del vicino convento ebbero confezionato apposta per lei una gonna pantalone, la sua sensazione di libertà fu completa. Ignorando le strade affollate di turisti che viaggiavano con i convogli dell'agenzia Thomas Cook, galoppava sola sollevando nubi di polvere e saltava muretti in pietra gridando di gioia, tenendosi con una mano il cappello terai appena arrivato, con il suo nastro di velluto:

Il maggior conforto di questo viaggio, per me e per il mio cavallo, è la sella maschile. Mai, mai più viaggerò altrimenti. Finora non avevo mai saputo cosa fosse montare agevolmente. Non crediate che non abbia una gonna pantalone decente e molto elegante, ma non per questo mi distinguo, dato che tutti gli uomini portano qualcosa di simile alla gonna. Prima che io parli credono tutti che sia un uomo e mi chiamano *Effendim!*[7]

Esplorando valli e colline, smontava a raccogliere giacinti, orchidee o ciclamini. Talvolta osservava a palpebre socchiuse gli anacoreti che entravano nelle loro grotte, in alto sui versanti, e poi ritiravano la scala di corda. La Bibbia diventò viva per lei. Ogni volta che voleva comprare burro e pane, il tragitto la conduceva oltre la casa di Erode, al Lago di Bethesda. Cominciò a portare la macchina fotografica ovunque si recasse, fotografando le donne dalle vesti graziose che passavano per strada. Assistette a un battesimo di massa di pellegrini russi che cantavano, divertita dal modo in cui i monaci sembravano contenti di tenerli sott'acqua finché si dibattevano per respirare. Alla periferia di Gerusalemme si fermò a osservare un accampamento di nere tende beduine, che parve sbucare dal deserto una sera, e la sera successiva scomparve senza lasciare traccia.

Un telegramma e alcune lettere da Red Barns interruppero la sua gioia con tristi notizie. Zia Ada, che aveva accudito lei e Maurice rimasti orfani di madre, prima che Hugh si risposasse, era morta. Lo stesso Hugh soffriva molto a causa di una malattia reumatica, e Maurice si accingeva a partire per la guerra boera. La preoccupazione di Gertrude per il padre e per il fratello emerge spesso dalla corrispondenza. Era «molto in ansia» per Maurice, e fu «un colpo spaventoso» apprendere che era partito per il Sudafrica. «Sono uscita a cavallo profondamente rattristata [...], molto angosciata»[8] scrisse nel suo diario.

Era il marzo del 1900. Nonostante il maltempo, Gertrude decise di tentare una spedizione di una decina di giorni sulle colline del Moab, cavalcando per più di cento chilometri lungo la sponda orientale del Mar Morto. Fu il primo viaggio di Gertrude con una sua propria carovana, il cui equipaggio era composto di un cuoco e due mulattieri, nessuno dei quali conosceva una sola parola d'inglese. Assoldò una guida lungo la via, probabilmente un soldato turco in viaggio di trasferimento da una guarnigione a un'altra.

Appena giunse nella pianura del Giordano si trovò immersa fino alla cintola in un mare di fiori. Nella prima delle numerose lettere alla famiglia scritte «dalla mia tenda», dava una descrizione di ciò che vedeva:

Distese e distese di colori squisiti, porpora, bianco, giallo, e l'azzurro più luminoso, e campi di ranuncoli scarlatti. Nove su dieci mi sono ignoti, tuttavia ho riconosciuto le margherite gialle, la malva selvatica dolcemente profumata, un tipo grande e splendido di cipolla viola, l'aglio bianco e la malva purpurea, e più in alto un piccolo giaggiolo azzurro e anemoni rossi e una cosina rosa appena sbocciata che somigliava al lino[9].

Più oltre c'erano vasti, pallidi campi di grano seminati dai beduini di passaggio all'andata, in modo che al ritorno fossero pronti per essere falciati. Con la lingua araba Gertrude migliorava di giorno in giorno e conversava soprattutto con Muhammad, il bel mulattiere druso che mangiava soltanto riso, pane e fichi. Lui le piaceva, come pure tutto ciò che le raccontava della sua terra tribale. Decise che un giorno si sarebbe recata al gebel Druso, la montagna a sudovest della Siria, per incontrare i suoi parenti. Nell'acquistare yogurt da una famiglia della tribù Ghanimat, Gertrude indugiò per una rudimentale conversazione con le donne e con i bambini, notando con sorpresa che, «come le capre», mangiavano erba: «Le donne non portano il velo. Indossano una veste di cotone azzurro lunga cinque metri e mezzo, che, sollevata e raccolta intorno alla testa e alla vita, cade fino ai piedi. Sotto la bocca i loro visi sono tatuati in indaco e i capelli cadono ai lati in due lunghe trecce. [...] Non è forse bello saper parlare arabo?»[10]

Al forte crociato di Kerak, dove avrebbe dovuto fermarsi per poi tornare a Gerusalemme, Gertrude cambiò idea e aggiunse altri otto giorni al proprio viaggio per recarsi alle rovine nabatee di Petra. Voleva vedere il famoso "Tesoro del Faraone", una delicata facciata scolpita nell'arenaria rosa e articolata in due ordini sovvrapposti, a cui si giunge percorrendo una stretta gola. Quando un funzionario turco arrivò a ispezionare la carovana e a informarsi sulla sua destinazione, Gertrude si rese conto di avere bisogno di un'autorizzazione. Fingendosi tedesca («perché hanno disperatamente paura degli inglesi!»), domandò di essere condotta dal governatore locale, da cui ottenne il permesso di proseguire il viaggio a sud, con un soldato come guida. Nello scrivere ai genitori di avere raddoppiato la durata prevista del viaggio, aggiunse che naturalmente avrebbe telegrafato per chiedere loro il permesso, se soltanto ciò fosse stato possibile. Non fu l'unica volta che finse di rispettare le regole di condotta inglesi, facendo esattamente quello che più le piaceva.

Accompagnata dalla guida, la piccola carovana attraversò stormi di cicogne che si nutrivano di sciami di locuste, e in breve giunsero nei pressi di un accampamento di Beni Sakhr, la tribù guerriera che per ultima si era sottomessa al dominio turco. Gertrude ignorava ancora le regole del deserto. Non sapeva che ogni volta che si avvicinava a un accampamento doveva subito compiere una visita di cortesia allo sceicco nella sua tenda. Inoltre era accompagnata da un soldato turco, anziché da una guida locale assoldata appositamente, quindi non tardò a mettersi nei guai. La sua carovana fu minacciata due volte da alcuni sinistri Beni Sakhr armati fino ai denti. Sbucati dal nulla, circondarono la carovana, per poi allontanarsi soltanto quando Gertrude fu raggiunta dal turco, che viaggiava in coda. Comunque non si sgomentò: «Credo di non aver mai trascorso una giornata altrettanto meravigliosa»[11].

In breve, sulla strada per la Mecca, la via dell'*haj* annuale, scoprì che non si trattava affatto di una strada. Larga circa duecento metri, consisteva in centinaia di sentieri paralleli tracciati dalle immense carovane di pellegrini nei loro viaggi di andata e ritorno. Nel percorrerla, Gertrude apprese l'abbecedario dei viaggi nel deserto. Scoprì che le mappe erano piene di errori e che spesso sottovalutavano le distanze. La sua carovana aveva acqua, ma presto esaurì l'orzo, il carbone e tutto il cibo, tranne il riso, il pane e un vasetto di carne. Così sostò in un villaggio dove sperava di poter comprare un agnello, o almeno un pollo, ma rimase delusa. «Non riesco a immaginare di che cosa viva la popolazione dello uadi Musa. Non ha neanche il latte»[12].

Giunta a Petra, la sua gioia per la magica bellezza della facciata corinzia e dell'anfiteatro fu brutalmente turbata dai morsi della fame: «La facciata incantevole […] le proporzioni più squisite […] le tombe estremamente rococò […] ma sono consunte dal tempo e gli agenti atmosferici hanno macchiato la roccia di colori squisiti – e vorrei aver trovato l'agnello!»[13] Tornata tardi alla propria tenda nello uadi Musa, trovò «una sorprendente quantità di lunghi lumaconi neri»[14] al suolo; nondimeno dormì benissimo, a quanto pare. Da Petra ritornò a nord verso il Mar Morto e quella notte piantò la tenda accanto a un accampamento di zingari, di cui divise per cena la torta di formaggio di panna

133

acida mangiata con le dita e un'unica tazza di caffè passata di bocca in bocca. All'imbrunire apparve una falce di luna e la musica ebbe inizio. Gertrude scrisse a Hugh:

Il fuoco di rovo secco avvampò, languì e avvampò di nuovo, rivelando un cerchio di uomini accoccolati al suolo, avvolti nei mantelli bianchi e neri, e la donna al centro che danzava. Sembrava uscita da un affresco egizio. Indossava una lunga veste rossa con una fascia blu intorno alla vita, aperta davanti a rivelare una sottoveste ancora più rossa. Intorno alla fronte era legata strettamente un'altra fascia blu, così lunga che le estremità cadevano sulla schiena. Un velo bianco scendeva dalle orecchie a coprire il mento, sotto il labbro inferiore tatuato d'indaco, e scendeva in pieghe fino alla cintola. I piedi calzati di scarpe di cuoio rosso erano quasi immobili, eppure tutto il suo corpo danzava, e una mano roteava intorno alla testa un fazzoletto rosso, e di quando in quando le mani si univano dinanzi al volto impassibile. Gli uomini suonavano un tamburo e un piffero dissonante, e cantavano una canzone monotona e battevano le mani. A poco a poco lei si avvicinò sempre più a me, torcendo il corpo snello. D'improvviso si lasciò cadere sul mucchio di sterpi ai miei piedi, poi, inginocchiata, riprese a muovere il corpo nella danza, ondeggiando e torcendo le braccia intorno al volto simile a una maschera. […] Oh, padre carissimo, non ho forse trascorso un momento meraviglioso? Sono soltanto sopraffatta dalla sensazione che sia molto più bello di quanto merito![15]

D'improvviso il tempo cambiò, diventando eccessivamente caldo. Con il viso arrossato, scottato dal sole, Gertrude tornò al campo fiorito e lo trovò trasformato in un campo di fieno perché tutti i fiori erano morti.

Così terminò la sua prima spedizione. Aveva percorso duecentoquindici chilometri in diciotto giorni e appreso una nuova lezione, ovvero la necessità di proteggersi bene dal sole. Nei suoi futuri viaggi nel deserto siriano avrebbe indossato il tradizionale velo bianco, la *kefiyeh*, assicurato sopra il cappello e avvolto intorno alla metà inferiore del viso, nonché un sottile velo azzurro con i fori per gli occhi. La sua gonna pantalone di lino bianco sarebbe stata parzialmente coperta da un'ampia giubba maschile in cotone cachi, con tasche profonde. Efficacemente, pur senza averne l'intenzione, si sarebbe travestita da uomo.

I Rosen avevano promesso a Gertrude una spedizione di una settimana a nord fino a Bosra, una città romana con una cittadella e alcuni archi trionfali al margine delle montagne druse. In aprile, tuttavia, si era già addentrata nel deserto, sola, per periodi di alcune settimane, quindi tendeva a giudicare poco attraente quel progetto. Quando i Rosen ritornarono a Gerusalemme, dichiarò che si sarebbe recata sulle montagne a incontrare un amico druso di Muhammad, e che forse si sarebbe persino addentrata nel deserto siriano per circa trecento chilometri, fino a Palmira. Se fu espressa, la reazione dei suoi amici non è documentata. I fieri Drusi, adepti di una setta di origine musulmana che custodiva gelosamente la propria religione occultandola ai profani, erano considerati pericolosi dai turchi, e in genere erano giudicati sovversivi. Probabilmente i Rosen ebbero un cattivo presentimento alla prospettiva che Gertrude, donna e sola, si recasse fra loro.

Il viaggio iniziò comodamente, con due cuochi, Muhammad e altri due mulattieri, nonché cinque muli per trasportare l'equipaggiamento. Nei suoi diari, scritti in tenda quasi ogni notte, Gertrude annotò ogni rovina archeologica che vide e ogni accampamento tribale: Abbad, Beni Hasan, Adwan, Hawrni e Anareh. Da questa massa di informazioni si possono ricavare pochi aneddoti. Per esempio, un ragazzino le rubò il frustino e Gertrude lo rincorse, lo schiaffeggiò, e recuperò la refurtiva.

A Bosra passeggiò per la città com'era normale in molti villaggi arabi, cioè sui tetti, e prima di poter proseguire il viaggio fu costretta a condurre sfibranti trattative con l'amministratore ottomano del comune, il *mudir*. La procedura corretta consisteva nel chiedere il permesso di entrare in territorio druso, ma Gertrude sapeva che era improbabile ottenerlo, perciò finse di volersi recare alle rovine di Salkhad, nel Nordest. Fra i viaggiatori del deserto, non fu la prima a sfruttare il pretesto dell'archeologia per celare i veri motivi del proprio viaggio, ma quella fu la prima volta in cui Gertrude ricorse a un simile stratagemma. Ormai il suo arabo era abbastanza buono per comprendere e per utilizzare le formule del linguaggio ufficiale. Stava padroneggiando sia il gergo sia il dialetto più puro. Così raccontò l'incontro ai genitori:

«Dove state andando?»
«A Damasco».
«Iddio lo ha voluto! Esiste una bella strada, a occidente, con belle rovine».
«Se a Dio piacerà, le vedrò! Ma prima desidero visitare Salkhad».
«Salkhad! Non c'è assolutamente nulla, laggiù, e la strada è molto pericolosa. Non può accadere».
«Deve accadere».
«È giunto un telegramma da Damasco per ordinarmi di esprimere i timori del Mutussarif a proposito dell'incolumità di Vostra Presenza». (Questo non è vero.)
«Le donne inglesi non hanno mai paura». (Anche questo non è vero!)[16]

Il suo incontro successivo, con il comandante della guarnigione militare della città, andò altrettanto male, in parte perché lui era in maniche di camicia e si stava facendo radere da un attendente. Gertrude osservò laconicamente che pur avendo gli occhi bene anneriti con il kohl, la sua toilette era incompleta.

La scarsa simpatia che aveva per il *mudir* svanì del tutto quando lui si presentò alla sua tenda a tarda notte. Lei si affrettò a spegnere la propria candela e ordinò al cuoco di riferirgli che stava dormendo, poi, origliando la conversazione, sentì il *mudir* affermare che non sarebbe andata da nessuna parte senza permesso. Ogniqualvolta era minacciata da una qualsiasi forma di restrizione, Gertrude agiva tempestivamente. Smontò il campo alle due del mattino, rabbrividendo di freddo nel leggero abbigliamento estivo. Si mise in viaggio verso nord prima dell'alba e proseguì oltre Salkhad, dove sapeva che il *mudir* avrebbe potuto seguirla.

Era in assoluto la prima donna a viaggiare sola in quel territorio. Persino il suo equipaggio temeva quello che sarebbe potuto accadere. Nondimeno la fortuna era con lei e il suo idillio con il gebel Druso iniziò come sarebbe continuato. Dal momento in cui giunse al primo villaggio druso, all'ombra del Monte Kuleib, fu accolta cordialmente e trattata con gentilezza e rispetto.

Le donne stavano riempiendo i vasi di terracotta [...] e accanto all'acqua stava un bellissimo ragazzo sui vent'anni. Quando smontai per abbeverare il cavallo, il ragazzo mi si avvicinò, mi prese le mani e mi baciò le guance, con mia notevole sorpresa. Alcuni altri arrivarono a stringermi la mano. [...] I loro occhi sembrano enormi. Uomini e donne li anneriscono con il kohl e li hanno neri. Hanno la fronte diritta e le spalle diritte, con un'aria di intelligenza vivace e gentile che risulta straordinariamente attraente[17].

Accompagnata dal ragazzo, Nusr ed Din, si recò al villaggio di Areh, menzionato nelle guide di viaggio quale sede del più prestigioso sceicco druso. Ad Areh, gli uomini uscirono a salutarla, scambiando con lei strette di mignolo, poi la condussero in una casa, dove sedette su cuscini a bere caffè: «La sensazione di benessere, di sicurezza, di fiducia, di trovarmi fra gente schietta, fu più deliziosa di quanto possa esprimere»[18] scrisse ai genitori.

Ormai Gertrude sapeva che sarebbe stato cortese chiedere di rendere omaggio al capo, Yahya Beg, e con la richiesta di poterlo incontrare rispettò correttamente la raffinata etichetta del deserto, che imponeva al visitatore di guadagnare la protezione della tribù. Il vecchio guerriero, il primo condottiero tribale da lei conosciuto, era appena stato liberato dopo cinque anni di prigionia in un carcere turco. Era una figura splendida: «È il tipo più perfetto del *Grand Seigneur*, un uomo grande e grosso, fra i quaranta e i cinquanta, presumo, molto bello e dai modi estremamente squisiti. [...] È un re, capite, e per giunta un ottimo sovrano, benché il suo regno non sia vasto»[19].

Il capo ammucchiò cuscini per lei, li sprimacciò, poi, con un cenno, la invitò a condividere con lui e con i suoi uomini un pasto di carne e fagioli, mangiando con le dita da un piatto al centro della mensa. Dopo averle chiesto del suo viaggio, ordinò a Nusr ed Din e a un altro druso di mostrarle tutte le rovine archeologiche della zona, e poi di accompagnarla sana e salva alla sua successiva destinazione. Prima di andarsene, Gertrude chiese il permesso di scattargli una fotografia. Apprese fin dove potesse giungere la protezione di uno sceicco molto prestigioso alcune settimane più tardi, quando seppe che Yahya Beg si era tenuto al corrente del suo viaggio, inviando messaggeri a chiedere alle popolazioni dei villaggi: «Avete visto una regina in viaggio, un'ambasciatrice?» Gertrude viaggiava già con classe, se non con la raffinatezza che l'avrebbe contraddistinta in seguito. Probabilmente aveva preso in prestito al consolato la biancheria da tavola, le posate e i bicchieri che usava ogni giorno.

Senza dubbio era attratta da quei guerrieri cortesi. Prima di lasciarli visitò un altro villaggio in cui, di nuovo, fu sopraffatta dalla bellezza degli uomini. Forse lievemente imbarazzata nello scrivere di questo alla famiglia, espresse con scrupolosa prudenza il proprio apprezzamento: «Erano un gruppo della gente più bella che si possa desiderare di vedere. La loro altezza media è sul metro e ottantacinque, e mediamente il loro aspetto equivale a una fusione dei tratti di Hugo con i tuoi, papà»[20].

Dopo una breve sosta a Damasco, Gertrude proseguì per Palmira con altri tre soldati turchi, evitando la strada turistica e compiendo deviazioni lungo il percorso. Imparò a non farsi troppi scrupoli. In precedenza aveva sempre rifiutato di bere acqua torbida, ma dopo due giorni senz'acqua chiuse gli occhi e bevve dalle pozze brulicanti di vermi e di insetti, fingendo di bere il gelato di neve e limonata in tazze di porcellana che si poteva acquistare nei bazar. Poi: «Oggi abbiamo comprato un agnello. Era un vero amore e il suo fato mi ha straziato il cuore. Ho avuto l'impressione che se avessi continuato a guardarlo mi sarei comportata come Byron con l'oca, così mi sono affrettata a separarmi da lui – e abbiamo avuto deliziose costolette di agnello a cena»[21].

Proseguirono lentamente attraverso il deserto, destandosi prima dell'alba per il bene dei cavalli. In testa alla carovana viaggiava Ahmed, la guida, tutto vestito di bianco. Gertrude era affiancata dalle ombre nere dei tre soldati, e i muli dai campanelli tintinnanti la seguivano. I tre cammelli procedevano alla loro andatura, e tutti si riunivano al momento di accamparsi. Ancora una volta Gertrude fu colpita dal silenzio assoluto del deserto, che le appariva più intenso persino di quello delle vette di montagna, dove si sentiva una sorta di eco provocata dalle frane di ghiaccio e di roccia. Nel deserto, invece, non si udiva assolutamente nulla.

Ogni giorno Gertrude apprendeva una nuova lezione sulla sopravvivenza nel deserto. Il sole poteva scottarle i piedi attraverso gli stivali di cuoio, se non li avvolgeva in bende. Le «immense distese d'acqua» sempre visibili all'orizzonte erano miraggi. Si cucì un sacco di mussola in cui dormire la notte per proteggersi dai pappataci e scrisse alla famiglia: «Sono molto fiera di questo espediente, ma se ci fosse una *ghazu* [scorreria] di arabi sarei di sicuro l'ultima a fuggire, e la mia fuga sarebbe come una corsa nei sacchi»[22].

Il suo arabo era diventato abbastanza buono per consentirle di discutere la politica del deserto con i notabili incontrati nel corso del viaggio. Iniziò a condividere il fumo con il narghilè, in cui si bruciavano tabacco, marijuana, oppure oppio. All'inizio non le piacque perché sarebbe stato doloroso riferirlo ai genitori, poi, a poco a poco, si abituò. A un certo punto scoprì di avere acquistato alcuni otri che perdevano e li rabberciò, chiudendo ogni foro con un sasso e legando strettamente ogni collo con un laccio. Poi lo annotò nel diario per rammentare a se stessa di assicurarsi sempre, in futuro, prima di acquistarli, che gli otri non perdessero.

Ormai Gertrude cavalcava dieci o dodici ore al giorno, così per passare il tempo cominciò a leggere e a dormire in sella, seduta come se montasse all'amazzone e abbandonando le redini per poter tenere il parasole e una mappa, o un libro. Un giorno, quando il suo cavallo partì improvvisamente al trotto, lei cadde di sella, con gran divertimento dei soldati. Per un momento rimase seduta nella sabbia, cercando di capire se fosse irritata, poi, gettando la testa all'indietro, scoppiò a ridere insieme a loro. Talvolta smontava dal cavallo per trascorrere l'ultima ora o le ultime due ore di quelle lunghe giornate a dorso di cammello.

È il più grande sollievo, dopo otto o nove ore di cavallo, sentire l'ampio e confortevole dondolio e la grande sella morbida di un cammello. […] Si monta un cammello usando soltanto una cavezza che di solito si tiene avvolta lenta intorno all'arcione. Un colpetto di frustino sull'uno o l'altro lato del collo dice al cammello in quale direzione andare, un colpetto con i talloni gli ordina di partire, e quando si vuole che si sieda bisogna colpirlo leggermente e spesso sul collo, dicendo intanto: «Kh kh kh kh». […] La grande e morbida sella, la *shedad*, è così comoda che non ci si stanca mai. Si dondola, si mangia, si osserva il paesaggio attraverso il binocolo. […] Il mio cammello […] è il più incantevole degli animali[23].

Quando Florence, in una lettera recapitatale a Damasco, le chiese se si sentisse mai sola, Gertrude rispose che spesso sentiva il desiderio della famiglia, soprattutto del padre. Poi tentò di attenuare il dolore che poteva avere involontariamente arrecato alla matrigna:

A volte è una sensazione stranissima essere sola nel mondo, ma di solito l'accetto come una cosa naturale. [...] Credo di non sentirmi mai sola, anche se l'unica persona di cui spesso sento la mancanza è papà. [...] Continuo a desiderare di discutere con lui i miei appunti. Con te desidero parlare, ma non in una tenda infestata di forfecchie e di scarafaggi neri, con acqua torbida da bere! Non credo che saresti davvero te stessa in simili condizioni[24].

Nel salire le colline, Gertrude fu costretta a rinunciare al sacco di mussola per dormire. Di notte riposò distesa al suolo, avvolta in calzoni alla zuava, ghette, due giubbe e una coperta. In seguito si servì di una branda di tela pieghevole. Durante l'avvicinamento a Palmira la strada divenne più impervia e più arida. L'ultimo giorno la carovana partì a mezzanotte e viaggiò fino al sorgere del sole. Allora apparve all'orizzonte il castello di Palmira nel suo pallido letto di sabbia e di sale, fra spettrali nubi di polvere turbinanti tutt'intorno, e ancora otto assetati chilometri da percorrere. Le torri, le vie colonnate e l'immenso tempio di Baal parvero a Gertrude le cose più belle che avesse mai visto dopo Petra. Dedicò ventiquattr'ore a esplorare la città e a compiere visite di cortesia ai notabili. Al ritorno, per una volta, percorse la via turistica.

Al convoglio di Gertrude si unì, durante il rientro a Damasco, la grande carovana di cammelli dello sceicco della tribù Agail con una scorta di guerrieri d'aspetto feroce, proveniente dal Najd e diretta alla città per commerciare. Temendo una razzia ai loro cammelli, desideravano la protezione dei tre soldati che accompagnavano Gertrude, affinché potessero fungere da testimoni appartenenti alle forze armate turche, in caso di necessità. A sua volta, Gertrude desiderava conversare con lo sceicco e raccogliere maggiori informazioni sul temuto deserto del Najd, dove intendeva recarsi in futuro. Inoltre aveva appreso che nel deserto una buona azione ne merita un'altra, dunque non era affatto una cattiva cosa che gli Agail le dovessero un favore.

Proseguendo sulla via del ritorno le capitò d'incontrare una carrozza con un paio di turiste, simpatiche donne inglesi da lei già conosciute al consolato, a Gerusalemme. Entrambe molto fresche e azzimate, le due gentildonne guardarono di traverso la viaggiatrice dai capelli aggrovigliati e dagli indumenti sporchi, e si tennero alla larga dalla sua scorta di truci Agail, armati di cartucciere, pugnali e lance lunghe tre metri e mezzo. Tuttavia Gertrude fu felice di incontrare di nuovo Miss Blount e Miss Grieve. Smontò di sella con un balzo e salì allegramente a bordo della carrozza per un autentico tè all'inglese, con Earl Grey e biscotti allo zenzero. In seguito scrisse: «Vorrei poter viaggiare sulle vie consentite, ma il fato mi è avverso. Avevo progettato il ritorno da Palmira come una gentildonna, ma… No, non era destino che fosse così!»[25]

A metà strada per Damasco, oltre Karyatein, Gertrude montò il campo e osservò una compagnia di Hasineh arrivare con le loro tende nere dalla regione in cui avevano svernato. «È arrivato a farmi visita il loro sceicco, Muhammad, un ragazzo sulla ventina o poco più giovane, bello, con le labbra abbastanza carnose e grosse trecce che spuntano dalla *kefiyeh*. Portava una spada enorme nel fodero intarsiato d'argento. […] Possiede cinquecento tende, una casa a Damasco e Dio solo sa quanti cavalli e quanti cammelli»[26]. In seguito Gertrude ricambiò la visita recandosi nella sua tenda, dove sedette su un cuscino, accanto agli altri visitatori raccolti in cerchio intorno allo sceicco. Mentre veniva servito il caffè, un musicista iniziò a suonare la *rubaba*, uno strumento musicale a una sola corda:

Accompagnandosi con questo strumento, eseguì un lungo canto malinconico in versi monotoni, ognuno dei quali si concludeva con un abbassamento della voce che era quasi un gemito [...] soprannaturale e triste e bello a suo modo. Tutti coloro che sedevano intorno mi fissavano in silenzio, scarmigliati, seminudi, con i volti nascosti dalle *kefiyeh*, nulla di vivo in loro tranne gli occhi. [...] Di quando in quando nella tenda aperta entrava qualcuno [...], rimaneva in piedi al margine del cerchio e salutava lo sceicco portandosi una mano alla fronte: «*Ya* Muhammad!» poi salutava la compagnia: «La pace sia con voi», e tutti rispondevano: «E con te sia la pace!»[27]

Poco dopo Gertrude si alzò e si congedò. Appena fu rientrata nella propria tenda, i soldati che la scortavano le spiegarono che si era comportata in modo pericolosamente sconveniente. Si stava cucinando una pecora uccisa in suo onore. Andarsene prima del pasto era virtualmente un insulto. Inoltre, Gertrude avrebbe dovuto portare un dono allo sceicco, e per propiziare il favore di un dignitario prestigioso come Muhammad, era necessario un dono di considerevole valore. Come le fu detto, a un arabo non si poteva donare nulla se non un cavallo o un'arma da fuoco. Turbata, Gertrude prese la pistola a un uomo del proprio equipaggio, l'avvolse in un fazzoletto da tasca e incaricò un soldato di consegnarla a Muhammad, riferendo che lei non aveva saputo dell'intenzione dello sceicco di onorarla con una cena a base di carne. Il soldato ritornò a trasmettere il pressante invito da parte dello sceicco affinché lei ritornasse. «Così, tornai. [...] Attendemmo fino alle nove e mezzo! Non ero annoiata [...] la conversazione era costante e concerneva la politica del deserto: chi aveva venduto cavalli, chi possedeva cammelli, chi era stato ucciso durante una scorreria, quale sarebbe stato l'ammontare del risarcimento per la perdita subita, o dove sarebbe stata combattuta la prossima battaglia. Era molto difficile capire, ma più o meno riuscii a seguire»[28].

Finalmente uno schiavo con un vaso dal lungo beccuccio arrivò a versare un poco d'acqua sulle mani di tutti i convitati, poi fu servito un enorme piatto di montone. Terminato il pasto, le mani furono di nuovo lavate e Gertrude si congedò con un inchino, pensando che la serata si era rivelata costosa. Tuttavia era stata anche il modello dei suoi futuri incontri con prestigiosi sceicchi. Nei viaggi successivi si sarebbe munita di doni, avrebbe saputo cosa offrire, come comportarsi, cosa discutere e quando congedarsi. Il mattino seguente assistette alla partenza degli Hasineh, che le parve impressionante e maestosa: «Lo sceicco Muhammad aveva con sé soltanto venti o trenta delle sue cinquecento tende, eppure il convoglio riempiva la pianura come un esercito, dato che ogni famiglia viaggiava con la propria mandria di cammelli, ciascuna delle quali pareva un reggimento»[29].

Così Gertrude ritornò a Damasco come viaggiatrice esperta del deserto. Poi rimase a Gerusalemme con i Rosen, compiendo altre spedizioni. In giugno rientrò in Inghilterra, e prima della partenza scrisse un'ultima lettera a Hugh, che si rivelò profetica: «Sappi, carissimo padre, che tornerò qui fra non molto! Non si può rimanere lontani dall'Oriente dopo esservisi tanto addentrati»[30].

Due anni dopo queste prime avventure, Gertrude si recò ad Haifa, dove trascorse due mesi a perfezionare l'arabo. Erano quasi nove anni che lo studiava. Affittò una casa sul Monte Carmelo, riempì le stanze di mimose, gelsomini e fiori selvatici, e prese lezioni al tavolo da pranzo, sotto un lampadario che ospitava un nido, con gli uccelli che volavano costantemente dentro e fuori attraverso la finestra. Quattro ore di arabo al giorno e due ore e mezza di persiano occuparono tutto il suo tempo fra le cavalcate nella campagna circostante e il coinvolgimento, mediante la sua cerchia di conoscenze sempre più numerosa, nella politica del momento. Scrisse alla famiglia: «Sono tanto interessata all'arabo che non riesco a pensare a nient'altro. Potete capire la gioia di saper finalmente padroneggiare questa lingua che per tanto tempo mi sono sforzata di apprendere»[31]. Con sorpresa scoprì che la sua prima spedizione autonoma l'aveva resa alquanto famosa, una Persona con l'iniziale maiuscola, come si affrettò ad assicurare alla famiglia: «Sono molto divertita nell'apprendere di essere una Persona in questo paese. Tutti mi considerano una Persona! [...] La fama non è molto difficile da conquistare, qui»[32].

Quando fu in grado di parlare correntemente la lingua, intraprese la prima di cinque straordinarie spedizioni mediorientali. Nel 1905 il suo viaggio a cavallo di quattro mesi iniziò da Gerusalemme e la condusse attraverso le montagne del gebel Druso, per poi costeggiare il deserto siriano fino a Damasco e proseguire a settentrione fino ad Aleppo. Attraversò la Turchia da Antiochia, nel Sud, passando per l'Anatolia, fino a Costantinopoli, percorrendo in treno soltanto le ultime centinaia di chilometri. Nel 1907 sbarcò a Smirne, sulla costa mediterranea della Turchia, poi, viaggiando di nuovo a cavallo, visitò i principali siti archeologici, con le soste necessarie a incontrare la carrozza ferroviaria che trasportava il suo bagaglio, da lei noleggiata appositamente. Deviando a poco a poco verso oriente giunse a Binbirkilisse, dove collaborò per qualche tempo con il professor Ramsay, infine prese il treno per tornare a casa passando per Costantinopoli.

Il viaggio più lungo di Gertrude iniziò nel febbraio 1909 ad Aleppo e seguì la pista che attraversava il deserto settentrionale fino all'Eufrate, in quello che oggi è l'Iraq nordoccidentale, fino a Baghdad. Nel vicino deserto, e con un certo pericolo, Gertrude misurò e fotografò il grande palazzo di Ukhaidir, a sud della città, poi si recò ai siti archeologici di Babilonia e di Ctesifonte. Proseguì fino al Tigri e lo costeggiò verso nord, oltre le montagne occidentali dell'Iran e il confine turco, fino alle sue sorgenti, nell'altopiano di Tur Abdin. Giunta a Mardin dopo cinque mesi in sella, ritornò a Costantinopoli.

Nel febbraio 1911 Gertrude partì da Damasco con il

maltempo. Accampandosi nella neve alta e faticando con i cammelli che scivolavano e cadevano sul suolo gelato, attraversò il desolato deserto siriano prima verso est, poi verso sud fino a Ukhaidir. Completate le misurazioni del palazzo, prese per la prima volta nel 1909, e visitata Najaf, ripartì verso nord, sostò a Baghdad e percorrendo la valle del Tigri entrò nella Turchia meridionale per tornare a Tur Abdin, poi rientrò in Siria, sostò a Karkemis, giunse ad Aleppo alla fine di maggio e tornò a casa per Beirut.

Nel novembre 1913 iniziò un epico viaggio a dorso di cammello con cui attraversò e riattraversò il deserto arabo guidando la sua carovana più grande in assoluto, con servitù, equipaggio, somieri e scorta. Attraversò il Najd, il vasto deserto arido di ghiaia e di lava, sino alla temuta città di Ha'il, che ne era il cuore, e proseguì per Baghdad, dove riposò brevemente prima di affrontare di nuovo il deserto. Per la seconda volta attraversò il deserto siriano, giunse a Damasco verso la fine di maggio, e rientrò in patria, dove ebbe poco tempo per riposare fino allo scoppio della prima guerra mondiale.

Questo semplice elenco dei suoi viaggi non può renderne comprensibili la durata e le avversità fenomenali da cui furono caratterizzati. Nell'insieme Gertrude visitò gran parte della Siria, della Turchia e della Mesopotamia, all'incirca il vasto territorio che include Bassora, Baghdad e Mosul, percorrendo oltre quindicimila chilometri calcolati sulla mappa, senza contare il superamento di colline e di montagne, la ricerca di guadi, le deviazioni per esplorare i luoghi antichi e incontrare gli sceicchi. In più di seicento giorni deve avere percorso almeno trentamila chilometri in sella.

Negli intervalli di circa due anni fra questi viaggi ne compì altri, e continuò ad arrampicare. Nel 1901, quando suo nonno, l'ottantacinquenne Sir Lowthian, decise di fondere le società Bell con Dorman Long, poté disporre di una rendita maggiore e dunque permettersi quei viaggi di sei mesi per cui altrimenti avrebbe avuto bisogno delle sovvenzioni del padre.

Viaggio dopo viaggio, si concentrò sui siti archeologici mediorientali nei territori non cartografati, e dalle proprie esplorazioni metodiche ricavò cinque libri, alcuni leggibili, altri indigeribilmente densi d'informazioni. Sognava di potere un giorno riportare alla luce una cittadella segreta, un gioiello del deserto, e intanto non mancò di visitare tutte le rovine che incontrò. Viaggiò quasi sempre in condizioni meteorologiche spaventosamente avverse, attraversò territori infestati da tribù di predoni, soffrì spesso la fame e la sete, eppure ogni sera, nella tenda, al tavolo pieghevole, a lume di candela, trascrisse in dettaglio gli eventi della giornata appena trascorsa.

Era perfettamente consapevole di non avere le qualifiche di archeologa: per esempio, non conosceva l'epigrafia. Perciò, negli intervalli fra queste spedizioni accuratamente progettate, si predispose ad acquisire nuove competenze che le consentissero, nell'attraversare territori non cartografati, di localizzare esattamente i siti, di disegnare mappe, e infine di riconoscere i ritrovamenti e di collocarli nei loro contesti storici e archeologici. Frequentò corsi per imparare a misurare e a descrivere i reperti, divenne abile fotografa[33] e membro della Royal Photographic Society, la qual cosa le consentì di ottenere stampe professionali. Ovunque si recasse, portava sempre due apparecchi fotografici, cioè una fotocamera da campagna che utilizzava lastre di vetro di 6,5 × 4,25 pollici, e una fotocamera panoramica. Al ritorno dai suoi viaggi impiegava una tecnica adottata di recente da David Hockney per riprodurre l'intero orizzonte combinando cinque o sei immagini fotografate con estrema precisione. La School of Historical Study della Newcastle University, custode di settemila sue fotografie, apprezza in modo particolare i suoi panorami, tuttora di considerevole valore archeologico, perché mostrano precisamente i rapporti fra i diversi monumenti nel contesto del paesaggio. Non meno importante è la sua documentazione dei monumenti e delle chiese, descritti quali erano quando lei li fotografò, prima che le erosioni e i saccheggi del XX secolo li danneggiassero ulteriormente. Rispetto alla scarsità di fotografie che ritraggono la stessa Gertrude, la sua ombra, spesso visibile in primo piano nelle fotografie mentre lei è curva sulla fotocamera a regolare l'obiettivo, con l'alba o con il tramonto alle spalle, risulta particolarmente affascinante.

Il viaggio del 1909 la condusse lungo la sponda orientale dell'Eufrate, in territori non cartografati. Prima della partenza si era recata per settimane da Mr Reeves, della Royal Geographical Society, per imparare a determinare le posizioni mediante l'osservazione topografica e astronomica.

Ieri [...] in serata sono andata a Red Hill, dove sono arrivata alle otto. Ho incontrato alla stazione un giovane, un altro allievo come me, con cui mi sono recata al Common, dove con Mr Reeves abbiamo osservato le stelle per due ore. [...] Ho raccolto una quantità di dati che analizzerò lunedì. [...] Stamani sono tornata a Red Hill prima delle dieci e ho trascorso tre ore a compiere rilevamenti per una mappa con Mr Reeves[34].

In seguito Reeves disse a Florence di non avere mai avuto nessun altro allievo tanto rapido nell'apprendere, e scrisse: «La traversata compiuta da Miss Bell con la bussola prismatica durante uno dei suoi notevoli viaggi, dopo essere stata mia allieva, è stata cartografata sulla base dei suoi taccuini e corretta in latitudine dai nostri disegnatori. Non occorre dire che la sua mappatura si è dimostrata del massimo valore e della massima importanza». I taccuini di Gertrude sono ancora in possesso della Royal Geographical Society.

Nel 1899, durante una vacanza in Grecia con il padre e con lo zio, Thomas Marshall, un classicista che aveva sposato la sorella di Mary Shield, sua madre, Gertrude si era appassionata all'archeologia. Là aveva conosciuto il dottor David Hogarth, l'erudito fratello della sua amica di Oxford, Janet, il quale stava eseguendo scavi nella città di Milo, antica di seimila anni, ed era stato felice di mostrare le proprie scoperte a tutti loro. Allora Gertrude si era tanto interessata agli scavi da trattenersi alcuni giorni nei pressi di Milo per osservare e per aiutare. Hogarth era diventato suo amico e corrispondente. Il suo libro *The Penetration of Arabia* sarebbe entrato a far parte della biblioteca di viaggio di Gertrude. In seguito, nel 1915, Hogarth avrebbe provocato la svolta più importante nella carriera dell'amica.

A due anni di distanza, dopo una vacanza con il padre e con Hugo, Gertrude partecipò agli scavi archeologici negli antichi siti di Pergamo, Magnesia e Sardi. Evidentemente trovò più piacevole la ricerca archeologica che la noiosa crociera da cui fu preceduta, memorabile soprattutto per una giornata a Santa Flavia in compagnia di Winston Churchill, che soggiornava in una villa della regione per dipingere.

Nel 1904 Gertrude era immersa nei progetti per il suo imminente viaggio attraverso la Siria e l'Asia Minore, la sua prima spedizione dopo Gerusalemme e i Rosen. Per consolidare le proprie credenziali archeologiche aveva scritto un saggio sulla geometria della struttura cruciforme che desiderava pubblicare in un periodico prestigioso, la *Revue Archéologique*, la cui redazione era a Parigi. Voleva presentarsi al curatore, il professor Salomon Reinach, lo studioso che aveva sostenuto la tesi dell'Oriente quale origine della civiltà ed era direttore del museo di Saint-Germain-en-Laye. Uscì con la cugina Sylvia e con gli Stanley, apparentemente per acquistare abiti e doni natalizi. Incontrò Reinach, il quale, uomo semplice e gentile, padre di figli in giovane età, l'accolse molto cordialmente, provò immediata simpatia per lei e si pose subito a sua disposizione. Il 7 novembre Gertrude scrisse alla famiglia:

Sono uscita a far compere con gli Stanley e ho acquistato una piccola, incantevole giacca di pelliccia con cui cavalcare in Siria – sì, proprio così! Poi sono rientrata e ho letto fino alle due, quando Salomon è passato a prendermi. Insieme siamo andati al Louvre.

[...] Siamo passati dall'Egitto a Pompei ad Alessandria. [...] Salomon ha sviluppato una teoria del tutto nuova a proposito delle palpebre – palpebre greche, naturalmente – e l'ha illustrata con un busto di Fidia e con una testa di Scopa. [...] È stato bello[35].

Con le lettere di presentazione dello studioso per il mondo accademico parigino, Gertrude fu accolta in ogni biblioteca e in ogni museo che ebbe il tempo di visitare. Reinach inoltre le impartì una sorta di corso accelerato di storia archeologica. Sotto la sua egida, esaminò manoscritti greci e avori antichi, si immerse nella Bibliothèque Nationale, trascorse una giornata al museo Cluny, visitò un nuovo museo bizantino non ancora aperto al pubblico, e trascorse intere serate a studiare i libri della biblioteca dell'erudito: «Reinach ha semplicemente posto tutta la sua illimitata conoscenza a mia disposizione, e io in questi pochi giorni con lui ho appreso più di quanto avrei imparato da sola in un anno»[36].

L'ultima sera, Reinach propose un esercizio che consisteva nel mostrarle una fotografia o un disegno scelti a caso da uno dei suoi libri affinché Gertrude la identificasse, e lei pensò di avere superato la prova, perché alla fine della serata lui le fece l'onore d'invitarla a recensire per la rivista un libro di Josef Strzygowski, il controverso archeologo viennese che guardava all'Oriente per le origini e le influenze sull'Occidente, famoso per la convinzione, discutibile, che gli antecedenti degli edifici cristiani potessero essere individuati in Iran. Scrivere di qualunque opera di Strzygowski esigeva un delicato equilibrio di punti di vista, ma Gertrude non si scoraggiò. Parlò a Reinach del viaggio imminente e lui la esortò a esaminare le rovine romane e bizantine, nonché a studiare l'impatto di quelle civiltà sulla regione. Il campo di studio dell'Impero bizantino era il più limitato e il meno sviluppato, così a partire da quel momento diventò la materia d'elezione di Gertrude. Reinach le assicurò che avrebbe pubblicato il suo saggio e si separarono cordialmente. Dopo il viaggio Gertrude l'avrebbe incontrato di nuovo a Parigi e lui promise di svelarle alcuni misteri delle iscrizioni nabatee e safaite.

Nel gennaio 1905, dopo avere acquistato due cavalli robusti, Gertrude partì da Beirut e si diresse a sud, lungo la costa. Montava a cavalcioni e aveva un piccolo equipaggio. Due muli trasportavano una tenda verde impermeabile acquistata a Londra, una vasca da bagno da viaggio in tela di canapa e alcune pistole di riserva, nonché doni comprati sul posto da offrire agli sceicchi, se necessario.

Il viaggio iniziò malamente e peggiorò molto durante i suoi millecinquecento chilometri, prima di concludersi a Konya, in Anatolia. Gertrude non aveva ancora percorso i duecentocinquanta chilometri da Beirut a Gerusalemme quando scrisse: «Il fango era incredibile. Lo abbiamo attraversato [...] per un'ora immersi fino al ginocchio, con i muli che cadevano e gli asini che quasi scomparivano e i cavalli che erano sempre più stanchi, sempre più stanchi»[37]. Fu ritardata dalla febbre e poi dal ghiaccio. Oltre alla giacca di pelliccia comprata a Parigi aveva soltanto due bauletti. Nella valle del Giordano le profonde gole fangose, inondate di pioggia battente, diventarono così scivolose che rischiò di perdere un cavallo. Arrivò trenta chilometri a nord del Mar Morto, ad Al-Salt, così fradicia da dover chiedere ospitalità in una casa. Scrisse alla famiglia: «Il mio ospite [...] suo nipote e i suoi figlioletti giudicarono un obbligo di ospitalità non lasciarmi neppure per un momento e assistettero con estremo interesse mentre mi cambiavo gli stivali, le ghette e persino la sottoveste, perché ero coperta di uno spesso strato di fango»[38].

La sua intenzione dichiarata era quella di ritornare al gebel Druso senza contattare le autorità turche, le quali, se avessero saputo della sua presenza nella regione, avrebbero ricordato il modo in cui era loro sfuggita e avrebbero insistito per fornirle una scorta militare, vanificando così i suoi progetti di incontrare gli sceicchi e di visitare i siti d'importanza archeologica della Siria occidentale. La sua conoscenza della lingua, ormai perfetta, era l'unico strumento che le occorreva. Il suo ospite di Al-Salt la affidò al cognato Namoud, un facoltoso mercante che viveva a est di Madeba, il quale si sarebbe occupato benevolmente di lei. Per andare a incontrarlo, Gertrude viaggiò per una giornata verso est, evitando le autorità turche.

Dopo avere consultato la mappa insieme a lei, Namoud fu in grado di spiegarle esattamente come recarsi al gebel Druso evitando i turchi. Poi, però, una tempesta fenomenale la costrinse a rimandare la partenza. Come naufraghi sulla sponda di un'isola, un gruppo di beduini della tribù Beni Sakhr, e tre della tribù Sherarat, furono costretti da un'inondazione ad abbandonare le loro tende e si unirono a Gertrude e al suo equipaggio. Tutti si rifugiarono all'interno di una grotta enorme, dove Namoud e la sua gente vivevano con ventitré vacche. I Beni Sakhr avevano minacciato Gertrude durante il suo viaggio a Petra, quando ancora non aveva imparato come ottenere la loro amicizia e il loro aiuto. Adesso, invece, la resero una di loro. «*Mashallah! Bint Arab!*» dichiararono. "Come Iddio ha voluto, una figlia del deserto!"

Nel deserto le notizie si diffondono quasi come per magia. Arrivò un parente dello sceicco dei Daja per fare da scorta (*rafiq*) a Gertrude nei quattro giorni di viaggio in territorio druso. Nella grotta umida, mantenendosi calda il più possibile con la pelliccia e fumando sigarette egiziane, Gertrude rimase seduta accanto al fuoco a osservare le sottili differenze fra le tre tribù e le complessità delle relazioni politiche tribali. Dopo alcune domande a Namoud e al proprio equipaggio fu in grado di riassumere le informazioni nel modo più chiaro. Nonostante gli altri li considerassero generalmente di infime origini, gli Sherarat vendevano i migliori cammelli d'Arabia ed erano imparentati con la tribù Sakhr, alleata della tribù Howeitat, entrambe nemiche dei Drusi e dei Beni Hasan, a loro volta alleati dei Daja.

Dopo qualche tempo, Gertrude fu ospite dello sceicco dei Daja e nel corso della conversazione rimase colpita dalla conoscenza che la sua tribù aveva delle vicende contemporanee e della poesia. Le recite accompagnarono i pettegolezzi serali sulle ultime *ghazzu*, o scorrerie tribali, e i racconti sull'oppressione turca. Seduta nella tenda di lana di capra dello sceicco Fellah, il cui harem si trovava all'estremità opposta, nascosto dalle cortine, Gertrude, più che un'ospite, era un'eguale.

Ho mostrato le *Muallakat* [poesie premaomettane] e tre o quattro esempi dell'uso di alcune parole. Questo ha suscitato molto interesse, e ci siamo curvati sul fuoco a leggere il testo passato di mano in mano. [...] Ho trascorso una serata molto piacevole [...] a raccontare loro come vanno le cose in Egitto. Per loro l'Egitto è una sorta di terra promessa. Non avete idea di quale impressione il nostro governo lassù abbia fatto sulla mente orientale[39].

Un giorno più tardi Gertrude fu condotta dalla sua guida daja a un accampamento di Beni Hasan, dove regnavano disperazione e scoramento. Poco prima, i Beni Hasan erano stati vittime di una *ghazzu* di cinquecento cavalieri sakhr e howeitat, i quali avevano razziato duemila capi di bestiame e molte tende. Scrisse Gertrude: «Non ho potuto fare a meno di rammaricarmi un poco che la *ghazzu* sia avvenuta ieri e non oggi, altrimenti avremmo potuto assistervi»[40]. Nel frattempo si tenne la festa del sacrificio. Gertrude evitò di presenziare allo sgozzamento di tre cammelli, però partecipò alla scarica di armi da fuoco al tramonto. «Come mi è stato richiesto, ho contribuito anch'io, seppure modestamente, con la mia rivoltella. L'ho usata per la prima volta e mi aspetto che sia anche l'ultima»[41].

Un tetro castello in rovina a Salkhad, città di lava nera costruita sul versante meridionale di un vulcano, la compensò per avere perduto la razzia all'accampamento dei Beni

Hasan. A cena, la sera del suo arrivo, udì cantare e sparare selvaggiamente nell'oscurità. Uscita dalla tenda, vide ardere un fuoco sulla torre del castello, così abbandonò il pasto, si arrampicò sul versante del vulcano e assistette a una *ghazzu*, una ritorsione per una razia di cinquemila pecore compiuta dai Sakhr ai danni dei Drusi. Così Gertrude descrisse la scena:

Domani duemila cavalieri drusi andranno a recuperare le loro greggi e a uccidere tutti gli uomini, donne e bambini dei Sakhr che troveranno. Il falò era un segnale per la campagna circostante. Lassù in cima abbiamo trovato un gruppo di Drusi, uomini e ragazzi, in piedi, in cerchio, a cantare una canzone terribile. Erano tutti armati e molti impugnavano le spade snudate[42].

Ammaliata, Gertrude si avvicinò ad ascoltare le parole del canto di guerra:

«Oh, Signore nostro Iddio! Addosso! Addosso!» Poi cinque o sei sono entrati nel cerchio, agitando le mazze o le spade snudate davanti alle facce degli altri tutt'intorno. «Sei un vero uomo? Sei valoroso?» […] Le spade scintillavano e fremevano alla luce della luna. A un tratto alcuni si sono accostati a me e mi hanno salutata. «La pace sia con te! Inglesi e Drusi sono un solo popolo!» E io ho risposto: «Lode sia resa a Dio! Anche noi siamo un popolo guerriero». E se aveste ascoltato quel canto sapreste che la cosa più bella del mondo è andare ad ammazzare il nemico[43].

La cerimonia si concluse con una corsa a capofitto giù per il versante della montagna, e Gertrude, trascinata dall'entusiasmo generale, corse con i guerrieri. Nella valle si fermò a lasciarli passare, poi rimase per qualche minuto ad ascoltare prima di tornare lentamente alla propria tenda. Era in assoluto la prima donna a essersi addentrata nel Safeh, selvaggio territorio a quell'epoca continuamente spazzato dalle scorrerie tribali sia dal Nord sia dal Sud. ·

Il costante maltempo peggiorò. In breve fu necessario aprirsi la strada nella neve alta e nel ghiaccio:

È stato più orrendo di quanto si possa dire. I muli cadevano nei cumuli di neve, i cavalli s'impennavano e sgroppavano, e se io avessi montato all'amazzone saremmo crollati parecchie volte. Su questa benamata sella, invece, si può stare ritti e saldi. Così abbiamo proseguito faticosamente [...] finché siamo sbucati in un mondo interamente bianco. Nell'ultima ora ho camminato trainando il cavallo, che a ogni passo si fermava nella neve alta[44].

Al villaggio druso di Saleh, dove si rifugiò, Gertrude scoprì che i maschi conoscevano il nome del ministro delle Colonie, Joseph Chamberlain, erano interessati a Lord Salisbury, ex primo ministro, e quando seppero che era morto manifestarono cortese rammarico. «Il vero trionfo dell'eloquenza fu quando spiegai loro la questione fiscale, e tutti si convertirono subito al libero scambio»[45].

Lasciato il territorio druso, Gertrude trascorse due notti con alcuni Ghiath, le cui tende erano fumose e infestate di pulci. Scrisse a Florence che il bagno successivo, nella propria tenda, fu uno dei più deliziosi a cui si fosse mai abbandonata. Quando arrivò a Damasco fu accolta da un invito del governatore, e apprese che ogni giorno erano stati inviati tre telegrammi da Salkhad sulla sua scomparsa. Era diventata una Persona anche in Siria.

Lasciando le scarpe alla porta, entrò nella grande moschea e rimase profondamente commossa dalle preghiere serali: «L'Islam è la più grande repubblica del mondo, non esistono nessuna classe e nessuna razza all'interno della fede. [...] Comincio a intravedere vagamente ciò che la civiltà di una grande città orientale significa, in quale modo si vive, cosa si pensa, e io mi trovo in armonia con loro»[46].

Tuttavia Gertrude non tardò a rendersi conto che essere una Persona non era sempre un vantaggio. Più tardi, nel corso del viaggio, scoprì che un poliziotto incaricato di «sorvegliare» i visitatori stranieri l'aveva seguita a Damasco a sua insaputa. Quando arrivò a Homs, centosessanta chilometri più oltre, era diventata una celebrità, tanto da non poter neppure passeggiare oziosamente per il bazar a causa dell'interesse che suscitava. «Era noioso, perché non ero mai senza la compagnia di cinquanta o sessanta persone. Una delle cose più difficili che io conosca è rimanere calmi quando si è costantemente circondati e pressati dalla folla. [...] Dichiaro di rinunciare per disperazione alla speranza di poter mai tornare a essere una semplice e felice viaggiatrice»[47]. Fu costretta a impiegare un soldato per tenere alla larga la folla, e poi a opporsi alle autorità, che avrebbero voluto assegnarle una scorta di otto guardie, mentre rifiutava di accettarne più di due.

Accompagnata da viaggiatori curdi e da un paio di prigionieri in manette, si trasferì ad Aleppo e poi al confine con l'Anatolia, dove l'attendevano inondazioni e ponti crollati. Così sostò a esplorare il luogo in cui l'eremita siriano Simeone Stilita aveva trascorso trentasette anni della sua vita in cima a una serie di pilastri e considerò quanto quel mistico doveva essere stato diverso da lei. Tentò di copiare reperti sotto la pioggia fitta, proteggendo il taccuino con il mantello. «Il diavolo si porti tutte le iscrizioni siriane!»[48]

Improvvisamente il tempo cambiò, diventando così caldo da far fumare il suolo. Le zanzare invasero la sua tenda e i nuovi mulattieri turchi si rivelarono tetri e litigiosi. Per la prima volta Gertrude desiderò essere un uomo.

Non c'era altro da fare che tenere a freno la lingua e cavarsela da soli. Dopo avere rifocillato i cavalli, sono andata a dormire senza cena, perché nessuno riconosceva che fosse suo dovere accendere il fuoco! [...] Vi sono momenti in cui essere una donna aumenta le difficoltà. Quello di cui avevano bisogno i miei servi era una bella bastonatura, e l'avrebbero avuta se io fossi stata un uomo. Raramente, che io ricordi, ho provato tanta rabbia repressa![49]

Poco tempo dopo, al termine di una giornata trascorsa a tentare di copiare iscrizioni e a scattare fotografie di rovine immerse nelle erbacce infestate di serpenti, ritornata ancora una volta a un accampamento senza fuoco e senza tenda, Gertrude perse la pazienza e con il frustino picchiò i mulattieri, i quali, esasperando il suo furore, sorrisero e sedettero sopra un'altra tenda imballata. Come per intervento della provvidenza, quando giunse ad Adana le fu raccomandato un nuovo servitore, Fattuh, un armeno cattolico con moglie ad Aleppo, il quale era destinato a diventare il suo Jeeves, da lei stessa definito «l'alfa e l'omega di tutto». Lo assunse come cuoco, e scherzavano sul fatto che cucinare era l'unica cosa che lui non aveva mai imparato a fare. Comunque Gertrude non fu mai più costretta ad aspettare che la sua tenda fosse montata. Fattuh l'accompagnò in tutti i suoi viaggi successivi, superbo capo dei mulattieri, coraggioso, allegro e devoto. In seguito, nel 1907, a Binbirkilisse, quando il servitore si ammalò, Gertrude ne ricambiò la devozione accudendolo. Soltanto una volta, dopo una giornata di viaggio estremamente spossante, sfogò il proprio furore su di lui. Poco dopo, cosa insolita per lei, andò a scusarsi con umiltà. Fattuh era entrato a far parte del suo equipaggio da due settimane, quando Gertrude scrisse: «Fattuh, che sia benedetto! È il miglior servo che io abbia mai avuto, sempre pronto, con uguale alacrità, a cucinarmi il pranzo, o a incitare un mulo, o a disseppellire un'iscrizione, [...] nonché a narrarmi interminabili racconti di viaggio mentre cavalchiamo, perché è diventato mulattiere all'età di dieci anni e conosce ogni centimetro di territorio da Aleppo a Van a Baghdad»[50].

Da Konya, con grande sollievo, Gertrude prese il treno per Binbirkilisse. La sua attenzione era stata attirata su questa città fortificata di chiese e monasteri in rovina da *Kleinasien* ("Asia Minore"), il libro di Strzygowski sugli antichi monumenti bizantini, pubblicato nel 1903. Gertrude lo teneva in una bisaccia della sella sin da quando era partita da Beirut. Per esplorarla poteva recarvisi ogni giorno da Konya e rientrare ogni sera in albergo. Fu così che incontrò il grande ecclesiastico archeologo Sir William Ramsay, i cui libri sulla Chiesa e sull'Impero romano erano sugli scaffali del suo studio, a casa. «Ci siamo abbracciati e siamo diventati grandi amici»[51] scrisse Gertrude ai genitori. Aveva individuato qualcosa in un'iscrizione semicancellata in una caverna di Binbirkilisse e credeva che fosse una data. Prese il treno per tornarvi, insieme a Sir Ramsay e a Mrs Ramsay, e mostrò loro l'iscrizione. Aveva ragione, e in breve si accordarono per tornarvi nel volgere di un anno o due, in modo da effettuare una esplorazione completa delle rovine e tentare di datarle con l'aiuto delle iscrizioni.

Più Gertrude approfondiva la conoscenza dell'Oriente, più aumentava il suo rispetto per la popolazione:

Razza, cultura, arte, religione sono essenzialmente asiatiche in qualunque periodo o momento storico le si consideri. [...] Spero che un giorno l'Oriente sia di nuovo forte e sviluppi la sua civiltà senza imitare la nostra, in modo che poi possa forse insegnarci alcune cose che un tempo abbiamo appreso proprio da esso, e che ora abbiamo dimenticato, con nostra grave perdita[52].

In giugno, di ritorno a Rounton, scrisse a Valentine Chirol: «Ti ho detto che stavo scrivendo un libro di viaggio? Ebbene, è proprio così. È il più grande dei divertimenti. [...] È la Siria vista dal popolo, cosa ne pensa la gente comune, le conversazioni che ascolto intorno al fuoco del bivacco quando viaggio, i racconti narrati da coloro che cavalcano con me, i pettegolezzi del bazar»[53]. *The Desert and the Sown*, pubblicato nel 1907, è tuttora un classico della letteratura di viaggio.

Nel 1909 i copiosi diari di Gertrude erano ormai diventati pressoché illeggibili, con la loro commistione di esaurienti dettagli archeologici, annotazioni abbreviate sulle persone e su qualunque dichiarazione di natura politica o economica, nonché miriadi di particolari di vita quotidiana nel deserto, occasionalmente intrecciati a lampi di avventura[54]. Talvolta scivolavano nel turco o nell'arabo. Spesso capitava che Gertrude scrivesse i suoi appunti intorno a mezzanotte, dopo dieci o dodici ore di viaggio e una serata di conversazione multilingue in una tenda nel deserto, oppure in un'elegante ambasciata.

Perché si comportava così? Perché questa donna giovane e ricca trascorreva i suoi anni migliori ad apprendere alcune delle lingue più difficili del mondo? Perché compiva grandi sforzi, affrontando condizioni spaventose e gravi pericoli, per visitare luoghi tanto oscuri da non figurare su nessuna mappa dell'epoca? Donna indipendente e di grandi capacità, Gertrude aveva ereditato la curiosità e la determinazione di Lowthian Bell, di cui erano riconosciute in tutto il mondo le innovazioni scientifiche e le realizzazioni tecnologiche. All'inizio, nel caso di Gertrude, la curiosità prevalse sulla determinazione. Era consapevole che arrampicare, per esempio, non era uno scopo di vita adeguato. Conquistare una montagna poteva essere una grande impresa, però non era utile a nessuno, se non a chi la compiva. Di solito, appena eccelleva in qualche attività, Gertrude passava a cimentarsi in un'altra. Spinta dalla sua necessità di mettersi alla prova, accettava le più diverse sfide venate di pericolo e foriere di emozioni intense.

Quando scoprì i viaggi nel deserto, tutto ciò si trasformò in una ricerca personale che abbracciava ogni cosa e che non sarebbe mai potuta giungere a una conclusione. Aveva lingue da perfezionare, usanze da apprendere, nuovi tipi umani da esaminare, archeologia e storia da esplorare, saperi e tecniche da acquisire, come la topografia, la navigazione, la fotografia e la cartografia. Si cimentava nella rischiosa impresa di restare viva e di giungere a destinazione, nell'ebbrezza esaltante di affermare la propria identità lontano dal mondo in cui sarebbe stata riconosciuta anzitutto come una Bell, figlia zitella di Hugh, nipote ed erede di Lowthian.

Le sue avventure non furono un tentativo di diventare famosa o di elevare la propria condizione sociale. Per tutta la vita rifiutò la pubblicità e si interessò sempre meno all'aristocrazia, e solo nel caso si distinguesse per grandi capacità. Pur mantenendo il rispetto dell'autorità politica ed economica, suo padre aveva deliberatamente deciso di non seguire il percorso convenzionale che imponeva di acquistare una proprietà in campagna, di frequentare i circoli londinesi e di ottenere un titolo nobiliare, per trasformare i Bell, una famiglia di capitani d'industria di successo, in una famiglia aristocratica. Non aveva tempo per coloro che acquistavano prestigio soltanto attraverso i titoli nobiliari e i privilegi che li accompagnavano. In un'epoca in cui avrebbe avuto maggior prestigio come lord che come industriale facoltoso, voleva essere riconosciuto per l'esperienza, per l'acume negli affari e per il ruolo di guida sociale. Analogamente, in quanto appartenente alla terza generazione dei Bell, Gertrude non sfruttava per le sue imprese il potere e la posizione sociale che aveva ereditato. L'unico aiuto che accettava era il denaro di famiglia con cui le finanziava. Per tutto il resto si affidava esclusivamente all'intelletto, al coraggio e alla sete d'apprendimento.

Con l'allontanarsi della prospettiva di sposarsi e di avere figli, sentiva una necessità sempre crescente di autorealizzazione in attività diversive. A un certo punto, anche questo non sarebbe più stato sufficiente, e quando fosse arrivato quel momento, la vita le avrebbe offerto un obiettivo di rilevanza mondiale. Per il momento stava incominciando a farsi un nome nel mondo della politica. Fino alla prima guerra mondiale, gli affari di stato, interni ed esteri, erano amministrati tanto alle cene, alle serate, ai ricevimenti in ambasciata, quanto negli uffici governativi. Gertrude ebbe accesso a questo mondo e cominciò a essere riconosciuta quale esperta nei propri campi d'interesse.

Quando viaggiava non esitava a informare immediatamente il consolato della propria presenza, oppure a far visita all'ambasciatore, al *mudir*, o al *vali*, cioè il governatore della provincia. Ovunque si recasse, Bucarest, Parigi, Homs, Antiochia, annunciava il proprio arrivo. Ne seguivano inviti alle cene, alle feste, ai ricevimenti, l'insistenza affinché organizzasse le proprie attività e coltivasse le proprie relazioni in una stanza del consolato anziché in una piccola tenda. Se si era Persona, come adesso lei era, una persona che contava, si sapeva che sarebbe stato scortese non presentarsi e non lasciare il proprio biglietto da visita. Se non si era duca o conte, si poteva conservare la propria posizione soltanto se si continuava a meritarlo e se si poteva dimostrare di contare nel *milieu* degli ambasciatori e degli altri notabili. Quando Gertrude riferiva delle proprie discussioni con il dottor tal dei tali a proposito dell'arduo e sgradevole problema della persecuzione degli armeni, o dell'importanza di Aqaba per le vie di rifornimento del petrolio, o delle ragioni per prolungare la ferrovia sino alla Mecca, o dell'invio di dieci reggimenti da Damasco per impartire una lezione ai Drusi dell'Hauran, i commensali tacevano. La gente la ascoltava e ripeteva ciò che lei diceva. Gertrude non stava tentando di accedere al mondo maschile, perché già vi apparteneva.

A partire dal XVIII secolo, donne quali Georgiana, duchessa di Devonshire, che progettò il successo del Partito liberale, oppure, in America e molto più recentemente, Mrs Harriman, che resuscitò le fortune dei democratici, hanno esercitato "potere salottiero" mediante cene e feste. Gertrude fu un fenomeno nuovo e moderno, una persona che esercitava influenza trasmettendo conoscenze di prima mano e manifestando opinioni fondate su tali conoscenze. In patria e all'estero, Gertrude conferì con gli uomini più prestigiosi della propria epoca. Fu decisamente diversa dalle altre donne inglesi che viaggiarono in Oriente prima e dopo di lei, come Freya Stark, la quale dichiarava che era meraviglioso essere viaggiatrice in quelle regioni perché si poteva fingere

161

di essere più stupide di quanto lo si fosse in realtà, oppure Lady Anne Blunt, che accompagnava il marito Wilfrid, o ancora le donne romantiche descritte da Lesley Blanch in *The Wilder Shores of Love*, quali Lady Burton e Jane Digby. Dato il suo impegno, le sue informazioni estremamente aggiornate su quello che stava accadendo, come pure la prospettiva da cui lei considerava gli eventi, erano strumenti essenziali. I suoi diari immagazzinavano in forma abbreviata tutto ciò che oggi è registrato sui supporti informatici. Appuntava ciò che si diceva in un circolo, e forse scopriva in seguito che illuminava ciò che aveva udito altrove. Trasmetteva le proprie informazioni all'amico giornalista, Chirol, e tanto in patria quanto all'estero, di persona o per corrispondenza, agli statisti dell'epoca. Al pari di molti altri archeologi che riferivano della politica locale in Medio Oriente, è stata considerata una spia. Ma lei stessa avrebbe giudicato sensazionale e avvilente tale etichetta. Era una raccoglitrice e una disseminatrice d'informazioni, che poteva permettersi di darsi da fare senza compenso, e in tal modo otteneva l'accesso ai corridoi del potere, in quanto Persona integralmente sviluppata.

Come già accennato, il suo modo di viaggiare a partire dal 1909 diventò maestoso, non soltanto perché amava viaggiare con classe, ma perché sapeva che gli sceicchi avrebbero giudicato la sua condizione in base alle proprietà e ai doni elargiti, e l'avrebbero trattata di conseguenza. Non dimenticava ciò che il druso Yahya Beg aveva domandato agli abitanti del villaggio: «Avete visto una regina in viaggio?» Il suo bagaglio includeva abiti da sera alla moda, camicette di batista e gonne pantalone di lino, camicie di cotone e pellicce, maglioni e sciarpe, stivali di tela e di cuoio. Sotto strati di sottovesti di pizzo nascondeva armi da fuoco, fotocamere e pellicola, e portava numerosi binocoli e pistole da donare agli sceicchi più prestigiosi. Aveva cappelli, veli, parasole, sapone alla lavanda, sigarette egiziane in astucci d'argento, polvere insetticida, mappe, libri, stoviglie

Wedgwood, candelieri e spazzole d'argento, bicchieri di cristallo, biancheria e coperte, tavoli pieghevoli e una poltrona confortevole, nonché il letto e la vasca da bagno da viaggio in tela. Aveva due tende, una che Fattuh era incaricato di montare al momento di accamparsi, e l'altra per la vasca da bagno, che doveva essere riempita d'acqua calda appena acceso il fuoco, e per il letto da preparare con il sacco di mussola steso sotto le coperte. Nel gennaio 1909 scrisse alla famiglia: «Non c'era bisogno che nascondessi le cartucce negli stivali! Abbiamo passato la dogana senza che sia stata aperta una singola cassa»[55].

Nel 1909, cartografando l'Eufrate, Gertrude esplorò siti archeologici per settecento chilometri lungo le sue rive prima di arrivare alla regione di Najaf e alla propria destinazione, Kerbela, e là, a Ukhaidir, trovò un palazzo immenso e bello, in buono stato di conservazione. Non dimenticò mai la meraviglia provata nel vedere per la prima volta le sue mura formidabili e i suoi soffitti a volta. Allorché fu confermato che la sua mappa del palazzo era la prima mai realizzata, Gertrude credette di aver finalmente scoperto una cittadella sconosciuta: «Nessuno la conosce, nessuno l'ha mai vista. [...] È la più grande fortuna che mi sia mai capitata. [...] È improbabile che un soggetto così incantevole e così suggestivo come il palazzo di Ukhaidir si offra più di una volta nel corso di una vita»[56].

Nel 1910 avrebbe pubblicato uno studio preliminare di Ukhaidir nel *Journal of Hellenic Studies*, oltre a includere una meticolosa descrizione dell'edificio in *Amurath to Amurath*, il suo quinto libro, abbondantemente illustrato con fotografie scattate da lei, in cui sono raccontate le grandi spedizioni del 1909 e del 1910. Ritornando al sito nel 1911, questa volta direttamente da Damasco a Hit attraverso il deserto, Gertrude scoprì con amaro disappunto che la lunga monografia che stava per pubblicare, centosessantotto pagine di mappe accuratamente disegnate e centosessantasei fotografie, non sarebbe stata la prima. Infatti a Babilonia apprese che alcuni archeologi tedeschi avevano esplorato il sito durante i due anni della sua assenza e si accingevano a pubblicare il loro studio. La reazione a questo impedimento dimostra una certa grazia, pur nell'esasperazione. Nella prefazione al proprio libro, *The Palace and Mosque at Ukhaidir*, manifesta la sua ammirazione per il «magistrale» saggio tedesco, e si scusa di pubblicarne un altro sul medesimo argomento, spiegandone le ragioni: «La mia opera, quasi completata quando il volume tedesco fu stampato, non descrive soltanto il territorio attraversato dai miei eruditi amici di Babilonia, bensì anche quello che essi non hanno avuto il tempo o l'opportunità di esplorare. [...] Con ciò debbo congedarmi da un campo di studi che ha costituito per quattro anni la mia principale occupazione, nonché la mia massima gioia».

Nella voce a lei dedicata nei *Prolegomena*, il *Who's Who* dell'archeologia, Gertrude è descritta come «la notevole pioniera dell'architettura bizantina». Nel 1909, una volta dato alle stampe *The Thousand and One Churches* su Binbirkilisse, Gertrude si concentrò sull'altopiano anatolico del Tur Abdin. Nel 1913, il materiale raccoltovi fu pubblicato nel suo settimo libro, *The Churches and Monasteries of the Tur Abdin*. Ormai Gertrude aveva sviluppato la propria visione archeologica, tanto da poter criticare con argomentazioni persuasive alcune convinzioni di Josef Strzygowski, il quale, lungi dall'offendersene, la invitò a scrivere un saggio su Tur Abdin per *Amida*, la monografia da lui realizzata insieme a Max van Berchem, a cui lei fece seguire un secondo saggio pubblicato in *Zeitschrift für Geschichte der Architektur*, entrambi illustrati dalle sue mappe e dalle sue fotografie.

Nel corso di quello stesso viaggio, una volta lasciata Tur Abdin, Gertrude aveva compiuto una piccola deviazione fino al sito archeologico di Karkemis, antica capitale meridionale degli ittiti, dove aveva sperato di trovare il suo vecchio mentore e amico, David Hogarth, il quale, però, era già partito. Invece incontrò un giovane che in futuro sarebbe diventato parte della sua vita, come lei lo sarebbe diventata di quella di lui. Il 18 aprile 1911 Gertrude ne scrisse così: «Un ragazzo interessante, diventerà un viaggiatore»[57]. Il suo nome era T.E. Lawrence, e rimase impressionato da lei quanto lei lo fu da lui. Alla madre, in Inghilterra, Lawrence descrisse la famosa viaggiatrice come una donna di modi gradevoli, sui trentasei anni, anche se in realtà ne aveva quarantatré, e non bella.

Sabato scorso è passata in visita Miss Gertrude Bell. Le abbiamo mostrato tutte le nostre scoperte e lei ci ha riferito le sue. Ci siamo congedati con reciproche espressioni di stima. Tuttavia lei ha detto a Thompson che la sua concezione degli scavi era preistorica, perciò abbiamo dovuto schiacciarla con uno sfoggio di erudizione. In cinque minuti è stata sommersa dai bizantini, i crociati, i romani, gli ittiti e l'architettura francese [...] nonché il folklore greco, l'architettura assira e l'etnologia mesopotamica [...] il vasellame preistorico e le lenti per telefoto, le tecniche metallurgiche dell'età del bronzo, Meredith, Anatole France e gli ottobristi [...] il movimento dei Giovani Turchi, lo stato costrutto in arabo, il prezzo dei cammelli da monta, le usanze sepolcrali assire, le tecniche di scavo tedesche per la ferrovia di Baghdad. [...] Tutto questo è stato una sorta di *hors d'œuvre* [...] e lei è diventata più rispettosa.

In maniera più lusinghiera e in tono alquanto differente, Lawrence scrisse di Gertrude a David Hogarth: «Gerty è tornata alle sue tende per dormire. Ha avuto successo, ed è stata coraggiosa».

In ogni spedizione arriva un momento che s'imprime a lungo nella memoria e che preserva il ricordo nella sua essenza. Nel 1911 questo momento giunse per Gertrude ad Ashur, nella Mesopotamia settentrionale, un centinaio di chilometri a sud di Mosul. Per un'ora rimase seduta in solitudine sulla cima di una collina a osservare con l'occhio della mente il fluire della storia della civiltà:

Il mondo intero sfavillava come un gioiello, boschetti verdeggianti e acque azzurre, il remoto scintillio delle nevi sulle montagne che cingono la Mesopotamia a settentrione. [...] Ho considerato che la storia dell'Asia si spalancava dinanzi a me. Qui Mitridate assassinò i generali greci, qui Senofonte ebbe il suo primo comando, e poco oltre lo Zab i greci si volsero a sconfiggere gli arcieri di Mitridate, per poi marciare su Larissa, la collina di Nimrud, dove Senofonte vide le rovine della grande città assira di Calah. Nimrud spiccava fra i campi di grano sotto di me. Poco più oltre potevo vedere la pianura di Arbela, dove Alessandro conquistò l'Asia. Noi, popolo dell'Occidente, potremo sempre conquistare l'Asia, ma non potremo mai conservarla. Ecco la legenda che, ai miei occhi, accompagnava il paesaggio[58].

Stava osservando quello che sarebbe diventato l'Iraq, il paese di cui lei sarebbe diventata la regina non incoronata. Curiosamente, ne aveva anche predetto il futuro, un futuro esteso molto oltre la sua stessa vita.

7.
Dick Doughty-Wylie

Un risoluto eroe. [...] Nessun soldato più coraggioso ha mai sguainato la spada. [...] Gentilezza e compassione colmavano il suo cuore[1].

Nell'estate del 1907, con il suo ultimo libro appena pubblicato, Gertrude si recò a Konya e a Binbirkilisse, in Turchia, per collaborare con Sir William Ramsay, come convenuto nel 1905. Mentre Ramsay dirigeva e interpretava, Gertrude era impegnata dodici ore al giorno a sbrigare le incombenze più faticose e monotone, come prendere le misure e disegnare le piante degli edifici. Il libro che ne derivò, *The Thousand and One Churches*, pubblicato nel 1909, è tuttora il testo di riferimento per l'antica architettura bizantina in Anatolia. La ricompensa per Gertrude fu costituita dal prestigio e dalla credibilità acquisiti in ambito archeologico. Senza anni e anni di studio non avrebbe potuto ottenerli in altro modo, e molti archeologi la invidiavano.

Come archeologa, Gertrude era avvantaggiata dalla disponibilità a recarsi in territori pericolosi, dalla libertà con cui poteva perseguire autonomamente obiettivi costosi, dall'energia e dall'entusiasmo che le erano caratteristici. Nessuna montagna era troppo alta, nessun sito era troppo ben protetto da serpenti, ragni e zanzare. Quando seguiva una traccia, nessun viaggio era troppo lungo e nessuna località troppo remota. In una lettera a Florence e nella prefazione al libro, Ramsay scrisse che due anni prima, a Binbirkilisse, nascosta in una piccola grotta fino ad allora trascurata, Gertrude aveva scoperto una data d'importanza essenziale, dimostrando «un'attenzione e una scrupolosità» che suscitavano la sua ammirazione; aggiunse: «La cronologia delle mille e una chiesa è imperniata su questo testo». Rispetto a lui, Gertrude era una novizia molto dotata. Quando David Hogarth aveva chiesto di lavorare con lui, il professore lo aveva spedito in Grecia a imparare l'epigrafia. Forse Ramsay non era del tutto disinteressato nell'accordarle il proprio favore. Gertrude era già famosa per le sue spedizioni e si sapeva che, in quanto ereditiera, avrebbe potuto contribuire a finanziare gli scavi. Giunta in Asia Minore in aprile, incontrò ad Aleppo il suo diletto servitore, Fattuh, e il giorno 28 dello stesso mese scrisse:

I mari e le colline sono tutti colmi di leggende e le valli sono cosparse di rovine delle grandi e ricche città greche. Qui s'imprime nella mente una pagina di storia che nessun libro può documentare. [...] Presumo che nessuno al mondo sia più felice di me e che nessun paese sia più bello dell'Asia Minore. Accenno di passata a tutto questo affinché possiate ricordarlo[2].

A Mileto, Gertrude ricevette un telegramma con cui la sorella Elsa le annunciava di essersi fidanzata con un certo Herbert Richmond. La lettera di Florence a questo proposito le fu recapitata al sito di Afrodisia, antica città della Caria, dove era rimasta incantata dalle porte ornate con intrecci di frutta, fiori, uccelli e altri animali. Nel proseguire il viaggio, costeggiò le sponde dei laghi, superò frutteti di peschi e di ciliegi sotto monti innevati, percorrendo strade impervie attraversate da torrenti impetuosi, ardui da superare per le bestie da soma. Al lago di Egerdir acquistò un altro cavallo per dieci sterline turche e persuase un pescatore a trasportarla con una barca fino a un'isoletta: «Era circondata di ruderi bizantini che crollavano in acqua a grossi blocchi di muratura, e antiche colonne spezzate erano sparse qua e là [...] e una densa popolazione di serpenti abitava le rovine»[3]. Osservando il lago sottostante vide scintillare una pietra sommersa che sembrava avere un'iscrizione. Scacciando i serpenti, scese fra le rocce ed entrò in acqua: «Feci tutto il possibile per recuperare l'iscrizione. Cercai di pulire la pietra dalla melma, ma [...] la melma tornava ad aderirvi, così alla fine rinunciai e uscii dal lago, molto bagnata e notevolmente irritata»[4].

Con Fattuh entrò in Asia per le strade romane, osservando le numerose farfalle, e giunse a Konya. Stava già lavorando a Binbirkilisse, «a dissotterrare chiese», quando i Ramsay arrivarono con gran fragore su un paio di carri trainati da asini. Li accompagnava il figlio, a cui era stata commissionata una ricerca dal British Museum. Mrs Ramsay preparò il tè, mentre il professore, «incurante di ogni altra considerazione», s'immergeva subito in quello che Gertrude stava facendo, come a riprendere una conversazione interrotta soltanto pochi istanti prima. Il 25 maggio Gertrude scrisse alla famiglia: «Pensiamo che si tratti di un insediamento ittita! Quale magnifico divertimento! Dovreste vedermi a dirigere i lavori di venti turchi e di quattro curdi!»[5]

A trentotto anni era nel fiore della vita. A parte l'amore, era perfettamente realizzata e sempre vivacissima e instancabile, colma di energia e di entusiasmo come l'aveva conosciuta Janet Hogarth a Oxford. Era tanto soddisfatta che probabilmente Florence considerò con le dovute riserve la sua protesta scribacchiata in calce a una lettera: «Sono orribilmente dispiaciuta di non essere stata al matrimonio di E.!» Felice e assorta nelle proprie attività, non presentiva affatto di essere in procinto di incontrare colui che si sarebbe rivelato l'amore della sua vita.

Il maggiore dei Royal Welch Fusiliers Charles Hotham Montagu Doughty-Wylie, per gli amici Richard o Dick, era un tranquillo eroe di guerra che aveva conquistato decorazioni in battaglia durante la campagna in Africa orientale nel 1903, e prima ancora. Era nipote del viaggiatore Charles Montagu Doughty, poeta e geologo, autore del facondo *Arabia Deserta*, racconto in una prosa maestosa delle sue selvagge e pericolose avventure, una sorta di Bibbia per i veri viaggiatori in Medio Oriente. Era uno dei libri che Gertrude portava sempre con sé in viaggio.

Dick Doughty-Wylie era stato educato a Winchester e a Sandhurst[6]. Nel 1889, a ventun anni (era coetaneo di Gertrude, erano nati quasi lo stesso giorno) si era arruolato nel British Egyptian Army e aveva servito in Cina, in Sud Africa e in Africa orientale. Era stato ufficiale addetto ai rifornimenti in India, fante a cavallo in Sud Africa, comandante di un reparto cammellato in Somalia. Una fotografia militare lo mostra magro e baffuto, abbronzato, più alto, più largo di spalle e più bello di molti suoi contemporanei, e con il petto coperto di medaglie. Era stato gravemente ferito prima nella guerra boera, poi a Tientsin, durante la rivolta cinese. Si era sposato soltanto tre anni prima di conoscere Gertrude, lo stesso anno in cui lei aveva scalato il Matterhorn. La moglie Lilian, volubile e ambiziosa, conosciuta al di fuori della famiglia come Judith, era stata la vedova del tenente Henry Adams-Wylie, dell'Indian Medical Service. Aveva chiesto a entrambi i mariti di aggiungere il proprio cognome ai loro. In una fotografia scattata a Konya è seduta in una poltrona da giardino, curva in avanti a fissare pensosamente il suolo, con le mani in grembo e le dita strettamente intrecciate. Trasferito alla diplomazia per l'insistenza di Judith e per il suo stesso bisogno di riposo, Dick era console militare britannico a Konya. Quando bussò alla porta per ritirare la posta, Gertrude li conobbe entrambi.

All'inizio Doughty-Wylie fu per Gertrude soltanto un «affascinante giovane militare», che aveva una «moglie piccola e piuttosto gradevole», la quale la invitò a pranzo nel giardino ombroso della loro casa di Konya. Al suo arrivo Gertrude fu accompagnata in giardino con altri ospiti. Dopo settimane di scavi sotto il sole ardente, il suo viso era abbronzato e i suoi capelli castano-ramati erano imbionditi. Alcune ciocche sfuggivano dal cappello di paglia e gli occhi verdi sfavillavano. Di solito nell'attraversare il deserto portava un velo azzurro che dalla falda del cappello le cadeva tutt'intorno alla testa, ma durante il lavoro archeologico, quando doveva sorvegliare e ispezionare, il velo la intralciava. Judith era pallida, vestiva di bianco, tendeva a esagerare con le gale, e di rado si avventurava all'aperto senza parasole. Gertrude trasudava energia, era molto loquace, rideva molto. Era nel suo elemento. Sei difficili anni più tardi, Doughty-Wylie avrebbe ricordato quell'occasione: «GB entrò, ammantata di energia e di scoperta e di affabilità». Ormai alquanto famosa, fu subito al centro dell'attenzione. Tutti erano ansiosi di conoscere quella donna inglese, viaggiatrice e linguista, il cui ultimo libro, *The Desert and the Sown*, era ampiamente discusso. Brillante conversatrice e narratrice sicura, Gertrude dominò quel pomeriggio, divertendo tutti i presenti con le sue descrizioni del caotico modo di viaggiare di Ramsay, il quale avrebbe potuto essere il prototipo del professore distratto, in quanto perdeva indumenti e bagagli lungo la via e lasciava costantemente disegni e frottage sotto i sassi, nei siti archeologici, tanto che prima di andarsene, alla fine di ogni giornata di lavoro, Gertrude aveva preso l'abitudine di fare il giro del sito per raccogliere i documenti e gli appunti sparsi, mentre Mrs Ramsay rincorreva il marito per portargli il suo panama e il tè. Una volta Ramsay chiese a Gertrude: «Rammentatemi, mia cara... Dove siamo?» Senza la moglie o senza Gertrude sarebbe stato incapace di ricordare il nome o l'ubicazione del proprio albergo.

«I Wylie sono molto cari, tutti e due» scrisse Gertrude a Florence, aggiungendo di aver «parlato a lungo» di vari argomenti e persone soprattutto con il tranquillo Dick, il quale era affascinato dal Medio Oriente e aveva grande affetto e grande rispetto per i turchi. L'anno prima aveva condotto la moglie a visitare Baghdad, Costantinopoli e l'antica città di Babilonia. Con Gertrude aveva lasciato la tavola e i convitati per discutere del filosofo e teosofo sufi Jalal ad-Din Rumi, la cui tomba a Konya era ancora visitata da decine di migliaia di discepoli ogni anno. Il mistico Rumi si era consacrato alla composizione poetica e ai rituali dei dervisci rotanti. Doughty-Wylie era profondamente commosso dal mondo islamico e rimase impressionato nel constatare che Gertrude conosceva a memoria molta della sua poesia. Con Henry Cadogan, lei aveva letto per la prima volta i versi di Rumi sul desiderio struggente della sua dimora spirituale: «Ah, ascolta il giunco mentre narra la sua storia; / Ascolta, ah, ascolta il lamento del giunco. / Mi hanno strappato dal giuncheto della mia casa, / la mia voce è mesta di nostalgia, / mesta e fioca».

A Konya, Gertrude incontrò diverse volte Dick e Judith, i quali la aiutarono in molti piccoli modi. In quei primi incontri, comunque, non vi fu altro. La spedizione si interruppe bruscamente a causa della preoccupante condizione di Fattuh, il servo di Gertrude. Durante un precedente viaggio archeologico, nel seguirla entusiasta all'interno di un rudere, l'uomo aveva sbattuto la testa contro un basso architrave. Quando all'improvviso perse conoscenza, si scoprì che soffriva di strazianti emicranie da quando aveva subito l'infortunio, e Gertrude, che non faceva nulla a metà, telegrafò all'ambasciatore britannico a Costantinopoli, nonché al gran visir, Ferid pascià, spiegando che Fattuh aveva bisogno di speciale assistenza. Poi si preparò ad accompagnarlo in ospedale senza ulteriori indugi, disse addio ai Wylie, li invitò a farle visita a Rounton, una volta o l'altra, e partì. Appena Fattuh fu ricoverato in ospedale e cominciò a migliorare, lei attraversò il Bosforo con il panfilo dell'ambasciata per incontrare il gran visir: «È davvero un grand'uomo, e [...] soprattutto è stato gentile con me più di quanto le parole possano esprimere».

Nell'agosto 1907 Gertrude tornò a casa e si riunì alla sua cameriera francese, Marie Delaire, arrivata a Londra per aiutarla ad acquistare un nuovo guardaroba autunnale. Poco tempo dopo rientrò a Rounton e ricevette nel proprio studio il professor Ramsay, arrivato con la moglie per lavorare con lei a *The Thousand and One Churches*.

Con tutte le conoscenze influenti che aveva e con Chirol che scriveva regolarmente per *The Times*, non è sorprendente che avesse un libro di ritagli, in cui non tardò a incollare il resoconto dell'ultima eroica avventura di Doughty-Wylie. Nel tumulto provocato dalla rivolta nazionalista dei Giovani Turchi, turbe di fanatici stavano massacrando gli armeni cristiani nella regione di Konya e abbandonavano cadaveri sparsi nelle strade e sulle ferrovie. Indossata la sua vecchia uniforme, Doughty-Wylie aveva organizzato un corpo di truppe turche e lo aveva guidato attraverso Merdin e Adana, pacificando le folle assassine. Ferito da un proiettile, era uscito di nuovo in pattuglia con il braccio destro bendato. Si diceva che la sua iniziativa avesse salvato centinaia, se non migliaia di vite, e per questo fu nominato Compagno dell'Ordine di san Michele e di san Giorgio. Molto insolitamente, persino le autorità turche lo avevano decorato al valore, conferendogli il raro Ordine di Majidieh. La lettera di congratulazioni di Gertrude fu soltanto una delle molte che ricevette da tutto il mondo, ma senza dubbio lui rispose con estrema cordialità, perché un anno più tardi iniziò fra loro una corrispondenza regolare, in cui Gertrude talvolta indirizzava le proprie lettere sia a lui sia a sua moglie, e talaltra soltanto a lui. A quanto pare, i Doughty-Wylie fecero visita alla famiglia Bell a Rounton, nel 1908: «Lui è molto gentile» annotò Gertrude, quasi con timidezza. Considerato il suo modo solitamente espansivo di esprimersi, queste quattro parole si distinguono per il loro riserbo. Forse lei si trattenne dallo scrivere tutto ciò che avrebbe potuto, oppure ciò che provava per lui.

Una nuova intimità pervase la loro corrispondenza, mentre Dick si trovava ad Addis Abeba come console e Gertrude era in Mesopotamia per uno dei suoi viaggi esplorativi e progetti archeologici più importanti, cioè disegnare e misurare l'enorme rudere del palazzo di Ukhaidir. Poi, nella primavera del 1912, mentre Judith era in Galles a trovare la madre, Dick arrivò, solo, a Londra. Aveva accettato la nomina a direttore del servizio di soccorso della Croce Rossa e alloggiava nel suo vecchio appartamento da scapolo, in Half Moon Street, come era solito fare quando sua moglie non era con lui. È possibile che Gertrude e Dick si fossero già incontrati un paio di volte a Londra durante i cinque anni trascorsi dal loro primo incontro, perché lei decise immediatamente di recarsi a sua volta nella capitale. Disse a Florence che le era stato chiesto di tenere una conferenza, che da troppo tempo non vedeva i cugini e che aveva bisogno di molti nuovi vestiti per l'estate. Senza indugi si recò a Londra per lanciarsi in uno dei periodi più felici della sua vita.

La sua vasta cerchia di amici facoltosi e i vivaci cugini Stanley le offrirono una perfetta opportunità per attirare nella propria orbita lo stanco soldato, serio e dal contegno grave. Lei sentiva che di rado il riso allietava la sua esistenza e lui attraverso lei fu accolto in un gruppo di persone più vivace e più stimolante di qualunque altro avesse mai conosciuto, forse più intellettuale e più brillante, probabilmente più incline ad apprezzare la musica, la letteratura e l'arte, di quanto lo fossero i suoi amici militari al circolo. Costoro sapevano che il suo matrimonio non era del tutto felice, e lui, dopo tutto quello che aveva passato, fu contento di svagarsi un poco, di lasciarsi andare, di sfuggire ai vecchi amici e colleghi per giorni e sere di un genere assolutamente imprevedibile. Insieme a parenti e amici, Gertrude lo accompagnò ad assistere a rappresentazioni teatrali e concerti, a visitare musei e mostre, ad ascoltare bande ed esibizioni musicali nel parco, a partecipare a chiassose discussioni di arte e di letteratura. Inoltre, lui si recò ad ascoltare la conferenza di Gertrude, pronunciata con classe e sicurezza, con un umorismo e un'erudizione che conquistarono il pubblico. Durante le passeggiate al parco, oppure nel rincasare o nell'andare a un ristorante nel West End, Doughty-Wylie torreggiava su Gertrude, e rimanevano indietro, immersi nella conversazione, con scoppi di risate che talvolta inducevano i cugini a girarsi a guardarli, domandandosi che cosa

174

li divertisse tanto. Dopo cena i due tendevano a isolarsi e a conversare e a ridere fino a tarda notte, velati dal fumo della sigaretta che lei teneva in un lungo bocchino d'avorio. Senza dubbio, nel vedere Gertrude ornata di perle e di diamanti, con i verdi occhi sfavillanti, i bei capelli spazzolati e acconciati, elegante nei suoi nuovi abiti da sera francesi, i suoi familiari si resero conto con stupore di quanto potesse essere attraente, nonché abile nel flirtare.

Non si stava più soltanto divertendo. Quel rapporto stava diventando il più importante della sua vita. Trovava in Dick Doughty-Wylie una combinazione di qualità irresistibili. Al pari dell'ascetico Charles M. Doughty, suo zio, il cui *Arabia Deserta* era suo costante compagno, e come i beduini che lei era giunta ad ammirare e ad amare, lui era spirituale e al tempo stesso impavido. Fra loro due il guizzare e il pulsare dell'attrazione sessuale diventavano più intensi a ogni incontro. Il legame si rafforzava, e lei sapeva che anche lui lo sentiva, così non progettò di recarsi all'estero, quell'anno, e nel gennaio 1913 scrisse a Chirol per riferirgli di avere rifiutato l'invito a partecipare a una spedizione scientifica sul Karakorum, in Cina: «Più si avvicinava il momento di partire, meno lo sopportavo. Non posso assentarmi da casa per quattordici mesi. Ora la mia vita in Inghilterra è così deliziosa che non intendo rinunciarvi tanto a lungo»[7].

Per tanto tempo Gertrude aveva atteso quella felicità, e nell'entusiasmo dell'attrazione reciproca e degli interessi condivisi le fu facile dimenticare l'esistenza di Judith. Dopo il primo incontro con i Doughty-Wylie a Konya, Gertrude aveva descritto lui, nelle lettere alla famiglia, come «un affascinante giovane militare», che aveva una «moglie piccola e piuttosto gradevole». Qualunque donna avesse letto questa descrizione del console e di sua moglie si sarebbe allarmata allo spregevole aggettivo «piccola». Con riferimento ai propri criteri di valore e di giudizio, Gertrude avrebbe usato l'espressione «donna piccola» sempre più spesso con l'andar del tempo, e sempre in senso peggiorativo. Una delle sue definizioni più letali era «una donna piccola e carina», divenuta espressione in codice della famiglia a significare una persona irritante e insignificante, e spesso, purtroppo, impegnata con un uomo «utile». Nel caso di Mrs Doughty-Wylie, infermiera provetta, era decisamente un giudizio errato e immeritato. Quando Dick aveva organizzato i soccorsi per ventiduemila profughi a Konya, Judith aveva allestito tre ospedali da campo per i feriti e per i malati. Tuttavia non era un segreto che il loro era un matrimonio difficile. Senza dubbio Judith non era ignara dell'infedeltà di Dick, e non era neppure una moglie accomodante e remissiva, come stava per dimostrare.

La felicità di Gertrude non poteva durare in eterno. Judith era attesa a Londra, la data era già stabilita, e finalmente arrivò. Desolata e confusa, Gertrude tornò nello Yorkshire, dove si immerse nel giardinaggio e negli studi archeologici. Nel 1913, al volgere dell'estate nell'autunno, trascorse lunghe giornate a caccia. Faceva qualsiasi cosa le venisse in mente per passare il tempo in attesa di poter rivedere Dick. Lo zenit di ogni giornata era l'arrivo della posta, che poteva includere, e spesso includeva, lettere di lui.

Mentre scriveva un articolo o disegnava una chiesa, Gertrude si abbandonava, con il mento sulla mano, a sognare a occhi aperti, e d'improvviso ritornava al presente con un sussulto. Dopo avere impartito istruzioni ai giardinieri, andava a passeggiare nel bosco e li abbandonava a loro stessi nel bel mezzo di un lavoro, senza ulteriori indicazioni. Lei e Dick erano diventati così importanti l'uno per l'altra che lei si chiedeva costantemente se e a quali condizioni le fosse possibile migliorare la propria situazione. Se soltanto fosse riuscita a persuadere Dick a lasciare Judith per stare con lei, sentiva che allora avrebbe saputo sopportare l'ostracismo che ne sarebbe seguito. Per quanto temesse la disapprovazione di Hugh e di Florence, pensava che probabilmente avrebbero finito per capitolare, se lei e Dick si fossero sostenuti a vicenda, saldi e costanti, per un tempo sufficientemente lungo. Poi considerò la situazione del suo amante. Nonostante tutto il prestigio sociale di cui godeva, Dick avrebbe perduto contemporaneamente la moglie, la carriera e la reputazione. Il desiderio insoddisfatto la riconduceva sempre alla stessa stazione della via crucis. Lui non le aveva mai dato motivo di sperare, e così, negli angosciosi momenti di riflessione sempre più frequenti, sprofondava in una solitudine e in una depressione strazianti. Viveva costantemente in attesa del prossimo incontro con Dick.

Devota donna di famiglia e di gusti femminili, Gertrude amava la compagnia dei bambini e dei giovani. È profondamente ingiusto che non abbia mai potuto avere una relazione felice, né un marito né figli. Nei momenti più tetri affrontava la realtà della propria condizione e riconosceva che, nonostante tutti i suoi trionfi, non era mai stata la prediletta di nessuno, se non, forse, del padre. Sapeva che il suo atteggiamento bellicoso, risoluto e impaziente allontanava molti uomini, ma non se ne curava. Chi era intimidito da lei non poteva essere un compagno di vita. Con l'aumentare dell'età e delle imprese compiute, diventava sempre più esigente, anzi, quasi impossibile da soddisfare. Voleva un uomo bello e intelligente, niente affatto ordinario, che avesse compiuto imprese almeno equivalenti alle sue, coraggioso, capace di combattere, di cacciare e di citare opere poetiche, conoscitore dei capolavori della letteratura, poliglotta, amante del teatro e della National Gallery, a proprio agio sia a Londra sia all'estero, esperto viaggiatore, e che avesse fra le sue conoscenze eminenti politici e statisti, proprio come lei. Insomma, cercava un eroe. E perché mai non avrebbe dovuto? Dopotutto era lei stessa un'eroina, e senza dubbio sentiva che Doughty-Wylie era il suo vero compagno.

Confusa da sentimenti che non aveva quasi mai provato prima, Gertrude era in una condizione di perpetua inquietudine, a cui pose fine decidendo di invitare Dick a Rounton.

Più volte razionalizzò intimamente tale iniziativa. Sarebbe stato sconveniente invitare soltanto lui, e non sua moglie, quindi avrebbe potuto invitarli entrambi, quando avesse saputo da Dick che Judith era in Galles. Gertrude ospitava costantemente amici e parenti, un gruppo diverso ogni fine settimana, quindi lui sarebbe stato soltanto un invitato fra molti. In autunno e in inverno si organizzavano battute di caccia e gare di tiro, corse, balli e visite alle case dei vicini, o ancora, quando il lago era gelato, irruente partite di hockey su ghiaccio, di cui lei stessa era sempre fra i protagonisti. Comunque decise di invitare Dick in luglio, stagione di scampagnate, tornei di tennis, passeggiate a cavallo, pesca, gite al mare, escursioni in barca, visite alle abbazie in rovina. Pur sapendo di poter attirare Dick nella propria vita senza suscitare commenti da parte degli amici e dei parenti, sapeva di dover essere molto prudente per non turbare Hugh e Florence. Non voleva contrariarli, anzi, desiderava la loro approvazione, e naturalmente non aveva la minima speranza che quei due pilastri della società, ligi a tutte le norme di condotta sociale, approvassero il suo progetto. Doveva considerare inoltre un aspetto tutt'altro che irrilevante, ossia il suo stesso senso dell'onore, tanto inviolabile da rischiare costantemente di compromettere la relazione. Gertrude non era un'ipocrita. Non intendeva violare le regole. Come un'estranea che osservasse qualcosa da cui era esclusa, considerava sacrosanto il matrimonio e non intendeva avviare una relazione sessuale con Dick, bensì semplicemente mantenere il rapporto che si era creato per l'attrazione e la squisita delizia che entrambi sentivano. Per una volta nella vita, forse, non permise alla mente di prevalere sul cuore.

Smise di domandarsi sino a che punto quel piacere avrebbe potuto condurli nei momenti d'intimità. Ormai era troppo coinvolta per negarsi la rara felicità della compagnia di Dick. Senza dubbio all'inizio si ingannò parzialmente sulla profondità dei sentimenti che nutriva per lui, perché continuò a non rivelare a Hugh e a Florence il progetto di invitare Dick, pur sapendo che sarebbe stato solo, senza la moglie. Poi fu costretta ad ammettere che le sue intenzioni non erano quelle che avrebbero dovuto essere. Di certo la sua considerazione per Judith era meno importante, per lei, della crescente intimità condivisa con Dick. Probabilmente Florence sospettò qualcosa. Se fu così, forse considerò di non poter imporre un modo di comportarsi a una donna di quarantaquattro anni. Forse ricordò con compassione che a ventiquattro anni le era stato imposto di sciogliere il fidanzamento e poi aveva dovuto affrontare la tragedia della morte del fidanzato. Forse rammentò con affetto che nonostante tutto la giovane donna non aveva manifestato alcun risentimento nei confronti dei genitori, e forse questo non bastò ad alleviare il suo rimorso. Forse ricordò di non avere mai permesso a Gertrude, adolescente, di frequentare le case aristocratiche in cui si praticava l'adulterio, e sospirando decise di non soffermarsi su quel pensiero.

Probabilmente la verità fu sospettata anche da Marie Delaire, la quale non avrebbe potuto mancare di notare la preoccupazione della padrona a proposito del guardaroba estivo. Aveva una dozzina di abiti nuovi da provare, gli ornamenti ai cappellini da rinnovare, le gonne di lino da rammendare, i costumi dell'anno precedente da ammodernare, e una dozzina di sottili camicette bianche a cui cucire orli e nervature. La nuova moda imponeva di portare fili di perle sotto la veste, in modo che fossero visibili attraverso il tessuto delicato.

Così Dick soggiornò a Rounton per alcuni giorni nel luglio 1913. Dopo l'escursione nel corso della giornata, la galoppata nei campi, l'allegra cena chiassosa seguita da caffè e partite a carte in salotto, la conversazione a poco a poco scemò via via che gli ospiti si ritiravano per la notte nelle camere al piano superiore. Allora Gertrude e Dick rimasero seduti insieme accanto al fuoco a conversare e a guardarsi.

Per lei era un sogno. Sarebbe stato così se fossero stati sposati. La felicità la stordiva. Lì con lei, nella casa che amava, c'erano l'uomo che amava e la famiglia che amava. Le barriere del riserbo imposto dal decoro crollarono una dopo l'altra, tuttavia vi fu anche l'imbarazzo causato da un interrogativo inespresso su come sarebbe stato trascorso il resto della notte. Forse indirettamente, lei gli rivelò l'ubicazione della propria stanza, infine si recò a letto. Nello sciogliersi i capelli sentì bussare piano alla porta e lo lasciò entrare. Rimasero in piedi, abbracciati, con il cuore di lei che batteva forte, poi, un poco a disagio, sedettero sul letto a conversare quasi sussurrando. Serio come sempre, lui era difficile per Gertrude da interpretare, ma lei, come sempre, scoprì di non avere limiti nell'esprimersi e spiegò i propri sentimenti, la felicità di avere trovato l'uomo che poteva amare, la sofferenza di saperlo già sposato. Colmo di affetto, lui la strinse a sé, e si sdraiarono. Fra le sue braccia, Gertrude gli rivelò di essere vergine. Con gentilezza e sollecitudine infinite, lui la baciò, le si accostò maggiormente, l'accarezzò, e allora lei, improvvisamente paralizzata dal panico, sussurrò: «No!» Lui si fermò subito, assicurandole che non aveva importanza. La confortò per qualche minuto, quando vide i suoi occhi colmarsi di lacrime, e le dichiarò che nulla era cambiato. Poi, in silenzio, la lasciò e uscì dalla stanza.

Il giorno successivo trascorse fra distrazioni e intrattenimenti. Fu impossibile parlare con lui a lungo. Infine Dick partì. Dopo breve tempo arrivò la sua lettera di ringraziamento, scritta il 13 agosto. Lei la ghermì dal tavolo nell'atrio e corse al piano di sopra per leggerla in privato.

Mia cara Gertrude,
sono felicissimo che tu mi abbia invitato a Rounton. Mi sono divertito moltissimo, ho apprezzato la compagnia, la casa, il giardino, i boschi, tutto. È un ambiente essenziale per la mia amica, che pure si trova perfettamente a suo agio in tanti altri contesti. E sono così felice che tu mi abbia parlato di tante cose, e di avere scoperto che puoi confidarti con me. È così che mi piace, semplice franchezza e libertà di dire e di fare esattamente ciò che

si desidera. Credo che in te vi fosse un sentimento, naturale al primo sbocciare, che non è stato adeguatamente apprezzato. Ma era presente, e io amo la schiettezza. Ho sempre desiderato, sin da quei primi giorni in Turchia, essere tuo amico, e ora mi sento come se fossimo stati ancora più intimi, davvero intimi amici. Ho avuto tanto e desidero conservarlo. La solitudine, il motivo per cui tutti noi nasciamo soli, moriamo soli, in realtà viviamo soli, e talvolta è doloroso... Tutto questo ti sembra assurdo, o forse una predica? Non importa! Devo scrivere qualcosa per dimostrarti quanto sono fiero di essere tuo amico. Devo scrivere qualcosa che abbia significato, anche se non può essere scritto, affetto, mia cara, e gratitudine e ammirazione e fiducia, e un desiderio urgente di rivederti il più spesso possibile...
Tutta la buona sorte del mondo,

sempre tuo, R.[8]

«Tutta la buona sorte del mondo»! Gertrude ne fu mortificata, umiliata. Qual era la sua situazione dopo quella lettera? La lesse e la rilesse, la esaminò, la interpretò, per estrarne fino all'ultima goccia di significato, e cercò di compensarne la freddezza indugiando sulla frase «in realtà viviamo soli», presumendo che fosse un'allusione al suo matrimonio insoddisfacente. Tuttavia non le rivelava nulla di nuovo, e ancora una volta si sentì sprofondare. Davvero intendeva dire: "Non sentirti in imbarazzo, apprezzo la profondità dei tuoi sentimenti, sono felice che tu non sia stata inibita, restiamo amici"?

Eppure lei desiderava tanto che loro due fossero l'uno per l'altra più che amici. In un lampo si rese conto che la serata intima a Rounton era stata estremamente significativa per lei, in un modo in cui non lo era stata per lui. Infatti, lui era molto più esperto di lei, e le aveva parlato dei suoi numerosi incontri con altre donne. Invece la vita amorosa di lei non si era affatto sviluppata. Aveva una sensibilità tanto profonda e aveva sofferto tanto per Henry Cadogan, da non poter ripetere superficialmente l'esperienza. Sebbene fossero trascorsi vent'anni, restava di gran lunga la relazione più importante della sua vita, tanto poetica e profondamente sentita da avere indotto Florence e Hugh a indagare nel passato e nella condizione economica di Henry, per poi rifiutarlo, o almeno per consigliare alcuni anni di attesa. Poi lui era morto di polmonite in seguito alla caduta in un fiume ghiacciato, lasciando un interrogativo senza risposta su quello che era davvero accaduto. Sarebbe stato traumatico a qualunque età impegnarsi con una persona amata, essere costretti a rompere l'impegno, e poi apprendere che il proprio amante era morto in un modo che avrebbe sempre suscitato domande dolorose.

La morte di Cadogan le aveva inflitto una ferita che le permetteva di flirtare, ma non d'impegnarsi. La cordialità, l'energia e la salute perfetta la rendevano attraente. Con i capelli ramati e con lo snello corpo vigoroso poteva apparire bella. Eppure pochi uomini riuscivano a superare il suo riserbo. Aveva avuto un ammiratore particolare, un certo Bertie Crackenthorpe, giudicato inizialmente «molto devoto», e poi, con crescente irritazione, «sempre accanto a me ad ascoltare». Poco tempo più tardi lo aveva escluso dalle proprie frequentazioni: «Ne ho già avuto abbastanza di lui per il momento!» Era seguita la relazione breve ma profonda con Billy Lascelles, nipote di Florence, mantenuto in sospeso per alcune vacanze di famiglia. Concluso questo rapporto, una volta cresciuta, Gertrude aveva esaminato i propri sentimenti con distacco: «Com'è strano rendersi conto che ora quei fuochi sono cenere, e senza vestigia di faville, grazie al cielo! Nessun entusiasmo, nessun rimpianto. Tutto ciò che rimane è un ricordo di mestizia che talvolta strazia stranamente, e tuttavia è remoto, lontanissimo dall'esigere la presenza di lui». Poi aveva amoreggiato con Will Pease, un affascinante nativo dello Yorkshire. La sua sorellastra Molly, acuta osservatrice, aveva scritto: «Gertrude flirta spaventosamente con lui», ed Elizabeth Robins, amica di famiglia, aveva pensato che si sarebbero fidanzati. In ogni caso, quali che fossero state le intenzioni di Pease, Gertrude non lo aveva ricambiato e il rapporto si era bloccato a un affettuoso scambio di frasi spiritose, senza svilupparsi. Soltanto due volte Gertrude s'innamorò. La seconda volta, ne fu commossa nelle profondità dell'anima, e forse le conseguenze furono dovute, in parte, alla sua quasi totale mancanza di sentimentalismo e al suo formidabile intelletto. A differenza di altre donne, non era incline a confondere l'intelletto con la passione. Come scrisse Florence, che la conosceva meglio di qualunque altra donna: «In verità la base autentica della natura di Gertrude fu la sua capacità di provare emozioni profonde. Nella vita ebbe grandi gioie e grandi dolori. Come avrebbe potuto essere altrimenti, con un temperamento tanto avido di esperienze?» Molto prima dei trent'anni Gertrude aveva imparato a vivere senza un amante, e nessuna donna era meglio equipaggiata di lei per compensare tale mancanza, dato che la sua vita era colma di avventure di tanti altri generi. Al tempo stesso, lo struggente desiderio insoddisfatto si esprimeva nella sua straordinaria attitudine alla poesia, sviluppatasi fin dai tempi della scuola, quando leggere Milton aveva scatenato in lei il desiderio di «fare capriole per la gioia». Sebbene la poesia scaturisse dall'essenza più profonda delle sue emozioni, fu l'unico talento che Gertrude non perfezionò, e Florence ne fu tanto delusa da domandarsi se la mancanza di un amante e di un marito ne inaridisse la fonte emotiva.

Partito da Rounton, Doughty-Wylie si recò in Suffolk e di là scrisse di nuovo a Gertrude, aggiungendo uno strano corollario alla lettera precedente.

A proposito, parlando di sogni, gli spettri di Rounton mi hanno visitato anche la notte scorsa. Ne esiste una qualche storia? Un'ombra di donna mi ha tanto profondamente turbato da indurmi ad accendere la luce. Non era il tuo spettro, né ti somigliava in alcun modo. Era invece qualcosa di ostile e di allarmante. […] Era […] una lunga ombra femminile che passava e ripassava a sfiorare il mio letto come un falco, curvandosi senza dire nulla, e io non sapevo chi diavolo fosse, ma sapevo che aveva intenzioni aggressive e volevo luce.

Rounton era stata costruita soltanto quarantuno anni prima, e Hugh e Florence vi dimoravano sin dal 1905[9].
Ritornato a Londra, Dick trovò una pila di lettere di Gertrude. Senza dubbio era lusingato dalle attenzioni di quella donna tanto stimata e non voleva perderne l'amicizia, eppure nel rispondere evitava qualunque impegno, anche nella forma più vaga: «Lettere meravigliose, mia cara, da cui sono deliziato. Che tu sia benedetta. Comunque non possono esservi parole adeguate a risponderti. Ebbene, parliamo d'altro».

Poi arrivò la mazzata. Con una lettera inviata dal suo circolo, Dick comunicò a Gertrude di avere accettato un incarico per la International Boundary Commission, in Albania. «Mia moglie è in Galles. Quando le telegraferò, tornerà e partirà con me, finché avremo visto i come, i perché e i dove. [...] Sono ritornato nel mio vecchio appartamento da scapolo al numero 29 di Half Moon Street. Scrivimi là [...] finché sono solo, e così sia». Forse nel rendersi conto di ciò che la notizia significava per Gertrude e intenzionato a confortarla un poco, si firmò per la prima volta «Dick». Di colpo fu cancellata qualsiasi speranza Gertrude avesse avuto di rivederlo presto o di allontanare l'angoscia provata dopo la sua visita a Rounton. Le lettere di lui erano un'ancora di salvezza, le aveva lette tante volte da conoscerle tutte a memoria, eppure adesso si domandava se Dick non avesse accettato la corrispondenza per pura compassione, dicendo a se stesso: «Presto partirò e sarà finita».
Quando Gertrude manifestò la sua sofferenza, lui cercò di confortarla. «Mia cara, questa ti parlerà, ti porterà il mio amore e un bacio, come se io fossi un bambino, o come se lo fossi tu». In amore lei era soltanto una novellina. Forse

commise l'errore di manifestare troppo presto il suo desiderio, esortandolo a lasciare la moglie, e lui in modo indiretto
tentò di farle comprendere la connessione fra il desiderio
struggente e la frustrazione della castità autoimposta. Con
la gentilezza che gli proveniva dal cuore, e con una certa
goffaggine, lui cercò di dirle che non doveva vergognarsi
di nessun sentimento: «La notte scorsa una ragazza povera
mi ha fermato, la solita vecchia storia, e io l'ho mandata
a casa dopo averle dato un po' di soldi. [...] Molti sono
davvero come me, o come io ero, e mi dispiace per loro.
[...] Questi desideri del corpo, che sono giusti e naturali,
e tanto spesso non sono nulla più della comunissima fame,
possono accendere il fuoco interiore, e soltanto in questo
sono grandiosi».

Seguì un avvertimento: «Dato che Judith ti conosce
bene e prima ha sempre visto le tue lettere, troverebbe
molto strano esserne all'improvviso esclusa, e in viaggio
siamo sempre vicini». Gertrude ne fu sconvolta. Forse lui
non desiderava più ricevere le sue lettere? Decise di metter-
lo alla prova e smise di scrivere. Allora lui abboccò all'esca,
e subito, alla fine di agosto, la rassicurò: «Nessuna lettera
oggi, mia cara. Sono dunque tentato di domandare: ho
forse detto troppo? Oppure hai pensato che il momento
fosse passato? O sei stata troppo occupata? Ebbene, basta
con tutto questo. Viviamo in catene, o almeno io vivo in
catene, quindi è saggio e giusto portarle senza angoscia».
Approfittando della propria piccola vittoria, Gertrude gli
domandò quale fosse il modo migliore per scrivergli in
Albania, e lui rispose:

Certo, chiamami Dick nelle lettere, e io ti chiamerò Gertrude,
non c'è nulla di male in questo, molte persone lo fanno, e di
regola mia moglie non legge la mia corrispondenza, ma dato che
spesso è lei stessa a scriverti, ci siamo sempre passati le tue lettere.
Comunque, quanto mi mancheranno! [...] C'è un'altra cosa che
bisogna fare, quindi questa notte distruggerò le tue lettere. Lo

185

odio, però è giusto… si rischia di morire o qualcosa del genere, e nessuno deve leggerle tranne me.

Lei sentì che nulla avrebbe potuto essere peggiore. Era un addio, e fu seguito da un altro: «Se non potrò scriverti, penserò sempre a te, che mi parli, nella tua stanza, a Rounton […] il libro elusivo ci sfugge, ma le nostre mani si uniscono sulla copertina». Lei capiva che «il libro elusivo» era sempre la sua metafora per il sesso. «E tu continuerai a essere la donna saggia e splendida che sei, senza paura di nessun prodigio, e troverai opera e vita, e la loro pienezza sempre a portata di mano, e io sarò sempre tuo amico».

Così Gertrude giunse al crocevia della propria esistenza. A un'età in cui era realistico rinunciare alle speranze d'incontrare un uomo da sposare e con cui poter avere figli, aveva incontrato esattamente il tipo di uomo che aveva sempre cercato, un uomo che non si sentisse sminuito dalle sue imprese e che potesse paragonarsi fieramente a uomini potenti quali suo padre e suo nonno. Benché fosse meno esposta di altre donne al rischio di avviare una relazione imprudente, era ancora molto vulnerabile. Non conformista, singolare, atipica, Gertrude si sentiva, era e mostrava di essere superiore a quasi ogni uomo incontrasse, e tanto a lungo si era nascosta dietro le proprie difese, che fu colta alla sprovvista dalla presa che lui aveva su di lei. In passato i suoi pochi momenti di malinconia erano stati provocati esclusivamente dalla dolorosa mancanza di un marito e di una famiglia. Non aveva mai provato il minimo risentimento e la minima gelosia nei confronti di Elsa e di Molly a causa dei loro bambini, che trovava incantevoli. Valentine Chirol aveva notato che durante una vacanza in Galles, Gertrude aveva imposto un silenzio carico di attenzione a un gruppo di vivaci fanciulli nel suo giardino raccontando un'accozzaglia di storie, in parte serie, in parte comiche. I bambini favorivano l'emergere del suo lato giocoso, e Florence le aveva dimostrato nel miglior modo possibile come essere sciocca con i bambini. Al ballo di debutto della cugina Stanley aveva danzato selvaggiamente per tutta la sera con una ventina di ragazzine presenti.

Con tutta la sua erudizione, Gertrude era ancora la stessa persona che era stata a Oxford, quella che in una giornata di caldo eccessivo si era tuffata nel fiume completamente vestita. Era sempre la prima a lasciare il pranzo per correre in giardino con i bambini che avevano smangiucchiato di malavoglia e bisticciato a tavola, oppure a munirsi di mazza e di palla per iniziare una partita chiassosa e polemica. A Mount Grace Priory aveva organizzato di recente una splendida merenda per tutti i bambini della famiglia, e le sue lettere abbondavano di commenti affettuosi sui nipotini. «Credo di non avere mai visto nulla di più adorabile dei figli di Molly. Non c'è dubbio che Pauline sia graziosa, e io credo che sia assolutamente incantevole».

La sua ultima occasione di felicità parve dissolversi allorché Dick e Judith fecero i bagagli, accingendosi a partire per l'Albania. Con la testa dolente fra le mani, Gertrude accettò l'impossibilità di proseguire la relazione e di comunicare con Dick direttamente. Sembrò che nulla potesse più suscitarle alcun piacere. Ormai non le interessava più vivere o morire. Non era la sua prima delusione e non sarebbe stata l'ultima, però dopotutto era pur sempre un'ereditiera viziata a cui non era mai stato negato di soddisfare i propri desideri, se non in pochissimi casi. Di rado si era sentita rispondere no, eppure era suo destino ricevere il rifiuto per lei più difficile da accettare.

Con lo stesso coraggio che caratterizzò tutta la sua vita, decise di sottrarsi una volta per tutte all'incessante altalenare fra speranza e disperazione. Non era una moralista vittoriana, era troppo intelligente per esserlo, nondimeno accettò di avere violato le regole che proteggevano il voto del matrimonio. Comunque intendeva dimostrare a Dick che né il tempo né la lontananza potevano diminuire l'amore che provava per lui. Per esorcizzare l'angoscia, decise di intraprendere un'impresa mortalmente pericolosa e di consacrarla a lui. Sarebbe ritornata nel deserto per compiere un viaggio a cui non era sopravvissuto nessuno di coloro che l'avevano preceduta. Lui aveva dichiarato di amare i suoi scritti. Ebbene, avrebbe scritto per lui un diario di viaggio, narrando le proprie vicissitudini quotidiane, avversità e trionfi, e ogni volta che fosse giunta in una località da cui fosse stato possibile spedire la posta, gliene avrebbe inviata una puntata. Si sarebbe rigorosamente concentrata sul viaggio, e lui, che forse in Albania non andava del tutto d'accordo con Judith, avrebbe ricordato costantemente che lei, a causa sua, a causa dell'amore che provava per lui, stava rischiando la vita, o forse era già morta, e forse non avrebbe potuto rivederla mai più. Avrebbe seguito le orme dello zio di lui, pensò all'improvviso, con immediato entusiasmo. Avrebbe percorso l'impervio tragitto che attraversava i territori delle tribù in guerra e sarebbe giunta ad Ha'il, un'avventura in cui altri avevano perduto la vita.

Gertrude partì per il Medio Oriente sei settimane dopo i Doughty-Wylie, e subito prima inviò a Dick alcuni suoi libri, con alcune recensioni. Lui rispose:

Mi piacciono i tuoi scritti, e tu, estremamente intelligente e incantevole, e tu, nel tuo deserto […] non so se questa mia ti giungerà prima della tua partenza, e se la riceverai, mia cara, è per augurarti ogni fortuna e successo, assoluta incolumità e ragionevole comodità (benché la tua anima focosa sia incline a disprezzare queste ultime due cose). […] Buon viaggio, trova castelli, stai bene, e resta mia amica. P.S. Quanto ai *procès verbaux*, la gran cosa è coinvolgere i miei colleghi ed escludere me stesso.

Era una lettera fredda e distaccata, che in modo velato le rammentava di scrivere a Judith e non a lui. Gertrude resistette al dolore. Il diario equivaleva a una lettera d'amore.

Come Sherazad, avrebbe conquistato prima la sua attenzione e poi il suo amore con una narrazione affascinante e con la pura potenza dell'avventura.

A Londra, Dick aveva avuto intenzione di porre fine alla relazione, ma si trovava in Albania da meno di un mese quando riprese a scrivere a Gertrude a intervalli di pochi giorni. Forse aveva tentato di impegnarsi maggiormente nel matrimonio e aveva fallito. Forse si sentiva meno esposto alla sorveglianza di Judith mentre Gertrude era in viaggio. Forse, dopo una giornata di insidiosi negoziati sui confini con serbi, albanesi e montenegrini, dopo cena, quando Judith era già a letto, sedeva con una bottiglia di porto e permetteva ai suoi sentimenti profondi di emergere. Parve ammetterlo in una lettera in cui ricordò che a Rounton lei lo aveva allontanato. «È stato giusto [...] e la parte sobria di me non se ne rammarica, a differenza della parte ebbra, che ricorda fino a quando sprofonda nel sonno». In ogni caso iniziò a manifestare rinnovato affetto.

«Sì, ti sono molto affezionato, credo, ci ho pensato a lungo, sei deliziosa e saggia e forte, proprio come la mia anima ama, e con il pensiero, cammello più veloce, corro nel deserto accanto a te. [...] Continuerò a scriverti». In un'altra occasione scrisse: «È tardi e sono completamente solo, e sto pensando [...] all'amore e alla vita, e a quella sera, a Rounton, e a ciò che ha significato. [...] Tu sei nel deserto, io sono sulle montagne, luoghi in cui molto potrebbe essere detto, sotto le nubi. Significa forse che la barriera è stata follia, e che avremmo potuto essere uomo e donna come Iddio ci ha creati ed essere felici. [...] Eppure rispondo a me stesso che è una menzogna. Se fossi stato il tuo uomo, se lo fossi stato per te, nei corpi in cui viviamo, questo ci avrebbe forse cambiati? Sicuramente no! Non avremmo potuto rimanere insieme a lungo, e talvolta bisogna avere paura di quello che accade dopo. [...] Eppure è una cosa grande e splendida, a cui ciascuno ha diritto per nascita, tanto la donna quanto l'uomo, anche se molte persone non ne comprendono la semplicità. E ho sempre ritenuto che questa strana e possente attrazione sessuale sia cosa giusta e naturale, a cui si debba cedere affinché sia soddisfatta, e se non è soddisfatta, cosa importa? La nostra condizione peggiora, forse?»

I Doughty-Wylie non rimasero a lungo in Albania. Tornarono a Londra per Natale e Dick, recatosi in visita ai genitori di Gertrude, trovò Hugh in Sloane Street. In Suffolk, per Capodanno, sembrò che le cose non andassero bene fra i Doughty-Wylie. Infatti Dick scrisse:

Questa notte […] dovrei forse dirti […] della delusione dei miei parenti e di mia moglie perché non ho acquistato altri titoli o onorificenze? […] Dove sei? È come scrivere a un'idea, un sogno. […] È forse l'oscurità a essere tanto nera, questa notte? Oppure è il rammarico per le cose perdute? Trovo cose grandi e splendide nel tuo libro, la tua mente e il tuo corpo, e il tuo caro amore, tutto perduto. […] Vorresti che ti scrivessi una lettera d'amore, per dirti quanto sono felice e soddisfatto e umile quando penso a te?

Poco tempo più tardi scrisse per annunciare che si sarebbe trasferito ad Addis Abeba, solo, questa volta. «Là regna l'anarchia, assoluta e bestiale. […] Forse potrò avere notizie al Cairo. Tuo padre mi farà sapere». Intanto, a Ziza, sia i funzionari turchi sia il governo britannico avevano rifiutato protezione per il viaggio a Gertrude, la quale era una fuorilegge sotto ogni aspetto. Nel proseguire per il deserto e iniziare la parte più pericolosa del viaggio, Gertrude cominciò il diario che si proponeva di scrivere esclusivamente per Dick, a puntate. Insieme alle lettere avrebbe inviato le puntate del libro ad Addis Abeba. Se non altro non aveva più paura che cadessero nelle mani di Judith.

Tramite Dick aveva ricevuto auguri di viaggio incolume dall'autore di *Arabia Deserta* in persona, e in quel momento nulla avrebbe potuto significare di più, per Gertrude, se non la sensazione che le lettere di Dick stavano suscitando in lei, cioè che il legame sentimentale che li univa si stava consolidando e approfondendo, anche se nulla di essenziale era mutato. Lui le scrisse:

Il deserto ha te, te e il tuo splendido coraggio, mia regina del deserto, e il mio cuore è con te. Se fossi giovane e libero, e un perfetto cavaliere, sarebbe più degno se ti prendessi e ti baciassi. Ma sono vecchio e stanco e colmo di cento difetti [...] e tu hai ragione, non è la nostra via, perché non siamo schiavi, e non perché non sia il modo giusto e naturale, quando le passioni del corpo ardono e si fondono alle passioni dello spirito, in quelle estasi di sogno tanto raramente trovate da qualunque creatura umana, se non, come tu dici, coloro che Iddio ha davvero unito, e in qualche divino momento potremmo viverla, quell'estasi. Non accadrà mai, eppure resta ancora tanto. Come tu dici, mia cara, saggia regina, tutto ciò che resta lo prenderemo.

Per quanto Gertrude faticasse a tradurre le parole di lui nella propria limpida percezione, almeno le scriveva da Londra ogni giorno, talvolta ogni due giorni. Lei rispondeva senza riserbo, senza evasività né calcolo. Ripetutamente gli manifestò ciò che desiderava, e lui replicò: «Non so dirti quanto mi commuova [...] vederlo scritto da te, che avresti potuto sposarmi, dare alla luce i miei figli, essere la mia vita oltre che il mio cuore».

Rammentandogli che in persiano la parola che indicava "giardino" e "paradiso" era la stessa, Gertrude aveva inventato la metafora di un giardino fantastico a cui esclusivamente loro due potevano accedere. Là avrebbero potuto essere soli per sempre:

Mi doni un mondo nuovo, Gertrude, mi doni la chiave del tuo cuore, e anche se ho amici, e alcune amiche, e persino una moglie, sono tutti lontanissimi dal giardino in cui passeggiamo, così lontani come l'Oriente lo è dall'Occidente. [...] Spesso ho amato le donne nel modo in cui un uomo come me le ama, bene e male, poco e molto, spinto dal sangue, o dal momento, o dall'invito, o semplicemente dall'avventura, per scoprire che cosa sarebbe accaduto. Adesso, però, tutto questo è dietro di me.

Alla fine del gennaio 1914 Dick fece di nuovo visita a Hugh, poi partì per Addis Abeba, e intanto scrisse una lettera meno retorica e più sensuale di qualunque altra avesse mai inviato a Gertrude: «Dove sei adesso? Presso i castelli di Belka, a lavorare con dieci uomini, stanca, affamata, assonnata? [...] È così che amo pensarti, e talvolta (benché sia bestiale da parte mia) amo pensarti anche sola, e desiderosa di me»[10]. Infine scrisse le parole che lei aveva atteso tanto a lungo:

Hai detto di volermi sentir dire che ti amavo, volevi che fosse semplice e chiaro ai tuoi occhi e alle tue orecchie. [...] Ebbene, ti amo. Ti giova, questo, là nel deserto? È forse meno vasto e meno solitario, come il confine estremo della vita? Un giorno, forse, in un sussurro, in un bacio ti dirò [...] che un amore come questo è la vita stessa. [...] Oh, dove sei, dove sei? [...] Ebbene, parto. L'Africa mi attira. So che avrò cose da tentare. [...] A questo, però, quasi non penso. È soltanto che ti amo, Gertrude, e non ti vedrò.

Seduta nella sua piccola tenda a leggere e rileggere più volte quelle parole, Gertrude ebbe un tuffo al cuore. Finalmente Dick si era impegnato. Aveva ammesso a se stesso e a lei di amarla. Eppure lei non si era mai sentita più lontana da lui. Si domandò se lui riuscisse ancora a ricordare il suo aspetto. Ci furono momenti terribili in cui lei stessa cercò di evocare il volto di lui senza riuscirci. Era quasi giunta alla conclusione del proprio viaggio, poteva quasi dire di essere sopravvissuta a esso, eppure aveva dinanzi quella che forse era la solitudine più vasta che avesse mai affrontato. Lui era più che mai lontano fisicamente e non era più prossimo a lasciare la moglie. Piangendo di pura spossatezza e di tristezza, si chiese quale beneficio ne avesse ricavato.

Cerco di istruire me stessa in anticipo, rammentandomi quanto ho atteso, quanto ho sperato […] fino alla fine, e quando è arrivata ho trovato… nulla, soltanto nulla, polvere e ceneri in mano […] ossa morte che mai sorgeranno a danzare, e non è altro che nulla, e ci si volge con un sospiro, e si cerca di fissare gli occhi sulla cosa nuova che si ha dinanzi. […] Se saprò sopportare l'Inghilterra, tornare alle solite cose e a farle e rifarle tutte di nuovo, ecco ciò che talvolta mi domando.

Così Gertrude tornò in Inghilterra senza Dick Doughty-Wylie, ma non per fare e rifare le solite cose. L'estate era torrida e colma di sinistri presagi politici. Lui continuò a scrivere lettere, in tono sempre più fervido e meno prudente che mai. «Cosa non darei per averti seduta qui, di fronte a me, in questa casa solitaria!»

A Rounton, allo scoppio della guerra, il 4 agosto, Gertrude fu spinta a partecipare all'impegno bellico, dapprima temporaneamente, nell'ospedale di Lord Onslow, a Clandon Park, presso Guildford, nel Surrey. Aveva scritto alla Croce Rossa per chiedere che le fosse assegnato un incarico. Si trovava a Clandon da non più di tre settimane quando ricevette in risposta un telegramma con cui le si chiedeva se fosse disposta a recarsi subito a Boulogne, all'Ufficio feriti e dispersi della Croce Rossa.

In ottobre l'esercito tedesco aveva attraversato le Fiandre e un corpo di spedizione britannico inviato a Ypres per bloccarlo era stato pressoché massacrato. Le perdite erano ingenti. Quando Gertrude arrivò, alla fine di novembre, sui moli, al porto, e sulle banchine, alla stazione ferroviaria, vi erano ancora feriti sulle barelle.

Subito dopo aver ispezionato il suo piccolo attico in città, si recò all'ufficio e si dedicò al lavoro d'archivio e di censimento, redigendo liste di feriti e dispersi per il ministero della Guerra. Lavorava otto o nove ore al giorno, cenava al ristorante, poi, mortalmente stanca, si sedeva per scrivere a Dick e alla propria famiglia. Era meno infelice, adesso che era di nuovo impegnatissima a lavorare a un ritmo che lasciava quasi increduli i colleghi, incapaci di uguagliarlo e di sostenerlo. Ormai le lettere di Dick erano appassionate quanto lei poteva desiderare e le portava con sé in ufficio per leggerle e rileggerle durante il pranzo. Dick scriveva:

Stanotte non vorrei parlare. Vorrei fare l'amore con te. Ti piacerebbe, ne saresti felice, oppure cento siepi irte s'innalzerebbero a dividerci? In tal caso le abbatteremmo! Come potrebbe una siepe dividerci? [...] Tu sei fra le mie braccia, ardente, fulgida. Stanotte non voglio sogni e fantasie. Eppure non accadrà mai. [...] La prima volta non dovrei quasi avere paura di diventare tuo amante?

Privo della possibilità di avere rapporti sessuali, Dick talvolta non riusciva a pensare ad altro.

Tanto spesso una cosa della mente è la passione insistente del corpo. Talvolta le donne si concedono per dare piacere agli uomini. Non sopporterei che una donna si comportasse così con me. Vorrei che provasse fino all'ultimo sospiro l'onda travolgente che mi rapisce. Non dovrebbe perdere nulla di ciò che potrei offrirle.

E lei gli rispondeva dalle profondità del cuore:

Carissimo, carissimo, ti dono questo mio anno, e tutti gli anni che seguiranno. [...] Carissimo, quando dici che mi ami e che ancora mi desideri, il mio cuore canta, e poi piange per il desiderio struggente di essere con te. Ho colmato tutte le cavità del mondo con il mio desiderio di te, che sgorga e sale a inondare l'alta montagna in cui vivi.

Purtroppo in dicembre le giunsero notizie sgradite. Judith era arrivata nel Nord della Francia a lavorare in un ospedale, e non era lontana. Fin troppo presto le fu recapitata una lettera con cui Judith le proponeva un incontro a pranzo. In preda al panico e non potendo consultare Dick, Gertrude considerò che non rispondere sarebbe apparso strano e decise di accettare.

Se Judith avesse già nutrito sospetti sulla corrispondenza intima fra lei e Dick, allora probabilmente l'incontro li avrebbe confermati, perché Gertrude non sapeva fingere. Se fosse stata interrogata in proposito, avrebbe ammesso la verità. La lettera successiva di Gertrude a Dick suggerisce che Judith le avesse detto, tremante di furore e di sofferenza, che Dick avrebbe sempre mantenuto fede ai voti nuziali, quindi Gertrude avrebbe dovuto rassegnarsi a essere infine abbandonata. Lei gli scrisse: «È stato orribile. Non costringermi a sopportarlo. [...] Non mi lascerai? [...] È una tortura, un'eterna tortura».

Sin dall'inizio, ogni incontro, ogni lettera l'avevano innalzata alle vette per poi precipitarla di nuovo negli abissi, e oscillava ormai da un estremo all'altro. Profondamente turbata dal pranzo con Judith, si trovò all'improvviso proiettata in una condizione di felicità sublime quando Dick le scrisse della sua intenzione di tornare. Sarebbe sbarcato a Marsiglia in febbraio, sarebbe andato da Judith nell'attraversare la Francia, poi avrebbe proseguito per Londra, dove Gertrude avrebbe potuto raggiungerlo. Avrebbe dovuto attendere il suo messaggio, e intanto tenersi pronta a partire. Tuttavia non si sarebbe trattenuto a lungo, perché si era offerto volontario, «con gioia», per essere inviato al fronte, in prima linea, e avrebbe dovuto rimettersi in viaggio per Gallipoli.

Il messaggio arrivò. La piccola valigia era già pronta. Gertrude l'afferrò e corse all'automobile che l'avrebbe trasportata al traghetto. Giunta a Londra, si recò al numero 29 di Half Moon Street, corse su per i gradini e suonò il campanello. La porta fu aperta e Gertrude e Dick si trovarono finalmente l'uno di fronte all'altra. Indugiarono un momento a scrutarsi a vicenda, prima che lui raccogliesse la valigia con una mano e con l'altra attirasse lei all'interno.

Rimasero insieme, soli, per quattro notti e tre giorni, poi lui partì, per entrare a far parte dello stato maggiore del generale Sir Ian Hamilton, mentre le truppe si organizzavano per la disperata impresa di Gallipoli.

In Francia, un'intera generazione di giovani fu sterminata sul fronte occidentale, senza che si riuscisse ad avanzare contro i tedeschi. Per tentare di sbloccare lo stallo, le corazzate che incrociavano nel Mediterraneo ricevettero ordine di passare i Dardanelli per bombardare Costantinopoli e i turchi, alleati dei tedeschi. Se si fosse aperto un fronte sudorientale, la Germania sarebbe stata costretta a trasferirvi truppe, indebolendo le proprie linee sul fronte occidentale. Tragicamente, la squadra navale britannica incontrò uno sbarramento di mine che affondò tre corazzate e fu costretta a ritirarsi. Per non rinunciare al tentativo di aprire un nuovo fronte, si decise con un frettoloso piano di riserva di effettuare uno sbarco di truppe britanniche sulle spiagge di Gallipoli: si trasformò in una missione suicida, con i soldati costantemente mitragliati dalle postazioni turche mentre lottavano per toccare terra e attestarsi sulle spiagge.

I momenti romantici più felici della vita di Gertrude furono anche i più angoscianti e i più dolorosi. Per una donna moderna è difficile comprendere che non aveva ancora consumato il proprio amore in senso fisico, eppure è così. Si potrebbe argomentare che i suoi inviolabili princìpi, gli stessi che le avevano consentito di attraversare incolume il deserto e di superare mille altri pericoli, non le permisero di diventare adultera; ma non è necessario. Una lettera scritta dalla sconvolta Gertrude a Dick pochi giorni dopo la loro separazione chiarisce che non temeva le conseguenze in termini di possibile gravidanza, bensì che non era riuscita a vincere un innato pudore. Desiderava immensamente consacrare la loro unione con il sesso, e al tempo stesso non poteva impedirsi di tirarsi indietro all'ultimo momento. Fu costretta a spiegare che ciò che davvero voleva era che lui, travolgendo la sua riluttanza e ignorando le sue proteste, la prendesse con la forza. Tuttavia Dick, pur con tutta la sua esperienza, era un amante gentile e fatalmente coinvolto, incapace di costringersi ad agire in quel modo.

Terrorizzata dalla propria incapacità, in preda al panico, consumata dal rammarico, Gertrude gli scrisse una serie di lettere.

Un giorno tenterò di spiegartelo, la paura, il terrore... Oh, tu mi credevi coraggiosa! Comprendimi: non è la paura delle conseguenze, che non ho mai considerato neppure per un secondo. È la paura di qualcosa che non conosco [...] e tu devi sapere tutto, perciò te lo rivelo. Ogni volta che sorgeva in me, volevo che tu lo scacciassi. [...] Ma non sono riuscita a dirti di esorcizzarlo, non ho potuto. Quell'ultima parola non posso mai dirla. Devi dirla tu. [...] La paura è una cosa orribile, [...] è un'ombra. So che non è nulla. [...] Soltanto tu puoi liberarmene, scacciarla da me. Ora lo so, ma fino a quell'ultimo istante... Ero terribilmente spaventata, poi, all'ultimo, ho capito che era un'ombra. Ora lo so.

Lui rispose: «È stato forse qualche invisibile spirito profetico a tenerci separati, a Londra? Il rischio per te era troppo grande, il rischio per il tuo corpo, e per la tua pace interiore e la tua fierezza d'animo». Lei replicò di essere pronta a «pagare il conto», per quanto il prezzo fosse elevato, ossia la gravidanza, la disgrazia o l'ostracismo. Ora pensava che un figlio, lungi dall'essere la conseguenza peggiore, forse poteva essere invece la migliore.

E supponi che fosse successa l'altra cosa, la cosa che temevi, e che anch'io in parte temevo. Ebbene, ti avrebbe costretto a tornare. Se io l'avessi ora, la cosa che temevi, innalzerei lodi al Signore e non avrei paura di nulla. [...] Non sarebbe soltanto il dono estremo e più grande da offrirti, un dono più grande persino dell'amore, ma per me sarebbe l'impegno divino all'adempimento, creato nell'estasi, l'offerta della vita nel fuoco, da amare e adorare e per cui vivere, con il medesimo ardore con cui si ama e si adora il creatore.

Le lettere di Gertrude sgorgavano da ore di sofferenza e di rimpianto, con la promessa che mai più si sarebbe tirata indietro. «Se avessi concesso di più, avrei forse dovuto stringerti di più, attirarti di nuovo a me con maggior decisione? Guardo indietro e m'infurio per la mia riluttanza. [...] Io ho avuto poche ore fulgide, per le quali potrei morire felice, ma tu, tu non hai avuto ciò che desideravi».

Per Gertrude, sebbene intrepida, il sesso era la frontiera estrema. Conosceva davvero bene Dick soltanto dai giorni felici trascorsi con lui a Londra nella primavera del 1912. Nei tre anni passati da allora, nonostante l'intensità crescente della loro corrispondenza, aveva trascorso con lui solo una manciata di giorni. Più volte si erano intravisti fra la folla del mondo in tumulto, avevano proteso le mani l'uno verso l'altra, ed erano stati bruscamente separati. Per certi aspetti Gertrude e Dick non erano diversi da una qualsiasi delle numerose coppie che erano state indotte a sposarsi dall'imminenza della guerra, si erano divise quando i mariti erano partiti per il fronte, e soltanto dopo molto tempo si erano riunite come coniugi, quasi del tutto estranei. Avrebbero dovuto incontrarsi in gioventù, fra parenti e amici, e sviluppare un'intimità che li avrebbe inesorabilmente condotti all'amore fisico. Purtroppo tali progressi graduali avvenivano di rado nel mondo confuso e violento del 1915. Furono uniti per un momento, ebbero appena il tempo di conoscersi durante quelle quattro notti a Londra, e poi lui partì, lasciando lei innamorata più che mai e più che mai afflitta e disperata.

Gertrude non credeva di poter soffrire di più, ma era così. Perciò gli scrisse un ultimatum:

Non riesco a dormire, non riesco a dormire. È l'una del mattino. […] Tu e tu e tu siete fra me e qualunque riposo […] al di fuori delle tue braccia non vi è riposo. Vita, mi hai chiamata, e fuoco. Io avvampo e sono arsa. […] Dick, non è possibile vivere così. Quando tutto sarà finito dovrai prendere ciò che ti appartiene. […] Al cospetto del mondo intero, reclamami e prendimi e tienimi, sempre e per sempre. […] Detesto il sotterfugio, e venire apertamente a te, questo posso farlo, e vivere. Cosa avrei da perdere? Tutto è nulla per me. Respiro e penso e agisco in te. Puoi farlo? L'osi? Quando tutto questo sarà finito, e la tua opera sarà compiuta, rischierai per me? Si tratta di questo, oppure nulla. Non posso vivere senza di te. Coloro che amo mi rimarrebbero accanto se agissi così, li conosco, ma non se agissi altrimenti, non se ingannassi e mentissi e imbrogliassi, e infine fossi scoperta, come sarebbe giusto. […] Se pensi all'onore, questo è onore, altrimenti è disonore. Se pensi alla fedeltà, questa è fedeltà, mantenere fede all'amore. […] Perché se terrò alta la testa e non percorrerò altre vie, allora forse alla fine potremo sposarci. Non vi conto, però sarebbe meglio, sarebbe di gran lunga meglio per me. […] Comunque non trascurare il fuoco di bivacco che arde in questa lettera, una limpida fiamma, una fiamma fulgida nutrita della mia vita.
Credi che io possa celare il fulgore di quel fuoco all'altro capo del mondo, oppure condividerlo con chiunque altro? Se tu morissi, dovresti aspettarmi, perché non ho paura di quest'altro attraversamento, e verrei da te.

Quando erano stati insieme, Dick le aveva detto che Judith aveva minacciato di suicidarsi con le «fiale di morfina» disponibili negli ospedali. Allora lui non aveva osato annunciare alla moglie di Gallipoli o di ciò che questo avrebbe potuto significare. Tuttavia non manteneva simili segreti con Gertrude, perché confidava nella sua calma e nella sua capacità di reazione. Ora, senza dubbio con orrore, lesse che anche lei stava considerando la medesima via d'uscita. Nell'aprile del 1915, Gertrude scriveva:

Sono molto calma a proposito delle fucilate e delle cannonate verso cui ti rechi. Ciò che ti rapirà, rapirà anche me per condurmi a cercarti. Se oltre il confine ci sarà modo di cercare e di trovare, io ti troverò. Se ci sarà il nulla, come credo con la ragione, ebbene, allora che il nulla sia; [...] la vita se ne ritrae [...] ma io non ho paura. Se la vita scomparisse, come potrebbe ardere il fuoco? Ma io sono coraggiosa, lo sai, per quanto chi è umano possa esserlo.

Oh, Dick! Scrivimi! Quando avrò tue notizie? [...] Confido, credo, che avrai cura di me. Lascia che io sia giusta e schietta e dica di non avere mai percorso vie furtive. Allora perdoneranno me e te, tutti coloro che contano perdoneranno. [...] Però dovresti essere tu a dire questo, ora, non io, e io non lo dirò più.

Il povero Doughty-Wylie, minacciato da una moglie angosciata e da un'amante decisa a seguirlo nell'aldilà, scrisse da Gallipoli a Gertrude:

Mia cara, non fare ciò di cui hai parlato, è orribile per me soltanto pensarlo, ecco perché ti ho detto di mia moglie; e tanto più orribile è pensarlo a proposito di te. Non fare nulla di così indegno, non permetterlo a uno spirito tanto libero e tanto audace. Bisogna percorrere la strada sino alla fine. Quando ho chiesto di imbarcarmi su questa nave, la mia gioia è stata soffocata a metà dalla cosa che hai detto, che non posso nemmeno nominare, di cui non posso nemmeno parlare. [...] Non farlo. Il tempo è nulla, ci riuniremo, e accelerare l'andatura è indegno di noi tutti.

E di nuovo, rammentandole la sua stessa precedente convinzione che la morte ponesse fine a tutto: «Quanto alle cose che dici di qualche futuro in luoghi remoti, sono sogni, donna di sogno. Dobbiamo costeggiare la strada, tale follia paradisiaca è per i numi e per i poeti, non per noi, se non nei sogni più belli». Le sue lettere diventarono alquanto distaccate. Dopotutto, il momento in cui Gertrude aveva avuto la possibilità di concedersi era trascorso. Lui sapeva benissimo che la battaglia imminente era poco meno di una missione suicida, e aveva molto a cui pensare.

Negli archivi dell'Imperial War Museum è conservata un'ultima lettera di Dick Doughty-Wylie. Non è indirizzata all'amante né alla moglie, e contiene la chiave della sua indecisione nei confronti di Gertrude. È una lettera scritta alla madre di Judith, Mrs H.H. Coe, Jean, a Llandysul, Galles, datata 20 aprile 1915, cioè sei giorni prima di restare ucciso a Gallipoli, e scritta dal quartier generale del corpo di spedizione del Mediterraneo. Prudente e sobria, questa lettera esprime la sua preoccupazione per la moglie e la sua angoscia per lo stato d'animo di lei.

Mia cara Jean,
Lily [Judith] mi dice che non vi ho mai scritto. [...] Volevo spiegare com'era quando l'ho vista in Francia, all'andata e al ritorno. Era molto indaffarata, e credo che stesse facendo troppo, com'è sempre incline a fare. Nell'insieme, comunque, stava bene. È un ottimo lavoro, molto ben fatto, in mezzo a numerose difficoltà di ogni genere. Mi sono piaciute le infermiere che l'assistono, e ne ho pensato bene, come pure dei suoi due medici inglesi. Non mi è piaciuto altrettanto il medico francese, però è stato sostituito. Adesso voglio che voi facciate qualcosa per me. Domani m'imbarcherò per quella che di sicuro è un'operazione estremamente pericolosa, vale a dire il relitto di cui leggerete nei giornali. Se le cose andranno male, Lily si sentirà intollerabilmente sola e disperata dopo le sue lunghe ore di lavoro, che fiaccano lo spirito e la vitalità di chiunque. Parla di dosi eccessive di morfina e discorsi del genere. Credo che in realtà sia troppo coraggiosa e risoluta per queste cose, eppure quei discorsi pesano sul mio spirito. Se saprete che sono stato ucciso, dovrete andare subito in Francia con H.H. E cercatela, telegrafatele subito che state arrivando e che volete che lei mandi Frank Wylie e un'automobile a ricevervi a Boulogne. Non perdete neppure un istante, andate e proteggetela. Non dovrete distoglierla dal suo lavoro perché lavorare le gioverà, però dovrete fare in modo di rimanerle vicino e di

sostenerla. Ditele ciò che è perfettamente vero, ossia che il lavoro non può proseguire senza di lei. Non le ho ancora detto di questo relitto perché non voglio che lo sappia prima che sia finita. Tutto questo è soltanto per precauzione. Lei ha con sé una grande amica, una certa sorella Isobel Stenhouse, e una Miss Sandford, sorella del mio attendente in Abissinia, davvero un'ottima ragazza, e nell'insieme si trova nel miglior posto possibile, e io sono eccessivamente preoccupato per lei.

Questo è uno spettacolo molto interessante da ogni punto di vista, però comporta tantissimi rischi da qualunque prospettiva lo si osservi. Potrebbe essere davvero un successo straordinario, e di sicuro è un progetto abbastanza audace.

Spero che voi e H.H. stiate bene. Come credo che sappiate, sono rimasto in Inghilterra meno di tre giorni e non ho avuto il tempo d'incontrare nessuno, né di rimettermi in sesto, e ne avrei bisogno.

Dunque non state troppo in ansia, si tratta soltanto di lavoro quotidiano, per quanto mi concerne, e l'ospedale sarà il posto migliore del mondo per Lily, se mai succederà qualcosa.

Con affetto a entrambi,

il vostro affezionatissimo Dick[11]

Naturalmente non disse la verità alla suocera affermando di non avere potuto incontrare nessuno a Londra. Soprattutto la lettera getta nuova luce su di lui e sul suo atteggiamento nei confronti delle due donne della sua vita. Suggerisce che le lettere tanto ardue da comprendere per Gertrude, quelle in cui sembrava dichiarare il proprio amore e al tempo stesso evitava ogni genere di impegno, erano state influenzate dall'instabilità della moglie, e dalla sua costante responsabilità verso di lei, e dalla sua preoccupazione per lui. Forse Dick sapeva che Judith non sarebbe stata in grado di andare avanti senza di lui. Quando non smarriva se stessa nell'impegnativo lavoro ospedaliero, era evidentemente in stato confusionale. Dato che Dick non aveva osato parlarle del «relitto», è del tutto probabile che la moglie avesse davvero minacciato di suicidarsi se lui l'avesse abbandonata per Gertrude. In ogni caso, lui comprese che se fosse rimasto ucciso, la moglie sarebbe probabilmente crollata.

A quanto pare, Dick arrivò ad amare tanto Gertrude quanto lei avrebbe mai potuto desiderare di essere amata, sesso o non sesso, e nonostante questo non riuscì mai a decidere di lasciare la moglie. Quello che è certo è che finì per trovarsi in un dilemma terribile. Avrebbe potuto sostenere la moglie per salvaguardarne la salute mentale, infliggendo perenne sofferenza a Gertrude, oppure avrebbe potuto manifestare il proprio amore per Gertrude, infliggendo analoga sofferenza alla fragile moglie, e forse era spossato da questo contrasto e da questa lotta. Per il momento, comunque, non era costretto a decidere perché la sua stessa vita era in pericolo e tutto stava per risolversi in un modo o nell'altro.

Prima di imbarcarsi sulla nave carboniera *River Clyde*, le sue ultime parole per Gertrude furono: «Così tanti ricordi, mia cara regina, di te e del tuo splendido amore e dei tuoi baci e del tuo coraggio, e le meravigliose lettere che mi hai scritto, dal tuo cuore al mio, le lettere, alcune delle quali porto con me, come gocce di sangue». Le lettere che aveva con sé a Gallipoli le rispedì a Gertrude il giorno prima del previsto sbarco alla «spiaggia V».

La nave imbarcava duemila uomini, l'intero battaglione Munster, due compagnie del battaglione Hampshire, una compagnia del battaglione Dublino, alcuni reparti della Royal Naval Division, Doughty-Wylie e un altro ufficiale dello stato maggiore di Hamilton, il tenente colonnello Weir de Lancy Williams. Quella notte, prima di guidare l'offensiva contro i turchi, per i quali nutriva tanto affetto, Doughty-Wylie fu molto silenzioso. Un altro ufficiale, Ellis Ashmead-Bartlett, riferì che parlava poco, ma «sembrava pensare molto». Il colonnello Weir Williams scrisse: «Sono della ferma opinione che il povero Doughty-Wylie fosse consapevole che sarebbe rimasto ucciso nel corso di questa guerra».

Quando la *River Clyde* fu arenata sulla «spiaggia V», venne gettato un ponte di barche. Doughty-Wylie e Williams attesero il capitano Garth Walford, che arrivò a mezzanotte con l'ordine del generale Aylmer Hunter-Weston di riprendere l'avanzata sul forte e il villaggio di Sedd-el-Bahr. Walford sbarcò la mattina del 26 aprile per combattere al fianco delle compagnie dell'Hampshire. Il piano di battaglia prevedeva che il primo corpo assaltasse il forte e il villaggio, che il secondo corpo si congiungesse alle truppe sulla «spiaggia W», e che il terzo corpo salisse alla Collina 141, protetta dal filo spinato.

Il forte fu conquistato e Walford ucciso. Il villaggio si rivelò un obiettivo del tutto diverso. Asserragliati nelle cantine e in tutte le case, i turchi bersagliavano con tiri di precisione gli invasori man mano che sbucavano dal forte, talvolta attendendo e lasciandoli passare per poi poterli colpire alla schiena. Doughty-Wylie sopportò soffrendo di rimanere sul «relitto» ad assistere alla battaglia fino alla tarda mattinata, poi prese il suo bastone e si diresse al villaggio. La sua pistola, se ne aveva portata una, rimase a bordo della *River Clyde*. Presso l'ingresso posteriore al forte, una pallottola gli strappò di testa il berretto. In seguito un ufficiale del Munster scrisse che senza curarsi del rischio di trovarle piene di soldati turchi, Doughty-Wylie entrò nelle case con la stessa noncuranza con cui sarebbe entrato in una bottega a far compere. «Ricordo di essere rimasto impressionato dalla calma con cui reagì all'incidente. In quel momento non portava armi di nessun tipo. Aveva soltanto un bastoncino». Nel proseguire serenamente il proprio cammino, raccolse un fucile caduto accanto a un soldato ucciso, ma qualche istante più tardi lo gettò, come se avesse cambiato idea. Alla fine il villaggio fu conquistato e Doughty-Wylie si recò alla Collina 141. Sempre con il bastone e mantenendo quella calma soprannaturale, salì la collina alla testa di una folla esultante di soldati del battaglione Dublino, del Munster e dell'Hampshire. Con i turchi che si ritiravano alla loro avanzata, giunsero in cima, e proprio nel momento della vittoria Doughty-Wylie fu colpito alla testa da un proiettile.

Fu sepolto dov'era caduto da Williams e da altri soldati. Dopo avere recitato il Padre nostro sulla sua tomba, Williams gli disse addio. Più tardi piantò sulla tomba una provvisoria croce in legno costruita su sua richiesta dal carpentiere di bordo. Il cappellano del Munster lesse il servizio funebre. Nella campagna di Gallipoli, Dick Doughty-Wylie fu l'ufficiale più anziano a essere insignito della Victoria Cross, la più alta onorificenza militare britannica. La sua tomba è là ancora oggi, cinta di arbusti di lavanda e due cipressi, l'unico cimitero alleato a Gallipoli con una sola sepoltura. Come scrisse Sir Ian Hamilton, «nessun soldato più coraggioso ha mai sguainato la spada. Non nutriva odio alcuno nei confronti del nemico. […] Gentilezza e compassione colmavano il suo cuore. […] Fu un risoluto eroe. […] Come avrebbe desiderato morire, così è morto».

La sua morte lasciò alcuni interrogativi senza risposta. Perché non portava la pistola? Era tanto riluttante ad attaccare i suoi amici turchi da essere disposto a lasciarsi sparare anziché difendersi? Aveva forse commesso una sorta di suicidio, dopo avere consigliato a coloro che amava di «percorrere la strada sino alla fine» perché «accelerare l'andatura è indegno»?

Forse pensava che se fosse sopravvissuto a Gallipoli la sua vita sarebbe diventata insostenibile. Gertrude gli aveva posto un appassionato ultimatum: «Al cospetto del mondo intero, reclamami e prendimi. […] Si tratta di questo, oppure nulla. Non posso vivere senza di te». Judith era arrivata al punto di rottura. Forse non gli importava più di vivere o di morire, come Gertrude quando era partita per Ha'il, e non aveva fatto nulla per proteggersi. In sostanza, come aveva dichiarato Hamilton, «gentilezza e compassione colmavano il suo cuore». Aveva preferito andare consapevolmente incontro alla morte piuttosto che arrecare sofferenza alle due donne che amava.

Quando ebbe la notizia, Judith scrisse nel proprio diario: «Lo shock è stato terribile. Mi è sembrato che qualcosa si strappasse in corrispondenza del cuore. [...] Dovrò raccogliere i pezzi, presumo [...], nulla più che una vedova sola». Gertrude apprese della morte di lui in un modo ancora più sconvolgente. Aveva continuato a scrivergli, perché nessuno le aveva riferito l'accaduto. Dopotutto, non era neppure sua parente. Era a Londra, a pranzo con amici, quando un commensale, che non aveva idea del suo rapporto con lui, osservò che era un vero peccato che Dick Doughty-Wylie fosse stato ucciso. Mentre la conversazione continuava con il ricordo dell'audacia di lui, Gertrude rimase immobile, cinerea in volto, con la stanza che le turbinava intorno, poi, in silenzio, si alzò e si congedò, scusandosi, e quasi senza rendersi conto di ciò che faceva si recò a Hampstead, a casa della sorellastra Elsa, divenuta Lady Richmond[12]. Quando aprì la porta e vide Gertrude così devastata, Elsa balzò subito alla conclusione che fosse stato ucciso il loro fratello, Maurice, e scoppiò in lacrime.

«No» dichiarò Gertrude, quasi con impazienza. «No, non Maurice». Si stese sul divano, si lasciò accarezzare la fronte da Elsa per un poco, poi distolse la testa.

Verso la fine del 1915[13], i soldati videro una persona presso la tomba di Dick Doughty-Wylie. Senza alcun dubbio era una donna velata, la cui identità non è mai stata accertata. Secondo L.A. Carlyon,

il 17 novembre 1915, una donna sbarcò alla «spiaggia V», divenuta la principale base francese. Si ritiene che sia stata l'unica donna a sbarcare durante la campagna di Gallipoli. Lasciata la *River Clyde*, usata come pontile, attraversò il forte [...] superò le mura vacillanti e le cantine sventrate di quello che era stato il villaggio di Sedd-el-Bahr, nonché il fico e il melograno sopravvissuti al bombardamento, e iniziò a salire la Collina 141. In vetta sostò presso una tomba solitaria cinta di filo spinato, appese una corona funebre alla croce lignea e se ne andò. [...] Non sappiamo cosa indossasse [...] non sappiamo neppure con certezza chi fosse. Molto probabilmente era Lilian Doughty-Wylie, che a quell'epoca lavorava all'ospedale francese. È possibile che fosse Gertrude Bell, scrittrice ed esploratrice inglese. Sappiamo quale tomba visitò [...] [cioè quella del] tenente colonnello Charles "Dick" Doughty-Wylie, Victoria Cross[14].

La storia di quella futile campagna redatta da Michael Hickey propone una versione degli avvenimenti non molto diversa.

Un curioso mistero accompagna la sepoltura di questo eroe. Verso la fine del 1915 una donna sbarcò dalla lancia di un trasporto e depose una corona sulla tomba, poi ritornò alla lancia e partì. Anche se non parlò con nessuno, sembra essere stata vista da decine di militari britannici e francesi. Molto probabilmente era Mrs Doughty-Wylie, che in quel periodo lavorava per la Croce Rossa francese sull'isola di Tenedos; era influente presso le autorità, quindi avrebbe potuto ottenere un passaggio a Gallipoli. Tuttavia si tramanda tenacemente la storia secondo cui si trattava invece della sua vecchia amica, Gertrude Bell, che all'epoca si trovava a sua volta in quella zona, e che senza dubbio visitò la tomba nel 1919[15].

In altre opere si osserva che durante la visita della donna misteriosa nessuno dei due eserciti sparò un solo colpo.

Ebbene, dove si trovava Judith il 17 novembre 1915? Secondo i suoi diari[16], fra il dicembre 1914 e il settembre 1915 diresse l'ospedale angloetiopico della Croce Rossa, situato fino a maggio a Frévent, un centinaio di chilometri a sud di Calais, e poi, fino a settembre, a St-Valery-sur-Somme. I diari rivelano le sue difficoltà con il personale volontario e le gravi negligenze del servizio sanitario dell'esercito francese. Nell'aprile 1916, Judith assunse la direzione di un ospedale a Moudros, sull'isola di Lemno.

Probabilmente Mrs Coe, la madre di Judith, fece ciò che le era stato chiesto da Doughty-Wylie, ucciso il 26 aprile 1915. Infatti pochi giorni più tardi si recò a Frévent per accudire la figlia. Anche se lui le aveva raccomandato di non distoglierla dal lavoro, senza dubbio Mrs Coe volle ricondurla in Galles per un periodo di riposo dopo l'arduo e spossante servizio ospedaliero. Ciò spiegherebbe perché Judith lasciò Frévent in maggio e riprese servizio a St-Valery-sur-Somme a una data imprecisata. Per stabilire che fu Judith a sbarcare sulla «spiaggia V», quel novembre, bisognerebbe presumere che fosse giunta nella regione sei mesi prima di quando avrebbe dovuto. È molto improbabile che i militari francesi o il loro servizio sanitario abbiano potuto o voluto accompagnare una vedova in zona di guerra, perché in tutto furono conferite trentanove Victoria Cross e le vedove di tutti i caduti avrebbero avuto diritto alla medesima considerazione. È altrettanto dubbio che abbiano potuto o voluto concordare con i turchi un cessate il fuoco per consentire alla donna misteriosa di visitare la tomba.

Alcuni fatti possono essere accertati soltanto consultando un'opera pubblicata nel 1975, *Gallipoli*, del capitano Eric Wheeler Bush, della Regia Marina Militare, decorato con il Distinguished Service Order e con la Distinguished Flying Cross:

L'avvenimento raccontato da alcuni autori secondo cui Lily Doughty-Wylie, «l'unica donna a calcare la spiaggia durante l'occupazione», sbarcò a Sedd-el-Bahr il 17 novembre 1915 per posare una corona sulla tomba di Dick, e che «durante la cerimonia i turchi non spararono un solo proiettile né una sola granata», può essere accaduto soltanto nei sogni di lei. In quel periodo le burrasche impedivano qualunque manovra di sbarco. Anche se questa visita non è menzionata in nessun rapporto ufficiale, lei era indubbiamente persuasa di averla compiuta, ed esistono i resoconti di due testimoni oculari [tenente Corbett Williamson, Royal Marines, e F.L. Hilton, Royal Naval Division] di una donna vista a Cape Hellen in quel periodo. Lily scrisse all'ambasciatore britannico ad Atene per ringraziarlo di «un successo dovuto in qualche misura a voi», tuttavia non spedì mai la lettera [...].

Implicitamente, il capitano Bush suggerisce che le preoccupazioni di Doughty-Wylie a proposito dell'equilibrio mentale della moglie fossero ben fondate e che lei avesse sofferto di una qualche forma di esaurimento nervoso. Era persuasa di essere, o voleva dimostrare di essere lei, e non Gertrude, la donna della «spiaggia V». Un modo per riuscirvi sarebbe stato quello di suggerire all'ambasciatore di essere stata proprio lei a compiere quel viaggio. Alla fine, però, fu troppo onesta o troppo confusa per spedire la lettera.

Il capitano Eric Bush aggiunge che la povera Lily visitò la tomba del marito nel 1919, e persino in tempo di pace ebbe bisogno di assistenza, sia da parte del quartier generale delle forze armate britanniche sul Mar Nero, a Costantinopoli, sia da parte dell'avamposto di Kilia Liman. Fu trasportata alla spiaggia con una barca pilota e sbarcò proprio dalla *River Clyde*.

La data della leggendaria deposizione della corona funebre, il 17 novembre, è incerta. Ufficiale della marina militare, Bush afferma che in quei giorni il maltempo rendeva impossibile l'approdo. Come si è potuto constatare, Hickey non è affatto preciso sulla data e scrive vagamente «verso la fine del 1915». In novembre, Gertrude fu convocata all'ufficio del direttore del servizio segreto navale, capitano R. Hall, il quale le riferì che l'ufficio al Cairo aveva inviato un cablogramma per chiedere la sua presenza, dato che il suo vecchio amico, il dottor David Hogarth, aveva suggerito che la conoscenza da lei recentemente acquisita delle tribù dell'Arabia settentrionale sarebbe risultata preziosa per il servizio informazioni. Gertrude accettò senza esitare, e il 16 novembre scrisse a Florence:

Giudico più che probabile che una volta giunta in Egitto scoprirò che non intendono assegnarmi un incarico tale da occuparmi per più di una quindicina di giorni, perciò sarò forse di ritorno prima di Natale. È tutto più vago di quanto le parole possano esprimere.

Quanto a ogni eventuale ulteriore viaggio, nulla di definito è stato detto, e io credo che le probabilità siano fortemente contrarie[17].

Il 17 novembre Gertrude era al numero 95 di Sloane Street a fare i bagagli e sabato 20 s'imbarcò a Marsiglia sul piroscafo *Arabia*, della Peninsular and Oriental Steam Navigation Company, che sarebbe salpato alle quattro del mattino del giorno successivo, come lei stessa scrisse al padre. L'arrivo a Porto Said era previsto per giovedì 25. Nondimeno la sua prima lettera scritta alla famiglia dal Cairo è datata martedì 30 novembre, e sembra essere stata scritta il giorno del suo arrivo. In essa Gertrude accenna al «viaggio orribile, con una tempesta pressoché ininterrotta», e precisa: «Siamo arrivati a Porto Said con il buio, giovedì notte. [...] La mattina successiva sono arrivata qui». Stranamente, aggiunge anche: «Vi ho telegrafato stamani dopo il mio arrivo per chiedervi di inviarmi tramite Lady B. un altro vestito e una gonna». Sembra quasi che gli arrivi siano stati due, il primo il giorno venerdì 26 e il secondo il martedì successivo. Il resto della lettera non descrive nulla di quello che accadde dopo cena il 26, quando uscì accompagnata dai suoi due nuovi colleghi, Hogarth e T.E. Lawrence. I giorni e le notti del 27, del 28 e del 29 non sono documentati.

L'ufficio al Cairo era la base del servizio segreto specificamente responsabile del corpo di spedizione del Mediterraneo inviato a Gallipoli. Oltre a Hogarth e a Lawrence, lui stesso in lutto per l'amatissimo fratello Bill, erano presenti altre due conoscenze di Gertrude, ossia Leonard Woolley, capo del servizio segreto a Porto Said, e un altro capitano Hall, fratello di colui che l'aveva convocata al Cairo e direttore delle ferrovie. Dunque Gertrude era circondata di amici. È forse possibile che con il loro aiuto, e in segreto, sia montata sul treno espresso per Porto Said, alle prime ore del mattino successivo, per poi imbarcarsi su un trasporto diretto ai Dardanelli e infine sbarcare alla «spiaggia V»? Se le artiglierie turche tacquero, fu forse per un insieme di curiosità e di rispetto per la misteriosa donna senza scorta e per Doughty-Wylie, alla cui tomba era con ogni evidenza diretta?

Non è forse possibile, dopotutto, che Gertrude abbia compiuto quell'«eventuale ulteriore viaggio» cui aveva accennato a Florence prima di lasciare l'Inghilterra?

8.
Soglia di resistenza

Già prima della morte, Dick Doughty-Wylie aveva provocato una svolta significativa nella vita di Gertrude. Alla fine dell'estate del 1913, poche settimane dopo la sua visita a Rounton, aveva bruciato le lettere di Gertrude ed era partito con Judith per l'Albania, dove lo attendeva un nuovo incarico presso la International Boundary Commission. La loro relazione, seppure non consumata, aveva donato a Gertrude giorni di una felicità estatica mai vissuta prima di allora, con l'euforia della reciproca attrazione sessuale e la novità di essere con un uomo che non era intimidito da lei, né si sentiva estraniato dalle sue imprese, né era ansioso di celare la propria ignoranza degli argomenti da lei discussi con tanta competenza. Da molto tempo lei era del tutto autonoma dal compiaciuto *milieu* inglese in cui ormai nuotava come un pesce rosso fra i girini. A quarantacinque anni s'irritava nel constatare che, nonostante le imprese per cui era famosa nel mondo, la società in cui viveva a Londra e nello Yorkshire conservava il suo ottuso punto di vista edoardiano e la considerava una vecchia zitella, nonché una spaventosa intellettuale. Erano trascorsi tredici anni da quando aveva scritto, in uno scoppio di esuberanza: «Sono diventata una Persona!» Eppure all'esterno della sua vasta cerchia di parenti e di amici era soltanto una zitella eccentrica, sebbene fosse ben vestita e avesse uno strascico di nubi di gloria. Era dunque per questo, si domandava, che aveva avuto un folgorante successo negli studi, aveva compiuto viaggi che sarebbero stati eccezionali anche se fosse stato un uomo a farli e padroneggiava alla perfezione archeologia, cartografia, alpinismo e sei lingue straniere? Dick era perfettamente consapevole del significato delle sue spedizioni e, conoscendo il Medio Oriente tanto bene quanto lo conosceva lei, poteva uguagliarla, racconto per racconto, avventura per avventura.

Adesso che lui era partito per l'Albania, Gertrude era profondamente afflitta. Senza alcun dubbio la sua famiglia non avrebbe tollerato la sua relazione con un uomo sposato. Le sue amicizie non ne sapevano nulla. In qualunque momento il nome di Dick Doughty-Wylie avrebbe potuto affiorare nel corso di una conversazione, rigirando il coltello nella piaga. Peggio ancora, lei stessa correva sempre il rischio, a Londra, di incontrare sua moglie senza preavviso, a un evento di beneficenza oppure a un concerto. Schietta sino all'eccentricità, Gertrude detestava anche soltanto il pensiero dell'elusività e del sotterfugio. Scrisse a Chirol: «Se tu sapessi come ho passeggiato avanti e indietro sul pavimento dell'inferno negli ultimi mesi, penseresti, con ragione, che sto tentando di trovare una qualunque via d'uscita. Voglio tagliare tutti i legami con il mondo. [...] Questa è la cosa migliore e più saggia da fare. [...] Voglio la pista e l'alba, il sole, il vento e la pioggia, il fuoco del bivacco sotto le stelle, e sonno, e di nuovo la pista»[1].

Gli ultimi diciotto mesi l'avevano scossa profondamente. Ormai poteva soltanto aspettare le lettere di Dick. Sprofondò mentalmente e spiritualmente nella più cupa disperazione, che in una personalità meno solida avrebbe potuto provocare un esaurimento nervoso. Ogni volta che ascoltava un brano musicale malinconico, o leggeva i dolenti versi di Hafez, o rammentava come aveva guardato Dick da lontano, in un salotto affollato, contando i momenti in attesa che lui le si avvicinasse, allora il pianto le offuscava la vista. Si rimproverava severamente perché si stava comportando come il tipo di «sciocca donnetta» che tanto disprezzava, eppure doveva ammettere di non riuscire a togliersi Dick dalla mente. L'ultimo suo baluardo di rispetto per se stessa consisteva nel celare a suo padre e a Florence sino a che punto si fosse permessa di scivolare nella dipendenza da un uomo che non poteva avere. Vittoriano molto insolito, Hugh l'adorava per la sua indipendenza, per la sua intelligenza, per il suo coraggio e per il suo buon senso paesano, tipico dei nativi di Newcastle upon Tyne. Erano le caratteristiche da lui maggiormente ammirate in una donna, e se con Mary Shield, madre di Gertrude, aveva scelto una bella ragazza del paese, come seconda moglie aveva scelto una donna la cui intelligenza e la cui sollecitudine erano di gran lunga più stimabili dell'aspetto meno avvenente e della natura più timida. Tutta la vita di Gertrude dipendeva dal giudizio del padre e dal conquistarne il sostegno per le proprie avventure. Sarebbe stato disastroso se lui si fosse accorto di quanto la relazione con Dick l'aveva prostrata.

Così Gertrude si sforzò in ogni modo di apparire normale, facendo del suo meglio soprattutto durante le cene di famiglia, quando i Bell abbandonavano i pettegolezzi per discutere di politica, di agricoltura o d'industria, di letteratura e di teatro. Poi augurava la buonanotte a tutti e si ritirava nella sua stanza a fumare senza posa, a passeggiare avanti e indietro fino alle prime ore del mattino, oppure a sedere sul bordo del letto con la testa fra le mani. Se ci fosse stato un altro modo, se nella solitudine avesse potuto vincere la sua resistenza e il suo orgoglio abbastanza per diventare l'amante di Dick, allora forse avrebbe potuto sopportarlo. Alla fine però diceva a se stessa: «Non finché vive mio padre!» Avrebbe sopportato e superato il dolore nell'unico modo che conosceva.

Forse sperando in qualche cambiamento, attese fino alla partenza di Dick per l'Albania, poi agì. Si rifugiò di nuovo nel «viaggiare selvaggio», fuggendo la stima gentile e soltanto in parte consapevole della famiglia e degli amici, che rendeva ogni cosa più ardua. Decise di partire da Damasco. Ancora una volta recitò a se stessa i versi di Hafez che tanto bene esprimevano la sua angoscia per la prima e meno intensa relazione amorosa con Henry Cadogan:

214

Ah! When he found it easy to depart,
He left the harder pilgrimage to me!
Oh Camel driver, though the cordage start,
For God's sake help me lift my fallen load,
*And Pity be my comrade of the road!**

La destinazione le interessava fino a un certo punto: era più importante andare via. D'altronde la sua condizione interiore imponeva che fosse un viaggio epico, profondamente significativo, e lunghissimo. Al momento non le importava granché tornare o non tornare.

Quanto era diverso ciò che provava nell'agosto del 1913 da ciò che aveva provato in primavera, e quanto erano diversi i suoi acquisti per la spedizione! Avrebbe portato molti bagagli per essere pronta a tutto. Aveva due tende di fabbricazione inglese, una per il bagno e per il sonno, l'altra per i pasti e per la scrittura, ciascuna dotata di un telo con cui si poteva chiudere l'ingresso o formare un'ombrosa tettoia. Ordinò altre gonne pantalone con grembiule, da lei stessa disegnate insieme alla sarta appositamente per cavalcare in Medio Oriente, dove erano inadatti i consueti equipaggiamenti da equitazione, sia per montare all'amazzone sia per montare a cavalcioni. In sella teneva il grembiule raccolto lateralmente dietro la schiena, in modo che, osservato di profilo, appariva simile a una crinolina. Quando smontava lo lasciava cadere a nascondere la divisione della gonna pantalone. Aveva acquistato abiti da sera di pizzo e di batista per le cene con i diplomatici, seduta a tavola, in ambasciata, oppure con gli sceicchi, seduta a gambe incrociate sui tappeti, in tenda. Aveva bocchini per fumare, portasigarette d'argento, borsette da sera, una ventina di camicie di cotone, sia bianche sia a righe, di varie fogge, semplici oppure

* Ah! Quando fu più facile per lui partire, / Lasciò il più arduo pellegrinaggio a me! / Oh, Cammelliere, seppure con le funi allentate, / Per l'amor d'Iddio, aiutami a sollevare il mio fardello caduto, / E mi sia compagna di strada la Pietà! (*N.d.T.*).

ornate, con bottoni di madreperla e polsini rigidi. Al collo portava una cravatta da uomo oppure uno spillone ovale.

Il lungo elenco comprendeva una dozzina di gonne di lino alla caviglia, e un corredo di calzature per camminare fra ruderi e rocce: stivali di cuoio al ginocchio, stivali di tela alla caviglia, scarpe da sera a tacco basso, calze beige in filo di Scozia, sottovesti in seta, parasole, rivoltelle Purdy e una cassa di fucili, teodoliti, alcune casse di cannocchiali Zeiss da donare agli sceicchi che l'avessero aiutata, una dozzina di cappelli di lino e di paglia, perché se il vento ne avesse rapiti alcuni non sarebbe valsa la pena smontare dal cammello per inseguirli. Dove la temperatura era più alta avrebbe potuto sostituirli con una *kefiyeh* di cotone acquistata sul posto, avvolta intorno alla testa e fermata con un cordone di seta, con un lembo sciolto sulla schiena a proteggere le spalle dal sole.

Sarebbe stato inverno nel deserto, così Gertrude piegò nella valigia Wolseley un cappotto e una giacca di pelliccia, e poi completi da viaggio in tweed, cardigan in lana, sacchi di mussola lunghi un metro e mezzo, con lacci per chiuderli al collo, in cui infilarsi sotto le coperte per proteggersi dagli insetti, e ancora i piccoli taccuini rilegati in cuoio su cui redigere gli appunti archeologici e i diari, due fotocamere con la relativa pellicola, risme di carta per scrivere, compassi, carta cartografica, matite, penne e inchiostro, sapone alla lavanda, flaconi di colonia, spazzole e candelieri in argento, lenzuola di lino e tovaglie ricamate, gli strumenti per compiere rilevamenti topografici e disegnare mappe forniti dalla Royal Geographical Society, sedia e letto pieghevoli, in canapa, da collocare in tenda e la vasca da bagno in tela, «il mio lusso», che prima della fine del viaggio sarebbe stata utilizzata anche come abbeveratoio per i cammelli, e infine le attrezzature mediche, i cosmetici, e le munizioni, assolutamente essenziali, avvolte nelle calze da sera in seta bianca, nascoste nella punta di scarpe e stivali.

Il viaggio a cui si accingeva iniziò finalmente a entusiasmarla, sia perché le era stato fortemente sconsigliato di intraprenderlo, sia per le difficoltà fisiche e geografiche che comportava. La sua destinazione sarebbe stata Ha'il, la quasi mitica città al centro dell'Arabia descritta da Charles M. Doughty, l'intrepido geologo zio di Dick, nel suo libro del 1888, *Arabia Deserta*, che Gertrude aveva sempre avuto con sé nelle spedizioni. Doughty aveva descritto trucemente le sue due rovinose visite durante uno spaventoso viaggio di due anni al confine fra il deserto arabo e quello siriano. Ad Ha'il era stato incarcerato e aveva rischiato di perdere la vita.

Scegliendo Ha'il, Gertrude aveva deciso di recarsi in una delle regioni più pericolose e meno conosciute del mondo intero. In apparenza lo scopo del viaggio era raccogliere informazioni per il ministero degli Esteri. La guerra contro la Germania era sempre più probabile e il governo britannico stava volgendo la propria attenzione alla situazione politica dell'Arabia centrale, dove la Germania consolidava i rapporti con l'Impero ottomano fornendo all'esercito turco addestramento, armamenti e ferrovie.

Per un secolo l'ostilità fra le due dinastie più potenti dell'Arabia centrale, Al Saud e Al Rashid, era stata cruciale per la storia della penisola[2]. Il Regno Unito forniva armi e denaro soprattutto al carismatico ma feroce condottiero Abdul Aziz Abdurrahman al Saud, *hakim* del Najd, comunemente noto come Ibn Saud[3]. Questo capo della fanatica e puritana setta wahhabita dell'Islam operava dalla capitale saudita, Riyad, e la sua autorità aumentava man mano che riconquistava i territori perduti dai suoi antenati. Il governo ottomano sosteneva la dinastia avversaria di Ibn Rashid, della federazione shammar, forse la più crudele e la più violenta tribù d'Arabia. Ora i Sauditi si preparavano ad attaccare i Rashid, e Gertrude era decisa a recarsi innanzitutto alla roccaforte rashid, ovvero Ha'il. Tuttavia aveva anche un secondo progetto, ossia proseguire a sud fino a Riyad per raccogliere ulteriori informazioni che avrebbero potuto risultare interessanti per il ministero degli Esteri. Quindici mesi più tardi, il capitano William Shakespear, partito per Riyad quasi contemporaneamente a lei, sarebbe stato coinvolto in una battaglia fra Sauditi e Rashid, rimanendo ucciso.

Era un progetto di viaggio straordinario. Gertrude si proponeva di percorrere duemilacinquecento chilometri a dorso di cammello, tracciando un tragitto circolare, a sud da Damasco, poi a est attraverso il terzo settentrionale della penisola araba, compresa fra il Mar Rosso, il Golfo Persico e il Mar Arabico. Dal punto di vista geografico e politico era un itinerario tale da sgomentare i viaggiatori più esperti. Nel corso di una spedizione analoga, Charles Huber, il più noto degli esploratori dell'Arabia, si era perso d'animo ed era tornato indietro, soltanto per essere assassinato dalle sue stesse guide, mentre il barone Nolde, austriaco, era stato indotto al suicidio[4]. Giungere ad Ha'il era la sfida estrema dei viaggiatori del deserto. Addentrarsi in quella regione arida sarebbe stato rischioso persino se si fosse potuto contare sull'amicizia e sull'aiuto dei beduini. Eppure Gertrude si proponeva di attraversare la regione del conflitto fra Al Saud e Al Rashid proprio in un periodo in cui tale conflitto si stava esasperando.

La prima parte del viaggio l'avrebbe condotta a meridione, in Arabia centrale, e attraverso il vasto altopiano del Najd, che si estende dalla Siria, a nord, allo Yemen, a sud. Poi avrebbe attraversato le sabbie mutevoli del Nefud, diventando la prima occidentale ad attraversare quell'angolo di deserto. Avrebbe lasciato il Nefud attraverso i monti Misma, un luogo strano e ultraterreno, non dissimile dalle visioni gotiche di Gustave Doré, illustratore dell'*Inferno* di Dante nel XIX secolo. Questo paesaggio cosparso di pinnacoli rocciosi alti come fabbricati di dieci piani aveva un'altra caratteristica straordinaria: a causa della selce nelle formazioni rocciose, era nero come la notte. Infine Gertrude sarebbe discesa nell'arido e desolato altopiano di granito e di basalto, al centro del quale fluttuava, simile a un miraggio, la città medievale di Ha'il, candida come neve.

Per molto tempo Gertrude aveva progettato e rimandato questa spedizione, ma ormai era una viaggiatrice del deserto tanto esperta che ben poche imprese le restavano da compiere. Questa volta, per motivi personali, non voleva soltanto una fuga, bensì una sfida per scoprire i propri limiti, un'avventura tale da impressionare Dick Doughty-Wylie, farlo stare in ansia, catturare la sua attenzione. A costo di non tornare, Gertrude desiderava la sua ammirazione. Dichiarò ai genitori di non avere ancora scelto una destinazione, per la quale avrebbe chiesto consiglio a Damasco, tuttavia David Hogarth le scrisse per rammentarle che il suo progetto non sarebbe stato approvato dalle autorità ottomane, e neppure dal nuovo ambasciatore britannico a Costantinopoli, Sir Louis Mallet, il quale, amico della famiglia Bell, già nel periodo del suo incarico al ministero degli Esteri a Londra le aveva sconsigliato ardentemente quel viaggio. Quattro anni prima, un amico, Richmond Ritchie, le aveva organizzato un incontro con il tenente colonnello Percy Cox, ministro residente del governo indiano nel Golfo Persico, che allora si trovava in Inghilterra, affinché potesse discutere con lui del viaggio ad Ha'il. Ebbene, anche Cox, che in seguito avrebbe avuto un ruolo di estrema importanza nella sua vita, le aveva sconsigliato di tentare l'impresa, soprattutto percorrendo un tragitto meridionale.

Fra i libri che portava insieme alle mappe, Gertrude aveva le opere di Shakespeare in edizione tascabile, *Arabia Deserta*, letto e riletto, e *Pilgrimage to Nejd*, di Anne Blunt, la quale aveva visitato Ha'il con il marito Wilfrid e si era scontrata con Al Rashid. Gertrude l'aveva incontrata una volta nelle sue stalle al Cairo, in costume beduino, circondata dai suoi lupi. Aveva consultato il suo libro molte volte, notando in particolare l'ammonimento profetico: «È stata una lezione e un avvertimento [...] secondo cui eravamo pur sempre europei fra gli asiatici, un avvertimento secondo cui [Ha'il] era una tana di leoni».

Comunque Gertrude si trovava in uno stato d'animo

tale da non restarne impressionata; anzi, era quasi contenta degli avvertimenti e del pericolo, perché era decisa a compiere un viaggio portentoso. Anche se non lo sapeva, quella sarebbe stata la sua ultima spedizione nel deserto, e prima di concluderla avrebbe appreso il significato della paura, riconoscendo prodigiosamente questa nuova emozione. Il viaggio le avrebbe consentito di fornire al ministero degli Esteri, in un momento critico, nuove informazioni dettagliate, essenziali per i funzionari dell'Impero, per i politici e per i geografi militari. Sarebbe stato anche il più arduo e il più lungo che avesse mai intrapreso, e l'avrebbe condotta ad affrontare ladri e assassini, inducendola a domandarsi se il gioco valesse la candela.

Intanto scrisse a Dick soltanto della propria intenzione di recarsi ad Ha'il, e lui reagì proprio come lei voleva. Esperto viaggiatore lui stesso, Doughty-Wylie comprendeva perfettamente le ragioni di Gertrude, e al tempo stesso era turbato dalla scelta di quella destinazione, che l'avrebbe costretta a restare per lungo tempo all'esterno della sfera d'influenza britannica. La sua angoscia trapela distintamente dalle lettere ricevute da Gertrude a Damasco. Con la moderazione *de riguer* per un uomo della sua classe e della sua professione, Dick scrisse: «Che Iddio sia con te, e tutta la fortuna del mondo. [...] Per qualche motivo sono inquieto per te, temo che le cose possano andare storte [...] a sud di Maan e poi fino ad Ha'il è senza dubbio un viaggio colossale. Per i tuoi palazzi la tua strada la tua Baghdad la tua Persia non mi sento inquieto, ma Ha'il da Maan... *Inshallah!*»

Il 27 novembre 1913, dopo un viaggio in piroscafo e in treno, da Beirut Gertrude arrivò a Damasco, capitale della Siria. Il bagaglio gigantesco che l'accompagnava le impedì di incontrare T.E. Lawrence, impegnato a spiare i tedeschi da Karkemis. «Miss Bell è passata senza sostare» scrisse Lawrence al fratello, con una certa delusione. «Non ci farà visita sino alla primavera prossima»[5].

L'arrivo di Gertrude al suo diletto Palace Hotel, a Damasco, fece sensazione come al solito. Era la più famosa fra i viaggiatori inglesi della sua epoca, uomini o donne che fossero. Era imminente la pubblicazione del suo nuovo libro, il sesto, *The Palace and Mosque at Ukhaidir*, che avrebbe suscitato grande attenzione fra gli archeologi e gli storici del Medio Oriente. Nessuno aveva ancora sentito parlare di T.E. Lawrence, la cui reputazione non eclissò quella di Gertrude fino al 1920, e anche allora soltanto a causa di una biografia alquanto sensazionalistica[6]. Il direttore dell'albergo la accolse con inchini profondi, servendole champagne e un cesto di albicocche nella suite. Mentre i fattorini trasportavano i numerosi bauli, Gertrude spalancò le finestre e si affacciò a guardare le strade formicolanti, i giardini in tarda fioritura e i bazar aperti tutta la notte. Per un poco la città, tanto familiare, gradevolmente tinta di rosso e oro dallo smagliante sole novembrino, allontanò la sua malinconia.

Comunque, Gertrude aveva tante cose da fare e persone da incontrare. Ordinò caffè nero e iniziò a disfare i bagagli sul letto e sui tappeti. In breve tempo, la stanza fu piena di miasmi di sigaretta e del consueto disordine. Una volta sistemata, Gertrude contattò Muhammad al-Bessam, un astuto e ricchissimo intrallazzatore che stava comprando le terre attraverso le quali sarebbe passata la futura ferrovia per Baghdad. Lo conosceva e sapeva che era in grado di procurarle sia i migliori cammelli sia la guida più brava. Il trafficante la presentò a Muhammad al-Marawi, il quale, caldamente raccomandato, aveva viaggiato con Douglas Carruthers, colui che al ritorno di Gertrude a Londra avrebbe disegnato le sue mappe per la Royal Geographical Society. Lei stessa aveva scritto dall'Inghilterra per convocare Fattuh, il suo vecchio compagno di viaggio, e fu felice di rivederlo il secondo giorno, al suo arrivo da Aleppo. Come in passato, Fattuh sarebbe stato responsabile di servirla durante il viaggio, montando la tenda, portando l'acqua per il bagno, allestendo il letto con il sacco di mussola, apparecchiando per la cena a lume di candela con biancheria da tavola, argenteria e porcellane, prima di ritirarsi a rispettosa e sempre vigile distanza.

Lasciato Fattuh a finire di disfare i bagagli, Gertrude iniziò subito gli incontri con i suoi conoscenti per scoprire tutto il possibile sulla presente situazione politica tribale nella regione di Ha'il. Mentre scriveva ai genitori per rassicurarli, l'ombra di una deviazione dalla verità s'insinuò a poco a poco nelle sue lettere. Il 27 novembre riferì ingannevolmente a Florence: «Muhammad afferma che recarsi nel Najd quest'anno è del tutto agevole. A quanto pare sono capitata in un momento estremamente fortunato e [...] il deserto è quasi soprannaturalmente tranquillo. [...] Se accerterò che è così, dovrò sicuramente partire. Comunque ti farò sapere da Madaba»[7].

Se le avesse assicurato una cosa del genere, Muhammad al-Marawi le avrebbe mentito. Forse, come Bessam, a sua volta interpellato da Gertrude per avere consiglio, era sin troppo pronto a intascare denaro. Forse entrambi erano convinti che lei sarebbe tornata indietro molto prima di arrivare al Najd. Naturalmente sarebbe stato assai difficile persuaderla a rinunciare. In ogni modo, Gertrude si comportò da figlia viziata, qual era sempre stata, e si appellò a Hugh, scrivendogli come se un suo rifiuto fosse in grado d'indurla a ritornare in Inghilterra con il primo imbarco disponibile, ma sicura di poter ottenere da lui tutto quello che avesse voluto: «Spero che non dirai di no! È improbabile che tu lo faccia, perché sei un padre amatissimo che non dice mai di no, neppure alle richieste più assurde. [...] Carissimo, amatissimo padre, non giudicarmi troppo pazza o irragionevole, e rammenta sempre che ti voglio bene più di quanto le parole possano esprimere»[8].

Anche se Gertrude sapeva come organizzare una carovana, l'impresa alla quale si accingeva era la più complessa che avesse mai intrapreso. Aveva bisogno di diciassette cammelli, il cui prezzo medio era di tredici sterline a capo, con bardatura. «Calcolo che la spesa per il cibo sarà di cinquanta sterline» annotò nel diario. «Altre cinquanta sterline per i doni, come i mantelli, le *kefiyeh*, le pezze di cotone e così via». Seguendo il consiglio di Bessam, decise di prendere con sé ottanta sterline e di consegnarne duecento all'agente di Al Rashid in cambio di una lettera di credito che le avrebbe permesso di ritirare la somma ad Ha'il. Quando calcolò le spese, fu sorpresa nel constatare che ammontavano a seicentouno sterline, il doppio di quanto aveva portato, quindi avrebbe dovuto chiedere al padre di spedirle altro denaro per telegrafo tramite la Banca Ottomana. Il 28 novembre gli telegrafò per chiedere quattrocento sterline, una somma tutt'altro che irrilevante, equivalente a ventitremila sterline odierne. Poi tornò di corsa all'albergo per scrivergli una lunga lettera di spiegazione. «Non è un dono quello che chiedo. Praticamente sto investendo in questo viaggio tutti i miei proventi del prossimo anno, ma se rimarrò in pace a scriverne un libro [...] non vedo perché non dovrei riuscire a restituire tutta la somma. [...] Il deserto è assolutamente tranquillo e non dovrebbero esservi difficoltà di alcun genere nel giungere ad Ha'il, vale a dire la capitale di Ibn al Rashid»[9].

La necessità di spiegare l'importanza di Ha'il rivela quanto Gertrude fosse stata reticente con il padre, il quale, come sempre, studiò le mappe della biblioteca di Rounton confrontandole con l'ultima lettera della figlia, senza sapere nulla di più di quanto quest'ultima voleva che sapesse.

Come al solito Gertrude mise a nudo la propria anima con l'amico Domnul, uno dei pochi a cui sentiva di poter confidare il rapporto con Doughty-Wylie. «Non so se sia l'estrema via d'uscita, però vale la pena tentare. Come ti ho detto prima, è soprattutto colpa mia, anche se questo non toglie che si tratti di un'irrimediabile sfortuna per entrambi. Comunque adesso me ne sto distaccando, e il tempo uccide anche i dolori più grandi»[10]. È possibile che nell'attribuirsi la responsabilità maggiore della propria sofferenza Gertrude non sia stata del tutto sincera. Considerati l'affetto e il rispetto che Domnul nutriva per lei, è più probabile che abbia un po' alterato la situazione. Sarebbe stato imbarazzante per lei spiegare che l'amore della sua vita preferiva vivere con la moglie. È probabile che abbia preferito accentuare quella che dopotutto era la verità, cioè che era stata lei stessa a rifiutare di commettere adulterio.

Nel frattempo, Gertrude continuava a pianificare il viaggio con Muhammad, incaricato di assicurare la disciplina dell'equipaggio e di guidare la carovana attraverso il deserto Hamad e una regione del Nefud mai cartografata. In una fotografia scattatagli dalla stessa Gertrude, appare barbuto come Sinbad, seduto a terra a gambe incrociate, la testa protetta dalla *kefiyeh*, intento a scrutare attraverso un cannocchiale. Gertrude decise che era «colui che fra tutti avrei dovuto scegliere». Quella sera lui la accompagnò nel Maidan, il bazar, per cenare e per incontrare l'agente di Al Rashid incaricato di prendere in consegna le sue duecento sterline. La descrizione di costui sembra quasi contenere un vago presagio di sventura, come se Gertrude avesse avuto una fugace premonizione del pericolo che l'attendeva ad Ha'il:

Un personaggio curioso, giovane, molto alto e snello, avvolto in un mantello a ricami d'oro, la testa coperta da un immenso mantello di cammello orlato d'oro che gli ombreggiava il viso grifagno e scaltro. Si adagiò all'indietro sui cuscini e parlò sottovoce, lentamente, senza quasi sollevare lo sguardo [...] e raccontò storie meravigliose di tesori nascosti e di antiche ricchezze e di scritture misteriose. [...] Nell'ascoltare, gli uomini che mi stavano intorno mormorarono di quando in quando: «Oh, Generoso! Oh, Sempre Presente!» [...] Finalmente mangiammo tutti insieme, e poi... Be', poi tornammo indietro tutti insieme a bordo del tram elettrico![11]

In attesa che le arrivasse il denaro inviato dal padre, Gertrude comprò i cammelli e assunse i cammellieri con l'assistenza di Muhammad, aggiungendo all'equipaggio Fellah, un sorridente africano nero, e il primo *rafiq* del viaggio, una scorta della tribù Ghiyad. Assumendo un *rafiq*, i viaggiatori ottenevano un alleato la cui compagnia remunerata li proteggeva dalle aggressioni della sua gente. Lungo il viaggio, nell'incontrare diverse tribù, Gertrude ne assunse, uno dopo l'altro, una ventina o più.

Visitando i bazar e contrattando con i commercianti, Gertrude acquistò doni a buon mercato per ingraziarsi gli sceicchi. Nel frattempo si preoccupava, accorgendosi che Fattuh non stava bene. Detestava iniziare il viaggio senza di lui, però sospettava che soffrisse di malaria, così ritardò la partenza di alcuni giorni, durante i quali lui si aggravò a tal punto da farle temere che avesse il tifo. Infine lo lasciò alle cure della moglie e decise di partire comunque. Fattuh l'avrebbe raggiunta in seguito, lungo il tragitto, da lei modificato appositamente per poterlo incontrare. Costeggiando i monti Drusi a nordest del Mar Morto si sarebbe recata alla stazione ferroviaria di Ziza, dove si augurava che Fattuh potesse raggiungerla. In questo modo lui avrebbe avuto tre settimane di tempo per riacquistare la salute.

Prima di partire, Gertrude ricevette posta da Dick, il quale, non sapendo del rinvio a cui era stata costretta, le scrisse: «Mi domando dove tu possa essere adesso nel gran deserto. Mi mancherai più che mai quando tornerò a Londra. [...] Andrò a trovare Lady Bell». Come sempre alternava i toni affettuosi a quelli distaccati, retorico e ambiguo com'era sua caratteristica, in un modo che per lei senza dubbio era una tortura. «Avremmo potuto essere uomo e donna come Iddio ci ha fatti ed essere felici? So cosa provavi, cosa avresti fatto e perché non lo hai fatto, eppure tu, ancora e dopotutto, non lo sai. È una cosa grande e splendida, nonostante per te contenga ogni sorta di pericoli». Aveva annunciato la decisione di bruciare tutte le sue lettere, perché «si rischia di morire, o qualcosa del genere», e lei sapeva che lo avrebbe fatto. Gertrude invece avrebbe conservato tutte le lettere di Dick.

Così, martedì 16 dicembre 1913, Gertrude si recò, attraverso albicoccheti e uliveti, all'accampamento in cui attendeva la carovana. Dopo aver legato ai basti dei cammelli e degli asini le some che contenevano le tende, l'equipaggiamento e il bagaglio, la maestosa processione si mosse in direzione di Adhra. Il primo giorno di viaggio fu breve, soltanto fino al margine dell'oasi di Damasco. Il giorno successivo portò una pioggia torrenziale, con aspri venti, e l'attraversamento di gelido suolo vulcanico, ben diverso dalle scottanti sabbie gialle e dai miraggi luccicanti dell'immaginazione popolare. Gertrude scrisse: «Abbiamo proceduto a fatica […] attraverso il fango e i canali irrigui, orribile faccenda, con i cammelli che scivolavano e cadevano. […] La notte scorsa è stato orribilmente freddo […] impossibile mantenersi caldi a letto. Non sono fatta per le esplorazioni artiche. La grande tenda dell'equipaggio era indurita dal gelo, tanto che è stato necessario accendere fuochi per scongelare la canapa»[12].

Era un inizio poco promettente, e la situazione stava per peggiorare. Il mattino del 21 dicembre, alle nove e un quarto, la carovana avvistò una sottile colonna di fumo all'orizzonte. I cammellieri s'inquietarono. Come osservò Hamad, il nuovo *rafiq*, «tutti gli arabi del deserto si temono a vicenda». Con la fiducia e la sicurezza che le erano solite, Gertrude rise di quei timori e salì in cima a un colle vicino per guardare meglio con il cannocchiale. Così vide un accampamento circondato di greggi e pensò che si trattasse semplicemente di pastori; ma sbagliava, ed era stata avvistata. Quasi mezz'ora più tardi arrivò come un turbine un cavaliere druso, galoppando e sparando.

Hamad gli andò incontro con le mani in alto. Quando il cavaliere lo prese di mira con il fucile, Muhammad accorse gridando: «Fermo! Che Iddio ti guidi! Siamo Shawam

226

e Agail e Qanasil!» Erano i nomi di tre tribù che probabilmente non erano considerate nemiche. Il cavaliere dai
lunghi capelli sporchi e sventolanti galoppò intorno alla
carovana roteando il fucile sopra la testa. Si fermò con una
brusca impennata di fronte al cammelliere di nome Ali e
pretese che questi gli consegnasse il fucile e il mantello di
pelliccia. Indietreggiando per allontanarsi dal cavallo scalpitante, Ali gettò i due oggetti al suolo. Intanto arrivò un
gruppo di beduini altrettanto selvaggi d'aspetto, alcuni a
cavallo, alcuni appiedati, correndo e sparando in tutte le
direzioni. Uno di costoro minacciò Muhammad con il fucile, gli sfilò la spada, lo colpì al petto con una piattonata, poi si lanciò contro Gertrude e tirò un'altra piattonata
sulla testa del cammello da lei montato. Infine, afferrate-
ne le redini, costrinse la bestia spaventata ad acquattarsi,
in modo che due ragazzi potessero spingere via Gertrude e
saccheggiare le sue bisacce. Nel frattempo gli altri beduini,
tutti seminudi tranne uno «completamente nudo, a parte
un fazzoletto», sempre gridando, iniziarono a togliere metodicamente armi e cartucciere agli uomini dell'equipaggio
della carovana, mentre Gertrude era costretta ad assistere
senza poter reagire. In quel momento la carovana fu salvata
da Fellah, il ragazzo africano incaricato di provvedere alle
tende dell'equipaggio. Scoppiando in un pianto teatrale, il
ragazzo nero gridò che li conosceva e che loro conoscevano
lui, perché era stato loro ospite soltanto un anno prima, in
occasione di un acquisto di cammelli. Seguirono un silenzio
improvviso e un momento di esitazione carico di tensione,
poi la tradizionale etichetta del deserto iniziò lentamente a
prevalere. Pezzo per pezzo, il bottino fu restituito, e prima
che la restituzione fosse completata, due sceicchi arrivarono
a cavallo, compresero la situazione e diedero il benvenuto
a Gertrude e alla sua carovana, pur mantenendo un atteggiamento minaccioso. Montato l'accampamento, Gertrude
rispettò la consuetudine recandosi in visita al *rafiq* locale.
Comunque gli sceicchi rimasero irremovibili finché lei,

seppure con riluttanza, ebbe offerto loro altro denaro, poi, a notte, ritornarono alla carovana accampata, gridando e cantando.

In verità, sarebbe potuta accadere qualsiasi cosa. Se fosse stata derubata delle armi e dell'equipaggiamento, Gertrude sarebbe stata costretta a tornare a Damasco. Come aveva sempre fatto quando veniva disarcionata a caccia, rimontò e ripartì, ma l'esperienza era stata sconvolgente. Dopo meno di una settimana di viaggio era stata costretta a riconoscere la propria vulnerabilità. Comunque non lo confessò, soprattutto nelle lettere ai genitori. Riferì soltanto: «Oggi un assurdo, esasperante episodio ci ha ritardati»[13].

Più tardi, quello stesso giorno, seguita dal tetro, nuovo *rafiq*, la carovana si addentrò in un deserto trasformato in «una vischiosa poltiglia» dalla pesante pioggia notturna. Rocce vulcaniche aguzze e nere torreggiavano su di loro sotto un cielo nero. Gertrude scrisse: «Le colline rocciose si ammassano dinanzi a noi come le porte di un Ade abbandonato, un mondo desolato, freddo e grigio. [...] Ibrahim ha acceso un fuoco che fumava in modo abominevole e per questo è stato rimproverato da Ali: "Il fumo si vede lontano al mattino, e il suono si sente lontano"»[14].

Avvolta nella pelliccia, Gertrude rimase seduta accanto al fuoco a bere pinte di caffè, ascoltando l'equipaggio che parlava di furti, di scorrerie e di omicidi, di spettri e di superstizioni, di rancori e di vecchie faide tra le diverse tribù a cui ciascuno apparteneva, e cominciò a disegnare mentalmente una mappa di amicizie e inimicizie che in seguito si sarebbe rivelata cruciale. «I nemici dei Sukhur sono i Fed'an, gli Sba' e tutti gli Jebehiyyeh, tranne gli 'Isa e i Serdiyyeh» scrisse una notte, prima di coricarsi a riposare. In un'altra occasione annotò la diceria secondo cui il governo ottomano aveva inviato settanta some di cammello di armi a Ibn Rashid per sostenerlo nella sua lotta contro Ibn Saud.

Il giorno di Natale giunsero a Burqu, poco più di un guazzabuglio roccioso, con le rovine di un forte romano in cima. Il clima era gelido. Nonostante la nebbia gelata, Gertrude copiò un'iscrizione cufica, badando a non calpestare un cadavere umano parzialmente divorato. Pensò a Rounton e al modo profondamente diverso in cui la sua famiglia stava trascorrendo le feste natalizie. Nel vento furibondo, i cammelli gemevano e scivolavano sui sassi gelati. Ormai la carovana era nel territorio in cui si accampavano i Ruwalla, una delle tribù wahhabite guidate da Ibn Saud, che aveva uno dei più grandi attendamenti d'Arabia, fra le cinquemila e le seimila tende. Sempre guardandosi alle spalle, l'equipaggio montò il campo in modo che fosse nascosto alla vista. Come il caso volle, incontrarono un gruppo di Beni Sakhr, nemici dei Ruwalla, e Gertrude cenò nella tenda dello sceicco, un certo Ibn Mitab. Scrisse alla famiglia: «Cena estremamente sgradevole [...] pecora e pane in uno stufato unto che lui ha mescolato con le dita per me, dicendo: "È buonissimo! L'ho fatto con le mie mani!"»[15].

Per completare le formalità, Gertrude confrontò i propri fucili con quelli dello sceicco, a cui poi donò caffè, zucchero e un indumento in seta. Presso l'accampamento l'acqua era puro fango, che nel seccarsi incrostava le barbe. Gertrude fu costretta a rinunciare a lavarsi, nonostante il desiderio di concedersi il lusso di cenare pulita e fresca. Seduta all'esterno della propria tenda, ascoltò il silenzio. Di notte i fuochi arabi scintillavano in lontananza, quasi a dialogare con le stelle.

Il viaggio proseguì, colmo di apparizioni spaventose e di portenti. Una volta gli abitanti di un villaggio si radunarono in una folla aggressiva che impedì a Gertrude di disegnare la mappa di un castello. Un'altra volta la stessa Gertrude trovò un cadavere, il secondo nel corso del viaggio fino a quel momento, la cui «orribile presenza non è facile da dimenticare». Gli abitanti di un altro villaggio insistettero affinché curasse un malato di cancrena. Intorno al fuoco l'equipaggio conversava di *jinneh*, streghe dagli occhi verticali che camminavano accanto ai viaggiatori. Talvolta l'acqua potabile brulicava di vivaci insetti rossi. Una volta un palo della tenda si spezzò durante la notte e un ammasso di canapa bagnata si abbatté sul letto di Gertrude, la quale scrisse, nel diario che teneva per Dick, che quella fase del viaggio le piaceva tanto poco da avere quasi deciso di tornare indietro. Era diventato «una montagna di mali. [...] Non mi sento affatto la figlia di re che qui si presume che io sia. È spaventoso essere donna in Arabia»[16].

L'8 gennaio arrivarono a Ziza, dove terminava la ferrovia e dove Gertrude doveva attendere Fattuh e altro bagaglio. Fu felice di vederlo arrivare prima del previsto, ancora convalescente, ma con cose deliziose da mangiare e la posta tanto desiderata. Dick aveva appena ricevuto una copia di *The Palace and Mosque at Ukhaidir* e scriveva: «Ho letto il libro per tutto il giorno. È meraviglioso e io lo amo e amo te. Non posso ancora scriverne, e per rispondere sarebbe necessario il libro della mia anima, mai scritto. Ti bacio le mani e i piedi, cara donna del mio cuore».

Adesso Gertrude doveva guardarsi dalle pattuglie militari turche. Il sultano, capo dell'Impero ottomano, non incoraggiava la presenza di chi non era musulmano nelle sue province, e i suoi governatori generali avevano il potere di concedere o di rifiutare permessi. Fino a quel momento Gertrude era riuscita a evadere la burocrazia, e dato che non aveva nessun permesso, né britannico né turco, intendeva affrettarsi a partire. Tuttavia non seppe resistere a quella che si sarebbe rivelata una sterile deviazione allo scopo di trovare e fotografare un'antica nicchia in pietra, adorna di una conchiglia scolpita, che si diceva esistesse in qualche rudere, in una località chiamata Mshatta. Al ritorno vide in lontananza tre figure avanzare rapidamente verso le tende, e con un tuffo al cuore capì di essere stata scoperta.

Al suo arrivo i soldati turchi erano già installati intorno al fuoco, e gridavano e ridevano, comportandosi in modo rozzo e minaccioso. In breve ne arrivarono altri, finché furono in tutto dieci, comandati da un rabbioso capitano e dal suo sergente. Le autorità si erano insospettite quando Fattuh aveva chiesto il permesso di unirsi a Gertrude. Erano arrivati telegrammi da Costantinopoli e ora i soldati avevano ordine di bloccare la spedizione e di condurre Gertrude ad Amman. Così lei stessa commentò: «Sono stata idiota ad avvicinarmi tanto alla ferrovia. [...] Purtroppo ero come uno struzzo con la testa nella sabbia e non sapevo di tutto il trambusto che si era creato intorno a me»[17].

Era nei guai. Il suo primo impulso fu quello di mandare il cammelliere Abdullah a Madaba, che distava una trentina di chilometri, per telegrafare ai consoli a Beirut e a Damasco. Anche se lasciò furtivamente l'accampamento, Abdullah fu seguito, catturato, e al cader della notte incarcerato a Ziza. A testa alta, Gertrude mantenne la consueta fredda indifferenza. Poi arrivò un momento in cui ebbe necessità di allontanarsi un poco dall'attendamento per espletare un bisogno fisiologico e fu ostinatamente seguita da un soldato impertinente. Allora Fattuh intervenne, ingiungendogli di concedere un poco d'intimità alla gentildonna. Nonostante l'intercessione di Gertrude, che si prodigò in ogni modo, Fattuh fu arrestato e scortato allo stesso carcere in cui era rinchiuso Abdullah. Fu una notte tempestosa. Il cielo si oscurò, il vento tuonò e tutt'intorno all'accampamento furono appostate le sentinelle. «La notte fu gelida come il mio contegno».

Gertrude fu costretta ad assistere passivamente mentre il contenuto dei suoi bauli era rovesciato al suolo e tutte le sue armi venivano confiscate. I soldati stavano aspettando l'arrivo del governatore del distretto, il caimacam di Al-Salt. Molto dipendeva da costui, dotato dell'autorità per concedere a Gertrude un permesso. Se lo avesse negato, lei probabilmente sarebbe dovuta rientrare in territorio turco sotto scorta armata. Dopo aver convocato questo importante personaggio, il capitano cominciò ad allarmarsi per quello che aveva fatto e a perdere un poco della sua sicumera.

Con il suo gelido sussiego e con la sua impressionan-

231

te ricchezza, Gertrude non tardò a facilitare il ritorno di Fattuh e di Abdullah. Tuttavia continuò a trovarsi in una imbarazzante situazione di stallo. Riuscì ad allentare la tensione chiedendo al proprio equipaggio di riparare il palo della tenda che si era spezzato, tanto che persino i soldati collaborarono. Al riparo della seconda tenda, seduta al tavolo, Gertrude disegnò con calma una mappa dei ruderi di Kharaneh, e intanto decise che se le fosse stato negato il permesso di proseguire sarebbe ritornata a Damasco per poi ripartire sulla strada di Palmira. Infine riassunse gli ultimi due giorni in tono lievemente ironico nel proprio diario e in una lettera ai genitori: «È tutto alquanto comico. Non me ne importa granché. È un episodio ridicolo di questa avventura, che non credo sia conclusa. Occorre soltanto imboccare una svolta diversa»[18]. Alludendo al linguaggio usato con i bambini a Rounton, come l'ammonimento: «Basta con le fantasticherie, signorina!», concluse in un modo tipico dello Yorkshire: «È tutto alquanto fantasioso, debbo dire».

Naturalmente la sua situazione non era affatto comica, eppure concluse allegramente la giornata, e senza dubbio le sentinelle che rabbrividivano fuori dalle tende rimasero sorprese, se la udirono ridere a una battuta di Fattuh: «Ho trascorso la prima notte di viaggio in una stazione ferroviaria e la seconda in una prigione... La prossima dove sarò?»

La mattina iniziò con un fitto nevischio. Scortata dal sergente e da quattro soldati, Gertrude si recò alla stazione a ritirare il resto del bagaglio. Lungo il tragitto fu avvistato un gruppo di militari. A quanto pareva il governatore del distretto era finalmente arrivato con il suo seguito. Scambiato il proprio cammello con il cavallo del sergente, Gertrude andò loro incontro al piccolo galoppo, poi smontò d'un balzo per scambiare strette di mano. Preferiva sempre avere a che fare con le massime autorità e si trovò subito in sintonia con il caimacam. In seguito, in una lettera alla famiglia, lo descrisse come «un uomo istruito e affascinante, cristiano, disponibile e pronto a lasciarmi andare ovunque mi piacesse, percorrendo qualsiasi tragitto preferissi. [...] Tuttavia s'intromise un problema di coscienza». Infatti Gertrude non voleva procurare guai a quell'uomo gentile approfittando di lui. Soltanto per questo, come assicurò a Hugh e a Florence, aveva telegrafato a Damasco per chiedere il permesso di visitare alcune rovine locali. Così avrebbe potuto partire sapendolo sollevato da ogni responsabilità.

Con tutta evidenza intendeva come sempre far sì che i genitori non si angosciassero per lei. Ben diverso fu il modo in cui descrisse gli avvenimenti nel proprio diario, rivelando che le era stato imposto di telegrafare per chiedere il permesso. Così fu costretta a restare per giorni in attesa di risposta da Damasco e anche da Costantinopoli, già prevedendo quale sarebbe stata.

Temporaneamente bloccata, trascorse il tempo a incontrare amici conosciuti durante la spedizione precedente, incluso un nipote di Abu Namrud, la guida che l'aveva assistita nel suo viaggio al gebel Druso nel 1905. Nel pranzare con il caimacam nella casa di Muhammad Beg, il più ricco abitante di Amman, sentì parlare di una contessa russa che di recente aveva lasciato Damasco con venti cammelli. Fra abbondanti risate, conclusero tutti e tre che, considerando le consuete alterazioni del pettegolezzo e della comunicazione verbale nel deserto, si poteva concludere che la contessa altri non era se non la stessa Gertrude, la quale infine ritornò alla propria tenda con un mazzo di tagete e di garofani granata.

Dopo quattro giorni di attesa cominciò a inquietarsi. Si interessò alle faccende locali e assistette a un matrimonio circasso. La sposa fu svelata al suo cospetto: «Fu come un dipinto in una sala afosa e affollata di donne, gli occhi bassi come se fosse molto stanca [...] e pallida in viso, altrimenti graziosa». Lei stessa fu oggetto di grande curiosità. Senza replicare colse il commento di un uomo incontrato più tardi quello stesso giorno a proposito degli altri uomini presenti alla cerimonia: «A loro piace annusare il vostro odore». L'acqua di lavanda di Bond Street era una novità per loro.

Finalmente ricevette l'attesa comunicazione da un irritato ambasciatore Mallet, che sin dall'inizio le aveva sconsigliato di intraprendere il viaggio. Concisamente, il diplomatico l'avvisò che il governo di Sua Maestà avrebbe declinato ogni responsabilità nei suoi confronti se avesse proseguito di un sol passo. Le autorità turche non avevano ancora risposto. Il 14 gennaio Gertrude scrisse nel diario: «Ho deciso di fuggire»[19].

Stava compilando due diari paralleli. Il primo era un sintetico promemoria redatto quotidianamente, finché i ricordi erano freschi. Leggere questi appunti stringati e disorganizzati, con parole e frasi arabe in abbondanza, offre un vivido ritratto di Gertrude, stanca e sporca dopo un giorno di marcia, con i capelli scompigliati, seduta al tavolo pieghevole a scrivere frettolosamente, intanto che Fattuh montava la tenda, l'arredava e le preparava il bagno. Gli appunti includono le informazioni per il ministero degli Esteri e i materiali grezzi con cui comporre le lettere alla famiglia. Il secondo diario[20], redatto a intervalli di alcuni giorni, è un racconto elaborato e meditato del viaggio e di ciò che Gertrude provava, destinato esclusivamente a Dick. Pur senza essere così eufemistico come le lettere ai genitori, questo diario la descrive forse un poco più risoluta nell'affrontare i pericoli di quanto fosse realmente.

Quella notte informò l'equipaggio di non essere più disposta ad attendere alcun permesso. L'annuncio provocò un inizio di rivolta. Mentre i suoi fedeli servitori erano pronti a seguirla ovunque, tre cammellieri agail rimasero terrorizzati dalle possibili ripercussioni. Tuttavia Gertrude sapeva che con il prolungarsi dell'attesa la situazione sarebbe soltanto peggiorata. Nessun permesso le sarebbe stato concesso. Dichiarò al capitano turco l'intenzione di visitare alcuni siti archeologici locali. Forse l'ufficiale le credette, o forse no, comunque lei finì per consegnargli una lettera firmata che assolveva le autorità turche da ogni responsabilità nei suoi confronti e dichiarava che l'Inghilterra non avrebbe avuto motivo di rimostranze se mai le fosse accaduto qualcosa. Intascato il documento, il capitano la informò che era libera di agire come più le piaceva. Gertrude si ritirò a riposare senza mostrare la minima indecisione, però una volta in tenda si rammaricò di avere firmato e per tutta la notte fu inquieta. Nell'"altro diario", quello destinato a Dick, scrisse: «Nella parola scritta vi è qualcosa che agisce sull'immaginazione, e io ho trascorso notti insonni a rifletteri. [...] Dall'esterno il deserto appare terribile, e persino io ho momenti in cui il battito del mio cuore accelera e i miei occhi si sforzano d'intravedere il futuro»[21].

Il giorno dopo Gertrude tentò per prima cosa di recuperare la lettera e si sentì rispondere che era già stata inoltrata al quartier generale. Irritata, scrisse nel diario: «Tutte menzogne! Comunque non ho potuto recuperarla». Rientrata all'accampamento, scrisse a Florence una lettera colma di allegria e fiducia, estremamente parca di verità: «I miei guai sono finiti. Oggi il *vali* mi ha concesso il permesso di recarmi ove più mi aggrada. Questo permesso è arrivato appena in tempo, perché ho già progettato tutto e avevo comunque intenzione di fuggire domani notte, sicura che non avrebbero potuto raggiungermi. In ogni modo adesso mi sono risparmiata il disturbo (e il divertimento!) di ricorrere a questa risorsa estrema»[22].

Sapeva bene che qualunque «permesso» sarebbe stato privo di valore. Persino il console britannico l'aveva vivamente sconsigliata. Avrebbe viaggiato a suo esclusivo rischio e pericolo.

Una volta pagati, i tre Agail se ne andarono rabbiosi, imprecando contro la «strada maledetta» di Ha'il. Il 15 gennaio la carovana partì, precedendola, mentre Gertrude si recava a incontrare tre nuovi cammellieri reclutati mediante agricoltori cristiani con cui era in amicizia e in cui aveva fiducia. Sostò brevemente alla stazione di Ziza per informarsi a proposito di una lettera smarrita indirizzata a Dick, senza recuperarla e rassegnandosi a non poter comunicare, almeno temporaneamente, con colui che amava. Nonostante questo gli scrisse una serie di lettere che fu costretta a conservare, impossibilitata a spedirle prima di avere raggiunto un'altra linea ferroviaria, all'estremità opposta del deserto siriano.

In cinquantaquattro giorni la carovana aveva percorso soltanto un quinto del tragitto per Ha'il. Il resto del viaggio era lungo e incerto, ma non appena fu di nuovo libera Gertrude ritrovò la serenità. Ancora una volta cadde sotto l'incantesimo del deserto. Terrificante e bello, con il suo silenzio ruggente e le sue notti ingioiellate, il deserto era diventato per lei molto di più del territorio in cui cimentarsi nella prova estrema: era un'alternativa simbolica alla divinità in cui non aveva mai creduto. Nel suo bisogno di amore e di sostegno, il deserto era diventato una fuga verso un'altra prospettiva. Lei stessa espresse questa verità nelle meno numerose e più poetiche lettere all'amico Chirol.

Ora, per la prima volta, ho conosciuto la solitudine nell'isolamento e nella vastità del deserto e [...] i miei pensieri hanno vagato lontano dal fuoco del bivacco per addentrarsi in spazi che vorrei non fossero tanto colmi di sensazioni intense. [...] Talvolta mi sono coricata con un cuore tanto pesante da pensare di non poterlo più portare durante il nuovo giorno. Poi arriva l'alba, morbida e benevola, a scivolare sulla vasta pianura e giù per i lunghi pendii delle piccole valli, e infine anche nel mio cuore fosco. [...] Questo è il meglio che posso ricavarne, apprendere almeno un poco di saggezza dalla solitudine e dal deserto, apprendere l'umiltà, e come sopportare la sofferenza senza gridare[23].

Il 16 gennaio Gertrude scrisse nell'"altro diario":

Ho reciso il filo. [...] Louis Mallet mi ha informata che se continuerò verso il Najd il mio stesso governo se ne laverà le mani di me, e io stessa ho fornito al governo ottomano una totale esenzione, affermando che intendo proseguire a mio esclusivo rischio e pericolo. [...] Ci volgiamo al Najd, *inshallah*, abbandonati da tutti i poteri e da tutte le autorità, e l'unico filo non reciso corre attraverso questo piccolo libro, che è il diario del mio viaggio conservato per te. Sono una fuorilegge![24]

Il dado era tratto, e politicamente Gertrude aveva superato il punto di non ritorno. Partita da Damasco, aveva già percorso più di trecento chilometri a sud fino a Ziza, e si accingeva a proseguire verso sudest fino ad Ha'il, dalla quale intendeva risalire a nordest fino a Baghdad, prima di attraversare il deserto siriano da oriente a occidente e ritornare al punto di partenza, cioè Damasco.

Il deserto si stendeva dinanzi a lei in un'infinita varietà di forme e di condizioni. In estate la temperatura superava i quaranta gradi a mezzogiorno, mentre in gennaio e in febbraio, i mesi più freddi, si potevano avere venti ululanti, ghiaccio, nebbia e nevischio. La coltivazione era saltuaria, condizionata dalle imprevedibili piogge invernali. Nelle pianure i pochi corsi d'acqua sotterranei alimentavano laghetti e sottili strati di suolo fertile immersi nelle vastità di roccia e di ghiaia in cui crescevano strane forme di vita vegetale, arse e sbiancate dal sole e dal vento. Dove e quando le piogge gonfiavano le sorgenti, gli abitanti potevano coltivare qualcosa nelle oasi, ma Gertrude stava lasciandosi alle spalle i loro villaggi per addentrarsi nelle regioni in cui i nomadi compivano le loro migrazioni stagionali per centinaia di chilometri, conducendo ai pascoli grandi mandrie di cammelle con i loro piccoli, prima di salire a nordovest, in Siria, oppure a nordest, in Iraq, per le vendite annuali di cammelli. «Il deserto è pieno di cammelli. [...] Attraversano il nostro tragitto a migliaia, pascolando. Sono come un fiume ampio, immenso e lento, che scorre per ore e ore».

Per i beduini e per la loro mistica possente, Gertrude, come Lawrence, nutriva un'adorazione che era quasi una dipendenza da tossicomane. Entrambi ammiravano l'indi-pendenza, la mobilità e la resistenza che rendevano quei no-madi l'aristocrazia del deserto, e forse provavano entrambi un'attrazione fisica per il tipo del guerriero ascetico. Nella sua prefazione ad *Arabia Deserta*, Lawrence scrisse:

Il beduino è nato e cresciuto nel deserto, e con tutta la sua anima ha abbracciato tale desolazione, troppo spietata per coloro che non vi appartengono per nascita, e il motivo di tale adesione è [...] che là egli si trova indubitabilmente libero. Perde tutti i le-gami naturali, tutte le confortanti superficialità o complicazioni, per giungere a quella libertà personale che è perenne compagna delle privazioni e della morte. [...] Egli trova il lusso nell'ab-negazione, nella rinuncia, nella repressione di se stesso. Vive la propria vita in un duro egoismo[25].

I beduini rifiutavano ogni autorità e seguivano regole di condotta loro proprie. Non si lasciavano persuadere dai tur-chi più di quanto si lasciassero influenzare dai britannici. Come ha scritto Albert Hourani, studioso mediorientale, esisteva «una certa concezione gerarchica [...]. [I pastori arabi] erano persuasi di possedere una libertà, una nobiltà e un onore di cui i contadini, i commercianti e gli artigiani erano privi»[26]. Costretta a confidare nel senso dell'onore tri-bale per sopravvivere, Gertrude aderiva entusiasticamente a tale visione.

Il vincolo fra gli appartenenti a ogni singola tribù era costituito da un presunto antenato comune. Il concetto di comune appartenenza a una famiglia mediante un tale pro-genitore era ideale più che dimostrabile, e promosso dagli sceicchi, i quali erano capi ereditari, protettori e giudici. Anche se i nobili consideravano proprietà comune il pasco-lo e l'acqua, i gruppi tribali erano costantemente impegnati in scaramucce e *ghazzu*, ossia scorrerie, il cui obiettivo era di solito il furto di cammelli, di pecore e di capre, o talvolta l'omicidio, nonché il rapimento delle donne. Gertrude aveva scritto della fatalistica attitudine nomade a questa vita in *The Desert and the Sown*:

L'arabo non è mai al sicuro, eppure si comporta come se la sicurezza fosse il suo pane quotidiano. Monta i suoi piccoli e deboli accampamenti di dieci o quindici tende in un vasto territorio privo di difese e indifendibile. […] Quando ha perduto tutti i suoi beni mondani, vaga nel deserto a lanciare il suo grido di sofferenza, e riceve da qualcuno alcune strisce di lana di capra, da qualcun altro una caffettiera, da qualcun altro un cammello, e da qualcun altro ancora alcune pecore, finché non ha un tetto per ripararsi e abbastanza animali per assicurare che la sua famiglia non muoia di stenti[27].

I contrasti e i rancori provocavano faide tramandate per generazioni. Secondo l'onorevole tradizione, tuttavia, gli sceicchi estendevano la loro protezione e la loro ospitalità ai viaggiatori che ne rispettavano rigorosamente l'etichetta. In realtà questo codice di condotta, senza il quale Gertrude non avrebbe mai potuto viaggiare in Medio Oriente, non era tanto questione di etichetta quanto di obbligo, come attestava il Corano, cioè la parola di Dio rivelata in lingua araba al profeta Maometto e la comunicazione dei comandamenti divini al mondo dell'Islam. Il terzo pilastro di questi comandamenti era il dovere benevolente di *zakat*, concedere aiuto ai poveri e ai bisognosi, il soccorso ai debitori, la liberazione degli schiavi, e ciò che nel deserto era maggiormente importante, ovvero l'assistenza ai viandanti. «Sono di nuovo nel vero deserto, con la vera gente del deserto, i Bedu, che non conducono mai vita sedentaria. […] Debbo essere voce e lingua di me stessa. Mi piace, mi diverte dirigere il mio stesso spettacolo» scrisse Gertrude ai genitori.

Quando era in viaggio, Gertrude si recava subito alla tenda di qualunque sceicco nei pressi a salutarlo in arabo fluente, con tutta la deferenza imposta dalle convenzioni, e secondo la consuetudine assoldava un *rafiq*, come avreb-

239

be fatto qualunque viaggiatore maschio. In quanto donna, però, era costretta, pena la sua stessa sopravvivenza, a convincere lo sceicco di essere sua eguale. Doveva impressionarlo con il proprio prestigio e con la propria ricchezza, innanzitutto mediante un'offerta di doni scrupolosamente scelti, e talvolta sbagliava. Una di queste volte, dopo avere donato un indumento di seta a uno sceicco minore, annotò nel proprio diario: «Temo che non lo abbia considerato sufficiente». I doni di cui era provvista includevano balle di seta, copricapi di cotone, caffè, zucchero, preziosissimi fucili, e cannocchiali Zeiss acquistati in gran numero a Londra.

Per via della posizione dello sceicco nella gerarchia tribale, doveva dimostrare di appartenere a una famiglia non meno prestigiosa della sua, e così nella sua descrizione, Hugh, suo padre, insigne e facoltoso industriale, diventava il più grande sceicco dell'Inghilterra settentrionale. «La condotta più sicura nel deserto consiste nel dichiararsi appartenenti a un potente e stimato lignaggio»[28].

Per quanto fosse femminile, Gertrude era diversa dalle donne islamiche. In primo luogo, montava come un uomo, con sella da uomo, non come le donne dell'harem, che montavano acciambellate su piccole piattaforme imbottite di cuscini. Collegate e valutate tutte le prove da lei fornite, gli sceicchi giungevano alla conclusione che era misteriosamente indipendente, ricca, potente e probabilmente di stirpe reale. Di sicuro non era una nemica, e con tutte le sue conoscenze avrebbe potuto diventare un'alleata. Parlava la loro lingua e sapeva citare la poesia mistica araba meglio di loro. Nella cultura esclusivamente orale dei nomadi, in cui si perdeva ogni poesia che non fosse tramandata a memoria, Gertrude poteva sfruttare molto vantaggiosamente il lungo periodo di studio che aveva dedicato a quella materia e alla traduzione di Hafez. In molte occasioni, nel deserto, in tenda, dopo cena, Gertrude incantò i convitati recitando integralmente poesie di cui lo sceicco conosceva soltanto un paio di versi. Con la sua memoria fotografica, era in grado di citare alcune odi, o *qasida*, composte prima del 600. In *The Desert and the Sown* osservò che i suoi ospiti non avevano la minima idea che la cultura araba fosse esistita prima del Profeta. Non meno importante era la sua capacità di riferire pettegolezzi aggiornati, nonché informazioni raccolte durante il viaggio, le quali concernevano, per esempio, i movimenti tribali o le sorgenti d'acqua. Soltanto lei, con il portamento regale e con l'assertiva sicurezza in se stessa che la proteggevano come un'armatura, avrebbe potuto sopravvivere nel deserto, donna e sola. Tuttavia fu sempre vicina al pericolo. Un errore nel comportamento, o l'incontro con uno sceicco incurante del proprio dovere coranico, o uno qualsiasi di numerosi altri incidenti, avrebbero potuto rivelarsi fatali.

Lontana da Ziza e dalle autorità turche, la carovana attraversò l'ondulato territorio shammar, e intanto Gertrude fece conoscenza con i suoi accompagnatori. Muhammad al-Marawi, guida e capo dell'equipaggio, conosceva il Najd e molti Rashid di Ha'il perché in gioventù aveva cavalcato e combattuto con loro. Mercante di cammelli di mezz'età trovatosi in difficoltà con il commercio, ora svolgeva qualunque lavoro gli si offrisse. «Presumo che abbia fatto qualche lavoro più strano di me» commentò Gertrude. Il nipote di Muhammad, il cortese e istruito Salim – «un ragazzo magnifico» –, aiutava Fattuh. Durante un precedente viaggio nel deserto siriano, Gertrude aveva già conosciuto Ali, che era «un cane ozioso», come scrisse a Dick prendendo a prestito una sua espressione gergale, eppure era coraggioso come un leone. Anche il capo cammelliere, Sayyid, «un tesoro», era nipote di Muhammad. Era stato assunto di recente un Agail poco esperto, «ma imparerà», e Mustafa era un bracciante raccomandato a Gertrude dai suoi amici cristiani che vivevano nei pressi di Ziza. Fra i cammellieri vi era Fellah, il ragazzo nero che con il suo istrionismo aveva salvato la carovana dai cavalieri drusi. Oltre ai due *rafiq* vi erano infine alcuni ospiti o aggregati, uno dei

241

quali, un giovane sceicco della tribù Sukhur, «un bravo ragazzo», era in viaggio con un suo schiavo e si accampava per la notte con la carovana.

Il deserto a sud era disabitato, ma bisognava sempre sorvegliare i cammelli per non rischiare che fossero razziati da qualche banda di predoni. L'acqua cominciava a scarseggiare e il territorio era privo di punti di riferimento in base ai quali orientarsi. Seguendo il convoglio a piedi, Gertrude ne stabiliva la direzione di marcia con la bussola, e a intervalli, quando l'equipaggio si girava a controllare, indicava con un braccio per correggere il percorso. Per tre giorni attraversarono un territorio spoglio e tetro cosparso di selci, poi una pianura costellata di rugginosi affioramenti di roccia vulcanica; qui scoprirono recenti tracce di cammello nella polvere e temettero il peggio. Mentre il convoglio sostava in un avvallamento e l'equipaggio restava disteso accanto ai cammelli, Gertrude e due uomini armati di fucile salirono in silenzio sopra un'altura e si stesero bocconi a scrutare il roccioso paesaggio circostante. Non si udirono fucilate di avvertimento. Dopo un poco il viaggio fu ripreso con prudenza. Gertrude scrisse a Dick:

Quando io e Maurice eravamo piccoli, uno dei nostri giochi preferiti consisteva nel vagare per tutta la casa, su e giù per le scale, senza che le cameriere ci scoprissero. Ebbene, quando siamo strisciati in cima all'altura mi sono sentita esattamente come se stessi di nuovo giocando a quel gioco tanto amato. Comunque un'osservazione scrupolosa con il binocolo non mi ha rivelato nessuna cameriera, quindi abbiamo proseguito audacemente[29].

La notte del 23 gennaio cadde una pioggia lieve e i cammelli si affrettarono a bere dalle piccole pozzanghere nel suolo siliceo, mentre l'acqua piovana defluiva. Non c'era prospettiva di trovarne altra almeno per un giorno ancora. «Non ci sono parole per dire quanto sia nuda e tetra questa terra [...] chilometri e chilometri di terra piatta e nera in cui nulla cresce [...]. Ho trovato un piccolo geranio coraggioso, l'unico fiore che abbia visto»[30].

Deliziata dalla vita stentata nei luoghi desolati, Gertrude scrisse di ogni fungo commestibile, o di ogni geranio selvatico o tagete, oppure orice o sciame di falene, visto durante il viaggio. A questi minuziosi appunti sulla flora e sulla fauna alternò gli orrendi racconti di assassinio e di mutilazione ascoltati ogni notte intorno al fuoco. Non aveva motivo di dubitare di quelle storie. Due giorni prima, nell'ispezionare un rudere, aveva trovato un cadavere rozzamente sepolto, con gli indumenti incrostati di sangue essiccato distesi sulla tomba. Di giorno in giorno si allontanava sempre più dalla sfera d'influenza britannica e l'equipaggio temeva le *ghazzu* più di quanto le temesse lei, come risulta dai frequenti accenni nel suo diario. Gertrude si preoccupava di problemi più banali, come la mancanza di acqua per lavarsi. Odiava essere sporca, anche se non se ne lamentava, o quasi.

In cerca d'acqua, la carovana abbandonò il pianoro cosparso di selce per addentrarsi in una valle dove trovò una moltitudine di impronte fresche di cammelli e di uomini. La posizione esatta del luogo era ignota e non si sapeva se le orme fossero state lasciate da amici o da nemici, però, qualunque cosa fosse accaduta, sarebbe stato necessario trovare acqua prima di notte. Studiando la mappa, Gertrude individuò un pozzo sulle colline orientali. Purtroppo era possibile che fosse stato prosciugato dagli sconosciuti passati di recente. Dopo due ore di marcia a oriente fu avvistata una spirale di fumo sulle alture. Per decidere il da farsi, Gertrude invitò democraticamente l'equipaggio a votare. Se si fosse trattato di una *ghazzu*, sarebbe convenuto rivelarsi? L'equipaggio riteneva di sì, visto che la carovana sarebbe stata scoperta e rintracciata comunque, e dopotutto non si poteva escludere che gli sconosciuti fossero amici. Così il convoglio proseguì verso il fumo e salì una catena di alture a sud. Dal crinale fu possibile osservare il villaggio sottostante e riconoscere il pascolo invernale della numerosa e possente

243

tribù Howeitat, descritta in *Arabia Deserta* come composta di «vigorosi nomadi nativi», famosi per il coraggio e per la crudeltà. Appena fiutarono l'acqua, i cammelli partirono a un trotto ondeggiante e tintinnante, poi bevvero a sazietà. I pastori riferirono che numerosi Howeitat erano nei dintorni con il loro sceicco, Audah Abu Tayyi, ma che ancora più vicino, forse a un giorno di viaggio, erano montate le tende di Harb, un altro prestigioso sceicco howeiti.

La mattina successiva la carovana giunse alle tende nere dello sceicco Harb al Daransheh, sparse sui versanti di una profonda valle rocciosa e nelle gole circostanti. Con sollievo di Gertrude, l'anziano Harb accolse cordialmente il convoglio e uccise una pecora in loro onore. Era il 29 gennaio, tredicesimo giorno di viaggio da Ziza. Finalmente Gertrude poté farsi il bagno e lavarsi i capelli nella vasca pieghevole, dopo avere consegnato gli indumenti sporchi a Fattuh perché li lavasse. In abito da sera e pelliccia, che nelle notti fredde serviva anche da coperta, si recò nella tenda di Harb a gustare una cena eccellente, durante la quale arrivò un altro distinto ospite, Muhammad Abu Tayyi, cugino dello sceicco Audah, il quale, dotato delle qualità eroiche tanto ammirate da Gertrude, corrispondeva sotto ogni aspetto alla sua immagine di uomo ideale, tanto che lo descrisse a Dick con grande emozione: «È una persona d'aspetto formidabile, grande, duro come la roccia, occhi sfavillanti. [...] Tutto era nuovo e interessante, e molto bello [...]; non meno bella la grande figura di Muhammad, seduto sui cuscini accanto a me, con la bianca *kefiyeh* che cadeva sulle sopracciglia nere e gli occhi lampeggianti nello scambio di domande e di risposte»[31].

Se avesse voluto suscitare un po' d'insicurezza in Doughty-Wylie, chi avrebbe potuto biasimarla? Quando chiese informazioni su Muhammad, il suo equipaggio le narrò della sua collera terrificante, e di come aveva abbandonato un nemico a morire dopo avergli troncato mani e piedi. Gertrude preferì ignorare tutto questo, o considerarlo pura leggenda, e si recò alla tenda di Muhammad, una vasta dimora di nomade, per cenare con lui su splendidi tappeti, mentre un beduino cantava di grandi imprese arabe. Il pasto terminò con latte di cammella in grandi tazze lignee. Fu la serata più bella del viaggio fino a quel momento, e Gertrude, nell'osservare Muhammad, tentò di non pensare al truce aneddoto che le era stato riferito. «Ho visto come amministra la legge e lo trovo giusto. Ho ascoltato i suoi racconti del deserto e ho fatto amicizia con le sue donne, e con lui stesso. È un uomo, un brav'uomo. Si può essere suoi ospiti e dormire nelle sue tende, la notte, senza avere alcuna paura»[32].

Quando Gertrude ebbe offerto i propri doni a entrambi gli sceicchi, Muhammad la ricambiò. Il primo regalo che le fece consegnare dai suoi seguaci fu esotico, e lei scoprì di doverlo pagare: una pelle di struzzo e un uovo, «il cui prezzo devo insinuare delicatamente nelle loro mani»[33]. Il secondo fu ancor meno gradito perché destinato al pasto del giorno successivo: un incantevole agnello bianco e nero «di cui sono diventata amica tanto intima che sopporto a stento il pensiero di sacrificarlo, eppure non posso portarlo con me come l'oca di Byron». Notato il suo affetto per gli animali, Muhammad le offrì il suo orice arabo, una sorta di vitello da compagnia che correva fra le tende e che lei descrisse come «la bestiola più incantevole», anche se, saggiamente, lo rifiutò. Benché apprezzasse gli animali, e ne tenesse da compagnia quando non viaggiava, non consentiva a se stessa di affezionarvisi. Amava osservare i «buffi» cuccioli di cammello, tutti zampe e collo, nel passare accanto alle mandrie, e alla fine della giornata si univa all'equipaggio nel nutrire cammelli e cavalli, a tre a tre. Era un'abitudine che aveva sviluppato durante la fanciullezza, a Rounton, quando lei e Maurice, dopo una giornata di caccia, aiutavano gli stallieri a strigliare e rifocillare i pony, prima di andare loro stessi a fare il bagno e poi a cena. Quando Fattuh le riferì che un cammello si era seduto e rifiutava di muoversi, andò a portargli acqua e cibo, ma lo trovarono che si rotolava e scalciava in preda al dolore. Dopo avergli diagnosticato una malattia chiamata *al tair*, Muhammad chiese se dovesse finirlo. A labbra serrate Gertrude annuì, poi rimase a guardare, mentre lui sguainava il pugnale e tagliava la gola al cammello. «Sono profondamente affezionata a tutti i miei cammelli» scrisse quella notte. «Soffro per la sua morte».

Rimase una settimana con gli sceicchi ospitali e prima di partire offrì loro la cena nella propria tenda. Forse Muhammad era attratto da lei, perché la trattenne un paio di giorni per mostrarle un sito archeologico di scarso interesse a sette ore di viaggio. Sebbene desiderasse rimettersi in marcia, Gertrude ebbe l'impressione che rifiutare sarebbe stato scortese.

Nella settimana di soggiorno presso gli Howeitat, Gertrude ebbe la possibilità di conoscere un altro aspetto della vita araba che fino a quel momento le era sempre apparso misterioso, ossia la vita delle donne. Trascorse molte ore nelle tende dell'harem con la sua fotocamera e vi scattò alcune delle sue fotografie migliori. In una, lo sceicco Harb, con la fusciacca a righe e una cartucciera, tiene sollevata una cortina a rivelare le sue donne, le quali nascondono i volti, ammassate all'interno della tenda, nell'oscurità, con i loro bambini. Sebbene non fosse particolarmente interessata alla loro esistenza, Gertrude non poté fare a meno di rimanere impressionata dalle loro storie. Hilah, una delle quattro mogli di Muhammad, le descrisse le sofferenze patite dalle donne a causa del pesante lavoro fisico e dei costanti trasferimenti, soprattutto durante la gravidanza e subito dopo il parto. «Non riposiamo neppure un'ora» dichiarò. I suoi quattro figli erano morti, mentre lei aveva continuato a svolgere i suoi faticosi compiti, come montare e smontare le tende, raccogliere lo sterco di cammello per il fuoco e cucinare il cibo. Seduta all'ingresso della propria tenda, nella gelida notte del 30 gennaio, a trascrivere il racconto di Hilah e a riflettere sulle differenze tra il proprio fato e quello della donna araba, Gertrude sollevò lo sguardo e vide un'immensa stella cadente «precipitare attraverso metà del cielo».

Muhammad l'avvisò di evitare gli Shammar, altrimenti l'avrebbero derubata dopo avere massacrato il suo equipaggio, e le consigliò di proseguire a est, anziché a sud, in modo che in pochi giorni Awwad, fratello di Harb, e Musuid, *rafiq* sherarat, potessero condurla sana e salva nella valle del fiume. Come in una partita a scacchi, la strategia mutò di nuovo allorché gli Howeitat furono informati che i loro nemici, i Ruwalla, erano accampati a breve distanza. Anche se Gertrude non aveva preferenze fra Ruwalla e Howeitat, Awwad fu sostituito, altrimenti sarebbe stato di sicuro la prima vittima dei Ruwalla. Così il 2 febbraio Gertrude ripartì verso sud, come originariamente progettato. «Tutti hanno paura tranne me, che in queste faccende non ho nulla da perdere. [...] Occasionalmente mi chiedo se uscirò viva da questa avventura, però si tratta di un dubbio privo di qualunque sfumatura di angoscia. Sono profondamente indifferente».

Come accadeva tradizionalmente nel deserto, la sua carovana si era ingrandita nel corso del viaggio, tanto che ormai Gertrude era diventata sceicco della più grande spedizione che avesse mai guidato, composta da una trentina di nomadi infagottati fino agli occhi, l'equipaggio armato di fucili, tutti che procedevano in silenzio nel paesaggio desolato, accompagnati da poche pecore e poche capre. Gertrude aveva incontrato una famiglia shammar che era in viaggio per tornare al proprio territorio, non osava viaggiare sola, e aveva implorato la sua protezione. Il beneficio sarebbe stato reciproco, perché quella famiglia sarebbe stata utile alleata in caso di scorrerie shammar. Alla carovana si erano aggregati anche alcuni Sherarat «quasi morti di fame», con due lacere tende miserabili e un piccolo gregge di capre. In maniera commovente, costoro si presentavano ogni sera da Gertrude, alla sua tenda, con una piccola tazza di latte di capra. Benché non le piacesse, lei si sentiva obbligata a bere e ricambiava con piccole quantità di carne e di farina.

Fortunatamente nel territorio che stavano attraversando le piogge novembrine erano state tanto abbondanti da lasciare pozze di acqua piovana e piante dal dolce profumo che permettevano ai cammelli di pascolare. Era un dono assai vantaggioso, considerando che la carovana poteva trasportare provviste di foraggio per soli cinque giorni. In breve tempo Gertrude si trovò a dover valutare l'opportunità di compiere una deviazione fino alla città di Jof, dove avrebbe potuto acquistare altre provviste. Tuttavia cominciava ad avere la sensazione che non sarebbe mai arrivata ad Ha'il se avesse compiuto altre deviazioni, così il convoglio proseguì serpeggiando fra l'arenaria rossa e le dune sabbiose grandi come colline. Gertrude scrisse a Dick: «Dimenticato da Dio e dagli uomini, ecco come appare. Nessuno può attraversare questo deserto senza esserne trasformato, perché imprime il suo sigillo indelebile, nel bene e nel male»[34].

Il 9 febbraio un ulteriore ritardo fu provocato da un gruppo di Howeitat a caccia di orici, i quali avvertirono Gertrude che gli arabi di Wadi Sulaiman si trovavano circa cinque ore a oriente. Di sicuro i Sulaiman sapevano della sua carovana, quindi Gertrude era obbligata a rispettare l'usanza di visitare il loro accampamento e di assoldare un altro *rafiq*. Così ordinò di deviare verso un valico montano, e poi, nel vento aspro, sospirando, si cambiò per recarsi alle tende dei Sulaiman. Appena ne incontrò lo sceicco, il guercio Sayyid ibn Murted, lo giudicò «maledetto dai suoi due genitori».

Alla prima tazza di caffè lo sceicco iniziò a interrogarla con tono scortese sul suo itinerario e sul suo scopo, poi, quando lei se ne andò, la seguì come un'ombra. Giunto alle sue tende, iniziò a frugare fra le sue cose, mentre l'equipaggio rimaneva in disparte, impossibilitato a impedirglielo. Appena trovò il cannocchiale, lo sceicco chiese di averlo. Gertrude rifiutò. Al cader della notte, dopo ore di veemente discussione, accettò di donargli una rivoltella in cambio di suo nipote come *rafiq* remunerato.

I guai erano soltanto all'inizio. La mattina successiva lo sceicco tornò, e Gertrude, che non si era ancora alzata, lo sentì dichiarare rabbiosamente a Fattuh e a Sayyid, il cammelliere, che nessuna donna cristiana aveva mai viaggiato in quel territorio prima di allora, e che nessuna avrebbe mai dovuto viaggiarvi. Nel vestirsi rapidamente, Gertrude lo sentì incitare l'equipaggio all'ammutinamento e si domandò se sarebbe mai riuscita a sbarazzarsi di lui. Infine si affrettò a uscire e tentò di calmarlo, trattandolo con la massima freddezza. Dopo un'ora di minacce sempre più inquietanti, lo sceicco dichiarò che se non gli avesse dato un fucile e il cannocchiale Zeiss l'avrebbe seguita durante la notte e si sarebbe preso tutto quello che avesse voluto. Allora l'equipaggio trasse Gertrude in disparte per sussurrarle che le sarebbe convenuto accontentarlo per evitare rappresaglie. Così lei, sebbene furibonda, capitolò. Dopo avere ghermito fucile e cannocchiale, Sayyid ibn Murted pretese altro denaro dalla famiglia Shammar, senza curarsi degli Sherarat, che per lui erano troppo poveri. Sbarazzatasi finalmente di lui, Gertrude rimborsò gli Shammar e restituì loro l'unico prezioso tappeto che possedevano, precedentemente affidato alla sua custodia.

Nell'avvicinarsi ad Ha'il, Gertrude cominciò a riflettere sulle incertezze del suo arrivo in quella città di fondamentale importanza politica. Quale accoglienza avrebbe ricevuto dai Rashid, la famiglia regnante della tribù Shammar? Sarebbe stata la benvenuta oppure avrebbe rischiato di essere derubata, se non peggio? Dopotutto i britannici assistevano Ibn Saud, il loro nemico. Dunque la sua incolumità sarebbe dipesa interamente dall'ottenere il favore della famiglia reale, e proprio a proposito del giovane regnante ebbe notizie che la turbarono.

A quanto pare l'emiro non si trova ad Ha'il. È accampato a nord con le sue mandrie di cammelli e io temo che questo possa rivelarsi seccante per me. Preferirei avere a che fare con lui piuttosto che con i suoi rappresentanti. Sembra che abbia informato tutti

249

i suoi seguaci del mio arrivo, anche se non so se abbia ordinato di accogliermi e di accompagnarmi da lui, oppure di bloccarmi. Non so neppure se tutto ciò sia vero.

L'11 febbraio, quasi due mesi dopo la partenza da Damasco, nell'attraversare una spoglia pianura sassosa, la carovana avvistò finalmente le prime grandi dune sabbiose del Nefud, mai cartografate, che si stagliavano all'orizzonte come una catena montuosa. Ogni giorno Gertrude avrebbe dovuto effettuare misurazioni e rilevamenti topografici, nonché segnare sulla mappa le fonti acquifere.

Il giorno dopo il convoglio entrò nel Nefud, iniziando subito il tormentoso attraversamento delle sabbie morbide e profonde, con i cammelli che rallentavano, avanzando a fatica. Nei profondi avvallamenti, in un'ora non si potevano percorrere nemmeno due chilometri. Era spossante. Il vento continuo aveva creato cavità immense, larghe quasi ottocento metri, così che spesso, dopo un'estenuante salita, ci si trovava sull'orlo di un precipizio sabbioso di trenta metri, scavato dal vento in un crinale affilato. L'equipaggio conosceva numerosissime storie di cammelli precipitati da quelle creste sabbiose a spezzarsi le zampe nelle gole sottostanti. Dunque la carovana doveva costeggiare quelle falci e poi arrampicarsi per un altro versante, e così via. Il viaggio proseguì in quel modo, nel caldo ardente del sole di mezzogiorno, mentre le notti erano gelide. Dopo essere salita a piedi in cima a una duna particolarmente alta, Gertrude si trovò a osservare i flutti pietrificati di un oceano turbolento, come un marinaio sulla prua di un bastimento, e vide in lontananza i monti di arenaria del gebel Misma.

Dopo cinque giorni di quel paesaggio deprimente si cominciò a patire le conseguenze della fatica senza soste. I cammelli erano esausti e gli uomini tacevano. La stessa Gertrude cedette molto insolitamente a una grave depressione e ne scrisse a Dick:

Scaturisce da un dubbio profondo. Mi chiedo se dopotutto valga la pena affrontare quest'avventura, e non a causa del pericolo, che non mi preoccupa affatto, bensì… È nulla, il viaggio al Najd, purché se ne ricavi qualche vero vantaggio, o qualche vero ampliamento delle conoscenze. [...] Ecco, se vi fosse una qualsiasi cosa da documentare, probabilmente non la si troverebbe o non la si raggiungerebbe a causa dell'ostacolo di una tribù ostile, o della mancanza di acqua lungo la via. [...] Temo di guardare indietro e di dover dire: «È stato tempo sprecato»[35].

In seguito, un ulteriore esasperante problema si aggiunse a tutti gli altri: una pioggia torrenziale ammantò l'intero paesaggio, nascondendone ogni caratteristica. Il timore di smarrirsi nel Nefud impose una sosta. Fradicia, Gertrude tentò di asciugarsi i capelli e gli indumenti accanto al fuoco languente intorno a cui era raccolto l'equipaggio, mentre gli Shammar e gli Sherarat erano attorno ai loro piccoli fuochi, a breve distanza, eppure quasi invisibili nella grigia notte piovosa. Fattuh correva da una tenda all'altra tentando di mantenere asciutte il più possibile le coperte del letto di Gertrude, ormai indurite e incrostate di sporcizia. Le tende erano ingombre di bagagli normalmente lasciati all'esterno. I cammellieri demoralizzati si affrettarono a rifocillare gli animali per poi rientrare nelle tende gocciolanti. Fra tuoni e grandine, nella propria tenda, Gertrude si avvolse nelle pellicce e rabbrividendo lesse *Amleto* dall'inizio alla fine. Come sempre, Shakespeare risollevò un poco il suo spirito. «Principi e potenze d'Arabia furono ridimensionati e collocati di nuovo nella posizione che gli spettava. Al di sopra di loro s'innalzava l'anima umana, consapevole di sé e moralmente vincolata a se stessa, nutrita di tali grandi discorsi, lo sguardo volto al futuro e al passato»[36].

Il 20 febbraio Gertrude condusse la carovana al confine del Nefud, dove fu avvistato un attendamento. Un nuovo *rafiq*, l'anziano e lacero Mhailam, fu da lei persuaso, dietro compenso di due sterline e di indumenti nuovi, a guidarla nell'ultima fase del viaggio per Ha'il. Contro il suo consiglio e contro quello di Muhammad, Gertrude decise di abbreviare il tragitto, lasciando la relativa sicurezza delle dune e del deserto per attraversare la pianura, dove il convoglio sarebbe stato visibilissimo a qualunque banda di predoni nei dintorni. Comunque decise che *ghazzu* e fame erano «nulla in confronto alla possibilità di una via solida e diritta». Dall'ultimo crinale di sabbia mutevole, trattenendo il fiato, osservò il territorio nero e minaccioso da attraversare, con i suoi pinnacoli, simili allo scheletro di una città sventrata dal fuoco. Scrisse ai genitori:

Stamani abbiamo raggiunto le nude rupi del gebel Misma, che qui confina con il Nefud, e le abbiamo attraversate fino al Najd. […] Il paesaggio che si è aperto dinanzi a noi era più spaventosamente morto e vuoto di qualunque cosa io abbia mai visto. Le rocce annerite di Misma precipitano sul versante orientale in una desolazione di picchi aguzzi […] e oltre, molto oltre, si estende un'altra pallida pianura senza vita, da cui s'innalzano bruscamente montagne di arenaria squarciate da immensi dirupi. E sopra tutto il vento aspro e tagliente sferza le ombre delle nubi[37].

Alle sue spalle, Muhammad parlò: «Siamo alle porte dell'inferno». Con questa frase, dopo avere lasciato agli Shammar e agli Sherarat gli ultimi doni di denaro e di cibo, Gertrude uscì dal Nefud e scese nel territorio annerito e nella pianura.

Il 22 febbraio, undici giorni dopo l'arrivo nel Nefud, Gertrude entrò nel primo villaggio che vedeva dopo Ziza. Due giorni più tardi la carovana finalmente riposò a meno di due ore da Ha'il. All'inizio del venticinquesimo giorno Gertrude inviò Muhammad e Ali ad annunciare il suo arrivo, poi percorse a cavallo l'ultimo tratto di nuda pianura di granito e di basalto verso le torri pittoresche della città di zucchero a velo, così lentamente e agevolmente come se stesse «passeggiando a Piccadilly». Ce l'aveva fatta, e dopo tutto ciò che aveva passato negli ultimi mille chilometri, fu quasi un anticlimax.

Dinanzi a lei, ormai visibile a occhio nudo, s'innalzava la fortezza singolarmente bella, inondata di luce rosa del sole mattutino, con le mura di fango intonacate di bianco e coronate di merlature aguzze sotto le fronde verdi delle palme gentilmente ondeggianti, e tutt'intorno i giardini di mandorli dai fiori rosa e di pruni dai fiori bianchi. Oltre il profilo delle alte torri cinte di caditoie, remote vette di montagne azzurre si libravano come nubi all'orizzonte. Nulla avrebbe potuto apparire più invitante, innocente o pacifico. Intrisa di *Arabia Deserta*, Gertrude sentì di essere in pellegrinaggio a un luogo sacro.

9.
Fuga

A un chilometro e mezzo da Ha'il, Gertrude fu accolta da tre inviati rashid che accompagnavano Ali, il suo cammelliere, a loro volta accompagnati da tre cavalieri armati di lancia. Tutti montavano cavalli magnifici. Si fermarono con un tintinnare di finimenti, i pennoni sventolanti, le nappe ondeggianti, e le diedero il benvenuto. Poi circondarono la carovana e la condussero alla porta meridionale della città. Così, fiancheggiata dal proprio equipaggio armato e dai guerrieri rashid con le spade, Gertrude entrò ad Ha'il, sentendosi una volta tanto proprio come una «figlia di re».

Nel costeggiare le mura di mattoni d'argilla, osservò le torri e le vide proprio quali Charles Doughty le aveva descritte trent'anni prima, simili a mulini fortificati privi di pale. Il corteo varcò una semplice porta quadrata. Una volta smontata, Gertrude si trovò all'istante nel mondo delle *Mille e una notte*. La sua guida, Muhammad al-Marawi, l'aspettava sulla soglia di una porta bianca in un muro senza finestre, oltre la quale salirono una scala ripida e buia che conduceva a un cortile e a un ombroso portico colonnato, con il pavimento coperto di tappeti. Le colonne erano tronchi di palma sbiancati, il soffitto era di fronde di palma. Le mura intonacate erano ornate con un fregio a intricati disegni geometrici rossi e azzurri. Era la dimora estiva della famiglia reale, riservata ai visitatori importanti, dove Gertrude avrebbe alloggiato. Nell'atrio fu accolta dagli inchini di due schiave, che erano a sua disposizione. Osservò di sfuggita alcune stanze e un cortile con tre alberelli, un cotogno, un limone, un melo, poi salì una scala fino al tetto per

254

osservare la città dall'alto. Di sotto, il suo equipaggio stava
togliendo le some ai cammelli e montando le tende nel vasto cortile disadorno, dove ogni anno gli Haj sostavano nel
corso del loro viaggio di oltre mille chilometri verso sud. Sul
lato opposto della casa, la bianca torre del castello sembrava
sospesa nell'aria azzurra al di sopra della città. Subito dopo
Gertrude fu chiamata per i suoi primi incontri.

Era attesa da due donne. Un'anziana vestita di cremisi e
nero, Lulua, era una custode. L'altra aveva un bel viso largo,
occhi neri ombreggiati da una sciarpa ricamata in nero e
oro, e indossava una veste nera aperta a rivelare gonne in
cotone rosse e viola. Portava i capelli con la scriminatura al
centro, raccolti in quattro grosse trecce che cadevano sino
alla vita, mentre «fili e fili di perle» pendevano dal collo insieme a una collana di smeraldi e di rubini. Era Turkiyyeh,
una circassa loquace inviata ad accoglierla da Ibrahim, rappresentante e sostituto dell'emiro di Ha'il.

Mentre una schiava serviva loro il caffè, Turkiyyeh e
Gertrude s'intrattennero a conversare, sedute sui cuscini.
La storia della circassa era straordinaria. Era stata donata
dal sultano di Costantinopoli al defunto Muhammad ibn
Rashid e poi all'emiro, di cui non aveva tardato a diventare
la moglie favorita. L'attuale emiro era figlio suo e di un'altra
moglie, Mudi. Dopo questo preambolo, Turkiyyeh spiegò
a Gertrude la gerarchia di Ha'il. L'attuale emiro, sedicenne,
era assente ormai da due mesi, impegnato, con una banda
di ottocento uomini, a compiere scorrerie contro gli accampamenti ruwalla. Aveva già quattro mogli e due figli maschi.
L'autorità suprema in assenza dell'emiro era il suo rappresentante e sostituto, Ibrahim, fratello del primo consigliere
e reggente, Zamil ibn Subhan. Nonostante questo, Ibrahim
nutriva un timore reverenziale nei confronti di Fatima, la
potente nonna dell'emiro, l'anziana matriarca che sapeva
leggere e scrivere e che teneva i cordoni della borsa reale,
come spiegò Turkiyyeh. Era lei la potenza dietro il trono.
L'emiro le prestava ascolto e tutti erano terrorizzati da ciò

255

che lei avrebbe potuto riferirgli al ritorno. Alcuni erano suoi favoriti, e che Allah proteggesse chiunque avesse suscitato il suo dispiacere! Gertrude decise di recarsi appena possibile a incontrare Fatima, poi esortò la compagna a ulteriori rivelazioni. Allora Turkiyyeh spiegò che i gioielli da lei indossati erano proprietà comune dell'harem, prestati alle mogli favorite in occasioni speciali, e Gertrude pensò che fosse un po' come il diadema che era cimelio di famiglia dei Bell. Poi Turkiyyeh promise di accompagnarla a incontrare Mudi e le altre donne dell'harem.

Gertrude conosceva la vita dei guerrieri beduini meglio di quanto conoscesse quella delle donne dell'harem reale, le quali trascorrevano tutti i giorni della loro esistenza fra le mura del palazzo, perciò pose parecchie domande a cui Turkiyyeh fu felice di rispondere. Secondo una sentenza pronunciata nel XIV secolo e ancora osservata, una donna doveva lasciare la propria casa soltanto in tre occasioni: quando era condotta alla dimora dello sposo, quando i suoi genitori erano morti, e quando la sua stessa salma era trasportata alla tomba. Ad Ha'il le donne comuni si avventuravano all'esterno soltanto di notte, completamente velate, e solo per incontrare parenti femmine. Più la famiglia era potente, più l'applicazione delle regole era severa. Ogni donna doveva avere un guardiano maschio, anche se si trattava di un ragazzo che aveva la metà dei suoi anni, e costui aveva l'incarico di contrattare il suo matrimonio. Un marito poteva avere fino a quattro mogli, purché si comportasse con uguale generosità nei confronti di tutte, e inoltre poteva avere tutte le concubine che desiderava. Poteva divorziare da qualsiasi moglie senza dichiararne il motivo, pronunciando una semplice formula alla presenza di testimoni.

L'harem era sorvegliato dagli eunuchi provenienti dalla Mecca o da Costantinopoli. Alcuni svolgevano funzioni importanti anche all'esterno. Per esempio, l'eunuco Salih era anche il guardiano di Ha'il. Poi c'erano gli schiavi maschi, la cui importanza era di gran lunga maggiore di quanto suggerisse la definizione della loro condizione. Erano catturati durante le scorrerie, con i cavalli e con i cammelli, ed erano classificati in due categorie. Se venivano giudicati brutti o stupidi trascorrevano il resto della loro esistenza a rendersi utili ai loro padroni. Se erano intelligenti, belli e decorosi, erano consegnati alle famiglie più ricche e ottenevano posizioni di fiducia. Questi ultimi erano stati definiti da Charles Doughty «schiavi fratelli». I più stimati erano accolti nella famiglia reale, vivevano a palazzo e avevano il permesso di portare armi. Turkiyyeh lasciò intendere a Gertrude che le sarebbe convenuto guadagnarsi l'alleanza di costoro, se avesse potuto. Capo degli schiavi fratelli era l'eunuco Sayyid. Per suo tramite era possibile comunicare con l'emiro o con il suo rappresentante, Ibrahim. Questo era il mondo politico chiuso in cui Gertrude era entrata. Seduta sui cuscini a fumare e ad ascoltare pettegolezzi, si rese conto di non avere mai parlato così con una donna prima di allora. Ne concluse che Turkiyyeh era «un'allegra gentildonna» e che avrebbe gioito della sua compagnia, oltre a trovare estremamente utili i suoi consigli.

Dopo pranzo, l'arrivo di un ospite ancora più importante fu annunciato da uno schiavo di Turkiyyeh. Allora Gertrude si rassettò la gonna, si acconciò i capelli e si affrettò a tornare nella sala delle udienze, dove sedette sopra un divano in ansiosa attesa, mentre la sua guida, Muhammad, rimaneva a rispettosa distanza. Finalmente uno schiavo varcò la soglia e si spostò di lato. Spandendo nell'ambiente un intenso profumo di essenza di rosa, entrò Ibrahim, «solenne e tutto sorrisi». Indossava una *kefiyeh* sgargiante trattenuta da un cordone d'oro, o *aqal*, e portava al fianco una spada in un fodero d'argento. Aveva un viso magro, occhi neri e febbrili truccati con il kohl, favoriti incolti e denti ingialliti. Gertrude notò in lui soprattutto «modi nervosi e sguardo inquieto». Quando Ibrahim pronunciò le convenzionali formule di saluto, Gertrude ebbe l'impressione che fosse ben istruito, «per i canoni dell'Arabia», e lo ringraziò. Poi gli comunicò le sue prime impressioni su Ha'il e gli descrisse brevemente il viaggio. Appena si udì il primo annuncio della preghiera pomeridiana, Ibrahim si congedò. Sulla soglia si trattenne brevemente per sussurrare a Muhammad che l'arrivo di una donna sola aveva suscitato un certo scontento fra le autorità religiose musulmane, e che quindi Gertrude avrebbe dovuto essere alquanto discreta. «In breve, non mi era permesso addentrarmi in città senza essere invitata»[1].

Il giorno successivo Gertrude vendette con rammarico alcuni cammelli ormai in condizioni pessime dopo l'attraversamento del deserto del Nefud, poi fece condurre al pascolo i restanti, che erano in condizioni migliori, in modo che potessero bere, nutrirsi e riacquistare la salute. Due piccoli principi rashid vestiti di broccato e adorni di gioielli arrivarono a farle visita tenendosi per mano, accompagnati dai loro ragazzi schiavi. Rimasero seduti a fissarla con occhi luminosi, orlati di kohl, mangiando le mele e i biscotti da lei offerti. Dura e laconica, Gertrude scrisse: «Sono due dei sei discendenti maschi superstiti della stirpe rashid, dato che si sono tanto spietatamente massacrati a vicenda». Come le aveva riferito Turkiyyeh, negli ultimi otto anni erano stati assassinati tre emiri. E Gertrude concluse: «Ad Ha'il, assassinare è come rovesciare il latte»[2].

Desiderava moltissimo esplorare la città, ma dato che le era stato chiesto di rimanere nella casa, poteva soltanto uscire in cortile a incontrare gli uomini del suo equipaggio. Si sentiva frustrata. La sua abituale strategia, quando visitava un luogo per la prima volta, consisteva nell'esplorarlo, conoscere persone, raccogliere le notizie più recenti e trovare il modo di ottenere l'aiuto dei notabili.

Era arrivato il momento di offrire doni a Ibrahim, così Gertrude incaricò Muhammad di recapitargli un messaggio, di consegnargli indumenti, pezze di seta, confezioni di dolci, e di chiedergli cortesemente se le fosse consentito ricambiare la sua visita. Lui la invitò, precisando che non avrebbe dovuto presentarsi prima del buio. Le avrebbe inviato una cavalla e alcuni schiavi per scortarla. All'imbrunire, dopo un'attesa inquieta da parte di Gertrude, la cavalla arrivò con due schiavi, uno per condurla e uno per precederla con una lanterna. In abito da sera, con un astuccio di sigarette e il suo bocchino d'avorio in borsetta, Gertrude cavalcò montando all'amazzone per vicoli serpeggianti, fra mura senza finestre. Gli zoccoli della cavalla non facevano rumore sul fondo di terra battuta. Alla luce della lanterna s'intravedevano fugacemente porte e rigagnoli, che subito scomparivano di nuovo nell'oscurità vellutata. Gertrude non sarebbe mai riuscita a ricostruire il tragitto in quel labirinto, neppure alla luce del giorno. Pur essendo una notte stellata, il vasto firmamento sfavillante del deserto era visibile solo nello stretto canale di cielo fra i tetti. Il gruppetto incontrò soltanto un paio di donne che rasentavano frettolosamente i muri senza guardare a destra né a sinistra.

Il tragitto si concluse dinanzi a un solido cancello in legno, che fu aperto dall'interno con gran gemere e raschiare di cardini. Condotta oltre una fontana e la moschea, Gertrude smontò dinanzi a un secondo cancello chiuso a chiave, entrò in un atrio e finalmente varcò la soglia di una sala di ricevimento da cui proveniva il mormorio di conversazioni. Per un attimo rimase abbagliata da una dozzina di lampade pensili, poi scoprì di trovarsi in una sala colonnata con un fuoco al centro e cuscini e tappeti tutt'intorno. «[Era] un ambiente splendido, con grandi colonne in pietra a sostenere un soffitto immensamente alto, le pareti intonacate, il pavimento di *juss* bianca, tanto battuta da essere dura e scintillante come se fosse lucidata»[3].

Tutti gli uomini che affollavano l'ambiente tacquero, poi, all'ingresso di Gertrude, si alzarono in piedi e la osservarono con curiosità. Ibrahim le andò incontro e la invitò cerimoniosamente a sedere su un cuscino alla sua destra. La conversazione si mantenne formale e impersonale. Lui parlò della storia della tribù Shammar, capeggiata da Al Rashid, e poi della famiglia reale. Dopo aver ascoltato,

Gertrude rispose descrivendo i siti archeologici che aveva visitato, mentre i ragazzi schiavi servivano bicchieri di tè con limoncini dolci da spruzzare, e poi un caffè forte da lei giudicato «eccellente». Infine, ondeggiando dinanzi a ciascun ospite un incensiere che spandeva una dolce fragranza, gli schiavi annunciarono che l'udienza era terminata. Pensando che fosse una conclusione molto precoce, Gertrude si alzò e se ne andò.

Si sentiva frustrata. Il breve incontro non le aveva consentito di affrontare nessuno dei problemi di cui voleva discutere, in particolare il suo bisogno di denaro. A Damasco aveva affidato duecento sterline a un agente di Al Rashid, aspettandosi di rientrarne in possesso senza indugi una volta giunta ad Ha'il. Eppure non aveva ancora avuto la possibilità di presentare la lettera di credito consegnatale dall'agente in cambio dei soldi, secondo il metodo consolidato che consentiva di viaggiare nel deserto senza dover trasportare grosse somme in contanti e senza doversi esporre al rischio di essere depredati. Ormai Gertrude aveva quasi esaurito il denaro. Quanto avrebbe dovuto o potuto attendere, per avere l'occasione di presentare il documento?

«Poi si susseguirono giornate noiose senza nulla da fare, assolutamente nulla»[4] scrisse Gertrude nel diario. Esaurita la novità, e senza poter essere attiva come al solito, Gertrude aveva l'impressione che il tempo trascorresse con estrema lentezza. Ogni mattina era destata prima del sorgere del sole dal canto inquietante del guardiano, Chesb: «Iddio è grande! Non esiste altro Dio all'infuori di Dio!» Per le preghiere del mezzogiorno e della sera saliva sul tetto ad ascoltare il muezzin che chiamava dalla moschea. Le mattinate si trascinavano. Gertrude mangiava troppi dolci e scriveva furiosamente nel diario che le donne di Ha'il non facevano assolutamente nulla per tutto il giorno. Dopo avere tracciato sulla mappa il tragitto sino a Baghdad perfezionò i suoi disegni archeologici.

Come per il sovrano arabo che attendeva ogni giorno

un nuovo racconto di Sherazad, il suo unico passatempo era ascoltare la storia straordinaria e vivida della vita di Turkiyyeh, venduta da bambina e separata dall'amato fratellino, che stava ancora cercando di ritrovare. Giunta in età da marito era stata di nuovo venduta e imbarcata su un bastimento sovraffollato in cui infuriava la pestilenza. I passeggeri erano morti a uno a uno e i marinai avevano preso a calci gli esanimi per assicurarsi che fossero morti prima di gettarli in mare. Mentre Turkiyyeh raccontava, Gertrude prese la fotocamera e le scattò alcune foto. Giocherellando con i suoi rubini, Turkiyyeh raccontò di essere arrivata alla Mecca e di essere stata sposata a un giovane persiano che aveva imparato ad amare, ma sin troppo presto era stata di nuovo rapita, questa volta da un agente dell'emiro Al Rashid. Era stata portata via a forza mentre il suo giovane marito la rincorreva, urlando di dolore. Dapprima aveva rifiutato persino di guardare Muhammad, il quale, però, si era rivelato tanto paziente e gentile che lei non aveva tardato a essere contenta di renderlo felice. Quando avesse desiderato una moglie più giovane, Muhammad avrebbe seguito l'usanza e l'avrebbe data in sposa a un uomo rispettabile. Invece Turkiyyeh era rimasta vedova. Con gli occhi neri colmi di lacrime spiegò a Gertrude che la sua più grande sofferenza era la perdita dei figli, nessuno dei quali era sopravvissuto. Ne aveva partoriti sette, sei morti alla nascita e il settimo a un anno di età. Gertrude scrisse: «Turkiyyeh dice che qui la gente considera le donne come cani e come tali le tratta»[5].

Di quando in quando gli uomini dell'equipaggio passavano per riferire a Gertrude le chiacchiere del mercato. Tutta la città attendeva di conoscere l'esito dell'ultima scorreria dell'emiro. Non si poteva far altro che chiacchierare, e Gertrude non aveva mai amato i pettegolezzi. Dato che non aveva ordini da dar loro, le sue schiave se ne stavano sedute sui cuscini a mordicchiarsi le estremità delle trecce e a raccontarsi drammi domestici. Infine Gertrude perse la pazienza e le scacciò. Soffriva spesso di emicrania, detestava il vento caldo che roteava nel cortile interno sollevando vortici di sabbia, e non dormiva bene: «Vento e polvere, un po' di pioggia [...]. E di notte il verso fioco di una piccola civetta»[6].

Sempre più impaziente, Gertrude inviò un messaggio a Ibrahim per chiedere della lettera di credito, e la risposta, quando arrivò, infranse le sue speranze. Ibrahim aveva ricevuto il messaggio mentre si trovava in compagnia della nonna dell'emiro, la taccagna Fatima, e rispose che non si sapeva nulla della transazione. «È chiaro che non vogliono cedere» concluse Gertrude, amareggiata e furente. In ogni caso, non avrebbe ricevuto denaro prima del ritorno dell'emiro e nessuno sapeva dire quando sarebbe tornato. Angosciata, Gertrude si domandò se stava rischiando di rimanere prigioniera indefinitamente. Aveva cercato di incontrare Fatima in tutti i modi che era riuscita a escogitare, però non aveva avuto occasione di trovare intermediari capaci, quindi non aveva ricevuto alcuna risposta, e si domandava se nella strana società antiquata di quella terribile città il silenzio dovesse essere interpretato come un rifiuto personale. Quando le furono restituiti i regali che aveva inviato a Ibrahim si preoccupò più che mai. Era un insulto oppure, come sostenevano gli uomini del suo equipaggio nel tentare di rassicurarla, un eccesso di cortesia?

Così, fece ciò che poteva. Contò il denaro che le era rimasto, vendette il maggior numero possibile dei suoi cammelli e progettò di lasciare Ha'il con una carovana molto ridimensionata. Pagò tutti coloro che aveva assunto a Damasco, i quali si affrettarono ad andarsene appena ebbero la possibilità di unirsi a qualche convoglio in partenza. Con lei rimasero soltanto Fattuh, Ali – la guida da Hamad – e Fellah. Avrebbe dovuto attraversare l'altra metà dell'ostile Nefud e non gradiva immaginare come avrebbe potuto riuscirvi con una carovana tanto piccola. «Mi sono rimaste soltanto quaranta sterline, abbastanza se Ibrahim ci lasciasse andare. Devo incontrarlo stanotte. Sarà una giornata angosciosa»[7].

L'unico raggio di speranza s'incarnò in Ali, i cui zii, ospiti in quei giorni ad Ha'il, erano sceicchi della tribù Anazeh, alleati indispensabili dei Rashid, i quali speravano di ottenerne l'aiuto per impadronirsi della città di Jof, dove era appunto diretto l'emiro. Ebbene, Ali riferì a Gertrude che i suoi zii stavano contrattando dietro le quinte a suo favore e avevano protestato vigorosamente contro il trattamento che Ibrahim le aveva inflitto a proposito della lettera di credito. In privato i suoi zii chiamavano Fatima *kelbeh*, ossia "la puttana".

Finalmente cadde la notte e Gertrude uscì di nuovo, montando la stessa cavalla, per recarsi al secondo, cruciale incontro con Ibrahim. Nel vento caldo che rinforzava, la sabbia polverosa vorticava nel cortile e le sferzava il volto. Fu condotta in una sala più piccola e lasciata per qualche tempo ad attendere Ibrahim. Dopo averlo salutato, gli offrì di nuovo i doni portati appositamente, assicurandolo che desidevava che li conservasse. Poi affrontò di nuovo il problema del denaro e questa volta non si trattenne. Non aveva alcuna intenzione di rimanere ad Ha'il. La mancata restituzione del denaro le causava grave incomodo, perciò si trovava costretta a chiedere un *rafiq* che l'accompagnasse nella fase successiva del suo viaggio. Sorridendo, Ibrahim le assicurò cortesemente che stava già provvedendo a procurarle un *rafiq*, però evitò di guardarla negli occhi e di sostenere il suo sguardo. Per nulla rassicurata, Gertrude, scrivendo nel diario per Dick quella stessa notte, lasciò trapelare per la prima volta la paura, e sebbene fosse assolutamente atea, concluse la lettera con una preghiera di salvezza:

Ho trascorso una lunga notte a progettare piani di fuga, nell'eventualità che le cose si mettano male. [...] Alla percezione spirituale questo luogo odora di sangue. [...] Tutti i racconti che ho ascoltato intorno al fuoco del bivacco narrano di omicidi, e l'aria stessa sussurra assassinio. Si perde la calma quando si rimane seduti giorno dopo giorno fra alte mura, e io ringrazio il cielo di non essere molto impressionabile. [...] E che vada tutto bene! Ti prego, Dio! Ti prego! Oh, Dio, ti prego, fai che tutto vada bene![8]

I suoi peggiori timori si concretizzarono la mattina dopo, il 3 marzo, con la comparsa dello schiavo fratello Sayyid, il quale, in abiti sgargianti, accompagnato dal suo servo, si limitò a ripeterle ciò che lei già sapeva, cioè che non poteva mettersi in viaggio e che non avrebbe ricevuto denaro prima che un messaggero portasse il permesso dell'emiro. Fu per lei la prima conferma di essere prigioniera ad Ha'il. Trattenne il fiato, girò sui tacchi e scese di corsa la scala fino al cortile, poi tornò con Muhammad e con Ali per esortare Sayyid a ripetere ciò che aveva detto poco prima, parola per parola.

In quel momento gli interessi di Gertrude erano di scarsissima importanza per i Rashid. Era arrivata nella loro città nel momento più inopportuno. Lei non sapeva, come non lo sapeva Ibrahim, che in quello stesso momento l'emiro, sedicenne capo della famiglia reale, stava progettando di assassinare Zamil ibn Subhan, fratello dello stesso Ibrahim. In quanto reggente dell'emiro, suo consigliere e suo zio, Zamil lo aveva accompagnato nel deserto alla testa dell'esercito tribale e lo stava esortando a concludere la pace con Ibn Saud. Invece l'emiro voleva il dominio assoluto, senza interferenze. Poco tempo dopo, in una località nel deserto chiamata Abu Ghar, l'emiro ordinò a uno schiavo di sparare nella schiena al reggente. Mentre Zamil crollava al suolo, tutt'intorno a lui furono massacrati i suoi fratelli e i suoi schiavi. Secondo i resoconti, l'emiro e i suoi complici passarono oltre, a cavallo, senza degnare la strage di un'occhiata[9]. Probabilmente Ibrahim era ben consapevole del fatto che la sua famiglia aveva perduto il favore dell'emiro, quindi era particolarmente riluttante a provocarlo consegnando denaro a Gertrude o assumendosi la responsabilità di lasciarla partire.

Nel frattempo Turkiyyeh mantenne la promessa di consentire a Gertrude di visitare l'harem. La madre dell'emiro, Mudi, le inviò un messaggio con cui la invitava a farle visita, una sera, dopo l'imbrunire. L'harem era spesso raffigurato dai pittori orientalisti e dagli illustratori del *New Yorker* come una sala in cui bellezze sensuali stavano semidistese sui cuscini sparsi, servite dagli schiavi e dagli eunuchi. Profondamente interessata a scoprire la realtà e a confrontarla con queste rappresentazioni, Gertrude rimase particolarmente impressionata da Mudi, la quale, pur essendo già stata moglie di tre emiri, era ancora giovane, e la descrisse come molto bella e affascinante, nonché intelligente e ricettiva.

Insieme alle donne del palazzo ho trascorso due ore come nelle *Mille e una notte*. Immagino che rimangano pochi posti in cui è ancora possibile osservare usanze plurisecolari nella loro inalterata autenticità. Ebbene, Ha'il è uno di questi luoghi. Ecco le donne abbigliate di broccati indiani, ornate di gioielli, servite dalle schiave. Passano di mano in mano, appartengono a colui che di volta in volta è vincitore [...] e pensare che le mani di costui sono arrossate dal sangue dei loro mariti e dei loro figli! In verità, ne sono ancora costernata[10].

A sua volta, Gertrude fu per Mudi una distrazione d'interesse unico. Le due donne si osservarono a vicenda, deliziate, ciascuna considerando l'altra come un nuovo fenomeno. Avide di spiegazioni e colme di domande, conversarono fra loro con crescente intensità, mentre le altre mogli le fissavano, affascinate da Gertrude, sia per le sue libertà mascoline, che le lasciavano senza fiato, sia per il suo aspetto, con il viso pallido, gli occhi verdi, i capelli naturalmente rossi, l'abito da sera di pizzo e le scarpe abbottonate. Era una donna, era senza dubbio una donna, eppure sembrava vivere la vita di uno sceicco e di un guerriero. Gertrude spiegò la sua condizione attuale, e Mudi, che pure non aveva alcuna esperienza personale d'indipendenza, comprese che la viaggiatrice di fronte a lei era intrappolata come un uccello in gabbia.

Quelle due ore trascorsero in un istante. Le due donne si scrutarono a vicenda per l'ultima volta, comprendendosi alla perfezione, benché rappresentassero mondi opposti. Poi arrivò per loro il momento di separarsi.

Il 6 marzo Gertrude era di fatto agli arresti domiciliari da undici giorni. Ormai non poteva più nasconderselo. Senza il permesso di partire e senza un *rafiq* a garantire la sua sicurezza, era prigioniera. Aveva esaurito le proprie risorse. Seduta a mordersi un labbro, ascoltava distrattamente Turkiyyeh e la custode lagnarsi del prezzo delle ragazze schiave. «Una volta si riusciva a trovare una brava ragazza per duecento *real* spagnoli. Adesso invece non si riesce a comprarne una con cinquecento» brontolò Lulua, subito prima che arrivasse un messaggero con un altro invito reale, questa volta da parte dei cugini dell'emiro. L'incontro avvenne nel loro giardino, quello stesso pomeriggio, cioè alla luce del giorno. Gli ospiti si rivelarono essere cinque fanciulli con i visi truccati, abbigliati con vesti ricamate in oro. Gertrude sedette con loro in un padiglione, sui tappeti «come in tutte le illustrazioni di libri persiani». Eunuchi e schiavi servirono piatti di frutta, tè e caffè. Poi i fanciulli l'accompagnarono a visitare il giardino, dicendole il nome di ogni albero e di ogni fiore. Erano presenti altri adulti, fra i quali Gertrude riconobbe Sayyid. Allora gli sedette accanto e senza cortesie preliminari gli manifestò limpidamente il proprio urgente desiderio di lasciare Ha'il. Poi, alla risposta di lui – «andare e venire non sono in nostro potere» – lei perse la pazienza. «Ho replicato con maggior vigore e ho concluso bruscamente la conversazione alzandomi e lasciandolo. [...] A dire la verità, ero preoccupata»[11] scrisse nell'"altro diario".

Un'ora più tardi, mentre sedeva nella stanza del caffè, la stessa in cui dormiva, una schiava la convocò con un cenno nella sala delle udienze. Questa volta Gertrude non si preoccupò di rassettarsi gli indumenti o di spazzolarsi i capelli. Là, sulla soglia, stava Sayyid, il quale, impassibile come sempre, con una borsa in mano, le annunciò che aveva il permesso di partire quando voleva e recarsi dove voleva. Perplessa, Gertrude prese la borsa che lui le porgeva e la trovò piena d'oro. «E perché abbiano ceduto proprio adesso, o perché non abbiano ceduto prima, non riesco neppure a immaginarlo» scrisse. «Comunque, sono libera, e il mio cuore si allarga, riposa»[12].

Non avrebbe mai conosciuto il motivo della liberazione inaspettata e si sarebbe sempre interrogata in proposito. Riflettendo, le venne un'idea. Quando l'intercessione da parte degli zii di Ali era fallita, quando Ibrahim aveva mentito e quando Fatima aveva rifiutato di consegnare il denaro, era forse intervenuto in suo favore uno spirito più nobile? Senza dubbio persino le donne dell'harem avevano modo di influire sulle decisioni e sulle azioni maschili. Era stata forse Mudi, effettiva regina di Ha'il, ad aprire il cancello della gabbia e a restituire alla straniera la libertà che lei stessa non avrebbe mai avuto?

Chiunque altro avrebbe fatto i bagagli e sarebbe partito finché fosse stato possibile, preferibilmente prima dell'alba. Invece, dopo avere insistito tanto a lungo per andarsene, fu caratteristico di Gertrude chiedere il permesso di rimanere ancora un giorno, e così approfittare all'estremo della fortuna per trascorrere altre otto ore a frugare in ogni angolo di Ha'il, scattando numerose fotografie. Si può immaginare un messaggero che si reca a riferire la sua richiesta a Ibrahim, forse mentre questi si trova in compagnia di Fatima, o forse a bere caffè con i suoi schiavi, e le esclamazioni di sorpresa, subito seguite dal divertimento per tanta sfrontatezza. A quanto pare tale divertimento si diffuse anche all'esterno del palazzo, in città. Di sicuro Gertrude, mostrandosi senza velo in pieno giorno nonostante la disapprovazione dei capi religiosi, divenne oggetto di cordiale curiosità ovunque si recava. «Tutti erano affabili e sorridenti [...] tutti si affollavano fuori per vedermi e sembravano non avere altro che benevolo interessamento per ciò che facevo»[13].

Girò intorno alle torri che coronavano le massicce difese,

varcò la porta di Medina sorvegliata dagli schiavi, ispezionò le cucine del palazzo, si arrampicò sui tetti, poi scese di nuovo al suolo per scattare fotografie alle fortificazioni. Rientrata, trovò un messaggio con cui Turkiyyeh la invitava per il tè. «Ho accettato e mi sono congedata affettuosamente da lei. Adesso io e lei ci siamo separate per sempre, immagino, tranne che nel ricordo. E così si è conclusa la mia strana visita ad Ha'il, dopo undici giorni di prigionia, in una sorta di apoteosi»[14].

Il giorno successivo, il 7 marzo, Gertrude si alzò prima dell'alba e nel fare i bagagli rimase sorpresa di ricevere un altro visitatore, uno schiavo del palazzo, un uomo d'aspetto sinistro, con la barba tinta di henné e gli occhi anneriti, incaricato di consigliarle di lasciare Ha'il percorrendo la strada occidentale, che per lei sarebbe stata più sicura. Sapeva di dover seguire quelle istruzioni perché sarebbe stata osservata, tuttavia si insospettì immediatamente. «Immagino che intendessero mandarmi dall'emiro e che abbiano impartito l'ordine presumendo che lui fosse sulla strada occidentale»[15] scrisse. L'intrigo fallì, perché quando Gertrude arrivò dove avrebbe dovuto trovarsi l'emiro, questi per fortuna era già passato a oriente. Tuttavia Gertrude non si era ancora liberata del tutto di Ha'il. Nel secondo giorno di viaggio, alcuni messaggeri rashid arrivarono alle sue tende per annunciare che l'emiro l'attendeva. Aggiunsero che aveva espugnato Jof e scacciato i Ruwalla, risparmiandole alcuni dettagli della conquista. Poi loro se ne andarono e lei ripartì. Restando sempre sulla strada, Gertrude viaggiò per nove o dieci ore al giorno, e per Hayianiya e Najaf deviò verso Baghdad: «[Il viaggio è] così spossante per lo spirito, in questa immensa monotonia, che ogni sera arrivo all'accampamento in preda alle vertigini per la fatica. [...] Sto cominciando a patire le conseguenze della dieta alquanto povera del bivacco. Comunque sarò felice di raggiungere di nuovo la civiltà»[16].

Fu divertita nel ricevere una versione del tutto diversa della «conquista» di Jof da un nuovo *rafiq* che aveva appena partecipato alla campagna dell'emiro. Questo innocente, ignaro della versione ufficiale fornitale dai messaggeri dell'emiro, riferì che i Rashid si erano fermati a breve distanza dalla città e senza neppure vederla erano stati respinti e scacciati dai Ruwalla. Nel meditare sulle proprie esperienze durante il viaggio, Gertrude fu convinta da quell'ultima menzogna che i Rashid fossero «prossimi alla fine».

Le lotte intestine sono state così letali che non un solo adulto della loro dinastia è rimasto in vita. L'emiro ha soltanto sedici o diciassette anni, e tutti gli altri sono poco più che bambini. [...] La loro storia è un'unica, lunga successione di tradimenti e di omicidi. Direi che il futuro dipende da Ibn Sa'ud, il quale è un formidabile avversario. [...] Credo che la sua stella sia in ascesa, e se si alleerà con Ibn Sha'lan [della tribù Ruwalla Anazeh], allora Ibn Rashid si troverà fra l'incudine e il martello. [...] Dunque è così! Il mio prossimo viaggio in Arabia sarà per incontrare lui[17].

Era consapevole dell'impossibilità di proseguire il viaggio da Ha'il verso sud per raccogliere informazioni a Riyad, capitale di Al Saud. Sebbene delusa, riconosceva che passare sarebbe stato impossibile per una viaggiatrice proveniente dalla roccaforte rashid. Esausta nel corpo e nello spirito, non si rendeva ancora conto di quello che aveva realizzato, perciò scrisse amaramente nel diario a Dick: «Temo che nel ripensare a questo viaggio dirò a me stessa che è stato uno spreco di tempo»[18].

Nel marzo 1914 c'erano molte cose che Gertrude non poteva sapere. L'esplorazione della vita tribale da lei intrapresa, le mappe che aveva disegnato, la rete di affiliazioni e inimicizie tribali da lei scoperta costituivano un insieme di conoscenze del tutto unico. La sua padronanza della lingua le aveva consentito di avere un'immagine chiara del plurisecolare sistema di governo arabo e degli intrighi delle tribù e delle famiglie dominanti. Negli anni successivi le conoscenze da lei acquisite durante la sua ultima spedizione si sarebbero dimostrate inestimabili. In quel momento, nel procedere stancamente verso Baghdad, Gertrude seguiva quello che sarebbe diventato il confine tra i futuri stati di Iraq e Arabia Saudita. I suoi lunghi anni di preparazione erano finiti e la carriera che si sarebbe rivelata il suo destino era già iniziata.

Intanto, il suo riconoscimento che il futuro dell'Arabia centrale dipendeva da Ibn Saud avrebbe avuto importanza immensa, nel contesto da lei scoperto e con le informazioni da lei raccolte, quando lo avesse riferito all'ambasciatore britannico a Costantinopoli. Avrebbe confermato che il potente Ibn Saud era il più degno di ricevere l'aiuto britannico. Gertrude era delusa di non avere avuto la possibilità d'incontrarlo. Quanto si sarebbe stupita se avesse saputo che Ibn Saud, un paio di anni più tardi, quando per procurarsi armi avrebbe preso l'iniziativa senza precedenti di recarsi all'amministrazione britannica, avrebbe desiderato incontrarla!

Dieci giorni dopo avere lasciato Ha'il, Gertrude giunse ai confini del territorio dell'Eufrate e uscì da quello dei beduini. Allora la sua carovana di cammelli risultò particolarmente vistosa in una regione dove i pastori shia della tribù Riu viaggiavano a dorso d'asino. Fu inevitabile correre i rischi consueti, avvicinandosi agli accampamenti di sceicchi che avrebbero potuto decidere di accogliere il convoglio oppure di depredarlo. Fu necessario adottare le consuete precauzioni, come nascondersi negli avvallamenti imbracciando il fucile, e fu necessario risolvere le consuete difficoltà, come trovare sostituti per i *rafiq* spaventati. A un certo punto, esaurite le scorte d'acqua, la carovana s'imbatté in un gruppo di predoni presso un pozzo d'acqua sporca, e il *rafiq* ghazalat dal viso impenetrabile intervenne a evitare un disastro. Alcune volte il convoglio fu preso a fucilate. Quando si chiese se quella che stava provando fosse paura,

Gertrude decise di poter finalmente riconoscere tale sentimento, come le era stato insegnato ad Ha'il. Scrisse nell'"altro diario":

Con una scrupolosa analisi dei miei sentimenti, sono giunta alla conclusione che in queste occasioni ho paura. Deve essere paura, quella piccola inquietudine intima, come un cavallo molto riposato che continua a tirare le redini e ad allentarle di scatto. Lo si sente con le mani, come una pulsazione irregolare. Fa così uno dei miei cavalli a casa, un cavallo matto. E poi il profondo desiderio di sopravvivere incolumi alla prossima ora! Sì, è paura[19].

Era esausta. A Najaf, Fattuh noleggiò un carro per lei. Anche se la strada per Baghdad sarebbe stata molto più rapidamente percorribile cavalcando, Gertrude viaggiò con il proprio bagaglio personale a bordo del carro, un tragitto sobbalzante di sei ore fino a Kerbela, con due cambi di cavalli alle stazioni di posta. Arrivata dopo l'imbrunire, lasciò il bagaglio alla locanda e si recò da un vecchio amico, Muhammad Hussain Khan. Durante la cena conversò in inglese per la prima volta dopo dieci settimane. Divertita, scrisse a Dick di quello che Khan aveva detto a proposito della propria imminente vacanza in Gran Bretagna. Quando lei gli aveva chiesto che cosa ne avrebbe fatto della sua famiglia, lui aveva risposto che l'avrebbe abbandonata e che avrebbe divorziato dalla moglie prima di partire. Lei espresse i suoi sentimenti in proposito concludendo la frase con una sfilza di punti esclamativi.

Per compiere l'ultimo tratto di viaggio le fu necessario montare a bordo della vettura postale entro le tre del mattino, così dormì soltanto un paio d'ore. Adesso che stava per avere la possibilità di ritirare la corrispondenza, cominciò a preoccuparsi per la famiglia. In quelle dieci settimane durante le quali non aveva ricevuto notizie poteva essere accaduta qualunque cosa. Superata la nuova ferrovia, arrivò a Baghdad all'ora di pranzo. Stanca e ansiosa, maltrattò il fedele Fattuh, poi gli chiese di perdonarla. Cercava sempre di essere paziente, memore delle parole di un *rafiq* del Nefud:

«Negli anni a venire, quando arriveremo qui, diremo: "Ecco, eravamo con lei, qui si accampò"». Mi aspetto che lo facciano, e mi sento spaventosamente ansiosa, sperando che dicano soltanto bene, perché in base a me giudicheranno tutta la mia razza. Molto spesso questo ricordo frena la parola frettolosa quando sono stanca e mi sento irritata, o annoiata. Santo cielo! Quanto mi sento annoiata, irritata e stanca, talvolta![20]

Senza indugio, Gertrude si recò alla residenza ufficiale britannica a ritirare la corrispondenza dal nuovo funzionario, un certo colonnello Erskine, su cui espresse un giudizio tagliente e senza appello.

Non si sveglia prima di mezzogiorno, e dopo pranzo lo si trova in camera sua a fare solitari. Non conosce nessuna lingua, neppure il francese, e la sua mente è completamente vuota per quanto concerne la Turchia in generale e l'Arabia turca in particolare. Eppure costui è il rappresentante che abbiamo inviato qui, in un momento in cui sono in procinto di realizzazione la ferrovia di Baghdad e i nostri progetti per l'irrigazione! Siamo uno strano paese[21].

Poi si ritirò in una locanda a fumare una sigaretta dopo l'altra e trascorse il resto del giorno e della notte a leggere le lettere. Nulla era cambiato, dopotutto. La sua famiglia era sopravvissuta indenne, e immutata era rimasta la crudele, esasperante abilità di Dick, che filtrava attraverso pagine di retorica, a suscitare le sue attese soltanto per deluderle e per infrangerle subito dopo. Più lei si era allontanata, più lui si era affezionato… sulla carta. Bramosa del suo amore e della sua compagnia, lei non trovava nulla di confortante, eppure lui sapeva sollecitare la sua sensibilità al punto da indurla quasi a convincersi che fosse possibile avere un futuro insieme. Lo strazio ritornò nel leggere queste parole: «Ti amo.

Ti giova, questo, là nel deserto? È forse meno vasto e meno solitario, come il confine estremo della vita?» E infine, da Addis Abeba, in Abissinia, dove si trovava in qualità di rappresentante britannico della International Boundary Commission: «Cosa non darei per averti seduta qui, di fronte a me, in questa casa solitaria!»

Alla fine, Gertrude si sentì spossata e disillusa. Aveva tentato di ricordare a se stessa che la sensazione di «polvere e ceneri in mano» era qualcosa di cui lei stessa aveva sempre avuto esperienza alla conclusione di un'avventura. Era lì, a domandarsi per quali ragioni avesse sopportato le avversità degli ultimi tre mesi se nulla era cambiato nei suoi sentimenti e nel mondo in generale.

Dick aveva scritto di una visita in Sloane Street, dove aveva incontrato suo padre, il grande industriale, a cui si era riferito definendolo «caro vecchio». Descriveva abbondantemente i propri affari, come il viaggio per incontrare Lord Kitchener, ministro residente a Khartum, e Sir Reginald Wingate, alto commissario al Cairo. Aveva qualcosa da chiedere a Gertrude, cioè che gli telegrafasse ad Addis Abeba un messaggio anonimo di tre parole soltanto: «Incolume a Baghdad». La mattina successiva Gertrude inviò il telegramma dall'ufficio postale, poi gli spedì un pacchetto con l'"altro diario", scritto appositamente per lui, in cui era narrato tutto ciò che il telegramma non riferiva. Lo rilesse rapidamente e lo trovò inspiegabilmente impersonale.

Le uniche cose che varrebbe la pena dire sono proprio quelle di cui non posso parlare, credo, cioè me stessa, come ho vissuto quell'esperienza, com'è sembrata agli occhi della persona profondamente coinvolta in quella vicenda, debole e ignorante e perplessa, stanca e delusa. Sono cose che non posso dire perché sono troppo intime, e anche perché non ne ho la capacità. [...] Non si scrivono cose simili nel proprio diario perché non si cerca di disegnare l'immagine, che è là, dinanzi agli occhi[22].

I vecchi amici l'accolsero, felici del suo ritorno a Baghdad, increduli a proposito del suo viaggio, sbalorditi di apprendere che era ancora viva, e si congratularono con lei «in un modo che mi scaldò il cuore». Uno di costoro si sarebbe rivelato cruciale per il futuro dell'Iraq. Era Sir Sayyid Abdul Rahman, conosciuto con il titolo di *naqib*, capo religioso dei sunniti, un personaggio tanto prestigioso da non ricevere alla propria augusta presenza nessuna donna a eccezione di Gertrude, la quale scrisse: «È troppo sacro per stringermi la mano, ma […] con il suo modo di parlare mi ha divertita immensamente, come sempre»[23].

Fra i nuovi amici vi erano Arthur Tod, direttore di Lynch Brothers, responsabile dei traghetti sul Tigri, e la sua «cara piccola moglie italiana», la quale, nel vedere quanto Gertrude fosse stanca, la invitò subito ad alloggiare presso di loro. Aurelia Tod, che sarebbe diventata una delle sue grandi amiche, provvide affinché i suoi indumenti fossero lavati e stirati mentre lei dormiva e prima che riprendesse il suo indaffarato andirivieni per la città. Fu una pausa ritemprante estremamente necessaria per Gertrude, la quale la dedicò in gran parte a vagabondare come una turista qualsiasi nonostante la temperatura superiore ai quaranta gradi. Osservò la nuova ferrovia turca costruita dai tedeschi, che presto sarebbe diventata una minaccia per il controllo britannico del Golfo Persico. Dalle rive del Tigri vide scaricare da una flotta di antichi navigli a vela latina le traversine provenienti da Amburgo, e in quanto figlia di un padrone di ferriere fu entusiasmata e impressionata dall'efficienza della realizzazione e dalla grandiosità del progetto. Il famoso ingegnere tedesco Heinrich August Meissner, che dirigeva la costruzione della ferrovia, spiegò le difficoltà. Non soltanto era necessario importare le traversine e tutto il legname occorrente. Per il cemento necessario bisognava prima filtrare il sale dall'acqua, e poi sbriciolare tonnellate di ghiaia a causa della mancanza di pietra e di sabbia. «Le acque fangose del Tigri in piena, le palme, gli arabi cenciosi che cantavano...

274

Era l'antico Oriente, in mezzo al quale stavano le macchine scintillanti e impeccabili, i tedeschi dagli occhi azzurri, dai capelli corti e dal severo portamento marziale, i militari dell'Occidente arrivati a conquistare»[24] scrisse Gertrude.

A pranzo narrò le esperienze vissute ad Ha'il. La sua ammirazione per Ibn Saud si accrebbe quando le fu riferito il modo in cui lui aveva conquistato al-Hasa, scacciando i turchi dalla città senza sparare un sol colpo, disarmando la guarnigione e scortandola fino alla costa. In seguito Gertrude navigò sul fiume a bordo della lancia di Tod, superando uno dei palazzi della città. Bevve il tè sotto le tamerici, passeggiò per i giardini di rose e ammirò il tramonto. «Baghdad scintillava nella foschia del calore come una città fatata»[25].

Amava l'Eufrate, e Baghdad, costruita in stile persiano, era senza dubbio la sua città preferita. Incarnava per lei il fascino delle *Mille e una notte*, il famoso ciclo di racconti venuto alla luce nell'XI secolo. Mentre Babilonia e Ctesifonte erano crollate, Baghdad, opera della dinastia abbaside, unica superstite di tre città costruite alla confluenza del Tigri e dell'Eufrate, era sopravvissuta con tutta la sua ricca e varia cultura, nonostante l'invasione mongola del 1258 e le vicissitudini dei due imperi ottomani. Sorgeva sopra una vasta pianura alluvionale, dove un sistema di canali ormai in sfacelo convogliava le nevi sciolte dell'Anatolia e rendeva possibili le coltivazioni. Era al centro delle antiche vie strategiche per l'Iran e per la Cina, per la Siria e l'Egitto, e per Costantinopoli e Trebisonda attraverso l'Anatolia.

Senza dubbio Gertrude aveva letto la rievocazione della sua gloria composta dallo storico al-Khatib al-Baghdadi (1002-1071) e la descrizione della corte del califfo al-Muqtadir nel 917[26]. Questa corte splendida, con i palazzi e i parchi, con le cancellerie e le tesorerie, con gli eunuchi e i soldati, con i ciambellani e i paggi, era famosa in tutto il mondo. Una volta era stato mostrato a una delegazione diplomatica bizantina in visita il famoso albero del tesoro del califfo, un albero d'argento e d'oro, a grandezza naturale, con rami fronzuti che stormivano come al vento, popolati di uccelli ingioiellati, tutti d'argento e d'oro, che fischiavano e cantavano. Quando erano stati accompagnati alla presenza del califfo, gli ambasciatori lo avevano trovato seduto sul trono fra diciotto festoni di gioielli e numerosi cortigiani, incluso il suo boia personale, che gli stava accanto, pronto ad amministrare giustizia sommaria.

Anche se deplorava molto di ciò che caratterizzava la città nel 1914, ossia i locali notturni, il gioco d'azzardo, la prostituzione, la corruzione, nondimeno Gertrude vi scorgeva una certa continuità con il passato esotico e nell'"altro diario" scrisse: «Baghdad ha assimilato questo tipo di civiltà tanto rapidamente e tanto entusiasticamente perché è un ritorno a ciò che conosceva nei giorni gloriosi del califfato»[27].

Terminata la vacanza, Gertrude ripartì per tornare a Damasco attraverso quasi seicento chilometri di deserto siriano. La sua nuova carovana era composta di otto cammelli e quattro persone, ossia, oltre a lei, Fattuh, Fellah e Sayyid, lo *sherari*. Viaggiando a nord della Mezzaluna fertile, avrebbero costeggiato regioni frequentate dai pastori nomadi provenienti dal Najd. Sarebbe stato un viaggio affascinante attraverso la storia, dalle origini dell'Islam, a est, ai margini delle civiltà greca e romana, a ovest. Tuttavia Gertrude desiderava che quel viaggio finisse. Intendeva viaggiare leggera e ad andatura sostenuta, perciò aveva provveduto perché la maggior parte del bagaglio le fosse rispedita via mare e aveva ridotto l'equipaggiamento al minimo, vale a dire una tenda nuova acquistata a Baghdad, più piccola e più leggera di quelle che aveva portato da Londra, la sua sedia pieghevole, una borsa d'indumenti, provviste per tre settimane, e soltanto gli utensili da cucina indispensabili. Si rassegnò a dormire per due settimane sul sottile rotolo di coperte con cui aveva sostituito l'ingombrante letto pieghevole, senza tuttavia rinunciare al suo «unico lusso», la vasca da bagno in tela. «Ero di nuovo all'aperto, sotto il cielo, e subito il mio cuore ha esultato. Presto mi stancherò di dormire all'addiaccio, lo so! Oh, Dick! Le nostre povere ossa! Quanto saranno doloranti allorché le deporremo finalmente nelle nostre tombe! [...] La polvere non può piacere a nessuno. [...] Mi domando se i miei capelli saranno mai di nuovo puliti. [...] Coloro che sono a casa e credono che sia divertente esplorare luoghi desolati non sanno quale prezzo si debba pagare in giorni come questi. Bah! Di una brutta notte sto facendo una tragedia!»[28]

Nonostante una tempesta di sabbia che infuriò il terzo giorno, seppellendo la tenda nuova, la carovana proseguì speditamente fino al forte in rovina di Wizeh, dove scoprì un'«immensa cavità rocciosa» nel terreno. Si sarebbe indotti a pensare che per quel viaggio Gertrude fosse già sazia di avventure, invece rimase affascinata dalla grotta come negli anni precedenti lo era stata dalle montagne inviolate e non rinunciò al piacere di addentrarsi nella nera galleria. Si spogliò quasi completamente, riempì le tasche di candele e fiammiferi, poi scese per una sessantina di metri, accompagnata da Fattuh, senza dubbio riluttante. Raccontò:

Ci addentrammo audacemente nella strana spaccatura rocciosa, che talvolta si allargava in una vasta caverna, talaltra si abbassava tanto da costringerci a strisciare bocconi sulla sabbia. In fondo trovammo un laghetto limpido e freddo, alimentato da una sorgente nella roccia. Vi entrammo a guado e riempimmo le borracce. [...] Lungo il tragitto avevamo lasciato candele accese a illuminarci il ritorno, eppure la grotta era stranissima, tanto simile a un accesso al mondo infero, che non mi dispiacque affatto rivedere la luce del giorno[29].

I benefici effetti del breve riposo a Baghdad non tardarono a svanire. Il diario descrive una donna tanto stanca da conservare a stento una normale capacità reattiva. Per la prima volta, Gertrude si addormentava sul cammello, e senza cadere. Per giunta il deserto siriano non era più così sicuro come si era aspettata. Le *ghazzu*, le scorrerie, avvenivano ovunque, e non tardarono a giungere notizie di cadaveri abbandonati nel deserto e divorati dai cani. Gertrude era così spossata che le consuete visite alle tende degli sceicchi e le altrettanto consuete assunzioni di nuovi *rafiq* cominciarono a sembrarle tutte uguali e a svolgersi come in sogno. Nella sua memoria si imprimevano soltanto le cose insolite, come l'incontro con un cucciolo di gazzella nella tenda di uno sceicco.

Me lo portarono e me lo misero in grembo, dove si addormentò, acciambellato, simile a un avorio miceneo, con un assurdo corno aguzzo che spuntava sopra un orecchio. Dormì così per tutta la durata della conversazione, e io, nell'osservare i volti grifagni e guardinghi di coloro che sedevano intorno al focolare a bere caffè, consapevole che probabilmente il mio viso aveva un'espressione ansiosa, pensai che nessuno dei presenti fosse del tutto privo di apprensione, tranne la piccola gazzella che mi dormiva in grembo. Ebbene, la sua piccola, fiduciosa presenza era incoraggiante[30].

A dieci giorni da Baghdad giunse nei pressi di un grande accampamento di Anazeh e si rassegnò con riluttanza ai ritardi imposti da un'altra visita di cortesia e dall'assunzione di un altro *rafiq*. Gli Anazeh erano tanto numerosi e diffusi da poter essere definiti "nazione". I meridionali erano fedeli a Ibn Saud, mentre i settentrionali erano divisi in due fazioni, una governata da Ibn Shlan, l'altra da Fahad Beg ibn Hadhdbal, le cui trecento tende in quel momento erano sparse sulle alture erbose del Garah. Lo sceicco Fahad Beg era «tanto potente che temo di dovermi accampare con lui», commentò Gertrude. Tuttavia quando lo incontrò ne ebbe una buona impressione. «Mi ha ricevuta con una gentilezza quasi paterna e ho trovato adorabile la sua compagnia. Ha steso bei tappeti su cui ci siamo seduti, addossati a una sella da cammello, con il suo falco sul posatoio dietro di noi, e il suo levriero sdraiato accanto»[31]. Fu uno degli incontri più significativi della sua vita, nonché di valore immenso per l'opera che svolse in seguito.

Settantenne di amplissime vedute, Fahad Beg era stato tra i primi grandi sceicchi beduini a riconoscere il valore della proprietà. Si era reso conto che l'avvento della ferrovia avrebbe comportato la fine dell'allevamento di cammelli da trasporto e aveva acquistato terre nella regione abitata del canale Hussainiyah, a ovest di Kerbela, dove coltivava palme. Per metà dell'anno, comunque, ritornava al nomadismo beduino con i suoi cammelli e con il suo clan, mentre le scorrerie obbligatorie erano compiute da Mitab, il figlio maggiore. Molto tempo dopo, alla fine della guerra, per onorare il suo precoce apprezzamento del trasporto meccanico, Gertrude si sarebbe divertita a farlo volare per la prima volta in aeroplano.

Quel pomeriggio Gertrude esplorò le rovine di una città primitiva a un'ora di distanza dall'accampamento, redasse copiosi appunti e rispose a un messaggio con cui Fahad Beg le annunciava che avrebbe gradito trascorrere la serata con lei. Giunto alla tenda di lei con un seguito che trasportava molto vasellame e utensili da cucina, Fahad Beg le offrì quello che per lei, nel deserto, fu un autentico lusso, vale a dire una cena deliziosa. Nel condividerla con grande piacere si creò fra loro un solido rapporto. «Cenammo, e all'imbrunire tornò a cadere la pioggia, e noi continuammo a conversare della condizione dell'Iraq, del futuro della Turchia, dei nostri amici di Baghdad, finché, alle otto, lui mi lasciò e io andai a dormire [...] accompagnata da un diluvio di benedizioni»[32].

Il giorno dopo, lottando contro un vento gelido e furioso, Gertrude si domandò se quel viaggio potesse mai aver fine. Soffriva di quella che probabilmente era una sindrome da sovraccarico lavorativo, uno strappo muscolare provocato dal viaggiare ininterrotto a dorso di cammello, che le provocava dolori lancinanti dalla coscia al collo del piede. Nell'accampamento zoppicava e scrisse nell'"altro diario" di aver bisogno di dormire per un anno. Stava cominciando a perdere il senso del tempo («Ieri... Cos'è successo ieri? Abbiamo attraversato alte pianure e ampie valli») e trovava il paesaggio tedioso da cartografare perché estremamente monotono. Poi all'improvviso apparve dal deserto un viaggiatore solitario appiedato. Quando la carovana gli andò incontro, lo sconosciuto rimase in silenzio nonostante i tentativi di parlargli in arabo, in persiano e in turco, tuttavia accettò il pane che gli fu offerto. Al proseguire del convoglio Gertrude si volse a osservarlo nel suo lento procedere verso il cuore di un deserto disabitato. In seguito si domandò se non si fosse trattato di un'allucinazione. Era abbastanza esausta per soffrire di qualunque possibile conseguenza.

Non m'importa di cosa potrebbero farci coloro che sono accampati sulle colline sopra di noi. [...] Ci aspettava un giorno di viaggio tanto lungo che la mia stessa anima ne rifuggiva. Mi sono domandata se fosse opportuno abbandonarmi a un pianto di pura spossatezza e cosa avrebbe pensato l'equipaggio se avessi versato lacrime nel fuoco per il caffè! La mia reputazione di viaggiatrice non sopravviverebbe a tali rivelazioni[33].

Dato che l'estrema privazione di sonno libera la mente dallo stress, attenua la percezione delle difficoltà e dei pericoli, e accentua l'impressionabilità, il diario di Gertrude si aprì sempre di più a una prospettiva spirituale. Trascrisse alcuni versi di Shelley allo «Spirito della Gioia», ricordati a memoria:

I love snow and all the forms
Of the radiant frost;
I love wind and rain storms, anything almost

That is Nature's and may be
Untouched by man's misery*.

E la seguente descrizione di una tempesta imminente è una delle prose più poetiche mai scritte da Gertrude.

Una grande tempesta ha incrociato a passo di marcia la nostra via, e noi, nel procedere in un mondo oscurato dalla sua augusta presenza, abbiamo osservato e ascoltato. I lampi guizzavano fra gli ammassi di nubi da cui scaturiva fragoroso il tuono, ai margini dei quali stuoli di grandine, sferzati e piegati da un vento che non potevamo sentire, si affrettavano sulla pianura per impossessarsi delle montagne[34].

Poi le nuvole si dispersero a rivelare una bella baia dorata di deserto, con le torri del castello medievale al centro. Così la carovana avvistò Palmira. In altri tre giorni, viaggiando dieci o dodici ore al giorno, discese dalle nevi del Monte Hermon al luogo stesso in cui Gertrude aveva raccolto i cammelli, fuori Damasco, e aveva montato il campo per la prima volta nel corso di quel viaggio. Il primo giorno di maggio attraversò i frutteti e i vigneti. Da quattro mesi e mezzo Gertrude non vedeva un paesaggio verdeggiante, con acqua corrente, grano, ulivi abbondanti, castagni dalle foglie fruscianti, canti di uccelli e rose sbiadite dal sole, a benedire i suoi occhi e le sue orecchie. Il primo fabbricato sulla strada per Dumayr, quando Gertrude entrò a Damasco, era l'ospedale inglese, dove aveva un amico, il dottor Mackinnon. Smontò dal cammello e varcò la soglia, quasi

---

* Gertrude aveva un ricordo impreciso della strofa citata. I versi esatti da *Song*, di Shelley, sono i seguenti: «*I love snow, and all the forms / Of the radiant frost; / I love waves, and winds, and storms, / Everything almost / Which is Nature's, and may be / Untainted by man's misery*». Una libera traduzione potrebbe essere questa: "Amo la neve, e tutte le forme / Del gelo raggiante; / Amo le onde, e i venti, e le tempeste, / Quasi qualunque cosa / Che appartenga alla Natura, e che possa essere / Incontaminata dall'umana miseria" (*N.d.T.*).

crollando. Subito il dottor Mackinnon le fu accanto, assistito poco dopo dalla moglie. Fu visitata e accudita. In seguito, quello stesso giorno, rifletté:

E così, eccomi qua, in un giardino con un pergolato di rose, in una casa tranquilla dove nessuno può disturbarmi, e dove posso giacere immobile a riposare. Eppure non è ancora una grande riuscita, perché in sogno continuo a viaggiare a dorso di cammello. [...] Adesso è tutto passato e debbo cercare di dimenticarmene per un poco, fino a quando sarò meno stanca. È ancora tutto troppo recente, incombe troppo enormemente, sproporzionato rispetto al mondo, e troppo tenebroso, incredibilmente minaccioso[35].

Ebbe alcuni giorni per riposare prima che incominciassero ad arrivare i visitatori, incluso, a suo tempo, anche l'agente di Al Rashid, il cui «viso grifagno e scaltro» e il cui parlare «sottovoce, lentamente» avevano suscitato in lei un vago timore nel momento in cui gli aveva affidato duecento sterline in cambio di una lettera di credito. Quando lui le chiese se avesse saputo di Ibrahim, lei gli domandò a sua volta a che cosa si riferisse. «Lui mi guardò in silenzio e si passò le dita davanti alla gola»[36].

Le fu suggerito che Ibrahim era morto per averle permesso di lasciare Ha'il, anzi, quasi contemporaneamente al suo arrivo a Baghdad, il giovane emiro aveva fatto assassinare ad Abu Ghar il reggente, Zamil ibn Subhan, in parte perché questi aveva intrattenuto rapporti segreti con Ibn Saud nella speranza di giungere pacificamente a un accordo. Adesso l'emiro doveva uccidere anche Ibrahim, il fratello di Zamil, e tutti i loro parenti e schiavi della famiglia Subhan, altrimenti loro sarebbero stati vincolati dall'onore a uccidere lui e i suoi figli. Dunque era appena incominciata una nuova faida di sangue. Non trascorse molto tempo prima che l'emiro fosse a sua volta assassinato, e così, come Gertrude aveva predetto, la decadenza di Al Rashid corse verso l'annientamento in un tumulto di assassini e d'intrighi.

Anche se fu un epilogo adeguato per gli orrori di Ha'il, non fu alla morte di Ibrahim che Gertrude pensò, nello sprofondare in un sogno a occhi aperti che le consentì di riesaminare entro una certa prospettiva gli eventi degli ultimi quattro mesi. Il richiamo del muezzin che l'aveva ossessionata durante la prigionia continuava a perseguitarla, suscitando nella sua mente un'indelebile impressione di spiritualità e fatalismo arabi:

«Iddio è grande, Iddio è grande. Non esiste altro Dio all'infuori di Dio, e Maometto è il profeta d'Iddio. Iddio è grande. Iddio è grande». Come in un sussurro recato dalla brezza profumata del deserto, la possente invocazione, che è l'alfa e l'omega dell'Islam, echeggia nella mia memoria allorché penso ad Ha'il.

10.
Prima guerra mondiale

Io e il gatto siamo gli unici due senza uniforme.

Dal viaggio ad Ha'il Gertrude ritornò diversa e trovò un mondo cambiato. A Rounton, dove intendeva soggiornare per riposarsi, giunse allo scoppio della guerra e scrisse lettere accorate a Dick Doughty-Wylie, che si trovava ad Addis Abeba. Quando la guerra fu dichiarata, il 4 agosto 1914, andò in campagna e montò sui covoni e sui carri per incitare i contadini a fare quello che avrebbe fatto lei stessa se fosse stata un uomo, cioè arruolarsi. Poi, in automobile, si spostò nei campi minerari per esortare alla battaglia anche i minatori.

Secondo le previsioni, il conflitto sarebbe dovuto durare quattro mesi, non quattro anni. Dopo le devastazioni della guerra totale napoleonica, si era stipulata in Europa una serie di trattati che vincolava tutte le nazioni a rispettare numerosi obblighi. La Gran Bretagna era tenuta a sostenere la Francia, che a sua volta doveva intervenire a favore della Russia, alleata della Serbia, della Polonia e dell'Italia, mentre l'Austria aveva l'aiuto della Germania, che aveva quello della Turchia.

Il Kaiser tedesco, Guglielmo, era un militare arrogante e aggressivo impegnato a rafforzare eccessivamente la marina militare e a promuovere il potere delle forze armate. Il pericolo scaturì tuttavia dalla fonte più improbabile, ovvero l'antico e stremato Impero austroungarico. L'imperatore deplorava i cambiamenti e manteneva il proprio dominio sui sudditi, che reclamavano l'autodeterminazione. Particolarmente riottosi erano i serbi, i cui gruppi militanti non erano disposti ad attendere le riforme promesse dal benintenzionato erede dell'imperatore, ossia l'arciduca Ferdinando, il quale, in una bella giornata estiva, mentre si trovava in visita a Sarajevo a bordo di un'autovettura scoperta, fu assassinato con un colpo di pistola sparato dalla folla.

L'attentato produsse un effetto domino. L'Austria invase la Serbia. La Russia si mobilitò per difendere la Serbia, minacciò la Turchia e chiese aiuto alla Francia. Nel vedere le potenze europee coalizzarsi contro di lei, la Germania decise di sferrare un attacco preventivo. Con sgomento della Francia, le truppe tedesche attraversarono il Belgio e in poche settimane si avvicinarono a Parigi. La Gran Bretagna si sentì vincolata dall'onore a dichiarare guerra alla Germania e inviò un corpo di spedizione di centomila uomini in aiuto alla Francia. Le truppe anglofrancesi assorbirono tutto l'impatto massacrante dell'offensiva tedesca a nord, mentre due milioni di francesi formavano una barriera umana che scendeva sino alla Svizzera. Nel frattempo, Canada, Australia, Nuova Zelanda, India e colonie africane accorsero in aiuto del Regno Unito. In breve tempo il Giappone invase la Cina. L'una dopo l'altra, quasi tutte le nazioni del mondo furono coinvolte nella guerra. Così quel colpo di pistola esploso nella remota capitale europea provocò la mobilitazione di sessantacinque milioni di uomini e il massacro di trentotto milioni di vittime.

Prima della fine del 1914, il servizio segreto britannico al Cairo stava già raccogliendo informazioni sulle province arabe dell'Impero ottomano. Impegnata a combattere su due fronti, la Russia chiese il sostegno britannico nel Mediterraneo, e il Regno Unito, che stava escogitando una nuova strategia, era pronto a fornirlo. In soli tre mesi la guerra di trincea nel Nord della Francia arrivò a una condizione di stallo apparentemente perpetuo. Se la Gran Bretagna avesse aperto un fronte sudorientale nella regione dei Dardanelli, si sperava che la Germania avrebbe diviso le proprie forze per scendere a difendere i turchi. E se fosse stato aperto un fronte sudorientale e se la Turchia si fosse unita alla Germania per una guerra totale contro la Gran Bretagna, con chi si

285

sarebbero schierati gli arabi? Dal Cairo, Wyndham Deedes chiese al ministero della Guerra se fosse possibile ottenere la collaborazione di Gertrude Bell, la famosa viaggiatrice che molto recentemente aveva esplorato il territorio, e chiederle quali fossero le sue valutazioni.

A Rounton, Gertrude ritirò la corrispondenza al tavolo della colazione e la portò subito nel suo studio, sgombrò la scrivania con il metodo che le era consueto da lunghissimo tempo, cioè rovesciando tutti i libri e tutti i documenti sul pavimento, e si sedette a scrivere. Il rapporto che produsse, in risposta alla richiesta del ministero della Guerra, manifestò la sensibilità e la perspicacia con cui sapeva comprendere le situazioni politiche più complesse. La sostanza era che la Siria era favorevole alla Gran Bretagna e non apprezzava la crescente influenza francese nella regione, quindi sarebbe stata felice di accettare un'amministrazione britannica.

Sul piatto della bilancia di Baghdad pesiamo molto più della Germania a causa dell'importanza delle relazioni con l'India, principalmente quelle commerciali. La presenza di un gran numero di ingegneri tedeschi a Baghdad per la costruzione della ferrovia non sarà di alcun vantaggio alla Germania, perché essi non sono affatto ben visti. Nell'insieme direi che l'Iraq non vorrebbe vedere la Turchia in guerra contro di noi e non vi parteciperebbe attivamente. In quelle regioni, tuttavia, i turchi probabilmente si volgerebbero [...] ai capi arabi che hanno accettato la nostra protezione. Una simile azione sarebbe estremamente impopolare presso gli unionisti arabi che considerano potenti protagonisti Ibn Saud e Sayyid Talib di Bassora, [sceicco del] Kuwait, un furfante che non ha ricevuto nessun aiuto da noi, anche se i nostri (i mercanti) hanno mantenuto con lui ottimi rapporti[1].

Il significato del rapporto di Gertrude fu confermato in ogni punto al ministero della Guerra dagli ispettori sul campo, i quali conoscevano le loro *vilayet*[2], anche se non erano in grado di valutare la situazione in una prospettiva tanto ampia quanto quella che Gertrude poteva avere facilmente dopo il suo epico viaggio ad Ha'il. Per la prima volta Whitehall diede credito alle sue conoscenze formidabili e se ne servì. A partire da quel momento, il suo futuro fu vincolato al governo britannico.

Il *Rapporto Bell* fu rapidamente inoltrato al Cairo e anche al ministro degli Esteri, Sir Edward Grey, il quale, al pari di molti statisti e politici liberali dell'epoca, già conosceva bene la famiglia Bell. Era stato con Hugh nel consiglio di amministrazione della London and North Eastern Railway e il suo trattato sulla pesca con la mosca era uno dei libri che Gertrude aveva portato con sé nel deserto nel 1911 perché le ricordasse della temperata campagna inglese, come gli aveva riferito al ritorno da Ha'il, quando lui era stato fra i primi visitatori in Sloane Street.

La vita stava cambiando ovunque, anche se per alcuni cambiava meno che per altri. Le riviste erano zeppe di fotografie di bellezze dell'alta società in uniforme, come la contessa Bathurst in quella di crocerossina e la marchesa di Londonderry in quella della Women's Service Legion[3]. Il nuovo periodico britannico *Vogue*, di cui Gertrude in seguito sarebbe diventata lettrice occasionale, ritraeva la duchessa di Wellington intenta a confezionare a maglia le calze per un soldato. Fotografata con un grazioso cappello di paglia, Mrs Vincent Astor dichiarò di voler aprire una casa di accoglienza per convalescenti nei pressi di Parigi. Lady Randolph Churchill «organizzò alcuni tableau vivant molto belli». Perfettamente consapevole di quanto tutto ciò fosse futile, Gertrude desiderava ardentemente contribuire all'impegno bellico svolgendo un incarico commisurato alle sue capacità. «Ho chiesto ad alcune amiche della Croce Rossa di unirsi a me alla prima occasione di prestare servizio all'estero» scrisse a un'amica. «Ho scritto agli amici di Parigi per chiedere se mi sia possibile rendermi utile in qualsiasi modo. [...] L'Arabia può attendere»[4].

Per il momento non poteva far altro che imitare le gentildonne della buona società e svolgere tranquille mansioni burocratiche in un ospedale di Lord Onslow, a Clandon Park, in Surrey, una delle numerose ville in cui ora erano accolti i feriti. Nonostante vi fossero ricoverati cento soldati belgi, Gertrude scoprì con amara delusione che i suoi compiti erano limitati al lavoro d'ufficio, senza che le fosse permesso prodigarsi come infermiera. Si lamentò con Florence di non avere abbastanza da fare, o quasi. Le domeniche erano particolarmente noiose. Una volta uscì a passeggiare e prese il tè presso una famiglia amica, i John St Loe Strachey, i quali avevano ceduto ai convalescenti le camere da letto della loro dimora. Florence riferì a Gertrude che si apprestava a fare lo stesso a Rounton e che inizialmente avrebbe accolto venti feriti, poi altri ancora. Gertrude si domandò come sarebbe stato possibile alloggiarli. Raccontò a Florence di uno dei primi ricoverati della famiglia Strachey, un soldato congolese che soltanto con molta difficoltà era stato persuaso a rinunciare al pugnale che avrebbe voluto tenere sempre accanto a sé nel letto, spiegando che al suo paese, in Africa, i prigionieri erano uccisi e mangiati. «Così St Loe ha commentato: "È conseguenza stranamente inattesa della guerra avere la propria camera da letto più bella occupata da un cannibale"»[5].

Il 21 novembre, dopo sole tre settimane a Clandon, Gertrude ricevette la proposta di trasferirsi subito all'Ufficio feriti e dispersi della Croce Rossa, a Boulogne.

Aperto a Parigi all'inizio della guerra, l'Ufficio indagini feriti e dispersi (UIFED) rispondeva alle richieste delle famiglie dei soldati che avevano smesso di scrivere dal fronte senza che si sapesse se fossero feriti, dispersi o defunti. I parenti potevano ottenere notizie soltanto tramite il cosiddetto "telegramma della paura", con cui il ministero della Guerra li informava che i loro cari erano caduti in battaglia, oppure tramite gli elenchi dei nomi delle vittime pubblicati sul *Times*. Tuttavia le richieste erano talmente numerose che il ministero non era in grado di rispondere a tutte. Così alle famiglie restava l'unica possibilità di scrivere alla Croce Rossa per avere informazioni. Il compito dell'UIFED consisteva nel tentare di rintracciare tre categorie di soldati, cioè i defunti ancora ignoti, i feriti gravi ricoverati negli ospedali e impossibilitati a scrivere alle famiglie, e i prigionieri. Dapprima l'ufficio si occupò solo dei militari di grado più elevato. Soltanto in dicembre fu aperto un ufficio ausiliario per evadere la posta delle famiglie dei sottufficiali e dei soldati semplici, più difficili da rintracciare.

Durante il primo periodo del conflitto furono privilegiati i rapporti con gli ospedali francesi a Parigi. Dato che l'esercito inglese combatteva nel Nord della Francia, il nuovo ufficio della Croce Rossa fu ubicato il più vicino possibile, accanto agli ospedali britannici installati a Boulogne, e all'arrivo di Gertrude era attivo solo da tre settimane. Di recente le truppe tedesche avevano attraversato le Fiandre e il corpo di spedizione britannico inviato a Ypres per bloccarle aveva subito circa quindicimila perdite. Impantanati nelle trincee e separati dal filo spinato e dalle mitragliatrici, i due eserciti erano impegnati in una guerra di attrito punteggiata a intermittenza di tentativi di sfondare le linee. Ognuna di queste offensive coinvolgeva fra i cinquantamila e i centomila uomini, senza procurare alcun vantaggio duraturo. Era una situazione di stallo, in cui i cento metri conquistati un giorno erano perduti il giorno successivo, oppure una settimana più tardi. Ogni offensiva alleata si concludeva con una quantità spaventosa di morti e di feriti, trasportati in barella dai convogli di ambulanze e ammassati sulle banchine della stazione ferroviaria per essere trasferiti all'ospedale.

All'UIFED Gertrude lavorò insieme all'amica d'infanzia Flora Russell, che già vi era impiegata, e a sua sorella Diana. Dato che le due sorelle si alternavano, in modo che una fosse sempre in ufficio quando l'altra era in licenza, prima di partire Gertrude ebbe modo d'incontrare a Londra Flora, la quale le descrisse il luridume e il caos spaventoso che si accingeva ad affrontare. Prima di andare a godersi la licenza, inoltre, l'amica le scribacchiò un elenco degli indumenti di cui avrebbe avuto bisogno. Nei tre giorni che le restavano per trasferirsi a Boulogne, Gertrude scrisse una serie di lettere inoltrate da Florence alla sua pazientissima cameriera, Marie Delaire, per chiedere indumenti intimi, orologi, giacche, e gli stivali da equitazione per camminare nel fango. Nonostante la mediazione garbata di Florence, le sue missive furono brusche, quasi scortesi, eppure Marie aveva per lei un affetto e una lealtà sconfinati e le rimase accanto per tutta la vita in qualunque circostanza, buona o cattiva.

Impaziente di natura, Gertrude soffriva come sempre per l'assenza di Dick, il quale aveva ormai confessato di amarla ma era sempre lontanissimo, ad Addis Abeba. Quando lo avrebbe rivisto? Lei sapeva che se fosse ritornato in patria avrebbe probabilmente offerto i propri servigi alle forze armate e sarebbe ripartito. Così mise sul fondo della valigia il cofanetto con le sue lettere, chiuso a chiave.

A Folkestone fu una delle poche donne a imbarcarsi sul piroscafo per la Francia, affollato di tetri militari in uniforme di ritorno al fronte dopo una licenza di settantadue ore. Sbarcata sul molo di Boulogne nella pioggia fitta di novembre[6], riconobbe a stento in quella grigia città il luogo di partenza di tante vacanze europee della famiglia Bell, e non trovò nessuno dei facchini solleciti che in quelle occasioni erano accorsi numerosi ad accogliere i turisti. Con il bavero alzato e la valigia in mano, seguì i militari con lo zaino in spalla, diretti alla stazione ferroviaria, dove montavano a bordo degli omnibus londinesi requisiti per trasportare le truppe al fronte. Benché fossero in Francia da sole quattro o cinque settimane, le vetture erano tanto imbrattate di fango che il loro colore originale si intravedeva a stento. Gli omnibus guasti erano stati convertiti in ricoveri improvvisati per offrire riparo dalla pioggia. Nonostante le incrostazioni,

Gertrude distinse le targhe di destinazione di due vetture, cioè Putney e Kilburn. Passando tra file di ambulanze della Croce Rossa, giunse ai magazzini trasformati in un ospedale efficacemente amministrato dal servizio sanitario militare. Le uniche altre donne in strada erano le infermiere militari che si recavano al lavoro o che avevano appena terminato il loro turno, abbigliate in uniforme grigia con gonna alla caviglia.

L'auto dell'ufficio l'attendeva alla stazione di servizio, dove un'ambulanza stava scaricando feriti. Coloro che erano in grado di camminare sembravano sagome di fango, con i volti e i pastrani imbrattati. Zoppicavano o strascicavano i piedi come vecchi, senza guardare a sinistra né a destra. Gli altri erano portati via in barella, oppure fumavano sigarette in attesa della fase successiva del rimpatrio. Mentre la vettura procedeva sollevando spruzzi dalle pozzanghere, Gertrude vide ovunque, attraverso i vetri infangati dei finestrini, sporcizia e sconforto. Fu alloggiata in una stanza nella mansarda di una locanda decrepita, in cima a una lunga scala ripida che puzzava di cibo stantio. Diana, che condivideva con Flora una camera al pianterreno, passò a trovarla e convenne che si trattava di un buco orrendo. Dopo essersi cambiata le scarpe, Gertrude andò con lei a procurarsi un passaporto. In una lettera scrisse a Dick: «Ho subito un disgustoso interrogatorio da parte delle funzionarie della Croce Rossa a proposito del passaporto: [...] età quarantasei anni, altezza un metro e sessantacinque [...] nessuna professione [...] bocca normale [...] viso, ebbene... [...] "Tondo" ha commentato la funzionaria quando l'ho guardata»[7].

Le fu assegnata una scrivania e fu presentata alle volontarie dell'UIFED, gentildonne solerti ma disorganizzate. L'ufficio era un ambiente lungo e stretto, dal soffitto alto, più buio del grigio panorama visibile attraverso le finestre. Mucchi di documenti pieni di orecchie ingombravano quasi completamente quattro o cinque scrivanie, e persino il pavimento tutt'intorno. Più volte al giorno arrivava un corriere a portare casse di lettere e di elenchi, scatenando l'attività febbrile di tutte le impiegate. A volte un nome su una lettera catturava l'attenzione e induceva a scavare fra cinque o sei mucchi di carte, tuttavia Gertrude notò che le volontarie non tardavano a rinunciare per riprendere a esaminare le richieste più recenti inviate dalle famiglie e i ritagli di giornale.

Tutte cercarono di illustrare cosa stavano facendo, ma le loro spiegazioni erano tanto diverse e loro stesse sembravano tanto confuse, che alla fine Gertrude si mise a lavorare da sola. All'arrivo delle lettere, si annotavano i nomi e si cercava di rintracciarli negli elenchi, ma Gertrude si accorse subito che non veniva applicato un metodo. Si procedeva ancora come all'inizio, quando la corrispondenza era stata soltanto un rivolo, mentre ormai era diventata un fiume. Si confrontavano le richieste recenti con gli elenchi di nomi di uno o due mesi prima, quelli dei feriti dai registri dei ricoveri ospedalieri, nonché dai rapporti delle ricerche negli ospedali, e quelli dei prigionieri, dei caduti e dei dispersi dai quotidiani. Quando si aveva un riscontro, cosa che capitava di rado, si scriveva alla famiglia interessata per comunicare che il loro parente era ferito o disperso, caduto o prigioniero. Attingendo dagli appunti scribacchiati e dalla memoria, affogando nei documenti provenienti da tante fonti eterogenee e vicine ai campi di battaglia in cui nessuno dei due eserciti prevaleva, le volontarie perdevano a poco a poco il senso del loro lavoro e si sentivano sempre più demoralizzate e sempre meno determinate. Con oltre quindicimila militari britannici uccisi, feriti o dispersi nella recente battaglia di Mons, più che inondato, il piccolo ufficio era travolto dalla piena.

In breve, Gertrude si rese conto che per sviluppare un metodo efficiente sarebbe stato necessario cominciare dall'inizio e si pose all'opera con tutta la sua energia. Così, un'ereditiera che aveva sempre vissuto per l'avventura e per la propria cultura si dedicò a un modesto lavoro d'ufficio come se da ciò dipendesse la sua stessa esistenza: «Credo di avere ereditato l'amore per il lavoro d'ufficio! Era destino che diventassi un'impiegata. [...] Sento di essermi gettata in questo lavoro come chi diventa alcolista, per dimenticare»[8]. E dimostrò di essere un'organizzatrice formidabile.

Le volontarie benintenzionate non tardarono a essere dirette dalla nuova arrivata, la quale, dopo averle interrogate sui loro metodi, propose un nuovo modo di operare che si sentirono obbligate ad adottare. Il primo obiettivo di Gertrude fu quello di creare una banca dati a cui l'intero ufficio potesse attingere[9]. Realizzò uno schedario alfabetico di tutti gli ufficiali ricoverati negli ospedali francesi, in cui ogni scheda conteneva le date di ricovero, di trasferimento, di rimpatrio e di ritorno al fronte. Così era possibile un rapido confronto con le richieste dei familiari. Terminata la banca dati, iniziò subito a incrociare le richieste con le liste di ricovero, ricavandone un altro schedario, suddiviso in feriti e dispersi, contenente tutte le informazioni disponibili. Compilava le schede nella pausa pranzo e dopo il lavoro, quando l'ufficio avrebbe dovuto essere chiuso. Una volta completato, questo secondo schedario permise di confrontare, verificare e confermare le nuove informazioni via via che arrivavano, quale che ne fosse la fonte. Soddisfatta dei propri sforzi, Gertrude scrisse: «Ho quasi spianato la montagna di errori che ho trovato al mio arrivo. Nulla era mai stato verificato, quindi gli errori continuavano ad ammassarsi, senza che si avesse idea della confusione che tutto ciò provocava. [...] Se non siamo scrupolosamente corretti, siamo inutili»[10].

I nomi registrati da cinque o più mesi furono trasferiti in uno schedario apposito, denominato "Dispersi presunti deceduti", in attesa delle eventuali verifiche che avrebbero permesso alle autorità di aggiungere i nomi dei militari all'elenco ufficiale dei caduti e alle famiglie sventurate di ricevere la temuta comunicazione del ministero della

Guerra, in modo da poter finalmente rinunciare alla speranza.

Ora non restava altro da fare, come Gertrude riferì a Florence, che persuadere le sedi dell'UIFED di Londra e di Parigi ad adottare il nuovo metodo e ad assicurare che tutte le informazioni fossero costantemente aggiornate. Quando aveva tempo di pranzare, Gertrude andava con Diana o con Flora in un piccolo ristorante affollato di soldati, dove tutti si accettavano reciprocamente per quello che erano. Come scrisse alla famiglia, era il più strano dei mondi.

Le ore d'ufficio, seppure inferiori alla media settimanale delle impiegate moderne, erano considerevoli per una donna che non aveva mai svolto mansioni simili. «È spaventosa la quantità di lavoro d'ufficio che abbiamo. Lavoriamo tutto il giorno dalle dieci a mezzogiorno e mezzo, poi dalle due alle cinque, a registrare, archiviare e rispondere alle richieste. [...] Più facciamo più è necessario mantenere una corretta organizzazione delle nostre informazioni. [...] Non occorre dire che sono pronta a tutto. Più lavoro mi assegnano, più mi piace»[11]. E pregò Florence di richiedere per suo conto un elenco completo dei battaglioni territoriali, nonché un indirizzario di Londra da donare all'ufficio. Un elenco telefonico sarebbe andato benissimo.

Quando l'archivio di Boulogne fu completato per quanto possibile, fu Parigi a inviare elenchi di ricoveri e di dimissioni, anziché riceverli. Flora e Diana furono trasferite a Rouen per dirigere un nuovo ufficio applicando il metodo di Gertrude, la quale aveva compilato anche una «lista di sorveglianza» di circa millecinquecento nomi ricavati dalle richieste agli ospedali, con cui sarebbe stato possibile confrontare i nomi dei feriti al momento stesso del ricovero.

Gertrude pensava che col tempo il suo ufficio sarebbe diventato uno dei migliori di Francia. Tuttavia i suoi superiori non le facilitavano il compito in alcun modo. L'UIFED era diretto da Lord Robert Cecil, il quale aveva richiesto di avere al fronte un rappresentante permanente della Croce Rossa, nonché l'autorizzazione al personale medico di recarsi al fronte dopo ogni offensiva per interrogare tempestivamente i feriti a proposito dei caduti e dei dispersi. Le autorità militari avevano respinto entrambe le richieste e avevano ordinato all'UIFED di restare dietro le linee. Senza scoraggiarsi minimamente, Gertrude escogitò un piano per raccogliere informazioni mediante i cappellani militari. Non si tardò a comprendere che le forze armate intendevano nascondere ai civili il vero, catastrofico corso della guerra di trincea, come pure gli errori dei comandanti, che continuavano a ordinare offensive sempre più massicce quando sarebbe dovuto essere abbondantemente chiaro che quella strategia non funzionava affatto. Per ragioni ancora più oscure, la Croce Rossa aveva deciso di non permettere alle donne di indagare negli ospedali. «Molto sciocco» commentò sdegnosamente Gertrude, decisa a fare amicizia con le infermiere e a recarsi ovunque desiderasse, seppure non ufficialmente.

Passeggiava al fronte del porto fra le otto e mezzo e le nove del mattino. Alle cinque del pomeriggio, terminato il lavoro d'ufficio, si recava ovunque i feriti fossero ricoverati per interrogarli. Una volta si recò con l'auto di servizio a Le Touquet per visitare l'ospedale Secunderabad, riservato ai reggimenti indiani, e fu accolta cordialmente da medici e infermiere, che le confessarono di sentirsi isolati. Quella breve visita fu per lei come tornare a casa. Le fu offerto il tè e fu accompagnata ai reparti, dove incontrò sikh, gurkha, jat e afridi, seduti a gambe incrociate sui letti a giocare a carte. «Le cuoche [cucinavano] pasti indù e maomettani su fuochi separati, e tutto era pervaso di profumo di burro chiarificato e di aromi speziati orientali. [...] Ognuno aveva la cartolina di Natale del re sopra il letto e la confezione di spezie della principessa Mary sul tavolo sottostante»[12].

Nel centro di Boulogne, il Casinò, un locale promiscuo, chiassoso e pacchiano, era stato requisito dal ministero della Guerra e trasformato in ospedale militare. Divertita, Gertrude scoprì che l'American Bar era diventato il reparto radiografie, mentre il Cafè Bar era il dispensario di bende e di fenolo, e che i soldati britannici, ricoverati insieme ai feriti tedeschi, si comportavano in modo assolutamente cordiale con gli ex nemici. L'11 dicembre scrisse a Chirol:

Di recente è stato emanato un ordine diretto di Kitchener, secondo cui nessun visitatore privo di lasciapassare può essere ammesso in ospedale. Ebbene, è inesprimibilmente sciocco. La motivazione ufficiale è quella d'impedire che le spie abbiano accesso agli ospedali, interroghino i feriti e raccolgano informazioni preziose sulla disposizione dei reggimenti! Chiunque abbia parlato con i ricoverati sa quanto sia ridicolo tutto questo. Di solito sono estremamente vaghi su dove si trovavano o su cosa stavano facendo[13].

In novembre e in dicembre, durante il primo mese di Gertrude all'UIFED, giunsero milleottocentotrentotto richieste dalle famiglie. Con il suo schedario di cinquemila nomi, Gertrude riuscì ad accertare la sorte di centoventisette militari, in gran parte rintracciati dai tre "cercatori" aggregati all'ufficio di Boulogne, le cui mansioni quotidiane consistevano nel recarsi negli ospedali a interrogare i feriti, mutilati o affetti da psicosi traumatica, per avere notizie sui dispersi. Se ne ottenevano, le trascrivevano affinché in ufficio fosse possibile archiviarle, e di ogni decesso accertato era informato il ministero della Guerra. Nella sezione relativa a Boulogne di un rapporto per il comitato di guerra congiunto, redatto probabilmente dalla stessa Gertrude, si legge:

In patria si dovrebbe considerare che interrogare i feriti a proposito dei dispersi è un aspetto molto difficile del nostro lavoro. Quando arrivano in ospedale dalle trincee, i soldati sono talmente scossi che le loro testimonianze devono essere verificate e ricontrollate mediante altre dichiarazioni. È dunque possibile che per indagare su ogni singolo "caso" si renda necessario interrogare quattro o cinque persone.

Quando i britannici si ritiravano, i loro feriti erano uccisi o catturati dai tedeschi, quindi si potevano raccogliere notizie sui superstiti soltanto mediante gli elenchi di prigionieri che la Croce Rossa di Ginevra portava dalla Germania a Boulogne, consentendo di appurare la sorte di almeno alcuni dispersi.

Nessuna guerra era mai stata combattuta così. Come scrisse A.J.P. Taylor, il milite ignoto fu il vero eroe di un conflitto in cui quasi centonovantaduemila militari dell'Impero britannico furono dispersi o catturati. Una sola cannonata poteva uccidere e smembrare una cinquantina di soldati, così da renderne irriconoscibili i cadaveri. Uno degli aspetti più orribili della procedura avviata da Gertrude a Boulogne fu quello di esaminare, ovunque fosse possibile, le tombe dei caduti frettolosamente sepolti sui campi di battaglia, i cui parenti chiedevano che ne fosse dimostrata la morte e che fosse indicata l'ubicazione delle loro sepolture. Provvedevano alle esumazioni gli stessi cercatori della Croce Rossa che di solito visitavano gli ospedali per interrogare i feriti, scoprendo spesso che il colonnello o il capitano da rintracciare era stato gettato in una fossa comune. A metà dicembre Gertrude registrò il ritrovamento di una fossa comune con novantotto cadaveri, soltanto sessantasei dei quali erano provvisti di piastrine d'identificazione. Se non altro fu possibile documentare la morte di costoro e individuare la fossa, che dopo le verifiche necessarie fu allargata per potervi allineare i cadaveri fianco a fianco e celebrare il servizio funebre. Gertrude riferì a Valentine Chirol:

Quando siamo sotto il tiro incrociato delle artiglierie abbiamo una cinquantina di perdite al giorno. [...] Laggiù è terribile, adesso. Piove in continuazione. [...] Le strade oltre Saint-Omer sono in condizioni orrende. L'acciottolato sta cedendo [...] e ai bordi è pura melma. I veicoli pesanti che escono dall'acciottolato e sprofondano nel fango rimangono impantanati in eterno[14].

Non sempre Gertrude riusciva ad accantonare il ricordo di Dick. Inoltre aveva una nuova preoccupazione. Con l'anno nuovo Maurice sarebbe stato inviato al fronte, perciò temeva di trovare un giorno il nome del fratello in uno degli elenchi che arrivavano sulla sua scrivania. Come al solito si confidò soltanto con Chirol, proteggendo la famiglia dalla consapevolezza della propria sofferenza:

Posso lavorare per tutto il giorno. È come una stretta passerella sull'abisso di angoscia che sto percorrendo da lunghissimo tempo per poterlo varcare, e talvolta persino quella sembra sul punto di schiantarsi. [...] Non dovrei scriverne. Perdonami. Ci sono giorni in cui tutto questo diventa quasi insopportabile. Oggi è uno di questi giorni e io ti lancio il mio grido. [...] Mio caro Domnul, carissimo amico, il migliore degli amici[15].

All'inizio della guerra gli ufficiali, in quanto militari di carriera, erano più anziani di molti loro subordinati, quindi era più probabile che fossero sposati e che, in caso di scomparsa, le loro mogli scrivessero alla Croce Rossa per esortarla a iniziare le ricerche. Dato che il ministero della Guerra registrava brevetti e promozioni, gli elenchi degli ufficiali erano disponibili, mentre i nomi dei soldati semplici erano noti soltanto ai reggimenti di appartenenza. Secondo il rapporto per il comitato di guerra congiunto, «con lo scarso personale a disposizione è stato ovviamente impossibile compilare un elenco completo di tutti i militari, perciò ci si è dapprima limitati agli ufficiali». Benché questo atteggiamento abbia un aspetto deplorevole, è pur vero che il numero dei soldati era astronomico. Gli uffici di reclutamento furono sommersi dai due milioni e mezzo di volontari che risposero all'appello di Kitchener: «Il tuo paese ha bisogno di te».

Poco dopo l'apertura del nuovo Ufficio indagini preposto ai sottufficiali e alla truppa, le forze armate cessarono di inviare gli elenchi alla Croce Rossa perché gli ospedali furono inondati dalla marea di feriti da assistere. Senza questo strumento e senza cercatori disponibili per i piccoli organici, il nuovo ufficio chiuse dopo poche settimane di attività. Così la corrispondenza delle famiglie fu trasferita a Gertrude, il cui carico di lavoro era già raddoppiato a causa delle richieste inoltrate da Parigi. Comunque lei e le sue collaboratrici si assunsero anche il gravoso compito di indagare sui sottufficiali e sui soldati semplici, fornendo notizie, buono o cattive, ad almeno alcune famiglie britanniche: «Una faccenda alquanto complicata è stata risolta, con la conseguenza che ora ci occupiamo anche della truppa, oltre che degli ufficiali, e io ne sono molto contenta»[16].

Gertrude chiese a Florence di aggiornarla sulle indennità concesse ai militari dell'esercito e della marina, perché, cresciuta nell'attenta consapevolezza familiare delle ristrettezze economiche dei lavoratori, come gli operai delle ferriere di suo padre, sapeva cosa significava per una famiglia perdere il proprio sostegno. Allorché si trovava costretta a riferire che un marito o un padre era rimasto mutilato o ucciso, voleva essere in grado di spiegare quali indennità spettavano ai familiari e come si doveva procedere per ottenerle.

Natale era ormai imminente. Quando Hugh le aveva chiesto se desiderasse un'auto per essere facilitata nel lavoro, Gertrude aveva rifiutato, spiegando che avrebbe sempre potuto ottenerne una in prestito, se avesse voluto. Allora lui le inviò cinquanta sterline, sperando che rientrasse in patria per le feste. Ringraziandolo, lei gli scrisse di voler restare a Boulogne per il timore che in sua assenza le colleghe smettessero di applicare il metodo da lei sviluppato. Aggiunse di avere su Flora e su Diana il grande vantaggio di poter essere sempre presente, senza contare che il costante impegno nel lavoro le impediva d'indugiare sulle proprie angosce.

Spiegò a Hugh come intendeva spendere quelle cinquanta sterline. Comprendendo di avere in lei un'ottima assistente, Cecil le aveva dichiarato di apprezzare moltissimo la sua opera di riorganizzazione. Era stato ovvio nominarla direttrice del dipartimento. Quando era stata invitata a scegliere una stanza come ufficio privato, Gertrude aveva deciso per uno dei tetri ambienti vuoti del fabbricato. Lo fece pulire, vi fece sostituire la carta da parati, l'arredò con un tappeto e nuove tendine di chintz, poi, grazie a Hugh, l'abbellì il più possibile. «A dispetto della sporcizia e della tetraggine, ho reso il mio ufficio abbastanza allegro, con vasi di lillà e di narcisi acquistati al mercato. Mi sorprende che giungano fiori a Boulogne in tempo di guerra, e ne sono immensamente grata»[17] scrisse a Chirol. Ultimato il restauro, le rimase ancora abbastanza denaro per acquistare libri, archivi e registri. Come scrisse al padre, era bello sapere che la Croce Rossa non aveva dovuto assumersi alcun onere.

Trascorse il Natale quasi senza celebrarlo. Il 27 dicembre scrisse alla famiglia di un curioso fenomeno di cui si parlava in città.

Ho saputo che il giorno di Natale c'è stata la pace divina, o quasi. Si è sparato pochissimo, quasi niente. I soldati sono usciti dalle trincee e si sono incontrati. In un caso si è persino organizzata una partita di calcio fra nemici. […] È strano, vero? […] Talvolta riconquistiamo terreno perduto e troviamo tutti i nostri feriti scrupolosamente bendati e deposti al riparo. Talaltra, invece, li troviamo tutti uccisi a colpi di baionetta. Forse dipende dal reggimento, o forse dall'umore del momento. Come posso saperlo? Comunque sia, giorno dopo giorno la mente e lo spirito sono oppressi da un fardello sempre più tenebroso[18].

Finalmente Cecil riuscì a persuadere il ministero della Guerra a stabilire una linea di comunicazione con il fronte e l'ufficio della Croce Rossa affidò gli elenchi al maggiore Fabian Ware e alla sua squadra, nella speranza che riuscissero a raccogliere informazioni inattingibili per l'UIFED.

Un componente della squadra, un certo Mr Cazalet, arrivò a Boulogne l'ultimo dell'anno, portando una gran quantità di elenchi e di lettere spiegazzate tratte dalle tasche dei defunti, alcune macchiate di sangue. Le informazioni recenti che provenivano dal fronte erano di grande valore, ciononostante sarebbe stato necessario compiere tutte le verifiche nel giro di ventiquattr'ore, perché poi Cazalet sarebbe dovuto ritornare al fronte e avrebbe dovuto consegnare le lettere affinché fossero restituite alle famiglie insieme a tutti gli altri eventuali effetti personali. Così, sole in ufficio l'ultimo giorno dell'anno, Gertrude e Diana iniziarono subito a esaminare le lettere, a verificare i dati e a registrare i risultati. Lavorarono per tutta la giornata e dopo una pausa per la cena ritornarono in ufficio a lavorare fino alle due del mattino. «A mezzanotte c'interrompemmo per qualche minuto, scambiandoci gli auguri di buon anno e mangiando un po' di cioccolato»[19].

Di nuovo in ufficio alle otto e un quarto del mattino, Gertrude terminò il lavoro a mezzogiorno e mezzo, con un'ora di anticipo, poi andò personalmente a consegnarlo con l'auto dell'UIFED. Il maggiore Ware ne fu impressionato e non molto tempo dopo si recò in visita all'ufficio, dove ebbe una lunga conversazione con Gertrude, al termine della quale, prima di andarsene, promise che in futuro le avrebbe inviato tutte le informazioni che fosse riuscito a raccogliere. In gennaio Cecil le mandò per la prima volta l'elenco mensile dei dispersi del ministero della Guerra affinché lo valutasse. «Era pieno di errori, sia di esecuzione sia di omissione»[20] scrisse Gertrude a Chirol. Nella sua risposta chiese che le fosse assegnato anche quel compito, dato che l'UIFED era informato sui dispersi molto meglio del ministero della Guerra.

Tuttavia, a dispetto delle sue illimitate capacità di lavoro, ormai aveva quasi esaurito le energie. Con Maurice al fronte e Dick incline a ritornare in combattimento, si stava sforzando enormemente di resistere alla depressione. Lo spaventoso maltempo divenne una metafora per la costante emorragia di vita e la mancanza di risultati nella conduzione della guerra. Insolitamente, confessò il proprio abbattimento a Chirol: «Mi sento stanca. [...] Sono troppo vicina all'orribile lotta nella melma. È un territorio infernale, completamente sommerso. [...] Rimuovere il fango è impossibile»[21].

Con il proliferare del numero dei feriti e dei dispersi, il ministero della Guerra trasferì all'efficiente ufficio della Croce Rossa di Boulogne gran parte di ciò di cui era stato responsabile in origine. Gertrude proseguì il suo impegno, e il lavoro in tutti i suoi aspetti fu affidato alle sue mani capaci. Chiese e ottenne l'incarico di rispondere alle richieste in conseguenza delle quali la Croce Rossa avrebbe dovuto informare le famiglie della morte dei loro congiunti. Il suo stile contrastava radicalmente con quello del temuto modulo B101-82 inviato dal ministero della Guerra:

Signora,
è mio doloroso dovere informarvi che quest'oggi il ministero della Guerra ha inviato un rapporto per notificare il decesso del numero di matricola 15296, soldato semplice Williams, J.D., avvenuto in una località non identificata il 13 novembre 1915. La causa della morte è "caduto in combattimento".

Il "telegramma della paura" era ancora più succinto:

Con profondo rammarico vi informiamo che E.R. Cook, granatiere britannico, è caduto in combattimento il 26 aprile. Lord Kitchener esprime il suo cordoglio. Ministero della Guerra.

Gertrude fece tutto il possibile per comunicare i decessi nel modo più gentile e più compassionevole, e dato che nello svolgere questo triste compito consumò una macchina per scrivere, ne ebbe in sostituzione un'altra, di modello più recente. Il Rapporto per il comitato di guerra congiunto

302

rende onore al suo lavoro senza nominarla e descrive il suo metodo:

Le formule e i modi ufficiali dovrebbero essere evitati il più possibile affinché il richiedente possa percepire un certo interesse personale nei confronti del suo caso, [...] ed è stata ampiamente dimostrata l'importanza di persuadere le famiglie dei dispersi che a loro beneficio sono state compiute vaste e assidue ricerche.

Il 12 gennaio Gertrude scrisse a Chirol:

Mi è stata affidata tutta la corrispondenza. Parigi, Boulogne e Rouen. Ne sono felice perché la forma con cui trasmettiamo soprattutto notizie terribili è molto importante, e quando devo farlo so che almeno l'impegno a questo scopo sarà massimo. [...] Conduco un'esistenza monastica e non penso ad altro che alla mia povera gente, le cui sorti seguo con tanto dolore. [...] Le lettere che ricevo e a cui rispondo ogni giorno sono strazianti. Comunque, anche se possiamo riferire ben poche cose buone a tutte queste persone, credo che sia loro di conforto sapere che qualcosa si fa per scoprire che cosa accade ai loro cari. Spesso so bene che non vi è alcuna possibilità che siano sopravvissuti e devo rispondere il più gentilmente possibile, senza riferire i dettagli orribili che ho appreso. Questo è il mio lavoro quotidiano[22].

Quando era ormai stremata, Gertrude ricevette la lettera che la riportò alla vita. Dick le scrisse per annunciarle il suo ritorno a Londra, chiedendole di attendere il suo messaggio e poi di andare subito a incontrarlo.

Le sue colleghe rimasero sconcertate quando il capo, che non si concedeva mai una vacanza e che di rado sfruttava la pausa pranzo o lasciava l'ufficio all'orario di chiusura, si assentò all'improvviso senza una parola di spiegazione.

Quelli furono i tre giorni e le quattro notti che Gertrude trascorse con l'uomo amato prima della sua partenza per Gallipoli, consapevole che forse non lo avrebbe rivisto mai più. Quando Dick fu partito, lei, sotto la pioggia, s'imbarcò a Folkestone sul piroscafo per Boulogne. Non si era mai sentita il cuore così pesante. Già depressa, entrò nel periodo più tenebroso della sua esistenza.

Di quando in quando, seduta sola alla propria scrivania, nell'ufficio deserto, dopo cena, con il portacenere colmo e un vaso di fiori primaverili provenienti da un mondo soleggiato e remoto, posava la testa sulle braccia incrociate e piangeva. Qualunque elenco di feriti e di dispersi avrebbe potuto contenere i nomi di Dick o di Maurice. Era certa di non poter conoscere mai più la felicità. A partire da allora, le sue lettere in patria contengono una nota di sofferenza costante.

Il mio lavoro prosegue senza interruzioni, assorbendomi completamente, ed è tanto triste che a volte lo sopporto a stento. Sembra che mi passi per le mani il resoconto intimo della guerra. I racconti che mi giungono sono indimenticabili, le splendide semplici figure che vivono in essi popolano i miei pensieri, e le loro parole, che mi sono riferite, echeggiano alle mie orecchie. Quale spreco, quale sofferenza è tutto questo.
Mentre noi siamo qui seduti, le vite si spengono inutilmente. Ora la situazione al fronte è incredibile. In trincea i soldati sono immersi nell'acqua sino al ginocchio, e affondano così, o a mezza coscia, nel fango invalicabile. Quando si stendono allo scoperto per sparare non possono aprire il fuoco perché gli avambracci affondano sino al polso. La metà dei pazienti ricoverati in ospedale è affetta da reumatismi e congelamento. Pensa che rimangono in trincea per ventuno giorni, talvolta per trentasei[23].

Passeggiando lungo la spiaggia nella pioggia fitta, Gertrude pensava ai soldati catapultati nella guerra, ognuno dei quali era un innamorato, un fratello, un marito o un figlio. Senza dubbio rifletté anche sul proprio iniziale entusiasmo bellico e probabilmente sul fato dei giovani dello Yorkshire che aveva esortato ad arruolarsi. In tre mesi trascorsi a Boulogne era giunta a comprendere la guerra di trincea come la compresero pochi fra coloro che non la vissero in prima linea. Ogni giorno udì mentalmente il bombardamento che precedeva un assalto di fanteria, vide i soldati correre fuori dalle trincee e tuffarsi nei crateri delle cannonate, installare le mitragliatrici mentre altre tre o quattro ondate di loro commilitoni li seguivano e assaltavano le linee tedesche. Li vide correre innanzi ad andatura regolare, assistette al lancio dei razzi di segnalazione, li vide scontrarsi con l'uragano di granate delle batterie tedesche, e li vide catapultati in aria, straziati, con le membra che volavano in tutte le direzioni. Vide coloro che giacevano immoti al suolo, udì le grida dei feriti che si trascinavano in agonia, vide le ordinanze frantumate ricomporsi e riprendere l'avanzata con brevi cariche fino a essere falciate a bruciapelo dalle trincee tedesche. Udì gli ordini urlati, le acute grida di battaglia dei britannici alla carica, gli scoppi delle bombe e le raffiche di mitragliatrice, e infine i gemiti e le grida dei superstiti, di nuovo sconfitti, che si ritiravano. I morti, i feriti e i dispersi, tutti, nel fango e nel sangue, ridotti a nomi negli elenchi sulla scrivania a Boulogne. «Si calcola che la resistenza media di un ufficiale al fronte sia di circa un mese, prima che venga ferito» scrisse a Chirol il 2 febbraio. «Si è trattato di conquistare, perdere e riconquistare una trincea, e nelle ultime sei settimane sono andate perdute quattromila vite. È uno spreco straziante»[24].

Il 24 aprile Maurice si distinse al fronte. Tenente colonnello del quarto battaglione del reggimento Green Howards, svolse una funzione essenziale nell'assalto al villaggio di Fortuin, oltre il confine belga, a nordovest di Lilla, dove i tedeschi avevano sfondato le linee. Quando fu ucciso il tenente colonnello G.H. Shaw, comandante del quarto battaglione del reggimento East Yorkshire, che combatteva accanto a lui, Maurice assunse il comando di entrambi i battaglioni e attaccò i tedeschi, costringendoli a ripiegare di oltre un chilometro. Rimase ferito nel marzo dell'anno successivo, subì un intervento chirurgico da cui non si riprese rapidamente, e nonostante questo ritornò al fronte dopo pochi mesi. Nel giugno del 1917 fu di nuovo ferito, restando quasi completamente sordo.

La popolazione britannica era tenuta in gran parte all'oscuro della vera entità delle perdite, mentre Gertrude aveva una visione limpida della realtà e del perdurare di quella doppiezza. Sapeva che interi battaglioni potevano essere annientati in un solo giorno ubbidendo agli ordini di ufficiali superiori che non erano mai stati al fronte. Fu l'inizio di un disincanto a proposito del governo e dell'autorità in generale che Gertrude era ancora troppo leale per esprimere apertamente, e che modellò un atteggiamento da lei sviluppato in un periodo successivo della sua esistenza. «La vittoria di Pirro di Neuve-Chapelle ha dimostrato molto più chiaramente di prima che non possiamo sfondare le linee nemiche. È difficile comprendere le motivazioni per cui sono state nascoste le nostre perdite, prossime a ventimila. I tedeschi hanno avuto invece fra gli ottomila e diecimila caduti!»[25]

Alla fine di marzo Gertrude ritornò a Londra. Cecil aveva aperto un nuovo ufficio dell'UIFED a Pall Mall per identificare i numerosissimi feriti non catalogati già ricoverati negli ospedali britannici di tutto il paese. La sede avrebbe esaminato le richieste provenienti dalle famiglie e le avrebbe trasmesse all'apposito ufficio della Croce Rossa all'estero, incluso il fronte sudorientale. Il progetto prevedeva la creazione di un unico archivio centrale in cui raccogliere le informazioni provenienti da tutte le fonti e un unico ufficio da cui rispondere alle famiglie. Non esisteva più alcun motivo per cui il centro operativo non dovesse essere situato a Londra, se non che la donna la quale dirigeva l'intera operazione era stanziata a Boulogne. Così, considerando ciò che aveva costruito in Francia, Cecil annunciò a Gertrude che avrebbe avuto la direzione del nuovo ufficio, con la collaborazione di venti impiegate e quattro dattilografe. Lui stesso avrebbe lavorato nel medesimo ufficio, quindi sarebbe stato sempre disponibile per discussioni e consigli.

L'ultima lettera che Gertrude scrisse da Boulogne era indirizzata a Florence. Incapace di pensare ad altro che a Dick e al proprio lavoro, si sentiva troppo vulnerabile per qualunque genere di vita sociale. «Non annunciare il mio arrivo a nessuno. Non avrò tempo né voglia di essere importunata dai rapporti sociali»[26].

Finalmente avvenne un cambiamento. Ormai lontana dalla sporcizia e dal disagio di Boulogne, Gertrude alloggiò al numero 95 di Sloane Street, di nuovo assistita da Marie Delaire. Attraversava a piedi Hyde Park quattro volte al giorno. Rincasava per il pranzo, poi ritornava in Arlington Street, dove fu presto necessario trasferire l'ufficio in una sede più ampia. L'esercizio fisico e le comodità della vita domestica migliorarono un poco lo stato d'animo di Gertrude, ma la disorganizzazione del nuovo ufficio superava persino quella che aveva incontrato a Boulogne. Così, per rendere un poco più spensierate le lettere a Chirol, recuperò in parte il senso dell'umorismo.

Adoro Lord Robert. Sembra un elfo grande e grosso, e gli elfi, come ben sanno tutti i lettori di racconti di fate, sono ottimi collaboratori per chi affronta un arduo lavoro. [...] Comunque è un'impresa degna di Ercole. Fino a questo momento non avevo mai compreso davvero il significato del caos.
Non frequento nulla e nessuno perché lavoro in ufficio dalle nove del mattino alle sette del pomeriggio. [...] Dirigo venti signore, nonché quattro dattilografe (che non sono minimamente sufficienti), e due boyscout che sono una gioia infinita[27].

Nonostante lo spaventoso e scoraggiante orario di lavoro e lo stress a cui era sottoposta, Gertrude tentava di essere stoica e di mostrarsi allegra. Sotto pressione era sempre stata garbata, almeno con i familiari. Ma il suo mondo venne distrutto.

Sebbene avesse temuto quella prevedibile evenienza, Gertrude fu straziata nell'apprendere che Dick era morto eroicamente a Gallipoli. Sua sorella Molly scrisse: «Così la sua vita è finita. Adesso non ha più alcuna ragione per dedicarsi a qualunque cosa a cui tenga».

Per qualche tempo Gertrude scomparve quasi completamente. Poi ritornò al lavoro, pallida e smagrita. Anche se aveva sempre dimostrato una capacità di lavoro superiore a quella di chiunque altro, ormai non le restava più nessun'altra vita. «Verso la fine della settimana mi sento alquanto stanca. Eppure la quiete dell'ufficio durante il giorno, la domenica, mi restituisce le energie»[28].

Invano Florence tentò d'indurla a lasciare l'incarico e a riposare, temendo le conseguenze della tragedia personale che si era sommata allo spaventoso carico di lavoro. Sotto quei colpi devastanti, Gertrude perse del tutto l'umorismo spontaneo e la vivace cordialità, tanto che molto probabilmente le sue collaboratrici cominciarono a provare antipatia per lei e persino a temerla. Eppure, anziché crollare, Gertrude continuò a lavorare per amore di coloro che avevano combattuto, come il suo amato, e di coloro che combattevano, come suo fratello. Era irritabile e impaziente persino con Florence, tanto da reagire con insolita insofferenza ai suoi tentativi per distrarla: «La prossima settimana non potrò assolutamente allontanarmi. È un periodo orribile, con molto nuovo personale da istruire, e tutti che compiono errori in ogni momento. Non c'è nessuno a cui possa affidare l'ufficio neppure per un giorno. Nell'insieme è tutto piuttosto intollerabile. Detesto cambiare e detesto i cambiamenti»[29].

Talmente addolorata da dimenticare spesso di rispettare i sentimenti altrui, Gertrude riconosceva mestamente i propri difetti. Doughty-Wylie era morto da tre mesi quando Florence le scrisse per domandarle se desiderasse tornare a casa e trascorrere in sua compagnia quel doloroso periodo. Allora Gertrude rispose: «Sei molto cara [...] ma non devi farlo. Nessuno è davvero di conforto. [...] Nulla è di alcun conforto»[30].

Il lavoro aumentò quando il ministero degli Esteri chiese che l'Ufficio indagini feriti e dispersi si occupasse di raccogliere e di catalogare tutte le informazioni relative ai campi di prigionia tedeschi. Il 20 agosto Gertrude scrisse alla famiglia:

È di vitale importanza che queste informazioni siano adeguatamente catalogate, perché ci indicano il modo migliore per aiutare i prigionieri che ne hanno maggiormente bisogno. Tuttavia ciò implica altri fascicoli, altri archivi, altro personale che se ne occupi.
Questo mese sono stata disperatamente sola. È intollerabile non amare la solitudine come ero solita amarla un tempo, eppure non posso distaccarmi dai miei stessi pensieri, che sono ancora più intollerabili[31].

Una delle donne che si recò ad assisterla nell'ufficio londinese fu Janet Courtney, la Janet Hogarth dei tempi di Oxford, la quale in seguito scrisse di quel periodo: «Rimasi profondamente impressionata dalla sua spossatezza mentale e dal suo scoramento, anche se lei impediva quasi completamente al suo stato d'animo d'interferire con il lavoro. Non voleva riposare e affermava di non poter riposare. La guerra la ossessionava al punto da escludere ogni altra considerazione. [...] Non permetteva alle sofferenze personali di diminuire la sua capacità di agire. Affrontava un dolore e poi se lo gettava alle spalle».
Poco prima di recarsi al Cairo per contribuire a organizzare una squadra del servizio informazioni dell'ammiragliato che si occupasse specificamente dei popoli arabi, David, fratello di Janet, incontrò brevemente Gertrude e le suggerì di seguirlo, ma lei, totalmente immersa nel lavoro per la Croce Rossa, lo ascoltò distrattamente. Giunto al Cairo, David le scrisse di nuovo, questa volta insistendo per ottenerne la collaborazione.
Un giorno, quando Janet come al solito si recò al lavoro

in St James's Square, alla Norfolk House, prestata dal duca di Norfolk all'UIFED in costante espansione, Gertrude la prese subito per un braccio con l'impulsività di un tempo e l'attirò in disparte. «David mi ha scritto per dirmi che chiunque può rintracciare i dispersi, mentre soltanto io posso disegnare le mappe dell'Arabia settentrionale. Parto la settimana prossima»[32].

Alla conclusione di questo capitolo della sua vita, con tutte le sue fatiche e le sue sofferenze, Gertrude poté almeno contemplare soddisfatta una partecipazione allo sforzo bellico su cui aveva impresso la propria impronta indelebile. Per centinaia di migliaia di famiglie aveva diffuso una luce nell'oscurità e aveva contribuito a consentire loro di continuare a vivere. Il suo operato all'UIFED fu ufficialmente riconosciuto come inestimabile da Sua Altezza Reale la principessa Christian e da altri componenti del War Executive Committee.

Ora stava per cominciare la fase più entusiasmante e più gratificante della sua esistenza.

11.
Il Cairo, Delhi, Bassora

Negli anni Dieci del XX secolo in Medio Oriente lo spionaggio e la criptodiplomazia fervevano. Prima del 1908, quando il Regno Unito aveva iniziato a sospettare delle ambizioni tedesche nella regione, Londra non aveva avuto alcun servizio segreto internazionale. Il ministero degli Esteri aveva attinto abitualmente dai resoconti delle spedizioni compiute da dilettanti e avventurieri non remunerati. Costoro, tuttavia, erano poco numerosi in Medio Oriente, dove era necessario possedere specifiche competenze linguistiche e conoscere le usanze degli abitanti per viaggiare nel deserto privo di strade, in gran parte mai cartografato, dove non era possibile ottenere soccorso se qualcosa andava storto. Oltre che una viaggiatrice straordinariamente esperta, Gertrude era un'eccellente osservatrice, dotata di un'ottima sensibilità per la politica, capace di individuare e di analizzare le situazioni critiche. Dunque il servizio informazioni dell'ammiragliato l'aveva scelta come informatrice volontaria non remunerata. Nel novembre 1915, il capitano Hall, direttore del servizio segreto navale, la convocò a Londra per informarla di avere ricevuto dal Cairo un cablogramma che la concerneva.

Le conoscenze del deserto arabo e dei popoli che l'abitavano da lei acquisite nel corso dei viaggi erano uniche, in quanto enciclopediche e in quanto recenti. Infatti Gertrude era tornata da Ha'il soltanto sedici mesi prima, e in tutto aveva trascorso quasi due anni della sua vita a viaggiare nei deserti arabi. Nel corso delle sue sette spedizioni aveva osservato le debolezze dell'Impero ottomano, dapprima come ricca turista e in seguito come esploratrice, come archeologa e come spia del governo britannico.

Alcuni suoi rapporti erano stati richiesti, altri erano stati redatti spontaneamente. All'inizio Gertrude li aveva trasmessi attraverso Chirol, poi li aveva consegnati di persona ai politici e ai diplomatici di sua conoscenza. Probabilmente era stata arruolata dal ministro degli Esteri, Sir Edward Grey, per indagare sulla penetrazione dell'influenza tedesca nell'Arabia settentrionale e orientale, soggetta all'Impero turco, e aveva raccolto informazioni sfruttando tutte le possibilità che le si erano offerte in quanto donna non sospettata di spionaggio. Durante i suoi viaggi aveva sorseggiato caffè e scambiato pettegolezzi nelle tende di tutti gli sceicchi che aveva incontrato. In abiti eleganti aveva cenato nei villaggi e nelle città. Sfruttando le sue numerose conoscenze aveva conversato con tutte le personalità socialmente e politicamente più prestigiose e più influenti. Nel fotografare molti siti archeologici aveva individuato le installazioni militari. Per accedere alle aree riservate, come nel marzo del 1900 al castello crociato di Kerak, dove ufficiali tedeschi addestravano truppe turche, aveva semplicemente varcato la soglia con la sua innata sfrontatezza, «in modo affabile, salutando cortesemente tutti i militari». Con la sua cerchia di conoscenze sempre più vasta, con la sua esperienza di viaggiatrice, con le sue competenze cartografiche e con il suo meticoloso metodo di archiviazione delle informazioni, Gertrude aveva ottenuto il grado di maggiore.

Così Miss Bell arrivò al Cairo come la prima donna con un grado di ufficiale nella storia del servizio segreto militare britannico. Sebbene il suo grado di maggiore fosse onorifico, fu subito inserita nella gerarchia come ufficiale di stato maggiore generale di secondo grado. Se allora fosse esistito il Women's Royal Naval Service, Gertrude avrebbe indossato l'uniforme bianca delle ausiliarie della regia marina militare, con le stellette bianche del servizio politico. Invece indossava un'uniforme di cotone a strisce bianche e azzurre con fiori alla cintura e un largo cappello di paglia, che appendeva all'attaccapanni dell'ufficio, accanto ai berretti con visiera e ai caschi coloniali. La sera indossava ampie vesti di seta e piccoli cardigan intonati. Capitano di corvetta della Royal Naval Volunteer Reserve, la riserva volontaria della regia marina militare, al Cairo, Hogarth scrisse alla moglie poco prima dell'arrivo di Gertrude: «I militari qui sono molto disorientati su come debba essere trattata e su quanto debba esserle rivelato. Ebbene, ho assicurato loro che non hanno necessità di preoccuparsi perché sarà *lei stessa* a sistemare tutto!» Il 3 gennaio 1916, Gertrude scrisse alla famiglia: «In qualità di ufficiale di stato maggiore sto cominciando a sentirmi perfettamente a casa! È comico, vero?»[1]

Sir Gilbert Clayton aveva diretto il servizio informazioni delle forze armate egiziane sino a quando era stato trasferito al servizio di Sir Henry McMahon, nuovo alto commissario, nonché effettivo governatore dell'Egitto. Il capitano di corvetta Hogarth si era spogliato delle cravatte a farfalla e delle spiegazzate giacche di lino dell'archeologo per indossare l'inamidata uniforme bianca della marina militare e collaborare con Clayton alla creazione di un «Ufficio arabo», il nuovo servizio informazioni preposto agli affari arabi, composto di quindici agenti. Di costoro, Hogarth era mentore e referente, nonché osservatore e arbitro delle chiassose discussioni, mentre Clayton ne era il nucleo calmo, che esercitava pacatamente il proprio possente influsso, in un modo descritto da Lawrence come olio «che pervade ogni cosa insinuandosi inesorabilmente in silenzio».

Al Cairo, gli agenti erano lussuosamente alloggiati al Grand Continental Hotel, mentre la sede dell'Ufficio arabo era nel vicino e ancora più sontuoso Savoy. I ventilatori da soffitto roteavano, i campanelli suonavano e i servi in veste lunga fino ai piedi portavano vassoi di caffè e di tè alla menta. Hogarth e il maggiore Lawrence, l'uniforme stazzonata e macchiata di lubrificante della motocicletta Triumph, avevano già ricoperto le pareti con scaffali di testi di consultazione su ogni argomento relativo al Medio Oriente. Nonostante

313

le verande con le sedie di vimini e i giardini di palme che cuocevano al sole di mezzogiorno, l'atmosfera, permeata di fumo di pipa, suggeriva le stanze pannellate in legno a Oxford, anziché il lusso turistico nordafricano. Per Gertrude, dopo il lutto e l'isolamento dalla vita sociale, era quasi troppo conviviale. Un pomeriggio trascorso con Lady Anne Blunt fu «un'oasi di pace e di quiete dopo il rumore e l'affollamento del Cairo. Quanto detesto gli alberghi e il perpetuo vivere in pubblico che impongono! È ancora più ripugnante dopo mesi di esistenza eremitica»[2].

Il Cairo era il cuore ben difeso del protettorato britannico in Egitto, il centro di controllo. Nominalmente il chedivè, o viceré, rispondeva ancora ai turchi, tuttavia nel 1875 i britannici lo avevano salvato dalla bancarotta e in cambio avevano chiesto una residenza ufficiale, poi si erano infiltrati nell'amministrazione in una maniera molto simile a quella con cui i turchi avevano pervaso tutto il Medio Oriente.

Le lettere di Gertrude dal Cairo erano più brevi e meno vivaci di quelle scritte in precedenza. Non descriveva le persone intelligenti, intraprendenti e capaci con cui collaborava. Dopotutto, si trattava del servizio segreto. Dal punto di vista militare era un'organizzazione d'élite, potenzialmente sovversiva, che beneficiava di una straordinaria libertà d'azione nel perseguire i propri scopi. I vasti progetti internazionali che discuteva e il segreto che avvolgeva le sue decisioni suscitarono molti sospetti negli agenti del servizio informazioni che operava in India, i quali comunicarono tali sospetti a Londra mediante il viceré.

Dopo lo shock iniziale dell'arrivo, Gertrude fu rapidamente attirata in un mondo nuovo e affascinante. In ufficio e a cena imparò a conoscere le personalità straordinarie della cerchia alla quale ora apparteneva. Prima di un breve viaggio a Londra, Hogarth osservò: «Gertrude sta cominciando a pervadere il luogo». Lei aveva molto in comune con l'archeologo Leonard Woolley, che aveva sostituito Hogarth come direttore delle operazioni a Karkemis, dove si era scavato nel 1911, quando lei aveva incontrato Lawrence per la prima volta. Ora direttore del servizio informazioni a Porto Said, Woolley era stato il primo ad accoglierla in Egitto. Secondo Lawrence, sedeva in ufficio a scrivere «per la stampa verbosi resoconti che nascondevano la verità».

Nel primo anno passò burrascosamente Sir Mark Sykes, un pomposo proprietario terriero cattolico, quasi vicino della famiglia Bell nello Yorkshire, un viaggiatore eccitabile, irremovibilmente certo delle proprie opinioni, il quale aveva pubblicato alcuni libri sulle proprie spedizioni in Medio Oriente. Gertrude lo aveva incontrato ad Haifa nel 1905 ed era entrata in contrasto con lui durante una discussione a cena, quando lui aveva definito gli arabi «animali» e li aveva descritti come «codardi», «perversi», «oziosi». A quell'epoca, entrambi avevano progettato di visitare il gebel Druso. In seguito lui aveva accusato lei di averlo ingannato in modo da potervisi recare per prima, e aveva scritto alla moglie, Edith: «Al diavolo quella giramondo mascolina dal seno piatto, tronfia e chiacchierona, noiosa, presuntuosa, smancerosa, sculettante e blaterante!» Probabilmente la sua collera era giustificata. Gertrude lo aveva preceduto e forse lo aveva ostacolato con qualche espediente poco leale. Sembra che a Damasco, per impedire a Sykes di ottenere il permesso di viaggiare nel deserto, lo avesse falsamente descritto al *vali* come «cognato del primo ministro egiziano». Comunque riuscirono in qualche modo a smussare i contrasti, anche se il loro rapporto non diventò mai cordiale. Infatti Gertrude scrisse a Florence: «L'ho visto fin troppo». Dato che Sykes era il principale consulente del governo britannico per i rapporti con gli arabi nel periodo bellico, ogni sua azione era destinata a guastarne l'immagine e a danneggiarne le sorti e le prospettive a causa del fardello di pregiudizi da cui era condizionato.

Non rimase al Cairo per lungo tempo neppure l'inquieto George Lloyd, della famiglia di banchieri, gelido esperto di finanza, di politica e di commercio, nonché incrollabilmente convinto dei pregi dell'imperialismo britannico. Anticonvenzionale e miope, Aubrey Herbert aveva attraversato il Sinai nel 1907 e si rendeva molto utile con la sua conoscenza perfetta del turco. Il segretario diplomatico per l'Oriente, Sir Ronald Storrs, era stato alle dipendenze di Sir Eldon Gorst e di Kitchener, ministri residenti prima di McMahon, ed era il più simpatico della cerchia dell'Ufficio arabo, vivace, strambo, erudito. Lawrence lo considerava l'inglese più brillante del Medio Oriente, «il grand'uomo del gruppo», linguista impareggiabile, capace in pochi minuti di far ridere a crepapelle gente di ogni nazionalità e di ogni classe sociale, nonché intenditore d'arte e collezionista pignolo di antichità orientali.

Irriducibilmente indipendente, T.E. Lawrence era di rado reperibile e irritava senza posa le autorità militari. Sciatto, brillante, egocentrico, era molto cordiale e al tempo stesso provocatorio, come quando Gertrude lo aveva incontrato per la prima volta a Karkemis, e aveva provato simpatia per lui. La sua abitudine di sorridere fra sé e sé, come per uno scherzo comprensibile soltanto a lui stesso, era sempre sconcertante, eppure Gertrude, o Gerty, come la chiamava lui, non ne era sconcertata. I suoi lunghi vagabondaggi si erano concentrati sui castelli dei crociati in Siria e nella Mesopotamia settentrionale. Quando non era all'Ufficio aveva l'abitudine di indossare corpetti ricamati e mantelli, oppure indumenti arabi. Tuttavia la sua conoscenza della lingua araba non era affatto approfondita quanto quella di Gertrude. Dato che non era ricco come lei, e dunque non godeva di un prestigio analogo a quello di lei presso i beduini, non era ancora stato accettato come eguale dagli sceicchi del deserto. All'Ufficio da mesi, raccoglieva «brandelli d'informazione» e disprezzava la cartografia. Come confessò in una lettera a proposito della sua stessa mappa delle vie e dei pozzi del Sinai, «in parte è precisa, per il resto è inventata». Temeva che una nemesi lo attendesse e che un giorno lo ghermisse, cioè che si trovasse costretto ad attraversare quella regione desertica guidato soltanto da una copia della propria mappa.

Così, questi erano i collaboratori di Gertrude, la quale, durante la prima cena con Hogarth e Lawrence, si familiarizzò con il problema su cui gli agenti del servizio segreto britannico al Cairo erano in disaccordo, ossia se una rivolta araba contro i turchi, forse appoggiata dal Regno Unito, potesse riuscire laddove un esercito di trecentomila uomini aveva fallito ai Dardanelli. I militari e i colonialisti all'antica erano incrollabilmente persuasi che si stesse già facendo tutto ciò che era concepibile poter fare. Dal loro punto di vista, le tribù guerriere, collettivamente onorate in mensa ufficiali dall'appellativo generico di "gabbani", erano incapaci di combattere in modo moderno e disciplinato. A tale argomento l'Ufficio avrebbe replicato che la guerra moderna e disciplinata aveva già fallito su tre fronti.

Comunque nel 1914 era emersa per la prima volta con precisione una tendenza alla rivolta araba, manifestata inizialmente dall'astuto *sharif* ashemita della Mecca[3], la città più sacra dell'Hegiaz, la regione che si stende lungo la sponda orientale del Mar Rosso. Il titolo di *sharif* distingue i discendenti del profeta Maometto attraverso la figlia Fatima. In quel periodo era *sharif* il settantenne Hussain, che era stato prigioniero "onorevole" a Costantinopoli per diciotto anni, fino al 1908, quando il sultano era stato deposto dai Giovani Turchi, i quali, assai poco saggiamente, lo avevano rimandato alla Mecca come emiro, il più prestigioso fra tutti gli *sharif.* Due suoi figli, gli istruiti ed esperti Abdullah e Faysal, erano rimasti a Costantinopoli e lo avevano tenuto sempre informato sulla situazione politica fino al 1914, quando avevano rotto i rapporti con i turchi e si erano trasferiti alla Mecca. Con lo scoppio della guerra i pellegrinaggi erano cessati e l'arida Hegiaz, che dipendeva per le provviste di cibo dalla benevolenza dei turchi e dalla loro ferrovia, d'importanza essenziale, era rimasta isolata.

Di conseguenza, nella eventualità di una rivolta i bastimenti britannici carichi di derrate alimentari avrebbero svolto una funzione vitale.

Alla vigilia della guerra mondiale[4], Abdullah aveva compiuto, come inviato del padre, una visita a sorpresa al segretario diplomatico per l'Oriente, Sir Ronald Storrs, allora sostituto del console generale al Cairo. Il machiavellico Abdullah, amante della poesia preislamica e delle burle, aveva iniziato a narrare antichi racconti e a recitare i sette lamenti e odi. Nell'ascoltarlo rapito, Storrs era rimasto commosso e impressionato dalla profondità e dalla quantità delle composizioni poetiche che Abdullah conosceva a memoria, anzi, ne era rimasto talmente impressionato da convincersi di essersi ingannato quando un termine discordante, «mitragliatrici», lo aveva destato dal suo sogno a occhi aperti. Finalmente Abdullah aveva dichiarato il motivo della sua visita, cioè scoprire se i britannici fossero disposti a fornire armi per «difesa» contro gli attacchi turchi, nella eventualità che suo padre decidesse di sfidarli.

Il problema era stato affrontato da Lord Kitchener, allora ministro residente britannico, il quale, considerando la probabile entrata in guerra della Turchia ottomana, aveva avviato con Abdullah una corrispondenza proseguita dal suo successore, McMahon, quando lui stesso era stato richiamato a Londra come segretario di stato per la Guerra. Aveva chiesto ad Abdullah se lui «e suo padre e gli arabi dell'Hegiaz sarebbero con noi o contro di noi». Poi, con un altro cablogramma, aveva promesso la protezione britannica in cambio dell'assistenza della «nazione araba». Infine aveva suggerito: «È possibile che un arabo di stirpe autentica assuma il califfato della Mecca o di Medina», e aveva continuato a parlare delle «buone notizie relative alla libertà degli arabi e al sorgere del sole sull'Arabia».

Non meno vago e astuto del suo predecessore era stato McMahon. Mediante lettere recapitate con raffinata segretezza all'emiro Hussain, nascoste nelle impugnature delle armi da taglio e nelle suole delle calzature, aveva continuato a esplorare le probabilità e le ramificazioni di una rivolta araba contro i turchi. Anche se non era stata formulata con precisione nessuna promessa, Hussain si era soffermato sulla prospettiva di diventare sovrano della nazione araba.

La «questione araba», com'era chiamata, coinvolse in modo particolare Gertrude, inizialmente incaricata di padroneggiare le sottigliezze e la complessità della politica dell'Hegiaz e dei suoi notabili, da Gerusalemme a sud, giù sino alla Mecca, dove si sperava che potesse iniziare la rivolta. Il suo compito consisteva nel ricomporre organicamente tutte le informazioni tribali di cui disponeva, nonché di colmare ogni eventuale lacuna, identificando le tribù, le loro alleanze e i loro contrasti, e lei lo svolgeva sempre ravvivando i resoconti con divertenti ritratti dei numerosi sceicchi di sua conoscenza. Al tempo stesso doveva disegnare mappe con le vie carovaniere, i valichi montani, le pianure prive d'acqua, le risorse naturali, i mezzi di trasporto, le posizioni delle minoranze e dei gruppi razziali e religiosi, come pure gli influssi che costoro erano in grado di esercitare. Scrisse: «Il mio lavoro tribale sta cominciando a prendere forma. [...] Lo amo. [...] A stento sono capace di distogliermene».

L'altro aspetto del suo lavoro era incentrato sulla Mesopotamia, che era diventata di primaria importanza dopo lo scoppio della guerra. Sin dall'epoca delle civiltà più remote, quella regione, racchiusa fra l'Eufrate e il Tigri, delimitava con una fertile cornice orientale i deserti settentrionali dell'Arabia e offriva una via transitabile verso l'Oceano Indiano, attraverso le acque del Golfo Persico a sudest. La campagna mesopotamica, iniziata nel 1914, era derivata dalla decisione presa nel 1911 dal primo lord del mare, ammiraglio John "Jacky" Fisher, e dal primo lord dell'ammiragliato, Mr Winston Churchill, per conferire maggiore velocità di navigazione e di manovra alla marina militare britannica convertendo i bastimenti dal carbone al petrolio.

Così era diventato prioritario disporre di una fonte sicura di greggio sottoposta a dominio britannico.

I due maggiori fornitori di petrolio fino al 1908 erano stati l'America e la Russia, ma la produttività dell'Azerbaigian si era ridotta e non era minimamente controllata dai britannici. Quello stesso anno, la Burmah Oil aveva avuto fortuna alla base dei monti Zagros, al confine fra Mesopotamia e Persia, e si era impegnata a fornire petrolio alla nuova Anglo-Persian Oil Company (APOC) per mezzo di un oleodotto di duecentoventi chilometri che scendeva alla nuova raffineria di Abadan, sulla sponda orientale dello Shatt al Arab, il fiume formato dalla confluenza del Tigri e dell'Eufrate all'estremità meridionale della Mesopotamia, prima di sfociare nel Golfo Persico. Il governo britannico aveva investito più di due milioni di sterline per acquistare il cinquantuno per cento dell'APOC e ottenere un contratto ventennale per le forniture alla marina militare.

Dunque il Regno Unito aveva alcuni motivi essenziali per combattere i turchi in Mesopotamia, ovvero proteggere il petrolio e gli oleodotti, come pure l'accesso all'India, ottenere provviste di cereali dalla valle dell'Eufrate e impedire ai turchi di utilizzare la ferrovia che collegava Baghdad a Bassora per trasportare truppe e armamenti al teatro di guerra.

Con le difficoltà estreme in Europa e lo scacco subito dall'esercito egiziano, i cui ufficiali superiori, al Cairo, giocavano a squash, mentre nel Sinai gli ufficiali inferiori guidavano operazioni contro i turchi destinate alla disfatta, Whitehall non aveva potuto fare di meglio che trasmettere istruzioni all'India allo scopo di preservare gli interessi britannici in Medio Oriente. In previsione di ostilità con i turchi, l'India aveva già inviato nel Golfo Persico la divisione Poona, che aveva conquistato Fao, con la fortezza e la stazione telegrafica turche alla foce del fiume Bassora, costringendo il nemico a ritirarsi risalendo il Tigri. In breve tempo, due divisioni dell'esercito indiano comandate dal generale Nixon sarebbero avanzate ulteriormente in Meso-potamia e avrebbero infine conquistato Nasiriya.

Il governo britannico in India aveva particolari motivi di disaccordo con Westminster. Nel suo libro di memorie, *My Indian Years*, Lord Hardinge, allora viceré, espresse la convinzione che la guerra sarebbe stata vinta nelle Fiandre e che quindi Londra avrebbe dovuto concentrare là i propri sforzi per concluderla. Riferì delle continue richieste da par-te del ministero della Guerra al governo indiano perché in-viasse truppe e rifornimenti in Francia, in Africa orientale, ai Dardanelli, a Salonicco e altrove, nonché degli sforzi da parte dell'India per soddisfare tali richieste, incluso il reclu-tamento di trecentomila soldati indiani, la fornitura di set-tanta milioni di cartucce per armi portatili, di sessantamila fucili e di cinquecentocinquanta cannoni, più tende, stivali, uniformi e selleria. Quando la guerra arrivò in Mesopota-mia, l'India era «dissanguata», scrisse Hardinge, e pressoché priva di risorse. L'allusione a un'insurrezione araba lo turbò profondamente. A suo giudizio era del tutto impossibile che avvenisse, e se mai avesse avuto successo avrebbe avuto conseguenze disastrose per l'India; dunque lui stesso non avrebbe mai appoggiato le ambizioni dello *sharif* sunnita della Mecca, con tutti i problemi causati dalle reazioni a un accrescimento del suo prestigio da parte degli sceiccati e degli emirati sciiti del Golfo Persico sostenuti dall'India.

Il viceré dell'India governava la popolazione musulmana più numerosa del mondo e le richieste del ministero del-la Guerra gli stavano già causando considerevoli difficoltà. L'esercito turco era quasi interamente musulmano, in quan-to composto di turchi e di arabi reclutati nel deserto. Invia-re truppe indiane, in gran parte musulmane, a combattere i turchi in Mesopotamia significava contrapporre soldati islamici a soldati islamici. Un'ulteriore complicazione deri-vava dalla devozione dei musulmani indiani a colui che per tradizione governava la Turchia ottomana, ossia il califfo. Era dunque inconcepibile per il viceré che il Regno Unito intendesse provocare ulteriore dissenso all'interno del mondo islamico promuovendo una rivolta araba contro i turchi. Le istituzioni panislamiche preminenti in India, ossia Kudam-I-kaaba e il Comitato centrale di tutti i musulmani dell'India, erano favorevoli ai turchi. Anche alla frontiera nordoccidentale una rivolta araba sarebbe stata condannata, perché, come sottolineavano i messaggi cifrati britannici inviati da Simla a Londra, si era stabilita una pace precaria che per il momento assicurava tranquillità anche nei centri in cui erano maggiori il fervore religioso e l'inquietudine politica. Di conseguenza il ministero delle Colonie concordava con il viceré e giudicava che una rivolta araba sarebbe stata controproducente. Londra e Delhi erano persuase che se mai fosse scoppiata, e in qualunque modo fosse stata condotta, sarebbe stata destinata al fallimento.

Nonostante tutto questo, nella primavera del 1915 Lawrence smaniava per abbandonare la cartografia e per rientrare in azione. Aveva concepito un progetto per «invadere la Siria attraverso l'Hegiaz in nome dello sceriffo, [...] arrivare in breve tempo a Damasco e distruggere in un sol colpo tutte le speranze francesi sulla regione»[5]. Per lui era «come il mattino, e la novità del mondo da costruire ci inebriava». Invece per Gertrude, ancora oppressa dal fardello delle sue sofferenze, era tutto molto diverso. Devastata dalla morte dell'uomo che aveva amato, stremata dalla riorganizzazione e dalla gestione dell'Ufficio feriti e dispersi, si sentiva come un animale ferito. Alla fine dell'anno rifletté sul tumulto emotivo vissuto nel 1915 e scrisse prima a Florence e poi al padre una straziante elegia funebre per Doughty-Wylie. Talvolta pregava di non dover più sopportare un altro anno come quello che era appena trascorso e si scopriva a pensare che ne era valsa la pena per quei pochi giorni di felicità:

Mi chiedo che cosa farei se potessi scegliere... Sarei forse disposta a rivivere questo anno, con tutte le sue meraviglie, e a sopportarne di nuovo tutta la sofferenza? Ebbene, carissimo, non ultime di tutte le meraviglie sarebbero la tua gentilezza e il tuo amore. [...] Ora non parlo di queste cose. Conviene mantenere il silenzio. Tuttavia sappi che esse sono sempre nei miei pensieri. Caro, caro padre, [...] è impossibile trovare parole per dirti cosa sei stato per me. Nessuno ha mai aiutato un'altra persona come tu hai aiutato me, e dirti ciò che il tuo affetto e la tua comprensione hanno significato, è più di quanto io sappia fare. [...] Non posso ancora scriverne, eppure lo sai, vero?[6]

Verso la fine di gennaio a causa della depressione e del sovraccarico di lavoro, Gertrude ebbe un breve cedimento fisico, e in maniera estremamente insolita si lamentò della propria spossatezza. Per rimediare iniziò ad alzarsi il mattino presto per uscire a cavallo e galoppare nel deserto. Fu l'ultima volta che confessò di guardare al passato. Come sempre il lavoro fu la sua rinascita e come sempre subordinò i propri sentimenti al compito da svolgere. Anche se aveva deciso di mantenere il silenzio, molto probabilmente parlò della propria perdita e del proprio dolore con Lawrence, il quale a sua volta soffriva profondamente per la morte dell'amato fratello Will, pilota del Royal Flying Corps, abbattuto in settembre, poco prima dell'arrivo di Gertrude. Forse fu proprio Lawrence, con Hogarth e Woolley, a consentirle di porgere l'estremo omaggio alla tomba di Doughty-Wylie. In ogni caso Gertrude imparò a conoscere e ad apprezzare le eccellenti qualità e i considerevoli difetti del suo insolito collega. Così lei e il suo «caro ragazzo» fecero amicizia e furono destinati a diventare i più famosi agenti dell'Ufficio, capaci di perseguire e di realizzare i loro sogni contro ogni avversità. Lawrence fu il primo a vivere la propria leggenda, e Gertrude, quando seppe delle sue imprese, interruppe il proprio immane lavoro d'ufficio, sopraffatta da un desiderio intenso di libertà e d'azione.

L'obiettivo finale dell'Ufficio, che agiva per il governo britannico, era vincere la guerra, con la consapevolezza che l'unica speranza era una rivolta araba contro i turchi e che una tale rivolta era possibile. Nel 1914 lo scontento era molto diffuso fra i sudditi arabi dell'Impero ottomano. Già nel 1905, durante le sue conversazioni con i Drusi, Gertrude aveva colto i prodromi di un movimento indipendentista. La popolazione di Najaf e di Kerbela si era ribellata ai turchi in Mesopotamia e a Bassora si era costituito il Movimento per l'indipendenza araba, sebbene fosse stato organizzato da Sayyid Talib, un individuo senza scrupoli che aveva agito principalmente per motivi, scopi e interessi personali. Al tempo stesso l'Ufficio sapeva perfettamente che l'indipendenza panaraba era impossibile. Un'alleanza fra tutte le tribù del Medio Oriente? Era già arduo persuadere due sceicchi a partecipare a una discussione! In una delle sue relazioni di chiarezza cristallina, Gertrude ne indicò le ragioni.

L'unione politica è un concetto estraneo a una società ancora profondamente influenzata dalle sue origini tribali, che conserva al proprio interno numerosi elementi di organizzazione tribale estremamente dirompenti. [...] Le normali condizioni di vita delle popolazioni nomadi non hanno alcuna analogia con quelle delle popolazioni agricole, e spesso gli interessi delle une e delle altre sono incompatibili. [...] È bene escludere sin dall'inizio la possibilità che un singolo individuo possa diventare capo o guida delle province arabe nel loro insieme. [...] L'unico individuo che potrebbe forse assumere un ruolo preminente è il re dell'Hegiaz, ma anche se potesse diventare il rappresentante dell'unione religiosa araba, non avrebbe mai alcun vero potere politico. In Mesopotamia predominano gli sciiti, sui quali egli non esercita alcun influsso. [...] La sua posizione religiosa è un vantaggio, anzi, è probabilmente l'unico elemento di unione che possa essere trovato, tuttavia non può essere convertita in supremazia politica[7].

Restava il fatto che un unico motivo poteva indurre le tribù a unirsi contro i turchi e scongiurare l'appello a una jihad

324

antibritannica, cioè il dovere di rispondere al richiamo di combattere per Dio, e tale motivo era l'ideale della libertà e dell'indipendenza araba, o qualcosa del genere, senza contare che non si poteva rinnegare la mezza promessa di Kitchener e che la corrispondenza fra Hussain e McMahon costituiva un ulteriore coinvolgimento. All'Ufficio arabo erano tutti consapevoli che provocare una rivolta avrebbe significato vivere una menzogna parziale. In particolare questo dilemma assillò per tutto il resto delle loro esistenze Lawrence e Gertrude, i quali amavano e rispettavano gli arabi. Lawrence avrebbe impresso la propria leggenda nell'Hegiaz con la torturante sensazione di tradire i propri amici arabi, come ammise più di una volta nei *Sette pilastri della saggezza*:

La rivolta araba era cominciata sotto false pretese. Per acquistarsi l'aiuto dello sceriffo, il nostro Gabinetto si era offerto, tramite Sir Henry McMahon, di appoggiare l'insediamento di governi indipendenti [...]. Perciò gli arabi [...] chiesero a me, come libero agente, di confermare le promesse del Governo britannico. Io [...] capivo che, se avessimo vinto la guerra, le nostre promesse fatte agli arabi sarebbero rimaste lettera morta. [...] Ma l'entusiasmo degli arabi restava il nostro strumento principale per vincere la guerra in Oriente. [...] Ma naturalmente, anziché essere orgoglioso delle nostre azioni in comune, cedevo continuamente a un sentimento di amara vergogna[8].

Invece Gertrude non intendeva intraprendere alcuna azione di cui avrebbe dovuto vergognarsi. Avrebbe utilizzato il proprio brillante intelletto e le proprie capacità formidabili per mantenere la promessa agli arabi. Avrebbe cambiato cuori e menti, avrebbe spiegato ogni aspetto e ogni ramificazione del problema nella maniera più vantaggiosa, avrebbe armonizzato l'amministrazione britannica con l'autodeterminazione e l'orgoglio arabi, avrebbe fatto del proprio meglio per insediare un buon governo e per creare uno stato arabo accanto a una benevola amministrazione britannica, producendo genuina unità politica.

Nel loro desiderio di favorire l'autodeterminazione araba, sostenuta e rinsaldata da consiglieri britannici, Gertrude e Lawrence non erano soli. Pur essendo unanimemente persuasi che la molteplicità di razze, di tribù, di credenze, di fornelli e di lavandini rendesse impossibile formare un'unica nazione coesa e dotata di istituzioni politiche efficienti, gli esperti dell'Ufficio arabo erano pragmatici e onesti, quindi resistettero a tutti i tentativi da parte dell'India di annettere la Mesopotamia e di sostituire l'Impero ottomano con l'Impero angloindiano. Mentre in India i britannici avevano potuto sfruttare e dominare l'universale ordinamento indiano fondato sul dominio dei maharajah, il Medio Oriente non permetteva nulla di simile. L'ordinamento arabo si fondava sulla discendenza dal Profeta e da altre figure di supremazia religiosa, da cui le famiglie più prestigiose traevano il potere morale e temporale. Il controllo delle fonti di ricchezza era sufficiente per consentire loro di assoggettare i capi meno potenti e le loro tribù. La determinazione collettiva dell'Ufficio a trovare una soluzione ricevette un contributo prezioso da Gertrude, mediante la sua comprensione della situazione, il suo acume politico e la chiarezza persuasiva con cui descriveva problemi di enorme complessità.

Tuttavia la chiarezza di pensiero era alquanto difficile da conseguire. Come osserva un commentatore[9], circa venti organi governativi e militari autonomi erano coinvolti in ogni momento nella formulazione della politica britannica in Medio Oriente durante la prima guerra mondiale: il consiglio di Guerra, l'ammiragliato e il ministero della Guerra avevano ognuno un proprio punto di vista; il ministero dell'India e il ministero degli Esteri erano rivali; le burocrazie indiana, egiziana e sudanese avevano parecchio da dire in proposito. Tre corpi di spedizione erano stanziati in Mesopotamia, a Ismailia e ad Alessandria. Inoltre c'erano basi navali e centri politici in quattro altre zone principali. Non era sorprendente che le linee di comunicazione si intersecassero e che le promesse fatte agli arabi differissero per contenuti e per intenzioni. Inoltre la comprensione fra inglesi e arabi era costantemente pregiudicata dai fraintendimenti che derivavano soprattutto dalla prima corrispondenza fra McMahon e lo *sharif* Hussain, nonché dal regressivo accordo anglofrancese siglato dall'indiscreto Sykes e dal francese Georges-Picot nel maggio 1916, di cui Gertrude e il suo capo di allora sarebbero stati informati soltanto due anni più tardi.

Impegnati in un progetto segreto, gli agenti dell'Ufficio arabo erano chiamati in codice "gli Intrusi". Lawrence scrisse del loro intento sovversivo di infiltrare i corridoi del potere per «promuovere la costituzione del nuovo mondo arabo». Il primo a convertirsi alla loro causa fu l'alto commissario in persona, l'efficiente e leale, ma privo di immaginazione, Sir Henry McMahon. Sottoposto allo stillicidio del persuasivo influsso di Gilbert Clayton e già disilluso dal fallimento in Sinai dei militari, con la loro prospettiva arrogante e inflessibile, fu il primo a comprendere e ad approvare il progetto.

Con il loro punto di vista sull'autodeterminazione araba, gli Intrusi si opponevano a Delhi. Al tempo stesso, per procedere alla realizzazione del loro piano d'insurrezione araba necessitavano del sostegno dell'India, che non potevano ottenere. Il viceré e il governo indiano erano inflessibilmente persuasi che il dominio britannico dovesse imporsi a tutte le popolazioni arabe e che fosse destinato ad avere un successo analogo a quello che aveva avuto nell'Impero angloindiano. Dopotutto, questo era stato possibile con soli cinquantamila soldati britannici. Invece Il Cairo aveva una visione più realistica. Con il protrarsi della guerra, il Regno Unito avrebbe avuto scarse speranze di finanziare governi imperialisti in un nuovo continente. L'Ufficio puntò tutto sul proprio progetto, sottolineando che influenzare costava meno che dominare.

Nel corso dei lunghi e intensi dibattiti a cui ora Gertrude partecipava, fu esplorata la possibilità di sconfiggere i turchi impiegando altri metodi bellici, «non britannici», quali finanziare insurrezioni, sabotare le linee ferroviarie, impadronirsi dei rifornimenti, promuovere il terrorismo, condurre operazioni di guerriglia. Il contributo di Gertrude, con la sua conoscenza delle usanze e delle tattiche arabe, favorì la cristallizzazione delle idee. Dopotutto lei era probabilmente l'unica fra loro, tutti esploratori e viaggiatori del deserto, ad avere partecipato personalmente a una *ghazzu*. Così disse che sarebbe stato possibile organizzare un esercito arabo contro i turchi se il concetto di autodeterminazione araba avesse suscitato un orgoglio virile abbastanza forte. Sarebbero stati resi disponibili fondi considerevoli, necessari per due ragioni, ovvero perché era impossibile attraversare i territori degli sceicchi senza pagare, e perché né i beduini né gli abitanti dei villaggi nel deserto avrebbero abbandonato le loro mandrie di cammelli o le loro case per combattere, a meno di essere rimborsati adeguatamente per i proventi che le loro famiglie avrebbero perduto. I guerrieri arabi erano mercenari, non volontari.

Il governo indiano rimase deciso a estendere la propria autorità sull'Arabia e ad annettere la Mesopotamia. Il viceré manifestò chiaramente le proprie intenzioni con una lettera tagliente al ministero degli Esteri:

Spero fermamente che quel presunto stato arabo finisca a pezzi, ammesso che venga mai creato… Non c'è strategia più negativa per gli interessi dell'Inghilterra nel Medio Oriente di questa. Significa semplicemente cattivo governo, caos e corruzione poiché non ci sarà mai, come del resto non c'è mai stato, accordo né adesione fra le tribù arabe. […] Non so esprimere quanto sia stata negativa quest'interferenza da parte dell'Ufficio del Cairo[10].

Con questa lettera, Hardinge indusse anche Londra a opporsi all'Ufficio.

Nel frattempo, Gertrude redasse il suo primo rapporto sulle tribù, accolto al quartier generale con crescente rispetto per la sua completezza e per la sua ricchezza e precisione di dettagli. Dopo avere fornito ciò che le era stato richiesto, Gertrude avrebbe potuto del tutto rispettabilmente ritornare nell'Inghilterra depressa dalla guerra, all'Ufficio feriti e dispersi, a Londra, colma di tristi ricordi. Invece rifletté sulla faida sciagurata fra Il Cairo e Delhi, nonché sulle valutazioni del viceré, Lord Charles Hardinge, il quale, carico di prestigio e di onorificenze, ex ambasciatore a San Pietroburgo e a Parigi, consigliere del re per gli affari esteri, scelto personalmente e approvato ufficialmente, era un suo vecchio amico dai tempi delle passeggiate sulla neve a Bucarest. Dato che lo conosceva molto bene e che era perfettamente consapevole dei problemi da considerare, si domandò se le fosse possibile contribuire a migliorare i rapporti fra l'India e Il Cairo. «È essenziale che l'India e l'Egitto si mantengano a stretto contatto, visto che hanno a che fare con due aspetti del medesimo problema»[11] scrisse il 20 febbraio 1916 al capitano Hall, direttore del servizio segreto navale, a Londra.

Poi domandò a Clayton se le fosse possibile recarsi a Delhi, in apparenza per completare il proprio rapporto sulle tribù con informazioni che poteva avere soltanto dal ministero degli Esteri indiano. Gli Intrusi erano consapevoli che non avrebbe mai potuto esistere una nazione panaraba, eppure erano impossibilitati a dichiararlo perché Kitchener ne aveva sostenuto la possibilità con Hussain. Dunque Gertrude aveva in realtà il compito di assicurare ad Hardinge che Il Cairo comprendeva tanto quanto Delhi tale impossibilità e al tempo stesso doveva fingere il contrario, per quanto fosse imbarazzante, perché era l'unico motivo che poteva indurre le tribù arabe a unirsi contro i turchi. Inoltre Gertrude avrebbe raccomandato l'impiego di nuove tattiche contro gli ottomani e avrebbe tentato di persuadere il governo dell'Impero angloindiano che la guerriglia araba era possibile. Nel frattempo stava già concependo un progetto complesso per incoraggiare l'autodeterminazione araba a dispetto di ogni difficoltà e di ogni ostacolo.

Se in quel periodo Hardinge aveva in India un amico intimo, quello era lo stimato corrispondente del *Times*, Sir Valentine Ignatius Chirol, ossia il «carissimo Domnul» di Gertrude, la quale gli inviò un cablogramma. Molto affezionato a lei, Chirol comprendeva meglio di chiunque altro quanto avesse amato Doughty-Wylie e si era molto preoccupato per lei, quindi accennò ad Hardinge che Gertrude, pur essendo ancora depressa a causa del periodo terribile che aveva trascorso, stava svolgendo un incarico ufficiale al Cairo. Così, tramite la benevola intercessione del caro amico, Gertrude ricevette un cordiale invito da parte del viceré.

In una lettera scritta alla fine di gennaio, Clayton manifestò la sua sconfinata approvazione del progetto e la fiducia nella capacità di Gertrude di condurre a termine la complessa e cruciale trattativa diplomatica, alludendo al vero scopo del viaggio.

La popolazione indiana è tanto saldamente aggrappata all'estremità sbagliata del bastone da rendere assai arduo giungere a un accordo. Oggi Miss Gertrude Bell partirà per l'India, in parte dietro mia insistenza, e con la completa approvazione dell'alto commissario. Come sapete, è una delle massime autorità sull'Arabia e sulla Siria, e da alcuni mesi opera alle mie dipendenze. Conosce alla perfezione i problemi arabi e concorda del tutto con la nostra politica. È amica intima di Sir Valentine Chirol (il quale esercita una grande influenza) e del viceré, presso il quale alloggerà. Credo che possa riuscire a sollecitare una positiva comprensione di ciò che significa davvero la questione araba[12].

In seguito Hardinge scrisse nelle sue memorie:

Proprio in quel periodo seppi che Miss Gertrude Bell soffriva molto per la morte di un grandissimo amico caduto a Gallipoli. La conoscevo da molti anni come nipote di Sir Frank Lascelles e sapevo che operava per il servizio segreto militare al Cairo, così le chiesi di farmi visita a Delhi, dove avrebbe avuto l'opportunità di studiare le informazioni arabe a disposizione del ministero degli Esteri[13].

In una lettera al padre, Gertrude riferì gli ultimi avvenimenti modificandone lievemente la successione. Ansiosa di ottenere l'approvazione di Hugh a qualunque costo e considerando la vastità e l'importanza dei rapporti politici che si proponeva di modificare, desiderava scongiurare il rischio che lui la giudicasse troppo ambiziosa o troppo presuntuosa.

Quando Domnul mi ha consegnato il messaggio di Lord H. ho suggerito che sarebbe stato un buon piano se io, che non sono un personaggio importante e non ho incarichi ufficiali, avessi approfittato dell'invito del viceré e fossi andata a scoprire che cosa si sarebbe potuto ottenere illustrando il nostro punto di vista. [...] Il mio capo ha approvato. [...] Perciò incomincio a sentirmi un po' in ansia e mi rifugio nel mio assoluto anonimato, nonché nella gentilezza che trovo ovunque e da parte di tutti. Il vantaggio di non avere incarichi ufficiali consiste nel fatto che un eventuale fallimento non peggiorerebbe la situazione di nessuno. Troverò Domnul a Delhi, e questo renderà tutto più facile. Altrimenti non credo che avrei il coraggio di intraprendere una missione politica[14].

In breve tempo l'ansia cedette il posto all'entusiasmo. Il 28 gennaio, nel preparare in tutta fretta la valigia, Gertrude scrisse rapidamente un'altra lettera: «Finalmente sono in procinto d'imbarcarmi su un trasporto truppe a Suez. Faccio davvero le cose più strane. Alle tre di notte ho saputo che avrei potuto montare a bordo se fossi partita alle sei del mattino e così non ho avuto molto tempo per pensare. Sono incaricata di condurre un negoziato assai impegnativo e spero di poter essere validamente ispirata»[15].

Un funzionario che si trovava al Cairo in quel periodo riferì in seguito a Florence di non aver mai visto nessuno prepararsi alla partenza tanto rapidamente quanto Miss Bell. Il nome in codice "Intrusa" le si adattava alla perfezione. Definiva ciò che era stata per tutta la vita. Nel deserto aveva conseguito i suoi scopi visitando come straniera gli accampamenti beduini. Si era insinuata come estranea nei corridoi del potere accostando direttamente gli statisti di sua conoscenza e fornendo le informazioni richieste. Ora progettava quella che era la più importante delle avventure da lei vissute fino a quel momento, cioè stava per intromettersi nelle decisioni cruciali dell'Impero britannico.

Cinque giorni di navigazione a bordo di un trasporto truppe le lasciarono il tempo di raccogliere le idee. Il problema arabo aveva molti aspetti sovrapposti e ambivalenti. Seguendo la politica di Kitchener, l'Ufficio era impegnato a fomentare una rivolta araba, forse l'unico modo rimasto per mutare le sorti della guerra. A questo scopo era necessario confermare agli arabi una promessa d'indipendenza che non poteva essere mantenuta. Persino i funzionari britannici convinti che valesse la pena tentare di organizzare una rivolta non erano preparati a considerare le ragioni che potevano indurre le tribù ad accettare il rischio, né quale ricompensa o vantaggio avrebbero potuto ricavarne. I britannici non potevano dare quello che gli arabi desideravano avere, e non l'avrebbero dato neppure se avessero potuto. Eppure gli Intrusi dovevano convincere gli arabi che l'indipendenza era possibile, e nel frattempo accettare la convinzione, diffusa nei corridoi del potere britannico e alleato, secondo cui non lo era affatto. L'Ufficio non poteva agire senza appoggi, nonostante Lawrence intendesse forzare la mano, perché per sostenere gli arabi occorrevano finanziamenti, viveri, armi da fuoco, munizioni e sostegno militare.

Il compito di Gertrude consisteva nel persuadere il viceré che non aveva motivo di preoccuparsi perché una nazione panaraba non si sarebbe mai costituita, e Il Cairo ne era consapevole. A questo scopo Gertrude avrebbe spiegato che negli ultimi mesi lo *sharif* e i suoi figli avevano cercato di risolvere le faide tribali nella regione settentrionale dell'Hegiaz, attraversata dalla ferrovia, per preparare quello che lei definiva un «minimo provvedimento di alleanza». Avrebbe riconosciuto che il Movimento per l'indipendenza araba era illusorio se considerato quale vincolo di unione delle province arabe. Si sarebbe azzardata a tratteggiare un possibile modello di unità amministrativa dopo la sconfitta dei turchi, fondato sulla completa collaborazione fra britannici e francesi alla fine della guerra e sull'ascolto dei rappresentanti arabi in merito a tutto ciò che si sarebbe dovuto decidere. Senza dubbio Hardinge avrebbe replicato che una rivolta araba avrebbe avuto conseguenze disastrose in India. Allora lei avrebbe dovuto trovare un modo per controreplicare, affermando ciò che non poteva essere affermato. Tuttavia Kitchener, privo di scrupoli analoghi, si sarebbe espresso nei termini più brutali: «Meglio perdere l'India che perdere la guerra».

Nella stanza che al tempo in cui il trasporto truppe era un bastimento di linea era riservata ai bambini, Gertrude stese il suo memorandum, scrivendo per tutta la mattina, e poi di nuovo dopo pranzo. A bordo incontrò un cappellano che conosceva il suo fratellastro, Hugo, e accettò la sua richiesta di parlare ai soldati imbarcati, appartenenti al Terzo e al Ventiquattresimo Rifle Corps. Il 1° febbraio scrisse alla famiglia: «Sono tutti così annoiati. [...] Sarò felicissima di fare qualsiasi cosa per divertirli. Mi è stato chiesto anche di tenere una conferenza sulla Mesopotamia a beneficio degli ufficiali, e questo mi piacerà molto meno»[16].

Sbarcata a Karachi, Gertrude montò su un treno torrido e soffocante per Delhi, dove arrivò tutta bianca di polvere. Domnul l'accolse alla stazione, e mentre lei parlava e rideva con lui, il suo bagaglio fu caricato a bordo della luccicante e imbandierata automobile di servizio che li trasportò alla dimora del viceré. Come gli ospiti prestigiosi alla cerimonia d'incoronazione del 1903, Gertrude alloggiò in una delle numerose tende montate lungo il viale che attraversava i bei giardini del viceré. Era fresca e lussuosa, divisa in tre ambienti, cioè soggiorno, camera da letto e stanza da bagno, ognuno arredato con tappeti, vasi di fiori e mobili magnifici, incluso un tavolino da tè. Parecchi servi erano a disposizione dell'ospite. Gertrude stava aggiornando Domnul sugli ultimi avvenimenti, quando in visita di benvenuto entrò nella tenda Charles Hardinge, il quale la invitò subito a cena. Lei lo salutò con una riverenza e ricordò di chiamarlo "Vostra Eccellenza".

Nei giorni successivi, Hardinge ricevette Gertrude negli intervalli fra i suoi numerosi impegni ed ebbe con lei alcune lunghe conversazioni. Invitata a esaminare gli archivi a cui si era dichiarata interessata, Gertrude intraprese quello che considerava il suo vero compito. A giudicare da ciò che scrisse nelle memorie, Hardinge non comprese mai del tutto che nelle conversazioni apparentemente più casuali si celava il vero scopo della visita di Gertrude.

Fra l'uno e l'altro di questi faticosi incontri, Gertrude fu intrattenuta e scortata da Domnul e assistette persino a una pittoresca riunione dell'assemblea legislativa. Un memorabile pomeriggio, con Hardinge e il suo gruppo, fu accompagnata dall'architetto Edwin Lutyens a visitare la nuova Delhi. «Fu prodigioso vederla in compagnia di colui che l'aveva inventata, e anche se conoscevo i progetti [...] non mi ero resa conto di quanto fosse gigantesca. Sono state sbriciolate intere colline e colmate valli intere [...] sono state tracciate le strade che conducono ai quattro angoli dell'India e in fondo a ogni prospettiva si scorgono le rovine di pietra della più antica Delhi imperiale»[17].

Oltre a conversare con i funzionari del ministero degli Esteri, Gertrude esaminò i documenti per cui si era ufficialmente recata a Delhi e poté consultare anche fascicoli segreti. Fu organizzato un suo trasferimento a Simla, dove rimase alcuni giorni a discutere con gli agenti del servizio informazioni, i quali, dapprima diffidenti, non tardarono ad apprezzare la sua perspicacia e dopo il suo ritorno all'attendamento del viceré le inviarono un funzionario a concordare il modo migliore per coordinare le operazioni fra Egitto e India. A questo scopo lei redasse un progetto e lo inviò al Cairo per l'approvazione. Nel frattempo fu invitata a collaborare al *Gazetteer of Arabia*, un periodico curato dal gruppo. Riferì al padre di avere l'impressione che la trasferta indiana fosse stata proficua, senza tuttavia entrare nei dettagli: «Ho [...] discusso dell'Arabia fino a stancarmi tanto da non sopportarne più neppure il nome. [...] Credo di avere rimesso a posto le cose almeno un po' fra Delhi e Il Cairo»[18].

Rientrata nella vecchia Delhi, fu ospite interessata a una cena di stato per il maharajah di Mysore e il suo seguito. La casta a cui l'ospite illustre apparteneva era tanto nobile che il viceré era stato costretto a costruire una casa di sei stanze appositamente per accoglierlo. Come lo stesso Hardinge spiegò a Gertrude, il maharajah non poteva mangiare o pregare se non in ambienti di determinate dimensioni e disposti in un ordine preciso.

La giovane donna che manifestava le proprie opinioni con la massima schiettezza, di cui il viceré aveva apprezzato la compagnia a Bucarest, era diventata un'abile diplomatica, capace di sostenere un punto di vista e al tempo stesso di ascoltare con attenzione il più fitto sbarramento di opinioni opposte. Hardinge rimase profondamente impressionato dal suo rigore e dalla sua perspicacia, che le aveva permesso di comprendere in maniera approfondita una situazione indagata per sole sei settimane, ed ebbe la sensazione che il suo lavoro per il Regno Unito fosse tutt'altro che concluso. Poi concepì un piano che le avrebbe cambiato la vita, anzi, che mutò la forma del Medio Oriente. Le suggerì di recarsi nel luogo che in quella fase della guerra era il più gravido di pericoli e di sviluppi, Bassora, sullo Shatt al Arab, alla convergenza di Mesopotamia, Kuwait, Arabia e Persia, con il compito di fare da collegamento fra i servizi segreti del Cairo e di Delhi, nonché al tempo stesso di redigere un rapporto dettagliato sulle tribù mesopotamiche e sulle loro affiliazioni. Nel momento più difficile dell'avanzata in Mesopotamia, Gertrude avrebbe dovuto fare del suo meglio per convincere gli arabi della regione a collaborare con i britannici.

Il viceré la avvertì che per una donna, la quale oltretutto non avrebbe avuto alcuna carica ufficiale, sarebbe stata un'impresa molto ardua. Avrebbe operato al quartier generale militare del generale Sir Percy Lake, il cui capo degli ufficiali con mansioni politiche era Sir Percy Cox, il più stimato ufficiale esperto del Medio Oriente al servizio del governo indiano. Hardinge non ebbe bisogno di specificare a Gertrude che se e quando Baghdad fosse stata conquistata, Cox avrebbe provveduto a organizzarne l'amministrazione. Gertrude conosceva Sir Percy e Lady Cox per averli incontrati in un paio di occasioni insieme ad amici comuni, Sir Richmond e Lady Ritchie. All'epoca ministro residente nel Golfo Persico in vacanza a Londra, Cox aveva pranzato con Gertrude e l'aveva avvisata con fervore dei pericoli di una spedizione ad Ha'il, soprattutto partendo da uno dei porti sul Golfo, sottoposti alla sua giurisdizione. Così Gertrude si domandò se Cox fosse risentito nei suoi confronti a causa del suo famoso viaggio ad Ha'il, compiuto quattro anni più tardi, anche se era partita da nordovest. Scrisse ai genitori: «Il viceré desidera molto che io mi rechi a Bassora per aiutare il ministero degli Esteri indiano, ma tutto dipende dai punti di vista dei funzionari e dalle possibilità che avrei di rendermi utile. Ho l'impressione che dipenda da me, perché, come abbiamo detto spesso, tutto ciò che si può fare per gli altri è offrire loro l'opportunità di crearsi uno spazio proprio, e il viceré lo ha fatto ampiamente»[19].

Naturalmente, come sempre, i militari e le spie non avrebbero accolto di buon grado una donna quale loro eguale. Tuttavia, come aveva risposto Hogarth quando l'Ufficio aveva chiesto in qual modo Gertrude avrebbe dovuto essere trattata e fino a che punto avrebbe dovuto essere informata, sarebbe stata «*lei stessa* a sistemare tutto!» Hardinge l'avvisò delle difficoltà che probabilmente avrebbe incontrato a Bassora, sottolineando che riuscire o meno a procurarsi un incarico permanente sarebbe dipeso da lei stessa. Poi scrisse a Cox per esortarlo a prenderla sul serio. Le parole che scelse meritano di essere trascritte negli annali dello sciovinismo, e Gertrude ne avrebbe sorriso ironicamente se ne fosse stata a conoscenza: «È una donna considerevolmente intelligente [...] con il cervello di un uomo»[20]. In seguito scrisse di lei nelle sue memorie: «L'avvisai che in quanto donna la sua presenza non sarebbe stata apprezzata da Sir Percy, e che comunque sarebbe dipeso da lei, dal suo tatto e dalle sue conoscenze salvaguardare e consolidare la sua posizione. Come avevo previsto, incontrò forti opposizioni a Bassora, eppure, com'è noto, le vinse con le sue capacità, con il suo evidente buon senso e con tatto»[21].

Se talvolta Gertrude è stata descritta come non femminile, benché nulla fosse più lontano dal vero, bisogna ricordare cosa si trovò ad affrontare in ambienti esclusivamente militari e maschili. Sfidati sul loro stesso terreno da una donna che molto spesso aveva ragione, alcuni veterani che si trovarono a collaborare con lei ricorsero all'espediente di aggredire la sua sessualità. Erano gli stessi patrioti e colonialisti i quali, come il tenente generale comandante di corpo d'armata Sir George MacMunn, ispettore generale delle comunicazioni in Mesopotamia, spesso, in privato, chiamavano gli arabi "gabbani". Dapprima MacMunn diventò amico di Gertrude, poi la criticò. Tuttavia i suoi giudizi di solito mancavano clamorosamente il bersaglio. Per esempio, attribuì al brillante e indisciplinato T.E. Lawrence «una semplice mentalità da beduino», e lo giudicò incapace di assegnare al termine "arabo" un significato più complesso di «tribù patriarcali del deserto, lo sceicco con tutta la sua autoritaria volubilità, i suoi purosangue, i suoi cammelli addobbati [...] e cose simili».

Per MacMunn, Lawrence non era in sintonia con «le difficili situazioni» che si stavano creando a Damasco e a Baghdad, mentre Gertrude era «un minuscolo esserino, che si diceva fosse una donna», ormai diventata di gran lunga troppo importante per il bene dell'amministrazione. A sua volta, Gertrude non si curava minimamente delle peculiarità personali altrui, quali l'omosessualità, le eccentricità, le motivazioni insolite, oppure quante decine di mogli avesse un uomo o se adorasse il diavolo. Semplicemente, traeva il meglio da ogni persona incontrata, poi passava oltre. Non si sminuiva sfogando meschini pregiudizi mediante le proprie lettere alla famiglia, perché aveva sempre cose più interessanti di cui scrivere, anche se talvolta si lasciava sfuggire brevi commenti, tradendo quanto fosse ormai stanca di avere a che fare con tanta misoginia e di dover dimostrare di nuovo, costantemente, le proprie capacità. Scrisse a Hugh: «Non è facile, qui. Un giorno o l'altro te ne parlerò. Credo di avere superato la maggior parte delle difficoltà e la crescente cordialità dei miei colleghi è fonte di pura soddisfazione».

E così Gertrude giunse al servizio informazioni del quartier generale di Bassora senza titolo, né incarico, né paga, senza sapere se sarebbe stata accettata, né se sarebbe rimasta o se sarebbe stata subito cacciata. La città, brutto guazzabuglio di case di fango e palmeti costellato di canali irrigui, aveva dovuto espandersi quasi nottetempo per diventare una vasta base militare. Ogni ambiente era affollato di soldati e l'atmosfera fremeva di entusiasmo per l'azione imminente. Sir Percy Cox, assente, sarebbe rientrato alcuni giorni più tardi. Così fu Lady Cox ad accogliere Gertrude con sollecitudine e ad alloggiarla nella camera degli ospiti in attesa che trovasse casa. Tuttavia per lei non c'era un ufficio. Ci si aspettava che lavorasse nella camera da letto di un certo colonnello Beach, direttore del servizio segreto militare, condivisa in orario d'ufficio dal suo simpatico assistente, Campbell Thompson, che aveva lavorato anche con Hogarth e Lawrence, a Karkemis.

Così Gertrude iniziò a leggere i fascicoli che le furono consegnati, assunse come servo un ragazzo arabo di nome Mikhail, e per il momento si sottomise alle regole, seppure con un sopracciglio inarcato. La sua posta sarebbe stata censurata, non sarebbe stata libera di andare dove voleva e di agire come preferiva, e avrebbe potuto recarsi in case arabe soltanto accompagnata da un ufficiale o da un funzionario. Per disturbare il meno possibile Lady Cox, consumò i pasti in mensa e affittò una stanza al quartier generale. Era tutto molto diverso dalla vita stimolante all'Ufficio, tanto che fu tentata di tornare al Cairo, dove sapeva di essere desiderata. I giorni trascorrevano monotoni. Scrisse: «Vorrei sempre sapere quanto a lungo dovrò rimanere in un certo luogo o quello che probabilmente dovrò fare. Non domando a me stessa cosa sto davvero facendo qui. [...] Dopo una settimana guardo indietro e penso di aver forse suggerito qualcosa di utile. [...] E se me ne andassi non avrebbe importanza, o se rimanessi non avrebbe importanza»[22].

La noia cessò con il ritorno di Sir Percy, il quale, alquanto divertito, si congratulò subito con lei per il successo della sua spedizione ad Ha'il. Non l'avrebbe sottovalutata mai più. Alto, con capelli d'argento e naso aquilino con il setto deviato, aveva cinquantun anni, quattro più di Gertrude. Si era formato ad Harrow e a Sandhurst, era molto rispettato, aveva modi cortesi e persuasivi, condivideva le preoccupazioni di Delhi per il sostegno del Cairo a una rivolta araba. Da quasi dieci anni era agente del governo indiano in quella regione. Quale che fosse la sua prima reazione all'arrivo di quella donna in una base militare in quelle particolari circostanze, era di gran lunga troppo intelligente per manifestare i propri pregiudizi. Memore della lettera di Hardinge, decise di porre Gertrude nella massima difficoltà. Per il 9 marzo le organizzò un pranzo con i quattro generali che comandavano l'avanzata militare in Mesopotamia. Dopotutto, Gertrude lavorava per il servizio segreto militare. Forse al mattino, nel sorbire il caffè, Sir Percy disse a Lady Cox che se Gertrude avesse davvero avuto «il cervello di un uomo», allora avrebbe saputo spiegarsi e avrebbe convinto i militari della propria utilità e della propria professionalità.

Fu una prova, quasi un'audizione. Gli ufficiali erano sconcertati e colmi di pregiudizi nei confronti della nuova arrivata, comparsa all'improvviso fra loro senza alcuna ragione apparente, una strana intrusa a cui si sarebbe dovuto trovare qualcosa da fare. I generali Lake, Cowper, Money e Offley Shaw, del corpo di spedizione indiano, avrebbero preferito continuare a ignorarla. Dato che invece era stato loro chiesto di intrattenerla a pranzo in mensa ufficiali, erano pronti a giudicarla come donna e come aspirante a un incarico. A quanto pareva, quella donna minuta era una viaggiatrice famosa. Avevano visto ondeggiare il suo cappello mentre percorreva il marciapiede per recarsi alla stanza in cui lavorava, qualunque cosa stesse facendo, oppure per allontanarsene. Avevano sentito dire che era amica di quell'effeminato e insubordinato avanzo di ufficiale di nome Lawrence. Addossati agli schienali delle poltrone, i generali risero alle loro stesse battutine sulle zitelle. Una rivolta araba! Come se i gabbani potessero essere una valida risorsa dal punto di vista militare! Concordarono tacitamente di trattarla con condiscendenza, di essere cortesi, di burlarsi pacatamente delle sue opinioni, e poi di continuare a ignorarla.

Ebbene, dinanzi alle sfide Gertrude dava il meglio di se stessa. Era nel suo elemento. Quando entrò bruscamente, loro si alzarono, poi sedettero tutti, e lei incominciò a parlare prima che loro potessero raccogliere i pensieri. Li mise a tacere, e come sempre riuscì a trovare la nota giusta. Parlò in tono autorevole, esprimendosi in linguaggio militare, esponendo i propri argomenti in prospettiva strategica, e alleggerì il discorso con l'umorismo. Soprattutto, sapeva il fatto suo. Insomma, dominò la conversazione. Poi fu lei ad ascoltare, riflettendo sulle conseguenze, suggerendo alcuni nomi, adulando i generali soltanto un po' e tratteggiando alcune cruciali differenze tattiche e amministrative fra indiani musulmani e beduini indipendenti del Medio Oriente. I generali ne furono sorpresi e un poco affascinati. Quando chiesero di poter fumare il sigaro, lei infilò una sigaretta nel proprio bocchino. Allora gli uomini cominciarono a riflettere sui motivi per cui quella donna era stata inviata dapprima al Cairo, poi a Delhi, e infine, per manifesto desiderio del viceré in persona, a Bassora.

Affinché il pranzo non si protraesse troppo a lungo, Gertrude lasciò intendere di avere parecchio da fare, sorrise in modo cordiale, ringraziò con cortesia e se ne andò, lasciando un vago profumo di lavanda inglese nell'aria densa di fumo di sigaro. Dopo la pausa pranzo si rimise all'opera. Nel giungere all'ufficio vide, costernata, che i suoi fascicoli erano stati prelevati e ammassati su un carro. Uno sconcertato capitano Thompson era nel portico a protestare. I servi spiegarono di avere ordini del quartier generale. Allora Gertrude si apprestò alla battaglia. Insieme, lei e Thompson si recarono al quartier generale con l'intento di scoprire i motivi della loro espulsione. Con estrema affabilità, un ufficiale di stato maggiore li condusse a una spaziosa veranda in legno che guardava il fiume attraverso un pergolato di foglie e di fiori. La stanza attigua era vasta e fresca, arredata con sedie di vimini, tavolini, un paio di grandi scrivanie sotto roteanti ventilatori da soffitto, e contro le pareti scaffali già carichi dei libri ammassati da Gertrude e da Thompson. Intanto arrivarono alcuni servi a portare fascicoli, documenti e altri libri. Quello era il loro nuovo ufficio. Gertrude scrisse alla famiglia:

Oggi ho pranzato con tutti i generali […] e come conseguenza immediata loro hanno trasferito me e le mie mappe e i miei libri in una splendida, grande veranda, adiacente a una stanza fresca in cui siedo a lavorare tutto il giorno. Mio compagno qui è il capitano Campbell Thompson, […] molto simpatico e cortese e lieto di beneficiare insieme a me del trasferimento a questo nuovo ambiente di lavoro[23].

Aveva superato la prova. Era stata accettata e stava per diventare ufficiale di stato maggiore delle forze armate indiane, remunerata.

I generali avevano deciso che era degna di apprezzamento, e così, in breve tempo, Gertrude divenne una prediletta dei militari. Nel caldo umido di mezza estate, stagione d'inondazioni in cui tutto il paese era sommerso, i generali Cowper e MacMunn, quest'ultimo destinato a diventare comandante in capo in Mesopotamia nel 1919, la condussero per pochi giorni con un piroscafo fluviale a nord dello Shatt al Arab a visitare il paese degli arabi delle paludi. Gertrude portò l'attrezzatura da campo e si fece accompagnare da un servo. Il piroscafo, attrezzato con rudimentali cabine installate sul ponte, fu ormeggiato nel lago Hawr al Hammar, alla confluenza del Tigri e dell'Eufrate. Gertrude rimase affascinata dal paesaggio paludoso e dalla strana bellezza architettonica delle *mudhif*, imponenti case galleggianti di giunchi, lunghe quindici metri e larghe quattro e mezzo, espressione dell'antica cultura lacustre che avrebbe ossessionato Wilfred Thesiger nei primi anni Cinquanta del Novecento e che sarebbe stata distrutta da Saddam Hussein. Il 12 giugno Gertrude scrisse a Chirol:

A sud potevamo vedere l'alto margine del deserto e la grande catena di tumuli che è Ur dei Caldei. [...] I villaggi non sono stabili, si spostano seguendo i flussi delle correnti e delle piene. Molti sono costruiti su fondamenta galleggianti di stuoie di giunchi e hanno campi galleggianti in cui le vacche stanno contente, presumo, legate alle palme. [...] Sopra ogni villaggio di case di giunchi s'innalza la torre di fango a pianta quadrata del forte dello sceicco, simile a un basso campanile in un acquitrino. Luce e colore erano incredibili. Non ho mai visto un paesaggio di così rara bellezza. [...] Sono bruciata dal sole[24].

Scoprirono che Nasiriya, recentemente conquistata dagli inglesi, si era trasformata in un'isola lunga quasi cinque chilometri. Là Gertrude incontrò il generale Brooking, «un focoso ometto dal cuore spezzato che quattro mesi fa, in Francia, ha perso il suo unico figlio», e il maggiore Hamilton, che si rivelò essere cugino degli Stanley. Anche se fu un interludio incantevole, Gertrude era preoccupata da alcune cose. Ogni volta che la linea telegrafica era tagliata, il focoso generale infliggeva punizioni indiscriminate sia agli amici sia ai nemici. Così scrisse Gertrude nella stessa lettera a Chirol:

Non occorre dire che si tratta di mitragliamento aereo da bassa quota. I danni che si possono causare in risposta con il cannoneggiamento dall'acqua sono quasi trascurabili e provocano sempre rappresaglie che coinvolgono una quantità di persone sempre maggiore, creando un cerchio sempre più ampio d'inquietudine e di ostilità. Questo è quello che penso e sono stata tanto audace da dirglielo. «Voi avete vissuto con i politici» ha risposto lui, un po' sarcastico e un po' malizioso. Allora ho replicato: «Be', sì, ho vissuto con i politici per tutta la vita»[25].

Tornata a Bassora, Gertrude si trovò ad affrontare ulteriori problemi. I lavori pesanti esigevano un maggior numero di uomini e i militari ricorrevano all'arruolamento forzato con scarsa considerazione per le famiglie, che rimanevano senza uomini a coltivare i campi o ad assicurare il sostentamento. Gertrude decise di scrivere ad Hardinge. Oltre a provare un profondo turbamento di coscienza, si domandava come la futura amministrazione della Mesopotamia avrebbe potuto conquistare la fiducia e ottenere la collaborazione degli arabi dopo tali manifestazioni di assoluto disinteresse per le situazioni umane.

Ci sono molte cose di cui non sono soddisfatta. Ritengo che la prima e la più importante sia il problema del lavoro. Esiste un confine sottilissimo, talvolta invisibile, credo, fra ciò che stiamo facendo qui e ciò che i tedeschi hanno fatto in Belgio. Preferirei importare lavoratori a scopi bellici anziché arruolarli a forza, per quanto mi dispiaccia importare manodopera indiana. Non è facile, Domnul. Non sai quanto sia difficile il mio lavoro qui[26].

Anche se fino a quel momento la campagna mesopotamica aveva avuto completo successo, la situazione si rovesciò drasticamente. Quando il corpo militare britannico guidato dal generale Nixon ebbe cacciato da Nasiriya i turchi in rotta, la sesta divisione, composta di circa diecimila soldati e comandata dal maggiore generale Charles Townshend, mosse alla conquista della città fortificata di Kut, dove poi si accinse a riorganizzarsi e ad attendere rinforzi. Invece Nixon, dopo avere ricevuto a sua volta disposizioni dall'India, ordinò alla divisione di proseguire. Con una squadriglia di piroscafi fluviali, la divisione giunse a Ctesifonte, il cui arco gigantesco, fotografato molte volte da Gertrude, era quasi visibile da Baghdad, e quando si lanciò all'attacco incontrò la resistenza di ventimila soldati turchi, ben trincerati in attesa. L'avanzata cessò e in breve tempo le perdite furono tali da costringere Townshend a ritirarsi fino a Kut. Era l'inizio di dicembre. Circondati dai turchi, gli sfortunati superstiti della sesta divisione furono destinati a sostenere il più lungo assedio della storia britannica. Settimana dopo settimana, mese dopo mese, e nonostante tre massicci tentativi di soccorso, i soldati e i cittadini rimasero imprigionati entro le mura e non tardarono a essere costretti a nutrirsi prima di gatti e di cani, poi persino di ratti. In aprile, Gertrude scrisse: «A Kut non succede nulla, e sembra del tutto improbabile che possa accadere qualcosa. È una situazione disperata, e sa il cielo come finirà»[27].

Prima della metà di aprile giunsero a Bassora Lawrence e Aubrey Herbert, impegnati a svolgere un misterioso incarico per il servizio segreto del Cairo. Andarono subito all'ufficio di Gertrude e sedettero nella sua veranda per aggiornarla. A causa della loro insolita missione e del loro aspetto per nulla militaresco, Lawrence e Herbert erano ostracizzati alla mensa ufficiali. Autorizzati a offrire ai turchi fino a due milioni di sterline per consentire il soccorso alla guarnigione di Kut, intendevano discutere come ultima risorsa uno scambio di feriti e chiedere clemenza per la popolazione araba della città. Nonostante fosse un compito avvilente, era il tentativo estremo di evitare una disfatta spaventosa. In seguito Lawrence descrisse le veementi obiezioni alla sua missione manifestate dai britannici a Bassora e raccontò che due generali lo avevano maltrattato, dichiarando che si trattava di una condotta disonorevole.

Così, seduti alla sua tavola, Lawrence e Herbert conversarono con Gertrude, per la quale fu un sollievo immenso beneficiare di nuovo dell'intelligenza vivace dei migliori ingegni del Cairo, tanto che le fu impossibile non confrontarli con i vecchi generali ottusi con cui pranzava di solito. «Questa settimana è stata grandemente ravvivata dalla comparsa di Mr Lawrence, inviato dall'Egitto come ufficiale di collegamento. Abbiamo conversato a lungo e concepito grandi progetti per il governo dell'universo. Domani risalirà il fiume per recarsi dove la battaglia sta infuriando in questi giorni»[28].

In verità, era ormai troppo tardi e il tentativo di corruzione fu rifiutato in maniera umiliante dal comandante turco, Halil pascià. Il 29 aprile, dopo centoquarantasette giorni, i turchi entrarono finalmente a Kut e presero prigionieri i soldati britannici, quattromila dei quali, indeboliti dalle privazioni, morirono successivamente a causa delle marce estenuanti e dei lavori forzati. I cittadini arabi, vittime impotenti della situazione, subirono un trattamento spaventoso da parte dei vincitori, e questo comprensibilmente indusse molti settori della società araba a schierarsi con i britannici. Lawrence e Herbert tornarono a Bassora e divennero ancor più *personae non gratae*. Tuttavia Lawrence si trattenne alcuni giorni in compagnia di Gertrude. Estremamente preoccupato per la disfatta in Mesopotamia, Hugh scrisse alla figlia per informarla che in Inghilterra prevalevano le voci critiche secondo cui le autorità di Bassora e di Delhi stavano meramente «annaspando». Allora Gertrude rispose con passione, esaminando la situazione con l'ampiezza di prospettiva e con l'assenza di partigianeria che ci si aspettava da una statista esperta come stava diventando.

Ci siamo lanciati nell'impresa trascurando come al solito un progetto politico globale. Abbiamo trattato la Mesopotamia come se fosse un'unità isolata, anziché una parte dell'Arabia, la cui situazione politica è indissolubilmente connessa con la questione araba in tutta la sua vastità e in tutta la sua portata. Essa presenta aspetti diversi a seconda della prospettiva da cui la si osserva, eppure è sempre, sempre composta da un unico blocco indivisibile. Un progetto politico per l'Arabia avrebbe dovuto essere concepito, promosso e coordinato in patria [...] invece nessuno vi ha provveduto, nessuno vi ha mai neppure riflettuto, lasciando che fosse il nostro gruppo in Egitto a tracciare, con la strenua opposizione dell'India e di Londra, una sorta di vasto piano, che alla fine getterà, ne sono persuasa, le fondamenta dei nostri rapporti con gli arabi. [...] Ebbene, basta con la politica. Tuttavia, quando la gente dice che annaspiamo, io m'infervoro. Annaspare! Be', sì, è vero, annaspiamo nel sangue e nelle lacrime che non avrebbero mai dovuto essere versati[29].

Nel frattempo, Gertrude condusse a termine la raccolta d'informazioni sulle tribù mesopotamiche e sviluppò un rapporto di reciproco rispetto con Sir Percy Cox, il quale scrisse di questa fase degli avvenimenti:

Le autorità militari hanno deciso che l'incarico assegnatole a Bassora è stato svolto per quanto possibile nella situazione attuale e trovano alquanto difficile collocare in permanenza un'appartenente al suo sesso in un quartier generale militare operativo, quindi hanno offerto i suoi servigi a me in quanto capo degli ufficiali con mansioni politiche, e io sono stato felice di accettare.

Ora che Gertrude aveva dato prova di sé due volte, con Ha'il e con i generali, Cox stava cominciando a considerarla indispensabile. Non soltanto era infaticabile, ma lo aveva salvato innumerevoli volte intercettando e intrattenendo numerosi sceicchi giunti in visita dalla Mesopotamia, allontanando coloro che non potevano svolgere alcun ruolo significativo e ammettendo gli altri al suo ufficio, ciascuno accompagnato da una nota concisa che indicava il nome della tribù di appartenenza, il luogo di provenienza e lo scopo dell'incontro. Così Cox la qualificò ufficialmente come assistente politica, con il titolo di segretaria diplomatica per l'Oriente. Anche se ne scrisse a Chirol con noncuranza, è evidente che Gertrude era contenta della promozione:

Non ti ho ancora detto di essere diventata assistente politica perché è una cosa del tutto priva d'importanza. [...] Sir Percy mi ha nominata perché è molto più conveniente avere una posizione ufficiale definita, anche se credo che l'abbia fatto in primo luogo per potermi controllare meglio! Sarebbe stato del tutto impossibile rimanere anonima e priva di una qualifica ufficiale. Adesso invece sono ufficiale del corpo di spedizione indiano D e ho diritto a vitto e alloggio, nonché a ricevere assistenza medica in caso di necessità. Dunque ho un'assegnazione ufficiale. [...] E sai una cosa? Ricevo un salario considerevole, ossia trecento rupie al mese, molto più di quanto mi sia mai aspettata di guadagnare nel corso della mia vita e nella mia epoca[30].

Oltre che per Cox, Gertrude operava per il suo vice, Sir Arnold Wilson, allora capitano, poi tenente colonnello, Commendatore dell'Ordine dell'Impero indiano e maniaco del lavoro, uno dei più formidabili ed eccentrici funzionari dell'Impero britannico in Medio Oriente. Massiccio di corporatura, con folti baffi neri, coltivava uno stile di vita di abnegazione spartana. Durante i suoi viaggi amava dormire all'addiaccio e leggeva la Bibbia quotidianamente. Era in grado di cavalcare per centocinquanta chilometri al giorno e quando arrivava a un fiume preferiva attraversarlo a nuoto piuttosto che percorrere un ponte. Una volta, imbarcato per rientrare in Inghilterra, risparmiò il costo del trasporto lavorando sedici ore al giorno come fuochista. Sbarcato a Marsiglia, comprò una bicicletta e pedalò per gli ultimi millecinquecento chilometri fino alla dimora di famiglia, in Worcester. Dapprima Gertrude andò molto d'accordo con Wilson, di cui scrisse: «È [...] una creatura assai notevole, trentaquattrenne, dotato di brillanti capacità e di una coordinazione estremamente rara fra vigore intellettuale e possanza fisica. Gli sono devota. È il migliore dei colleghi e dovrebbe avere una carriera meravigliosa. Credo di non avere mai incontrato nessuno che fosse provvisto di una forza tanto straordinaria»[31]. Tuttavia la visione dogmatica e imperialista di Wilson era destinata a guastare il loro rapporto.

Agli inizi del 1916, il ministero della Guerra assunse finalmente il controllo assoluto delle operazioni in Mesopotamia, dove inviò truppe, aeroplani, armamenti e trasporti. Era di gran lunga troppo tardi per soccorrere Kut, tuttavia in novembre il grande spiegamento di forze impressionò un importante visitatore giunto a Bassora, l'emiro e *hakim* del Najd meridionale, Abdul Aziz ibn Saud, il quale, comportandosi quasi come un monarca, ispezionò quel teatro di moderna guerra scientifica in cui Bassora era stata trasformata. Se esisteva un condottiero arabo che Gertrude non aveva mai incontrato nonostante lo avesse desiderato moltissimo, quello era proprio il carismatico e formidabile guerriero, imam ereditario, giudice, sovrano e governatore insieme, intransigente guida della setta fondamentalista wahhabita, il cui proposito era il ritorno all'Islam originale del Profeta sotto la guida severa e rigorosa della *shari'a*. Quando Ibn Saud aveva quindici anni, i Rashid avevano costretto i Saud all'esilio e avevano occupato la loro capitale, Riyad[32]. A ventidue anni, con ottanta guerrieri montati sui cammelli fornitigli dallo sceicco del Kuwait, suo alleato contro i Rashid, Ibn Saud aveva assaltato Riyad durante la notte e con soltanto otto seguaci scelti aveva scalato le mura del palazzo, aveva pugnalato nel sonno Rashid, e mentre il rosa dell'alba tingeva il cielo aveva spalancato le porte della città.

Nel decennio successivo, anno dopo anno, Ibn Saud si era impegnato a recuperare i territori dei suoi padri. Nel 1913 aveva conquistato la provincia turca di Hasa, un tempo appendice di Riyad, scacciando la guarnigione ottomana e attestandosi sulle rive del Golfo Persico. Era diventato amico del consulente politico britannico in Kuwait, il capitano William Shakespear, il quale aveva tentato ripetutamente di persuadere il governo britannico della crescente importanza di quel principe del deserto. Poco dopo l'inizio della prima guerra mondiale, Shakespear si era recato nel Najd e si era unito alle tende nere di Ibn Saud nella marcia verso nord per respingere l'ultima aggressione dei Rashid, sostenuti dai turchi, e pur non essendo un combattente era rimasto ucciso in quella battaglia. Poco tempo dopo Ibn Saud aveva incontrato Sir Percy Cox, allora capo consulente politico nel Golfo Persico, e aveva stipulato un accordo formale con il Regno Unito, insieme agli sceicchi delle città del Golfo di Kuwait e di al-Muhammarah.

In poche ore, il 27 novembre 1916, il futuro fondatore dell'Arabia Saudita fu accolto da Cox e da Gertrude, poi attraversò gloriosamente Bassora, accompagnato a osservare gli armamenti più recenti. Magnifico, con gli occhi sfavillanti e i capelli raccolti in trecce, parlava di rado. Giocherellò con un rosario greco osservando il cannoneggiamento di una trincea improvvisata e un bombardamento contraereo. Viaggiò in treno per la prima volta e fu accompagnato in automobile a gran velocità nella vicina Shaaibah per ispezionare la fanteria britannica e la cavalleria indiana. Assistette a un'esercitazione di artiglieria e alle evoluzioni di un aeroplano nel cielo. In un ospedale della base, Gertrude infilò la mano in un apparecchio a raggi X. Imitandola, Ibn Saud vide lo scheletro della propria mano. È magistralmente ritratto da Gertrude in un saggio per l'*Arab Bulletin*, periodico d'informazioni riservate realizzato al Cairo e distribuito negli uffici governativi britannici.

Ibn Saud è appena quarantenne, e sembra un poco più giovane. Ha un fisico splendido, è alto più di un metro e ottanta, e ha il portamento di chi è abituato a comandare. Pur essendo di corporatura più massiccia del tipico sceicco nomade, possiede le caratteristiche dell'arabo di ottima stirpe, il profilo aquilino molto marcato, narici carnose, labbra prominenti, mento lungo e sottile accentuato dal pizzo, belle mani dalle dita snelle, tratto quasi universale fra le tribù di puro sangue arabo, e nonostante l'alta statura e le spalle ampie suscita l'impressione, abbastanza comune nel deserto, di un'apatia indefinibile, non individuale, bensì razziale, la stanchezza secolare di una popolazione antica e isolata in se stessa, che ha attinto abbondantemente dalle proprie energie vitali. [...] I suoi movimenti decisi, il suo sorriso lento e dolce, lo sguardo contemplativo dei suoi occhi dalle palpebre pesanti, benché accrescano la sua dignità e il suo fascino, non si accordano alla concezione occidentale della personalità vigorosa. Nonostante questo, ciò che si racconta di lui gli attribuisce capacità di resistenza rare finanche nella spietata Arabia. Persino fra coloro che sono cresciuti in sella ai cammelli si dice che abbia pochi rivali come cavaliere instancabile. [...] Ha dimostrato la sua audacia, e unisce alle sue qualità militari quella comprensione dell'arte di governo che è ancora più stimata dalle tribù[33].

L'impressione suscitata da Gertrude su Ibn Saud fu alquanto più ambigua. Anche se Cox gli aveva già parlato della sua spedizione ad Ha'il prima della guerra, Ibn Saud non aveva mai incontrato una donna europea. Una fonte autorevole riferiva che si era sposato e aveva divorziato sessantacinque volte, e che aveva la consuetudine di cedere le sue mogli ai suoi sceicchi e ai suoi seguaci dopo una notte o due soltanto. Aspettarsi da lui che considerasse qualcosa di simile a una sua eguale una donna ostentatamente priva del velo era un insulto alla sua dignità virile, tanto che rimase sconcertato nel vedere uomini importanti indietreggiare per cederle il passo. Come se tutto ciò non bastasse, Gertrude lo salutò con la massima cordialità, e per giunta fu incaricata di accompagnarlo nella sua visita. In tono diplomatico, Cox scrisse:

Il fenomeno di un'appartenente al gentil sesso che occupava una posizione ufficiale presso un corpo di spedizione britannico travalicava la sua comprensione di beduino. Nondimeno, quando arrivò il momento trattò Miss Bell con assoluta franchezza e sangue freddo, come se avesse frequentato donne europee per tutta la vita[34].

Forse anche Ibn Saud fu diplomatico allora, ma in seguito manifestò i suoi veri sentimenti. Il consulente politico Harry St John Philby, niente affatto amico di Gertrude all'epoca in cui ne scrisse, dichiarò che «molti ascoltatori najdi si divertirono fragorosamente alla sua imitazione della voce acuta di lei e del suo rapido modo femminile di parlare: "Abdul Aziz [Ibn Saud]! Abdul Aziz! Guarda questo! E cosa ne pensi di questo?" e così via». Forse Ibn Saud fu l'unico sceicco arabo a beffarsi di Gertrude, ed è significativo osservare che forse fu anche l'unico sceicco importante da lei conosciuto in un contesto occidentale anziché beduino. Se si fosse recata alla sua tenda nel deserto, in abito da sera, e se gli avesse donato un binocolo e armi da fuoco, se si fosse seduta sui suoi tappeti con lui a parlare perfettamente la sua lingua, manifestando una profonda conoscenza della sua cultura, della poesia araba e della politica del deserto, allora lo avrebbe impressionato come aveva facilmente impressionato Yahya Beg, Muhammad Abu Tayyi, Fahad Beg e tutti gli altri.

Conclusa la visita dell'emiro, Gertrude continuò il proprio lavoro in condizioni climatiche terribilmente avverse, senza riuscire a stabilire se fosse preferibile l'inverno, con

351

tutte le strade trasformate in pantani e passerelle sopra i canali di scolo, oppure l'estate, quando il caldo era insopportabile per una donna nata e cresciuta nello Yorkshire. Scrisse ai genitori: «La notte scorsa mi sono svegliata all'una, immersa in una pozza di sudore, con una temperatura di quasi quaranta gradi»[35]. «Al mattino faccio il bagno senza togliermi la camicia da notte di seta, poi la strizzo e non devo più preoccuparmene. [...] L'acqua del bagno, attinta da una cisterna sul tetto, non misura mai meno di quasi quaranta gradi, però non emana vapore perché l'aria è ancora più calda»[36]. Dato che li lavava in continuazione, i suoi indumenti cadevano a pezzi. Doveva svegliarsi alle cinque e mezzo o alle sei del mattino per rammendarli, come aveva sempre fatto per lei, in Inghilterra, la sua cameriera Marie. Le sue disperate richieste di abiti furono talvolta fruttuose.

Per fortuna non si indossa quasi nulla. Eppure è ancor più essenziale che nulla sia strappato o forato. [...] Pensare che un tempo ero pulita e ordinata! [...] Vi ringrazio moltissimo. Ho un abito da sera di pizzo, un vestito bianco di crespo, uno di mussola a righe azzurre, uno di seta a righe, e due camicie, tutte molto adatte [...] e sono arrivati anche il pacco e l'ombrello![37]

Spesso però rimase delusa, come rivela una lettera del 20 gennaio 1917.

È appena arrivato un pacco da Marie. Avrebbe dovuto contenere un vestito di raso nero, ma è stato aperto e l'abito è stato sottratto. Non fa infuriare? Era rimasta soltanto una scatolina di cartone con la giacchetta di raso nero inviata da Marie insieme alla veste, un po' di pizzo e un fiore dorato[38].

Adesso, nel mondo quasi esclusivamente maschile in cui era inserita, sentiva ancora di più la mancanza di una famiglia propria, e di un'amica. Infatti le uniche donne che incontrava erano Lady Cox, moglie del suo capo, le maestre o le missionarie che restavano per brevi periodi, e «la notevole Miss Jones», la simpatica ma impegnatissima capoinfermiera dell'ospedale per ufficiali e della casa di riposo a valle. Gertrude fu sua grata paziente nel settembre di quell'anno, quando, stremata dalle temperature superiori ai quaranta gradi e dalla mancanza di buon cibo a Bassora, soffrì di un grave attacco di itterizia. Scrisse a Florence: «Sai? Non ero mai stata tanto male prima d'ora. Non avevo idea di come fosse sentirsi così mortalmente deboli da essere quasi impossibilitati a muoversi e del tutto incapaci di concentrarsi»[39].

Dopo la convalescenza riprese a redigere rapporti e scrisse a Hugh e Florence:

La mole di ciò che ho scritto nell'ultimo anno è spaventosa. In parte il materiale è tratto dai rapporti e abborracciato, in parte è il prodotto del mio pensiero e delle mie precedenti conoscenze, in parte è un tentativo di stabilire i confini del nuovo mondo che stiamo scoprendo, in parte è analisi tribale arida come sabbia, noiosa, ma forse più utile di molte altre cose. [...] Talvolta comunque è esasperante essere costretta a rimanere seduta in ufficio mentre desidero essere fuori, nel deserto, a visitare i luoghi di cui ho sentito parlare e a valutarli autonomamente. [...] Non si può fare molto di più che sbrigare lavoro d'ufficio se si appartiene al mio sesso, che il diavolo se lo porti[40].

«Abborracciato», «arida come sabbia», «noiosa»... Gertrude non aveva mai simulato così. Sapeva che i suoi testi stavano cominciando a essere celebrati dagli alti comandi in India, in Egitto, in Sudan e a Londra per la vivacità dello stile, per i chiarimenti spesso ironici delle situazioni politiche, e per i ritratti concisi e divertenti. Infatti in un'altra lettera alla famiglia lo ammise: «Sono felice di dirvi di avere saputo che i miei discorsi ricevono a Londra un'attenzione davvero incongrua»[41].

Alcuni suoi rapporti, redatti per l'Ufficio arabo o per l'*Arab Bulletin*, accrebbero la sua fama di personalità britannica forse più illustre del Medio Oriente. Alcuni altri suoi saggi furono raccolti in volume con il titolo *The Arab of Mesopotamia*, come manuale d'istruzione per gli ufficiali britannici appena giunti a Bassora. Nonostante avessero titoli minacciosi come *The Pax Britannica in the Occupied Territories of Mesopotamia*, oppure *The Basis of Government in Turkish Arabia*, insegnavano in modo estremamente semplice e piacevole tutto quello che gli ufficiali inesperti avevano bisogno di sapere. Un saggio spiegava che la dottrina imponeva alla strana setta degli «adoratori delle stelle» di vivere nei pressi dell'acqua corrente, di praticare la poligamia e di credere che il mondo fosse in realtà un uovo immenso. Inoltre la stessa setta aveva creato un libro che poteva essere letto simultaneamente da due sacerdoti seduti sulle sponde opposte di un corso d'acqua. «Ci si chiede cosa ne sarà di questa curiosa popolazione nel nuovo ordinamento dell'amministrazione britannica».

Come scrisse Sir Kinahan Cornwallis, direttore dell'Ufficio arabo dal 1916, «la burocrazia non ha mai potuto guastare la freschezza e la vivacità del suo stile, né la limpidezza delle sue descrizioni. Tutti i suoi scritti lasciano trapelare la vastità delle sue conoscenze, nonché la sua comprensione del popolo che tanto amava»[42]. Sia i politici stanchi, sia i consulenti oberati di lavoro che si occupavano soltanto delle pratiche da evadere si accingevano sempre con sollievo e con lieta attesa a leggere i raffinati compendi firmati «G.L.B.». Gertrude dimostrò la propria unicità nel descrivere il governo dell'Arabia turca come un'illusione: «Nessun paese che abbia mai mostrato all'occhio del mondo un'apparenza di governo stabile e centralizzato è mai stato tanto un paese illusorio quanto l'Impero ottomano». E la dimostrò anche nell'illustrare la complessità della politica interna di Mascate: «Il sultano Seyyid Faysal ibn Turki ha visto nella soppressione del traffico d'armi da parte del governo britannico uno specifico vantaggio per se stesso, dato che ora i suoi sudditi ribelli sono incapaci di procurarsi armi da usare contro di lui». O ancora la dimostrò nello spiegare le lotte tribali dei Shamiyah, cioè «assaltare i nemici con una scorreria a sorpresa [...] le perdite possono essere talvolta maggiori, talaltra minori, rispetto a quelle di una partita di calcio».

Le lettere di Gertrude a Florence, a Hugh e al resto della famiglia erano scritte in modo altrettanto bello, erano più personali, eppure talvolta avevano implicazioni altrettanto vaste. Scrivere ai parenti due o tre volte la settimana era per Gertrude un impegno sacro, compensava l'impossibilità di trascorrere tempo con loro, e in seguito divenne quasi un modo di scusarsi per non poter tornare a casa. Infatti era sempre più difficile per lei immaginare un ritorno temporaneo, considerate le difficoltà del viaggio, il tempo che avrebbe richiesto e l'assenza prolungata dal lavoro, per non parlare della perdita di tutto quello che sarebbe accaduto nel teatro orientale della guerra.

Rimanere in comunicazione con le persone che amava, soprattutto con il padre, era per lei un modo di evadere dal mondo maschile, arido e solitario del lavoro e della guerra. Attraverso la corrispondenza Gertrude rimaneva centrata in se stessa, rammentava chi era e da dove proveniva. Poteva sempre interessarsi agli affari del padre, politici o commerciali che fossero, e talvolta si rendeva conto che gli interessi di Florence, di Elsa e di Molly, persino di Maurice e di Hugo, appartenevano a una sfera e a un ordine di esperienze molto diversi dai suoi. Sappiamo che spesso alterava i fatti, oppure li ometteva, affinché i familiari non si angosciassero, e che si preoccupava di non scrivere troppo degli affari mesopotamici per timore di annoiarli. Come quando aveva lavorato all'Ufficio feriti e dispersi, era occasionalmente costretta a leggere resoconti di atrocità e di massacri senza potersi confidare con nessuno e senza nessuno che potesse distrarla dalle scene da incubo evocate da quei racconti.

Ora più che mai sentiva la mancanza di un marito e di una famiglia. A casa, Molly, e anche Elsa, seppure un po' meno, entrambe impegnate con le loro famiglie sempre più numerose, e preoccupate per le necessità domestiche, sorridevano della sua importanza e la chiamavano, pur con affetto, «la grande Gertrude». Nel frattempo lei rispondeva alle loro preoccupazioni come se fossero non meno importanti degli interessi della nazione. Soltanto con Chirol si avvicinò a riconoscere la verità: «Le uniche lettere interessanti che ricevo, a parte le tue, sono quelle dell'Ufficio arabo in Egitto, le quali mi mantengono sempre bene informata su ciò che concerne l'Hegiaz e la Siria, e a cui rispondo ogni settimana. [...] I miei familiari non mi scrivono d'altro che delle loro faccende, e anche di queste mi piace leggere, benedetti loro»[43].

Collaborando fra loro e affiancando Wilson e altri funzionari, Cox e Gertrude avevano fatto molto per instaurare un nuovo ordine nella *vilayet* di Bassora, promuovendo l'agricoltura, l'economia, la legalità e l'istruzione, coinvolgendo gli sceicchi locali nel processo di governo e pagandoli per amministrare i loro distretti tradizionali. Purtroppo tale primo tentativo a beneficio dell'autodeterminazione araba si dissolse nella corruzione e nella cattiva amministrazione. Fu necessario inviare funzionari britannici a coadiuvare gli sceicchi nei distretti più remoti.

Con la campagna invernale da lui guidata, il generale Maude riconquistò Kut e avanzò su Baghdad, che fu occupata dalle forze britanniche l'11 marzo 1917. Il centro di gravità si spostò a nord e Gertrude attese di essere convocata a Baghdad da Sir Percy per fondare il nucleo del suo nuovo segretariato. Scrisse alla famiglia:

Oggi ho ricevuto dal fronte una lettera di Sir Percy, colma di esultanza e di fiducia. [...] È il primo grande successo della guerra e credo che avrà diverse conseguenze rimarchevoli. Confido che creeremo un centro di civiltà araba grande e prospero. Il mio compito consisterà parzialmente in questo, spero, e non lo perdo mai di vista. [...] Non so dire quanto sia meraviglioso assistere alla nascita, per così dire, di una nuova amministrazione[44].

La convocazione giunse e Gertrude risalì il fiume a bordo di un piroscafo affollato, per nove giorni di navigazione nel caldo umido, con due infermiere e seicento soldati. A Rounton, la famiglia Bell ricevette un telegramma estremamente conciso: «Indirizzate a Baghdad».

Molti condividevano il giudizio di Arnold Wilson, persuaso che soltanto l'assoluto dominio britannico avrebbe potuto garantire i rifornimenti di petrolio alla marina militare britannica e all'Impero. Analogamente c'era chi, come Hardinge, credeva che qualunque forma di collaborazione con gli arabi avrebbe condotto al caos in Medio Oriente, privando l'Impero delle sue connessioni fra l'Europa, l'India e l'Estremo Oriente. I successivi avvenimenti avrebbero dimostrato che si trattava di un'analisi errata. Infatti una buona forma di governo stava per essere instaurata mediante la fusione dell'amministrazione britannica con l'autodeterminazione e l'orgoglio arabi. La stabilità si sarebbe mantenuta pressoché inalterata sino al 1920, il petrolio avrebbe continuato a scorrere e i benevoli interessi britannici sarebbero stati protetti. Promuovendo presso le amministrazioni la sensibilità nei confronti del modo di pensare e delle usanze mediorientali, Gertrude avrebbe avuto la possibilità di ottenere ciò che nessuno credeva possibile. Questo era il grande compito che l'attendeva a Baghdad.

12.
Governare tramite Gertrude

Per settimane Gertrude aveva atteso il previsto trasferimento a Baghdad. Desiderava moltissimo vivere di nuovo in quella grande città, in cui aveva già molti amici. Con sollievo sbarcò dal piroscafo sovraccarico e percorse il molo affollato e invaso dai vapori verso l'automobile di Cox in attesa. All'ufficio ricevette un cordiale benvenuto dal suo capo e dai pochi assistenti. Non sapeva dove avrebbe trascorso la notte, ma sperava in qualcosa di più spazioso e fresco della stanza singola al quartier generale di Bassora in cui aveva alloggiato per dodici mesi. Si sentì rinfrancata nell'apprendere che le era stata assegnata una casa, e ripartì in automobile tenendo in mano il foglio con l'indirizzo.

La vettura si fermò in un piccolo bazar sporco e rumoroso. Comparve un mellifluo proprietario di immobili che l'accompagnò in una casetta soffocante, priva d'acqua corrente e di arredamento. Gertrude aveva portato alcuni mobili da Bassora, ma non erano stati ancora scaricati, e il suo servo, Mikhail, era rimasto sul piroscafo per occuparsene. Tuttavia era una viaggiatrice esperta e non si era separata dal suo vecchio equipaggiamento di tela, cioè la vasca da bagno da viaggio e la branda pieghevole, che subito installò in quei luridi ambienti: «Aprii il baule, che era caduto nel Tigri, e appesi alle balaustre ad asciugare tutte le cose che vi erano contenute. [...] Il caldo era tanto intenso da mozzare il fiato. Non avevo nemmeno una sedia su cui posare gli oggetti, e quando cercai acqua per lavarmi fui costretta ad aprire la porta principale per chiedere aiuto al bazar»[1].

Dopo avere cenato con Sir Percy, ritornò a casa per dormire. Più tardi fu destata da qualcuno che bussava alla por-

ta. Era Mikhail, appena arrivato con il resto del suo bagaglio. La mattina giunse con tutto il caldo e il rumore del
centro di Baghdad: «Confesso che dopo essermi pettinata
e aver fatto colazione sul pavimento mi sentivo alquanto
scoraggiata»[2].

Consapevole di essere nella stessa condizione degli altri
funzionari, non volle disturbare Cox, che aveva cose ben
più importanti di cui occuparsi. Così indossò il cappello di
paglia, uscì a piedi in cerca di una casa migliore e scese fino
al fiume, dove si poteva stare più freschi all'ombra dei boschetti, vicino a quella che prima della guerra era stata l'ambasciata austriaca. Non tardò a trovare un vecchio muro che
cingeva un vasto giardino ombreggiato da alberi frondosi,
con una profusione di rose fra la vegetazione incolta da cui
era invaso. Guardando attraverso il cancello di ferro vide
una vasca di pietra in fondo a un breve viottolo, e più oltre
non una casa, bensì tre padiglioni, con uccelli appollaiati
sui tetti. La proprietà comprendeva anche un vasto palmeto
da datteri, dove si sarebbe potuto passeggiare al fresco, la
sera.

Talvolta sembra che siano i luoghi in cui siamo destinati
a trascorrere i periodi importanti della nostra vita a trovare
noi, e non viceversa. Così fu per Gertrude nell'aprile del
1917. Quello fu il luogo incantevole in cui trascorse il resto
della sua esistenza. Chiedendo ai vicini, scoprì che il giardino apparteneva a Musa Chalabi, un ricco possidente con
cui era in cordiali rapporti. Recandosi da lui, risolse tutto
ciò che era necessario risolvere e nei dieci giorni successivi fece realizzare rapidamente restauri e modifiche. All'inizio di maggio si stabilì nel primo padiglione, poi, con il
procedere dei lavori, si trasferì di volta in volta negli altri.
Fece imbiancare tutto e fece installare una stanza da bagno
e una cucina moderna. Assunse un giardiniere, un cuoco
e Shamao, un vecchio che conosceva e di cui si fidava, al
quale affidò l'amministrazione della casa. Fece munire di
persiane tutte le finestre e fece arredare le verande in legno

con mobili di vimini e piante. Lei stessa sistemò due scrittoi e riempì di fiori tutti i vasi. Il padiglione più lontano fu riservato alla servitù, e in breve si videro sul prato le domestiche stendere il bucato ad asciugare, mentre un bimbo giocava nell'erba accanto a loro. Finalmente Gertrude aveva una casa e un giardino esclusivamente suoi. Piantò aiuole di giaggioli, verbena e crisantemi. Coltivò viole in vaso, malvarosa i cui semi provenivano da Darlington, e cavoli. Poco tempo dopo poté vantarsi di essere riuscita a far fiorire le giunchiglie, le prime mai viste in Mesopotamia. Il 17 scrisse alla famiglia:

Oh, carissimi, è così meraviglioso qui! Non so dirvi quanto l'amo. [...] Mi chiedo quale retaggio di contadini del Cumberland possa essersi sviluppato inaspettatamente in un irresistibile "sentirsi a casa" in Oriente.
Ho imparato ad amare questa terra, i suoi panorami e i suoi suoni. Non mi stanco mai dell'Oriente e non lo sento mai estraneo. Non posso sentirmi in esilio qui. È un secondo paese natio. Non avrei alcun desiderio di ritornare in Inghilterra, se non vi fosse la mia famiglia[3].

Continuò a lavorare moltissimo, perché le sue competenze erano più che mai necessarie, tuttavia fu di nuovo costretta a dimostrare il proprio valore. Nel suo resoconto del periodo in cui fu organizzato il governo dell'Iraq, Cox scrisse:

Quando dissi [all'ufficiale generale comandante] che alcuni miei collaboratori, inclusa Miss Bell, erano in procinto di arrivare da Bassora, [lui] si mostrò inquieto e dubbioso, perché temeva che l'arrivo di lei potesse creare uno scomodo precedente per eventuali richieste da parte di altre signore. Tuttavia gli rammentai che la sua collaborazione con il mio segretariato mi era stata specificamente raccomandata dal suo predecessore. Aggiunsi che non la consideravo e non la trattavo in modo diverso rispetto a qualunque altro funzionario del mio ufficio e che le sue peculiari capacità mi sarebbero state molto utili nella presente situazione. Lei arrivò come previsto e non tardò a stabilire rapporti cordiali con Sir Stanley Maude.

Senza dubbio, se fu possibile costruire quei «rapporti cordiali» descritti da Cox, consumato diplomatico, fu in gran parte merito di Gertrude, la quale peraltro manifestò chiaramente alla famiglia i suoi veri sentimenti dopo la morte di Maude per colera, quando rispose a Hugh, che le aveva scritto per domandarle come lo giudicasse. Anche se aveva conquistato Baghdad con una brillante campagna militare, riuscendo quasi a cancellare la tragedia di Kut dalla memoria della popolazione, Maude si era dimostrato poco lungimirante e aveva reso assai difficoltosa l'opera degli amministratori. Più volte nel corso della vita Gertrude si era scontrata con un atteggiamento che non mancava mai di esasperarla, cioè la disapprovazione per la presenza di una donna in un ambiente maschile, considerata come una concessione destinata a creare un precedente per l'instaurarsi del «mostruoso governo delle donne», persino nel raro caso di una donna altamente qualificata per collaborare. Così tratteggiò un ritratto spietato di Maude, e quantunque la sua morte fosse recente manifestò un disprezzo assoluto, non tanto per l'uomo, quanto per il tipo di mentalità militare che spesso lei stessa aveva dovuto combattere in quanto donna, nonché amministratrice:

Il generale Maude era essenzialmente un soldato e non aveva alcuna conoscenza dei princìpi del buon governo, che giudicava totalmente superfluo. [...] Era dotato di una determinazione che sconfinava nella caparbietà e di un'intelligenza limitata, incanalata in un'unica prospettiva, tanto più irruente quanto più concentrata. L'ho conosciuto molto poco. [...] Se fosse vissuto si sarebbe scatenata una lotta furibonda quando i problemi amministrativi fossero diventati più importanti di quelli militari. In breve tempo le necessità che lui si era ostinato a considerare puramente amministrative e dunque indegne di preoccupazione immediata [...] non avrebbero più potuto essere trascurate né affrontate in modo prettamente militare[4].

Di solito le forze armate conquistavano un territorio, poi subentrava l'amministrazione. Ma in Mesopotamia la lotta per creare condizioni propizie alla pace e alla prosperità si dimostrò non meno terribile e scoraggiante del combattimento sul campo di battaglia. Di fronte al nucleo amministrativo britannico a Baghdad si apriva la deprimente prospettiva di un futuro oscuro e imprevedibile. All'incirca per metà del suo territorio, la Mesopotamia era soggetta al precario dominio britannico, mentre al Nord i turchi stavano ancora combattendo. Anche se parlavano tutti la stessa lingua, gli arabi non erano affatto uniti, e la Mesopotamia non aveva una fisionomia né un'autonomia politica. Era solo una provincia di un impero che stava crollando. L'Iraq non era una nazione e i nomi stessi creavano confusione. Mesopotamia, che in greco significava «tra i fiumi», era il nome storico e archeologico usato in Occidente per designare quello che gli arabi chiamavano invece Al Iraq, ossia «l'Iraq». In origine il nome arabo era riferito alla regione che comprendeva la *vilayet* di Bassora e il Kuwait, a sud. Dopo la conquista, i britannici lo applicavano invece al territorio delle tre *vilayet* di Bassora, Baghdad e Mosul. Soltanto nel 1932, quando ne fu riconosciuta la completa indipendenza, il paese fu ufficialmente chiamato Iraq.

Nel 1917 i britannici si trovavano ad affrontare difficoltà pratiche ovunque. Il problema più urgente era la scarsità di cibo, perché molti canali irrigui necessari all'agricoltura erano in rovina per l'incuria o erano stati distrutti dalla guerra. I due eserciti nemici avevano del tutto esaurito le scorte di cibo e i turchi nel ritirarsi a nord avevano applicato la tattica della terra bruciata, cioè requisire tutto ciò che era utile e distruggere tutto quello che non poteva essere consumato. Persino il clima aveva fatto del suo peggio e il bacino dell'Eufrate, famoso per la sua fertilità, stava affrontando la sua terza stagione agricola senza pioggia. La popolazione cominciava ad avere fame e le malattie si diffondevano. Nelle città il sistema sanitario era crollato e l'unico ospedale di Baghdad, in passato sede della residenza ufficiale britannica, era in condizioni indescrivibili, con pochi pazienti orribilmente feriti che lottavano per sopravvivere. In campagna i contadini mangiavano i semi anziché piantarli, perché tutto ciò che avevano coltivato era stato confiscato più volte. Nessuno sapeva a chi appartenesse ora la terra, né quali tasse riscuotere, né chi avrebbe dovuto pagarle. Si rischiava che si diffondessero la fame, lo scontento e l'illegalità. Se l'amministrazione non fosse riuscita a ricostruire il paese e a ripristinarne con efficienza le attività, se Bassora e Baghdad fossero sprofondate nell'anarchia, un esercito di alcune centinaia di migliaia di uomini non avrebbe potuto mantenerne il controllo. I problemi amministrativi furono aggravati dalla mancanza di finanziamenti da parte del governo di Sua Maestà britannica e dall'assenza di collaborazione militare, almeno fino al gradito arrivo del più disponibile successore di Maude, il tenente generale Sir William Marshall.

Nonostante queste enormi difficoltà, Cox e i suoi collaboratori dimostrarono una nobile determinazione a riuscire nel loro compito, ovvero istituire un governo efficiente e benevolo, nonché servire onorevolmente gli abitanti delle *vilayet* di Bassora e Baghdad, con le loro molteplici identità e i loro innumerevoli problemi. Era soprattutto questo progetto a ispirare e a entusiasmare Gertrude.

In nessun altro luogo di questo mondo devastato dalla guerra possiamo cominciare più speditamente a fare in modo che le immense perdite subite dall'umanità non siano state vane. [...] È un'opportunità enorme, perché proprio in questo momento, quando l'atmosfera è così satura di sentimenti intensi, si può avere presa sulle persone come non sarà mai più possibile, e stabilire

363

relazioni che non si dissolveranno. Non è per me, bensì perché lubrifica gli ingranaggi dell'amministrazione, davvero, e io voglio osservare tutto con estrema attenzione, quasi giorno per giorno, così da poter dare ciò che spero possa essere [...] un contributo decisivo all'assetto finale. Sarò in grado di farlo, lo sarò davvero, con le conoscenze che sto acquisendo. È così intimo, e tutti sono indicibilmente cordiali con me. Cos'altro importa, quando il compito è tanto immenso? Dovete capire che nulla di simile è mai esistito in passato. È una cosa prodigiosa. È la creazione di un mondo nuovo[5].

Dopo la sconfitta britannica a Kut, l'esercito, che aveva ottenuto rinforzi ed era comandato dal generale Maude, riprese a scacciare i turchi, e come sarebbe accaduto con la rimozione del tetto da una casa in rovina, espose alla luce del giorno il legname marcio, le stanze infestate dai ratti e gli angoli malsani di un Impero in agonia. Per circa cinquecento anni i turchi avevano sfruttato la Mesopotamia. I loro funzionari con sinecure negli uffici di Baghdad avevano mantenuto il loro prospero tenore di vita nascondendo la realtà sotto un mare di burocrazia. Il buon governo che avevano preteso di certificare era stato solo un'illusione. Il malgoverno era stato tollerato in tutto l'Impero, i cui funzionari non remunerati o remunerati miseramente erano vissuti di corruzione e di estorsioni. La costruzione e la conservazione di opere pubbliche municipali e provinciali come strade e ponti, il sistema sanitario e l'illuminazione, case, ospedali, scuole, tutto era stato documentato, senza mai essere realizzato, e il tasso di mortalità infantile era più che mai elevato.

La burocrazia turca aveva imposto il suo tenebroso potere su tutta la Mesopotamia mediante una politica di divisione e dominio. Il linguaggio della legge, dell'imprenditoria, delle amministrazioni e dell'istruzione era stato il turco, non l'arabo. I contadini erano stati costretti a pagare affitti, anziché tasse, ai nuovi proprietari urbani delle loro terre, scelti dai turchi, e quasi nulla delle somme riscosse era stato investito per migliorare le loro fattorie. Nelle città i mercanti avevano dovuto pagare un permesso per ogni vendita o acquisto, per ogni importazione o esportazione. I pochi privilegiati avevano ammassato ricchezze approfittando della loro posizione. A Baghdad era stato possibile vincere cause legali soltanto corrompendo i giudici, molti dei quali non erano affatto qualificati per svolgere le loro funzioni. Spesso i ricorsi in appello contro le sentenze passate in giudicato erano rimasti dimenticati per anni, persino per decenni, nei tribunali kafkiani di Costantinopoli, prima di essere infine rimandati a Baghdad.

Nel corso della ritirata, i turchi distrussero i loro documenti, imitati dai loro amministratori, cancellando così ogni traccia del loro sistema e lasciandosi alle spalle solo l'ostilità che avevano alimentato per tanto tempo. Nel deserto, in particolare nella valle dell'Eufrate, su entrambe le sponde del fiume, avevano suddiviso le terre di una cinquantina di tribù e avevano fomentato i contrasti fra gli sceicchi per approfittare della distruzione dell'ordinamento nativo e costruire le loro strutture di potere.

Il vuoto lasciato dalla loro fuga fu aggravato dal fatto che i turchi erano musulmani sunniti, quindi nell'amministrazione, nella cultura, e in quasi ogni altro ambito della vita nazionale avevano privilegiato i sunniti e si erano impadroniti delle immense ricchezze dei beni di manomorta delle fondazioni pie islamiche, o *auqaf*, per destinarle alla costruzione di nuove moschee sunnite e al salario del loro personale di gestione, anziché ai beneficiari originali. Lo scopo era stato quello di convogliare la maggior quantità di denaro possibile verso Costantinopoli. Una conseguenza di questa politica era stata il depauperamento delle moschee e delle proprietà sciite, cadute in rovina. In tal modo si era approfondita l'ostilità storica fra gli sciiti, ossia la maggioranza della popolazione, e i sunniti.

Per istituire un qualsiasi governo, l'amministrazione britannica aveva assoluta necessità di ottenere un consenso vasto e unitario. In un paese in cui vi erano forse più razze, credenze e alleanze che in qualunque altro al mondo, occorreva individuare e coinvolgere tutti i notabili capaci di persuadere i loro seguaci a collaborare, convincendoli dei benefici che sarebbero derivati dalle nuove norme e dalle nuove iniziative economiche.

Eterogenei per carattere e formazione, tradizionalmente inclini alla corruzione di ogni genere, tanto gelosi della loro posizione da considerare nemici tutti i loro vicini, i notabili giunsero al segretariato sia dai palazzi di Baghdad sia dalle tende lacere nel deserto. Avevano esercitato la loro autorità sotto l'Impero ottomano a causa delle loro ricchezze, o del numero dei loro seguaci, o delle terre di cui erano proprietari, ottenute per decisione dei turchi, conquistate combattendo nelle guerre tribali, oppure ereditate per discendenza dal Profeta. Fra i più promettenti, Cox e Gertrude speravano contro ogni probabilità di trovare i futuri amministratori e capi politici dell'Iraq.

Durante la primavera e l'estate del 1917, l'esercito indiano fu totalmente impegnato a consolidare la propria posizione intorno a Baghdad e non poté inviare truppe nelle zone adiacenti, dove i turchi diffondevano una virulenta propaganda antibritannica e finanziavano i potenziali dissidenti. Era difficile per le tribù credere che i nuovi occupanti di Baghdad non avrebbero abbandonato la loro conquista e che i turchi non sarebbero infine ritornati, pronti a vendicarsi terribilmente su tutti coloro che avessero confidato nei britannici. Le prime manifestazioni di disponibilità degli sceicchi e altri notabili mesopotamici furono intese a ottenere garanzie nell'eventualità che i nuovi arrivati fossero rimasti. L'unico incentivo a un'alleanza con il Regno Unito restava il premio dell'autodeterminazione araba, che sino a quel momento era stata soltanto il più vago dei concetti. Per i *mujtahid* sciiti, cioè i rappresentanti religiosi della maggioranza della popolazione, l'autodeterminazione significava uno stato teocratico governato dalla *shari'a*, mentre per i sunniti e per i liberi pensatori di Baghdad significava uno stato arabo indipendente governato da un emiro, e per le tribù dei deserti e delle montagne significava una totale assenza di governo.

Fu la scarsità di cibo a indurre i capi delle tribù a incontrare i rappresentanti dell'amministrazione britannica, che ora controllava i trasporti e la distribuzione. Gertrude li accolse cordialmente, a prescindere dal loro passato politico e personale. Il 2 febbraio scrisse: «Oggi è arrivata una banda di sceicchi dell'Eufrate, molti dei quali non avevo mai visto prima, anche se di ognuno conoscevo bene il nome e le imprese. Sono furfanti incalliti e spietati, ma quanto sono affascinanti! È tutto a fin di bene, specialmente se riusciremo a convincerli a seminare grano e orzo questo inverno»[6].

Incontrandoli, Gertrude e Cox si proponevano di convincerli che i loro diritti sarebbero stati salvaguardati, che l'amministrazione britannica sarebbe stata benevola e che si sarebbe prodigata con imprese e finanziamenti per garantire i loro diversi modi di vita. Li accolsero, li ascoltarono e capirono i loro problemi. Al diffondersi della notizia si presentarono al nuovo segretariato di Cox, ciascuno per perorare i propri interessi, innumerevoli nomadi, mercanti, agricoltori, proprietari di terre, pozzi e corsi d'acqua, importatori ed esportatori, affaristi, rappresentanti religiosi, prestanome di ogni genere, e tutti dovettero essere persuasi a sostenere il nuovo regime. Le norme tradizionali della cortesia imposero di offrire piccoli doni e intrattenere lunghe discussioni con ognuno. Fu necessario invitare coloro che non si presentarono e recarsi a visitare i più prestigiosi, in particolare i capi religiosi.

Chi altri, se non Gertrude, avrebbe potuto riconoscere molti di loro ed essere a sua volta riconosciuta? Chi altri avrebbe potuto comprendere la loro posizione sociale e i loro interessi? Chi altri avrebbe potuto discutere nella loro lingua o nel loro dialetto? Chi altri avrebbe potuto valutarli e rassicurarli?

Forse nessun altro occidentale era capace come Gertrude

di capire profondamente la loro storia. Era esperta dei beduini che per secoli, sin da prima del Profeta, si erano trasferiti dalle povere terre dello Yemen al deserto, portando i pochi datteri, indumenti e armi che avevano potuto scambiare. Aveva descritto i loro viaggi da villaggio a villaggio, da oasi a oasi, fino alle città settentrionali, per vendere i loro cammelli ai mercati. Ai margini delle terre fertili ed erbose del Tigri e dell'Eufrate avevano incominciato ad allevare pecore. Chi aveva avuto un po' di denaro aveva potuto stabilirsi nelle terre coltivabili per avviare attività agricole. I beduini delle nuove generazioni avevano iniziato a commerciare grano e prodotti provenienti da oltre il deserto. Gertrude li conosceva, e molti di loro, sia che fossero rimasti nomadi, sia che fossero diventati sedentari o che alternassero i due modi di vita durante l'anno, erano suoi amici. Aveva visto i mercanti più facoltosi, attirati dai mercati, imparare a influire sui processi economici, mentre le città diventavano sempre più vaste e importanti. Era benvoluta dai professionisti cristiani, impiegati e insegnanti, giunti dal Sud della Russia e dal Mediterraneo. Aveva viaggiato fra le tribù delle montagne settentrionali che dalla vita guerriera si erano adattate alla vita agricola. Aveva apprezzato l'ospitalità dei curdi e osservato la miscela esplosiva di razze e di religioni nei territori del Nord, mai cartografati, da loro condivisi con le popolazioni storiche dell'Armenia, dell'Assiria, della Turchia e della Persia settentrionale. Comprendeva le genealogie delle famiglie arabe. Sapeva come trattare con i *mujtahid*, o con i capi religiosi sunniti, o con i *mullah*, o con i *mukhtar* o con i *mutawalli*.

Per quelli che attendevano in fila fuori dal suo ufficio, Gertrude era più di un funzionario amministrativo. Era una persona di cui ci si poteva fidare. Non aveva mai mentito e li rispettava al punto che aveva affidato loro la sua stessa vita quando aveva viaggiato, sola, nelle loro terre. Per i visitatori di lingua araba che chiedevano di essere ricevuti, Sir Percy Cox era "Kokus", mentre Gertrude era "Khatun", regina del deserto, oppure "Umm al Muminin", madre dei fedeli, dopo Aisha, la moglie del Profeta. Era colei che tutti volevano incontrare prima di chiunque altro e di cui desideravano la benedizione. E lei non sfruttava tale disponibilità e tale favore solo per guadagnare fiducia nei confronti dell'amministrazione, bensì anche per amore della pace e della prosperità, e per migliorare i rapporti fra le genti. Era il compito più importante che avesse mai svolto.

Finalmente arrivò a Baghdad il chiassoso e turbolento Fahad Beg ibn Hadhdbal, grandissimo ammiratore di Gertrude, il più prestigioso sceicco della confederazione degli Anazeh nel Nordovest di Amara, l'«onnipotente sceicco» ferocemente determinato a procurarsi una dentiera. Ronald Storrs, ormai grande amico di Gertrude, si trovava a Baghdad per una visita di una quindicina di giorni quando irruppe nella capitale quell'affascinante personaggio. Così ebbe modo di assistere all'incontro fra Fahad Beg e Gertrude, a proposito del quale riferì poi a Cox che lo sceicco le aveva manifestato un affetto «quasi compromettente». Come scrisse la stessa Gertrude: «Io e Fahad Beg abbiamo avuto il più tenero e affettuoso degli incontri. [...] N.B. Fahad Beg ha settantacinque anni *bien sonné*, tuttavia è molto caro e possiede una conoscenza profonda della politica del deserto»[7].

Lo sceicco era uno dei beduini disposti ad accogliere la modernità. Era proprietario di vasti palmeti nei pressi di Kerbela, da cui ricavava buoni proventi, anche se ritornava alla vita nomade per sei mesi all'anno. Gertrude era andata a fargli visita nel deserto durante il ritorno da Ha'il a Damasco, nel 1914, mancando di poco una delle sue numerose *ghazzu* contro la tribù Shammar, favorevole ai turchi. Lui l'aveva accolta «con una gentilezza quasi paterna e ho trovato adorabile la sua compagnia». Si erano seduti nella sua tenda, sopra i bei tappeti, e lei aveva ammirato il suo falco e il magnifico levriero disteso ai suoi piedi, poi aveva conosciuto l'ultima moglie e l'ultimo figlio. La sera dopo lui aveva ricambiato la visita recandosi alla sua tenda, seguito da un corteo di schiavi che trasportava la cena migliore da lei gustata negli ultimi mesi. Infine avevano conversato di politica sotto le stelle.

Ora Fahad rivelò a Gertrude che gruppi di ufficiali turchi e tedeschi si erano presentati con l'offerta di sacchi d'oro alla sua tribù nel tentativo di ottenerne l'alleanza. A richiesta di lei, lo sceicco inviò un messaggio al figlio, che si trovava nel deserto, perché proibisse alle carovane dei nemici di attraversare il territorio e ordinasse l'immediata cessazione di ogni commercio con loro. Poi Gertrude gli organizzò un incontro con Cox e Wilson, ai quali lo sceicco riferì l'impressione potente suscitatagli da una delle lettere di lei.

«Ho convocato i miei sceicchi» concluse (mentre io mi sentivo sempre più Persona man mano che lui procedeva), «ho letto loro la vostra lettera, e poi ho detto "Oh, sceicchi"...» Tutti abbiamo atteso con ansia che proseguisse. «E costei è una donna! Come debbono essere allora gli uomini?»
Questa deliziosa perorazione mi ha riportata al mio vero posto in un batter d'occhio[8].

Dopo essersi procurato anche la dentiera, Fahad si preparò a tornare nel deserto. Prima della sua partenza, Gertrude lo condusse all'aeroporto di Baghdad e gli offrì l'occasione di vedere alcuni aeroplani e di assistere per la prima volta a un'esibizione di volo, nonché di esaminare la carlinga di un velivolo a terra. Il vecchio guerriero che portava le cicatrici di numerose battaglie vi entrò, avanzando con esitazione di un paio di passi prima di esortarla: «Non lasciatelo andare via!»
Per quanto amasse l'Iraq e la sua gente, Gertrude si ammalò a causa del clima, che non le si addiceva. Talvolta, in estate, la temperatura superava i quaranta gradi, mentre in inverno il freddo e l'umidità potevano essere tali da costringerla a indossare pellicce per tutto il giorno. Di conseguenza

il segretariato aveva una sede estiva e una sede invernale. Quest'ultima era la prediletta di Gertrude, che amava trasferirvisi, lasciando gli ambienti bui e freddi per quelli soleggiati e arieggiati. Inoltre Gertrude abbellì i propri uffici, non soltanto perché le piaceva, ma anche a causa del flusso costante di visitatori. Scrisse:

I nostri uffici sono splendidi […] due grandi fabbricati con cortile sul fiume. Stuoie e persiane proteggono interamente il mio ufficio dal sole, assicurando un fresco meraviglioso. Ci sono uno scrittoio e un grande tavolo per le mappe, un divano e alcune sedie con cuscini di cotone bianco coperti di bel broccato persiano, due o tre tappeti di ottima fattura sul pavimento di mattoni e un paio di vecchi vasi persiani di squisita fattura sopra la libreria in legno scuro. Le pareti sono tutte coperte di mappe. […] Le mappe sono la mia passione. Mi piace vedere il mondo con cui ho a che fare, e tutti si recano nella mia stanza per studiare la geografia[9].

Nella veranda sul cortile sedeva una fila di *kavass*, servi del segretariato in uniforme cachi, pronti a recapitare messaggi. L'ufficio del maggiore May, consulente finanziario, era sul lato opposto del cortile, dirimpetto a quello di Gertrude, accanto all'ufficio crittografico. Un pavone addomesticato che chissà come si era affezionato al segretariato amava rifugiarsi da May e occasionalmente andava a trovare Gertrude.

Il sostituto di Cox, Arnold Wilson, o A.T., come lo chiamava sempre Gertrude, occupava l'ufficio accanto a quello di lei. Sarebbe stato difficile stabilire chi fra loro due fosse più maniaco del lavoro. In entrambi gli uffici un denso fumo di sigaretta ondeggiava e turbinava assumendo forme spettrali nel lento roteare dei ventilatori da soffitto. Con la sedia scricchiolante sotto il peso della sua mole erculea, A.T. sbrigava risolutamente le sue pratiche, talvolta trattenendosi fino a tarda notte e dormendo qualche ora sul pavimento prima di rimettersi all'opera appena albeggiava. All'inizio si era opposto ad accogliere una donna in quella che a suo giudizio avrebbe dovuto essere una amministrazione esclusivamente maschile. Poco tempo dopo Gertrude scrisse di lui alla famiglia: «Al mio arrivo qui ho passato un periodo difficile, anche se adesso rido a pensarci. [...] [A.T.] ha cominciato a considerarmi "una cospiratrice nata", e io, di conseguenza, a considerarlo con un certo sospetto, conoscendo l'opinione che aveva di me. [...] Credo di avere contribuito un poco a istruirlo»[10]. Oltre a ricevere i numerosi visitatori, Gertrude redasse costantemente rapporti e documenti di posizione ormai ampiamente considerati come i più chiari e i più leggibili fra tutti i documenti ufficiali prodotti dall'Ufficio arabo.

I cinque o sei funzionari che affiancavano Cox nell'amministrazione non erano arabisti, sapevano poco dell'Iraq e non avevano familiarità con le usanze e le necessità locali. In quel periodo riferivano al capo di stato maggiore dell'esercito in Mesopotamia, mentre in seguito avrebbero riferito al ministero per gli Affari indiani, a Londra. Era necessario che i governi britannici di Delhi, Cairo, Khartum e Londra inviassero uomini, rifornimenti e denaro. Bisognava intrattenere rapporti amichevoli con il regno di Ibn Saud, che si stava imponendo, e con gli sceiccati del Kuwait e di al-Muhammarah. Il confine orientale, con la Persia e il suo governo instabile, era lacerato dalle ribellioni tribali, mentre quello occidentale, con il territorio della Siria, doveva essere definito. Ogni ministero del nuovo governo era impegnato nell'adattare la propria politica alle usanze e alle contingenze locali, e nel contempo a giustificarla con Delhi o con Londra, oltre che con le autorità militari locali.

Alla gestione delle informazioni provvedeva Gertrude, la quale talora scriveva sette articoli contemporaneamente, e ogni volta che lo giudicava rilevante cercava di rammentare al ministero della Guerra le promesse fatte agli arabi e l'obbligo di considerarne il benessere. La sua vita era sempre più dedicata a trovare un modo per soddisfare tali impegni guadagnando stima e vantaggi per il Regno Unito, l'Occidente e il resto del mondo.

Nell'ottobre del 1917, Gertrude fu nominata Commendatore del nuovo Ordine dell'Impero britannico, un'onorificenza che poteva essere assegnata anche alle donne. Ne ebbe notizia da una lettera di Hugh e Florence. Poi ricevette le congratulazioni di Sir Reginald Wingate, nuovo alto commissario per l'Egitto, e un profluvio di congratulazioni da amici e colleghi. La sua reazione fu brusca, rabbiosa e severa. Benché amasse i riconoscimenti insoliti e inattesi, le sue motivazioni erano del tutto personali, autonome, e seguiva il percorso che aveva scelto senza essere minimamente influenzata dalle lodi o scoraggiata dalle critiche. Aborriva che la si presumesse motivata dall'ambizione e dal desiderio di gloria, prestigio e titoli. Cresciuta in una tradizione di impegno civico e sociale, già da studentessa si era rammaricata che suo nonno avesse ritenuto opportuno accettare il titolo di baronetto. Quando si informò su coloro che prima di lei erano stati nominati commendatori non ne rimase affatto impressionata: «In verità, non me ne importa un fico secco. [...] È piuttosto assurdo, e per quanto posso giudicare dagli elenchi, non sembra che si guardi troppo al dannato merito in questo nuovo ordine»[11].

Forse Gertrude aveva visto in Europa e in Medio Oriente troppe amministrazioni e troppi governi inetti per accogliere quel riconoscimento ufficiale delle sue capacità con qualcosa di simile al timore reverenziale. Pensava che il suo essere donna non vi avesse nulla a che fare. Manifestò scarso interesse anche nel marzo 1918, quando ricevette la Founder's Medal della Royal Geographical Society per il suo viaggio ad Ha'il. In quel caso, però, fu il riconoscimento per un'impresa particolarmente pericolosa, quindi fu più cortese, dichiarando «è un onore di gran lunga troppo grande». Nonostante fossero trascorsi solo quattro anni, quel viaggio le sembrava già appartenere a un remoto passato, quasi a un'altra vita. Hugh la sostituì alla cena della Geographical

Society a Londra, accettò la medaglia in sua vece e le scrisse un vivace resoconto della serata. Le due onorificenze suscitarono un rinnovato interesse nei suoi confronti e per il suo operato in Medio Oriente, tanto che la famiglia Bell ebbe numerose richieste per interviste. Comunque Gertrude continuò a ignorare le lusinghe giornalistiche e condannò «l'intera questione della pubblicità». Scrisse a Hugh e a Florence per esortarli con estrema chiarezza a non collaborare mai con la stampa: «Vi prego, vi prego di non fornire informazioni su di me né mie fotografie ai corrispondenti dei quotidiani. L'ho già detto tanto spesso che pensavo aveste compreso. [...] Getto sempre nel cestino della carta straccia tutte le lettere che contengono richieste d'interviste o di fotografie, e v'imploro di fare lo stesso»[12].

Tradizionalmente l'Impero britannico aveva imposto a tutte le nazioni sotto il suo dominio la sua lingua e i suoi concetti di giustizia, di amministrazione e di controllo militare, inclusa la nozione tipicamente britannica di un servizio pubblico libero da corruzione. Tuttavia quando occupò l'Iraq non aveva più denaro, né volontà né personale per creare una struttura imperiale, perché aveva già esaurito tutte le risorse per combattere la guerra mondiale. I suoi obiettivi principali erano la sconfitta dei turchi, come pure dei loro alleati tedeschi, e la protezione dei propri interessi petroliferi. Una volta distrutto l'esercito turco, i britannici avrebbero potuto ritirarsi nella fortezza di Bassora per garantire le forniture di petrolio, lasciando la popolazione all'anarchia e alla fame. Questa strategia economicamente assennata e proficua fu vigorosamente sostenuta da influenti politici di Londra e di Delhi, incluso Winston Churchill, il quale, allora ministro delle Munizioni, sarebbe presto diventato segretario di stato per le Colonie. Al tempo stesso nell'amministrazione britannica si sviluppò per impulso del segretariato un forte senso di responsabilità nei confronti degli abitanti, accompagnato dall'orgoglio di poter assicurare loro un buon governo dopo gli abusi subiti a opera dell'Impero ottomano. Con l'espandersi della loro occupazione in Mesopotamia, la popolazione mutò atteggiamento nei confronti degli inglesi. A poco a poco iniziò a vedere i miglioramenti nella propria condizione e a riconoscere le loro buone intenzioni. Per esempio, il ricavato delle tasse era investito a beneficio delle comunità locali anziché servire a finanziare l'esercito occupante o essere trasferito a Londra.

Di recente gli Stati Uniti erano entrati in guerra con l'intento di porre fine al massacro e di limitare il devastante impatto della reazione a catena causata dal conflitto che aveva investito gran parte del mondo. Con il sostegno dei suoi elettori, il presidente Woodrow Wilson finanziò l'intervento militare e inviò truppe statunitensi in Europa per concludere la guerra, senza alcun mandato per sostenere i vecchi regimi coloniali. Molti americani erano contrari alla discriminazione e alla tirannia, e sostenevano lo spirito di autodeterminazione sollecitato dal presidente, che permeava tutte le discussioni sul futuro del Medio Oriente.

In molte città era necessario ricostruire edifici pubblici e mercati. I sistemi d'irrigazione, le strade, i ponti e le ferrovie dovevano essere restaurati e ampliati, il telegrafo installato, l'istruzione e la giustizia rese accessibili a tutti. Occorreva costituire e addestrare un corpo di polizia, scoraggiare il crimine, definire le leggi e applicarle con la dovuta considerazione per la religione e le credenze locali. Le armi dovevano essere confiscate. Gertrude scrisse che la raccolta di cinquantamila fucili era «un inizio».

In mancanza di amministratori specificamente preparati a svolgere tali mansioni si cercarono nelle forze armate, in India e in Egitto, gli specialisti più adeguati e capaci, anche se quasi certamente non sapevano nulla dell'Iraq, per quanto ciascuno fosse esperto nel proprio campo. Reclutati nei polverosi uffici sudanesi o nelle remote province indiane, costoro giungevano ai porti o alle stazioni ferroviarie indossando completi di lino macchiati di sudore, erano accolti a braccia aperte, e ancor prima di poter disfare i bagagli, o quasi, erano condotti di gran fretta all'ufficio di Gertrude, dove rimanevano alcune ore, mentre lei spiegava loro gli incarichi da svolgere in un territorio in cui ciascun distretto aveva una sua specifica identità etnica, religiosa, economica e sociale. Di conseguenza la politica comune, quale che fosse, doveva essere realizzata con sensibilità e con intelligenza, e in modo adeguato alle attitudini e alle capacità di cui la popolazione locale era dotata o di cui mancava. Quando Gertrude spiegava la situazione e i problemi delle singole comunità, e ne nominava e descriveva i notabili, i nuovi arrivati partecipavano alla discussione pensando inizialmente in termini di priorità britanniche, per poi persuadersi a pensare in termini di necessità locali. Di conseguenza la politica sviluppata nella capitale era realizzata senza incertezze, a differenza di quanto accadeva tanto spesso altrove. Per il connubio fra obiettivi dell'amministrazione e della popolazione, Gertrude ottenne la collaborazione di quest'ultima perché sapeva con quali benefici compensarla. In quanto segretaria diplomatica per l'Oriente, trascorreva buona parte della giornata a concedere favori governativi per facilitare il cammino dell'amministrazione.

Non è sorprendente che scrivesse tanto spesso alla famiglia di non potersi mai concedere una vacanza. Era lei a garantire il funzionamento dell'amministrazione. Come scrisse Percy Cox: «Aveva a sua disposizione tutti i funzionari e i politici delle comunità locali»[13]. Quali che fossero le loro competenze, i nuovi arrivati si trovavano ad affrontare un vuoto da cui partire per costituire un nuovo ordine, e da questo confronto traevano ispirazione per creare il nuovo Iraq. In seguito Gertrude scrisse:

Ogni amministrazione deve affrontare il proprio compito [...] con singolare integrità e diligenza, insieme a una giusta comprensione dei conflitti fra le diverse classi della popolazione. Inoltre deve ispirare fiducia nel popolo per assicurarsi la collaborazione dell'opinione pubblica, senza la quale una matassa tanto ingarbugliata non può essere sbrogliata.

A poco a poco gli amministratori iniziarono a ristrutturare la vita pubblica della Mesopotamia centrale e meridionale, ovvero la metà del paese controllata dai britannici. A ricordo di coloro che avevano sacrificato la vita per difenderla, sia i soldati caduti sia i cittadini morti di stenti o massacrati dai turchi, venne avviata la ricostruzione di Kut, ormai abbandonata e in rovina. Le moschee e gli edifici pubblici furono restaurati o ricostruiti, e sulla sponda del fiume fu edificato uno splendido bazar coperto, in modo da ripristinare il commercio. Le famiglie delle vittime ottennero finanziamenti per ricostruire le loro case. Fu un'iniziativa eccellente, che favorì molto le relazioni pubbliche. In meno di due mesi la popolazione di Kut assommò a duecento persone.

L'igiene pubblica aveva la priorità. Entrando a Baghdad l'esercito aveva trovato ammassi di cadaveri brulicanti di ratti, il sistema fognario in rovina e le acque inquinate. Era scoppiata un'epidemia di colera. Così furono costruiti inceneritori e latrine, i macelli e i mercati furono ispezionati, l'acqua fu trattata con cloro e fu avviata la disinfestazione. Entro la metà del 1918 ogni installazione militare di qualche importanza aveva un ospedale civile o un dispensario. Nel corso del primo anno si occupò di igiene e di sanità urbana soltanto un piccolo organico guidato da un ufficiale medico e dal suo assistente, ma già nel 1919 era stato organizzato un ministero della Salute che gestiva una cinquantina di ospedali e dispensari civili. Quello stesso anno vi fu una recrudescenza improvvisa e violenta di peste, che tuttavia fu controllata grazie alle scorte di vaccino che consentirono di immunizzare circa ottantamila persone. Fu un trionfo uguagliato dal successo degli educatori sanitari nel persuadere la popolazione della necessità di farsi vaccinare. Furono allestite strutture sanitarie di isolamento, radiografia, cura delle malattie veneree femminili e odontoiatria. Nel frattempo il ministero della Salute dovette affrontare il problema dei «cadaveri di pellegrini», cioè salme di stranieri trasferite nel paese per essere seppellite nelle città sacre di Kerbela e di Najaf. Secondo la pratica turca, i cadaveri avrebbero dovuto restare sepolti per almeno tre mesi prima di essere esaminati alla frontiera. Persino Gertrude si rifiutò di affrontare quel problema, affrettandosi a farsi da parte per evitarlo. «Il problema della regolamentazione del pellegrinaggio e del traffico di cadaveri è difficile e delicato, connesso a numerose questioni collaterali, quindi esige [...] di essere esaminato e valutato con estrema prudenza»[14].

Nelle *vilayet* di Baghdad e di Bassora le scorte di cibo scarseggiavano. Nel Nord, intorno a Mosul, dove i turchi resistevano, durante l'inverno 1917-1918 diecimila persone morirono di stenti. In estate non vi furono piogge e la chiusura della strada di Mosul fino all'occupazione britannica, in ottobre, impedì il trasporto di cereali e frutta a Baghdad. Sulle rive del Tigri quasi tutte le coltivazioni erano state distrutte. Nel corso delle operazioni militari condotte intorno a Balad e a Istabulat durante il periodo del raccolto, i turchi avevano distrutto tutto quello che non avevano potuto consumare. Altrove i corsi d'acqua e i canali erano stati ostruiti per facilitare la costruzione di strade e di ferrovie a uso militare. Così Kerbela era stata inondata e una falla nella diga di Saqlawiyah aveva quasi prosciugato l'Eufrate e impedito lo sviluppo delle colture. In altre zone era mancato il combustibile per le pompe irrigue.

L'esperto incaricato di prevenire la carestia e di ripristinare l'agricoltura che giunse a Bassora indossando un completo di lino chiazzato di sudore era Henry Dobbs, commissario fiscale della pubblica amministrazione indiana. Il ministero delle Entrate, come scrisse Gertrude, avrebbe potuto essere considerato più correttamente alla stregua di un amministratore di proprietà immobiliare, rappresentata in quel caso dall'Iraq, mentre il proprietario era il governo. Era necessario riscuotere le tasse per finanziare tutte le opere da realizzare e senza agricoltura non potevano esservi entrate. Poiché tutti i commerci erano virtualmente cessati nel 1917 e la carestia era imminente, l'unica risorsa consisteva nel tassare i proprietari terrieri, gli agricoltori e infine la produzione agricola. Dato che né i proprietari terrieri né gli agricoltori avevano denaro per acquistare sementi, cereali, foraggio o aratri, era necessario ricostruire l'intero sistema economico, ovvero sostenere la coltivazione e fornire sementi e denaro, per poi riscuotere le tasse quando il raccolto sarebbe stato venduto. Comunque fu deciso di ridurre le tasse a una determinata fascia di contribuenti, e di non riscuoterle affatto dai più poveri.

All'inizio fu necessario definire e registrare le proprietà terriere, perché nessun agricoltore, affittuario o proprietario che fosse, sarebbe stato disposto a coltivare senza garanzia di possesso o di godimento. Sotto il dominio turco, le province di Bassora e di Baghdad erano state tassate da cinque agenzie governative indipendenti l'una dall'altra, le quali avevano interferito con ogni aspetto della vita normale della popolazione, creando un sistema che aveva invitato al peculato e alla corruzione, un invito respinto raramente, come Gertrude commentò per avvisare il successore di Dobbs a Baghdad. D'altronde le conseguenze della dominazione turca non erano le uniche cause di confusione. Al momento di registrare le terre, i proprietari amavano descriverne i confini in termini tanto vaghi da precludere ogni verifica e fornire nomi di persone inesistenti, come, per esempio, «est, nord, ovest e sud, il giardino di Haji Hasan Beg». Anche le norme di successione della *shari'a* provocavano valutazioni assurde delle proprietà e delle imposte, come ricordò Gertrude: «La conseguenza è stata una suddivisione delle proprietà in unità estremamente piccole, come il caso di una singola palma da dattero e della terra appena sufficiente a sostentarla, assegnate in proprietà collettiva a ventuno persone»[15].

Fu compito di Dobbs raccogliere e cercare di interpretare i rimasugli eterogenei e incompleti dei titoli di proprietà abbandonati dai funzionari turchi nella loro frettolosa fuga e inaugurare un nuovo sistema di registrazione, nonché rendere possibili le coltivazioni ampliando e controllando i sistemi d'irrigazione, ripulendo i canali e distribuendo l'acqua dei fiumi che in primavera erano maggiormente copiosi.

Persino gli amministratori erano a razioni di sopravvivenza. Nei giorni lavorativi Gertrude mangiava in mensa, dove il cibo era razionato e monotono, e nonostante tutto ciò che era abituata a sopportare quando era in viaggio, sentiva la mancanza del buon cibo, anche se si lamentava poco. Un amico di famiglia, il colonnello Frank Balfour, l'«adorato Frank» di Gertrude, il quale divenne in seguito governatore militare di Baghdad, raccontò di aver cenato in mensa con lei, una sera. In quell'occasione le fu servito manzo per il quattordicesimo giorno di seguito e lei suscitò la sorpresa di Balfour gettando le posate sul tavolo con disgusto e scoppiando in lacrime. Il 9 novembre 1918, Gertrude scrisse a Chirol:

Abbiamo difficoltà a nutrirci ed è dura sentirsi erculei a gallette. [...] Non abbiamo avuto burro per tutta l'estate, e adesso, quando c'è, è in scatola. Ho dimenticato il sapore delle patate, la carne è così dura da risultare quasi immangiabile, come pure il pollo, e anche il latte è in scatola... Si sta male! [...] Quando ci si sente miseramente si odia ogni cosa. [...] Imploro il cielo che ci mandi un buon raccolto il prossimo anno[16].

La responsabilità di attuare le nuove politiche agricole era dei funzionari politici delle province periferiche. Furono organizzati incontri con i proprietari terrieri per spiegare il nuovo piano di sviluppo agricolo, che i britannici avrebbero sostenuto con sementi, denaro e irrigazione. Tuttavia i proprietari terrieri non collaborarono, preferendo perdere il diritto alla loro quota del futuro raccolto. La terra che fosse rimasta incolta per un certo periodo di tempo sarebbe stata confiscata. I funzionari politici locali avevano facoltà di infliggere pene lievi per trasgressioni quali la violazione delle norme per l'irrigazione. Gertrude esortava costantemente alla prudenza e alla clemenza, e i suoi suggerimenti furono seguiti. Nel 1919 l'irrigazione e l'agricoltura furono affidate alle autorità civili, rappresentate da nativi ormai in grado di assumersi tali responsabilità. Naturalmente il progetto ebbe maggior successo nelle zone meglio controllate e il raccolto della primavera del 1918 sostentò la popolazione civile, oltre a fornire circa cinquantacinquemila tonnellate di grano all'esercito. Le sementi in eccedenza, che erano state previdentemente immagazzinate nell'eventualità di un altro anno di penuria, poterono essere distribuite ai beduini e ai curdi al di qua e al di là della frontiera. La Mesopotamia non rischiava più la carestia.

Dal Sudan arrivò Edgar Bonham-Carter, futuro Sir Edgar, che fu nominato magistrato e poi divenne ministro della Giustizia a Baghdad. Gertrude lo giudicava cortese e compassato, «un po' spento», ma lo accolse con sincera cordialità. Giunti a Baghdad, i britannici avevano constatato che l'amministrazione della giustizia era paralizzata, i tribunali erano stati saccheggiati e i funzionari turchi erano fuggiti portandosi via tutti gli archivi. Di solito l'amministrazione occupante manteneva i sistemi e le strutture a cui la popolazione era abituata. Dopo essersi ritirato nel suo ufficio per otto settimane a studiare lo straordinariamente complesso sistema giudiziario ottomano per scoprire cosa potesse essere salvato, e dopo avere discusso con Gertrude delle leggi tribali e religiose, Bonham-Carter giunse alla conclusione che l'intero sistema era del tutto inefficiente.

Per prima cosa fu deciso di usare la lingua araba nel diritto civile, in quello penale e in quello familiare, con tutte le sue implicazioni religiose. Furono aperti immediatamente un tribunale per le cause minori e uno per la legge maomettana, affiancando il diritto civile a quello tradizionale, che, fondato sul Corano, seguiva la *shari'a*. Altre trenta corti maomettane furono istituite dai sunniti. Gli sciiti invece preferirono affidarsi ai loro capi religiosi, i *mujtahid*, e le cause sciite furono trasferite ai nuovi tribunali di prima istanza insieme alle cause ebraiche e cristiane, in modo che potessero essere giudicate da magistrati scelti dalle rispettive comunità.

L'intento era quello di istituire un'amministrazione della giustizia congiunta a cui collaborassero magistrati britannici e arabi. La difficoltà fu trovare giudici britannici che parlassero arabo, o arabi che fossero avvocati esperti. Quasi tutti i giudici turchi possedevano una conoscenza della legge non più approfondita di quella dei funzionari medi, e dato che i loro salari erano più o meno equivalenti a quelli dei funzionari, erano stati disponibilissimi a lasciarsi corrompere. Si diceva che in Mesopotamia avessero esercitato soltanto due giudici onesti e che i cittadini per ottenere sentenze non avessero avuto altra risorsa che ricorrere alla corruzione. Tuttavia prima della guerra era esistita a Baghdad una stimata scuola di legge, che fu riaperta, a condizione che vi si parlasse esclusivamente arabo. Gli studenti che non avevano potuto completare il corso di quattro anni furono richiamati e circa cinquanta ripresero gli studi.

Gli innumerevoli difetti della legge turca resero necessaria la compilazione e l'adozione di un testo in cui era compendiato ciò che si doveva evitare. Il numero dei giudici fu necessariamente ridotto a coloro che erano qualificati, i cui salari furono aumentati tanto da divenire decorosi. Il nuovo codice penale fu basato sul modello sudanese, che si era dimostrato semplice ed efficiente. Furono istituiti quattro gradi di giudizio penale e una corte d'appello la cui sentenza era definitiva. La bellezza del nuovo sistema giudiziario stava nei dettagli e nella considerazione per le condizioni locali a cui era ispirato. Le cause erano discusse in sede locale. Era stata forse Gertrude a insistere affinché i tribunali fossero raggiungibili a dorso di cammello o di asino da imputati e testimoni? Il nuovo processo doveva essere rapido e differenziarsi così da quello turco, che a causa di una legge farraginosa era stato lentissimo. Una causa per un carico di datteri guasti, per esempio, si era protratta per tre anni. Le condanne avrebbero dovuto essere più lievi, e nelle zone più remote, dove era concessa l'applicazione della legge della tribù o del villaggio, fu proibita la pena di morte.

Per essere un funzionario «un po' spento» proveniente dal Sudan, Bonham-Carter manifestò nei suoi scritti una straordinaria comprensione delle norme medievali della legge tribale irachena. Anche a questo proposito Gertrude esercitò il proprio influsso? Per esempio, Bonham-Carter spiegò le ramificazioni dell'usanza familiare di assassinare una figlia per attività sessuale prematrimoniale, oppure una moglie per adulterio, lasciando impunito l'amante maschio, o ancora il risarcimento tradizionale dell'omicidio tribale mediante un riscatto in denaro e una vergine. A quell'epoca pochi giureconsulti britannici avrebbero compreso la tendenza dei testimoni tribali a essere sinceramente incapaci di distinguere fra ciò che avevano osservato e ciò che era stato loro riferito o ciò che avevano dedotto. Nei casi di omicidio per vendetta o per faida di sangue, il fine giustificava i mezzi, quindi i familiari e gli amici della vittima si riunivano per accordarsi sull'identità dell'assassino. A tale proposito, Bonham-Carter osservò che laddove l'usanza stabiliva che la tribù nel suo insieme era responsabile per gli omicidi commessi da ciascuno dei suoi appartenenti, doveva avere importanza relativamente scarsa quale individuo avesse materialmente compiuto il crimine. Il codice tribale imponeva la vendetta, una vita per una vita, e ciò, secondo Gertrude, non costituiva affatto un deterrente al crimine.

I nuovi amministratori di un simile territorio erano destinati a scoprire anomalie, alcune quasi comiche, come osservò la stessa Gertrude nella sua *Review of the Civil Administration of Mesopotamia*.

Il sistema educativo turco, descritto ufficialmente nell'annuario per l'istruzione, abbondantemente corredato di mappe e di statistiche, potrebbe suscitare l'invidia [...] dei britannici [...] se non fosse risaputo che, purché ogni scuola fosse correttamente collocata con un puntino sulla mappa, le autorità turche non si erano affatto curate di stabilire [...] se il programma educativo che vi si applicava fosse quello di Thomas Arnold della scuola di Rugby, oppure quello della prozia di Mr Wopsle[17].

Gli insegnanti inevitabilmente maschi nelle poche scuole femminili erano considerati con grave sospetto dalla comunità e la simpatia britannica per costoro si dissolse appena fu scoperto che erano tanto libidinosi quanto li si sospettava di esserlo. Così ci si affrettò a sostituirli con insegnanti donne e furono aperte cinque scuole femminili. Nelle province lontane i funzionari si trovarono spesso ad affrontare problemi bizzarri. L'unico maestro a Diwaniyah non sapeva leggere né scrivere e i curdi non avevano una grammatica e un'ortografia definite. Fu compito del funzionario civile e del funzionario all'istruzione di Sulaymaniyya, il maggiore Soane e il capitano Farrell, ideare un libro di lettura per le scuole elementari. Rovesciando il principio turco secondo cui soltanto i sunniti erano incoraggiati a studiare, il ministero dell'Istruzione accolse ragazzi di ogni confessione religiosa nelle scuole governative, dove si insegnava l'arabo. Le comunità sunnite, sciite, cristiane ed ebraiche furono invitate a inviare i loro insegnanti religiosi nelle scuole, in modo che l'istruzione religiosa potesse essere inclusa nel programma scolastico.

Si scoprì che l'*auqaf*, o ministero delle Fondazioni pie, era il più grande proprietario terriero della Mesopotamia, anche se i turchi lo avevano lasciato con le casse vuote. Sotto gli auspici del ministero dell'Istruzione, le proprietà e le moschee neglette furono ispezionate, registrate e restaurate. Infine, con grande meraviglia della popolazione, furono ripristinati gli obblighi e le funzioni originali delle fondazioni. Le donazioni andarono a beneficio dei poveri, le irregolarità finanziarie furono eliminate, e la direzione degli aspetti accademici e religiosi fu affidata a una commissione di notabili sunniti. Gran parte della donazione Oudh, una ingente somma di denaro devoluta a «persone meritevoli» di Kerbela e di Najaf da re Oudh alla metà del XIX secolo, e successivamente dirottata a Costantinopoli, fu reindirizzata dall'amministrazione a coloro che ne erano i beneficiari di diritto.

Il direttore dell'istruzione, Humphrey Bowman, inviò a Baghdad un conciso ritratto di Gertrude in quel periodo, da cui si ricava un'impressione indelebile della sua posizione nella società araba. A proposito di un incontro con una cinquantina di notabili arabi a casa di Sir Edgar Bonham-Carter, a cui parteciparono soltanto un paio di ospiti britannici, Bowman scrisse:

Tutti eravamo seduti sulle sedie intorno alla stanza come si usa in Oriente e ci alzavamo ogni volta che arrivava un ospite di riguardo. Finalmente la porta si aprì e Gertrude entrò. Era elegante come sempre e aveva un aspetto davvero regale. Tutti si alzarono e lei fece il giro della camera per stringere la mano a ognuno degli arabi e salutarlo con poche parole appropriate. Oltre a conoscerli tutti per nome [...] sapeva anche cosa dire a ciascuno[18].

Era sempre più difficile essere elegante. Spesso Gertrude doveva alzarsi all'alba per cucire bottoni e rammendare vestiti lavati troppo spesso, eppure riusciva sempre ad avere un bell'aspetto, nonostante il lavoro incessante. Riceveva numerose persone a casa e cenava fuori molte sere la settimana. Mentre Cox, A.T. e tutti gli altri indossavano uniformi lavate e rassettate ogni giorno dai servi, lei usava sempre gli stessi sottili indumenti estivi, cambiandosi tre volte al giorno quando era più caldo. Scrisse a Florence di essere senza cameriera da quattro anni e di avere bisogno di qualcuno che si occupasse del suo vestiario e della sua casa, per tenerla in ordine e per renderla attraente, cosa che lei non poteva fare perché lavorava senza posa. «Ho bisogno di una moglie!»[19] affermò, come avrebbero dichiarato tante donne d'affari dopo di lei, e con più ragione di molte di loro.

Comprensiva, Florence la ascoltò e iniziò a studiare una soluzione. Forse era anche un po' stanca di acquistare costantemente nuovi abiti per la figliastra, le cui richieste giudicava sempre più incompatibili con ciò che era disponibile nei negozi. Probabilmente ogni volta che Florence, Elsa o Molly si recavano in centro a Londra era anche per acquistare indumenti per Gertrude, la quale chiese fra l'altro, in occasioni diverse, cinque abiti di mussola a righe, un completo da equitazione di lino, scarpe Yapp, pettini di tartaruga, veli di chiffon, camicette di seta rosa pallido o avorio, dodici paia di calze di cotone, cappelli di paglia adorni di fiori, abiti da sera di raso, stivali da equitazione, vestaglie di seta. Tutto doveva essere imballato e spedito via mare, per essere in gran parte rubato durante la navigazione, oppure perduto in mare insieme alle vite umane allorché i bastimenti erano affondati dai siluri. Anche quando arrivavano a destinazione, gli indumenti promessi potevano risultare deludenti. Una volta, in una lettera datata 26 maggio 1917, Gertrude non misurò le parole: «Mi rammarica dover dire che un [abito], secondo Moll adatto a essere indossato di sera, era più una giacca di pelliccia che un abito da sera e non va affatto bene. [...] È un colpo piuttosto duro, perché immaginavo belle vesti di mussola con ampie maniche fluttuanti e un lungo strascico. [...] Dovrò semplicemente evitare di cenare fuori quando farà caldo»[20].

La povera Moll non aveva nessuna colpa. Come aggiunse Florence in un poscritto a quel rimprovero, la moda era cambiata da quando Gertrude aveva lasciato l'Inghilterra. Le «belle vesti di mussola con ampie maniche fluttuanti e un lungo strascico» non si usavano più. All'appressarsi dei ruggenti anni Venti, le donne preferivano abiti più corti, più aderenti, e profili più snelli.

Una soluzione parziale al problema fu trovata da Gertru-

de grazie a un convento francese presso il quale passava ogni mattina di buonora quando usciva a cavalcare. Un giorno smontò di sella e suonò il campanello per chiedere se avessero una sarta, scoprendo che l'avevano.

Le monache mi stanno confezionando un abito di mussola. Sarà un monumento di amore e di cura, perché credo davvero che stiano sveglie di notte a pensare ai nuovi punti da usare. [...] Le *essayages* [prove] non sono come presso tutte le altre sarte che ho conosciuto. Arrivo dopo avere cavalcato, prima di colazione, e non indosso praticamente niente, a parte le mutande e gli stivali (perché fa caldo), mentre la madre superiora e la sarta, la cara *sœur* Renée [...] infilano spilli nella mussola. Intanto una sorella laica nativa ci rimane accanto per servirci tazze di caffè. Sospendiamo spesso, quando la madre superiora e *sœur* Renée discutono seriamente di cosa e quale sia davvero la moda. Il risultato è molto soddisfacente. Non per niente *sœur* Renée è francese[21].

Non era soltanto con il disgusto per la moda delle «maschiette» che Gertrude si era separata dalla vita londinese. Scrivendo al padre nel terzo anniversario del giorno in cui aveva detto addio a Dick Doughty-Wylie, si scoprì a rivivere minuto per minuto i quattro giorni trascorsi con lui e non provò alcuna voglia di tornare a una vita che per lei era finita. «Oh, carissimo padre [...] questa sofferenza che pervade ogni cosa mi rende in un certo senso indifferente a tutto, a tornare a casa o restare qui»[22]; e «lo svantaggio dell'Inghilterra è che non voglio più vedere nessuno dei miei cari amici»[23]. Nel Natale del 1917 scrisse la scarna verità, come sempre, a Chirol: «Avrei voluto essere a Gerusalemme questo Natale. [...] Sì, desidero molto le grigie colline della Giudea, e mai l'Inghilterra, sai? La mia Inghilterra è scomparsa»[24].

Verso la fine della guerra la vita in Sloane Street e a Rounton era abbastanza dura anche per Hugh e Florence. Maurice era tornato dalla guerra, ma era stato congedato per invalidità, perché era quasi completamente sordo. Anche se era sempre stato duro d'orecchi, ormai per poter conversare con lui occorreva gridare e Maurice si chiudeva sempre più nella sua vita di gentiluomo di campagna dedito alla caccia, al tiro e alla pesca. L'ultimo lutto ad angosciare i Bell fu quello per Sir Cecil Spring-Rice, marito di Florence Lascelles, cugina di Gertrude, e ambasciatore britannico a Washington. Gertrude scrisse a entrambe le Florence, riservando per la matrigna una manifestazione di affetto e di ammirazione particolarmente commovente. La pazienza di Florence, la sua costanza, la sua sopportazione priva di lamentele non erano più sottovalutate dalla figliastra. Il 28 marzo Gertrude scrisse:

Carissima madre,
credo di non averti mai detto, benché sia costantemente nei miei pensieri, quanto io ammiri la tua forza d'animo e la tua splendida determinazione nel sopportare tutto ciò che è necessario, senza mai cedere prima di avere trionfato. Non usi frasi forbite, eppure nessuno di noi ha mai manifestato uno spirito più raffinato. Le tue lettere lasciano trapelare a stento la stanchezza per la prolungata tensione che intuisco. È il tuo coraggio a essere così splendido, e io non so dirti quanto ti ammiri e quanto ti ami[25].

Nel 1918 Florence fu nominata Dama Comandante dell'Ordine dell'Impero britannico per il suo impegno alla Croce Rossa e Gertrude le scrisse subito per congratularsi. Nelle sue lettere alla famiglia non vi fu mai la minima allusione al suo eventuale desiderio di ottenere un riconoscimento analogo e, dopo la sua reazione alla nomina a Commendatore dell'Ordine dell'Impero britannico, il suo punto di vista su queste onorificenze era chiaro a tutti. D'altronde è altrettanto ovvio che anche lei avrebbe dovuto essere nominata Dama Comandante, già allora, o forse qualche tempo più tardi.

Nel frattempo, Gertrude traeva sempre più soddisfazione dal giardino della sua casa, migliorandolo costantemente. Il proprietario da cui l'aveva affittata, Musa Chalabi, era diventato un amico intimo con cui poteva conversare di piante o discutere francamente di politica. Talvolta, nei fine settimana, prendeva a prestito un'auto di servizio per accompagnare lui e la sua famiglia a fare merenda in campagna. Un giorno lui le donò il giardino in proprietà a vita e lei stabilì che lo avrebbero sempre condiviso.

Finalmente ebbe la possibilità di fare quello che non le era mai stato possibile prima, cioè tenere animali. Acquistò un gallo e quattro galline, e si irritò perché producevano poche uova. Il suo vecchio amico Fahad Beg, di cui lei aveva tanto ammirato il levriero in occasione del loro primo incontro, le inviò due cani in dono, non certo per corromperla. Lei li chiamò Richan, "il Piumato", e Najmah, "la Stella". Il 30 novembre 1919 scrisse a Hugh e Florence:

Sono due bellissimi levrieri arabi. [...] Hanno camminato per dieci giorni, costeggiando l'Eufrate, condotti da due beduini, e sono arrivati mezzo morti di fame. Stanno seduti accanto a me sul divano mentre scrivo, dopo avere vagato mezz'ora per la stanza uggiolando. Sono molto gentili e affettuosi, e spero che presto possano abituarsi a vivere in un giardino anziché in una tenda[26].

Richan era particolarmente indisciplinato. Nelle lettere Gertrude raccontava spesso le sue birichinate: scappava e tornava solo dopo qualche giorno, saltava sul tavolo della dispensa fracassando le stoviglie, oppure si rotolava sulle aiuole schiacciando i nasturzi.

Molti sceicchi da lei incontrati per lavoro le offrirono doni per ottenere favori, secondo l'usanza dell'amministrazione turca. Una volta, sorridendo e scuotendo la testa, rifiutò un cavallo arabo, tuttavia ammise con Cox che era un animale tanto bello che avrebbe voluto cedere al desiderio di tenerlo, e così, prima della fine della settimana, ebbe «in dotazione» dal segretariato una splendida cavalla. Nel 1920 acquistò un pony, un grigio cavallino arabo: «È molto giovane e ha bisogno di essere istruito, quindi prima di colazione facciamo belle cavalcate per prendere confidenza, accompagnati dai cani, e lui sta già migliorando. Non potrebbe essere più intelligente, salta in maniera squisita, guada i corsi d'acqua e i suoi zoccoletti non compiono mai passi falsi».

Quando ebbero compreso che la Khatun non accettava doni di valore, gli sceicchi cercarono altri metodi. Due di loro, di cui Gertrude aveva già risolto i problemi, le inviarono una giovane gazzella. Nulla avrebbe potuto piacerle di più. La gazzella correva libera nel giardino, mangiava i datteri caduti dagli alberi e i cetrioli dalla mano di Gertrude. Di notte si acciambellava sulla veranda, fuori dal bagno. «È un caro animaletto. Adesso sto cercando una mangusta» scrisse. Presto la mangusta arrivò, tramite il giovane figlio del sindaco di Baghdad. «È una bestiola molto attraente. Stamani mi è rimasta seduta in mano a mangiare uova fritte come una cristiana»[27].

Da quando era arrivata in Medio Oriente, al Cairo, Gertrude viveva del proprio salario, ossia venti sterline mensili, mentre in patria la generosa somma corrispostale annualmente dal padre si accumulava, inutilizzata. Perciò Hugh le scrisse per chiederle che cosa intendesse farne. Dato che in Iraq non erano disponibili le due cose che desiderava maggiormente, ossia buon cibo e indumenti europei di fattura adeguata, Gertrude rispose con la mancanza di interesse finanziario che è prerogativa di coloro che sono molto ricchi: «La settimana scorsa mi hai detto della ricchezza depositata nella mia banca. È del tutto assurdo [...]. Fai pure, sempre, tutto ciò che ritieni opportuno con il mio denaro, incluso appropriartene. Come ho già osservato in precedenza, non me ne importa un accidente. È sempre stato un argomento per cui non riesco a provare alcun interesse. [...] Se mai vorrò denaro, potrò sempre chiedertene, che tu sia benedetto!»[28]

Sofferente per il clima, Gertrude fu spesso costretta a farsi ricoverare all'ospedale degli ufficiali, afflitta da freddo e bronchite nella stagione invernale e da spossatezza in quella estiva, nonché da malaria ricorrente. Con la temperatura che superava i quaranta gradi persino di notte, dormiva avvolta in un lenzuolo bagnato dopo aver trasferito il letto sul tetto, e teneva accanto un secchio d'acqua per bagnare il lenzuolo ogni volta che era di nuovo asciutto. Le stanze dell'ufficio venivano lavate due o tre volte al giorno. In inverno, Gertrude talvolta indossava la pelliccia sopra due strati di indumenti. A causa del costante eccesso di lavoro, delle sigarette e del caldo, diventò estremamente magra. Quando il malessere la costringeva a entrare in ospedale, smaniava per tornare al lavoro, tuttavia aveva appreso che dimettersi troppo presto la costringeva a ricoverarsi di nuovo per la convalescenza. Comunque non smetteva mai del tutto di lavorare. Scriveva continuamente documenti di posizione e abbozzava un diario quindicinale per il governo. Nel novembre del 1917 divenne curatrice di *Al Arab*, periodico in lingua locale. Scrisse ai genitori di averne abbastanza delle malattie tropicali e di voler voltare pagina. Dal letto d'ospedale scrisse a Hugh per ringraziarlo del favoloso dono ricevuto per il suo quarantanovesimo compleanno. «Una delle mie poche consolazioni è il tuo meraviglioso smeraldo sulla spilla che mi chiude la camicia da notte, e nel guardarlo con immenso piacere, penso al padre amorevole che sei»[29].

Circa un mese più tardi ricevette una lettera di Florence, seguita da un grosso pacco tramite valigia diplomatica. «È arrivato un tesoro di spille e di ciondoli, bellissimi gioielli! Come potete, tutti e due, conciliare una tale stravaganza con la vostra coscienza? Vi benedico entrambi! Sono squisiti e prevedo di suscitare la sconfinata ammirazione del corpo di spedizione indiano D»[30].

Il corpo di spedizione indiano D aveva cacciato i turchi da Baghdad e dalla Mesopotamia meridionale, eppure a nord, intorno alla metà del 1917, l'esercito era ancora impegnato in un campo di battaglia di cinquecento chilometri quadrati con l'obiettivo di espellere il nemico dalla *vilayet* di Mosul e dal confine con la Siria. Per un altro anno i turchi combatterono azioni di retroguardia, spogliando il territorio del cibo e di ogni altra cosa che potesse essere depredata durante la ritirata attraverso lo storico granaio dell'Iraq. Nel corso della loro avanzata i britannici erano vulnerabili agli attacchi alle linee di comunicazione e ai sistemi d'irrigazione, e i turchi si tenevano pronti a invadere di nuovo ogni provincia che l'esercito britannico non fosse in grado di difendere.

A Kerbela si scoprì che gli sceicchi locali a cui era stata temporaneamente affidata l'amministrazione stavano conducendo quello che Gertrude definì «un intenso traffico di provviste» con il nemico attraverso il deserto. Costoro furono deposti oppure ridotti all'obbedienza, mentre Fahad Beg, il vecchio amico di Gertrude, e la sua confederazione beduina, gli Anazeh, si occupavano di coloro che contrabbandavano le merci attraverso il deserto. Nella città sacra di Najaf la scarsità di cibo provocò un tumulto fomentato dai turchi. Poi le sorti del conflitto volsero a favore dei britannici grazie agli sciiti, furibondi per il modo in cui l'amministrazione turca aveva trattato i luoghi sacri. Quando fu assassinato il capitano Marshall, un ufficiale con mansioni politiche, i britannici reagirono saggiamente, senza sparare un colpo e lasciando indisturbati il santuario e i luoghi sacri. Anche se la pace fu ripristinata, Kerbela e Najaf continuarono a essere focolai di agitazione politica.

In tutta la Mesopotamia centrale e meridionale l'esercito britannico fornì un mercato illimitato per il lavoro e per la produzione locale e, a differenza dei suoi predecessori turchi, pagò il dovuto. Le due *vilayet* meridionali di Baghdad e di Bassora beneficiarono di un livello di prosperità sconosciuto sotto il dominio ottomano.

Fra gli ufficiali di stato maggiore a Baghdad, soltanto Gertrude era in grado di identificare la moltitudine di razze e di credenze presente nelle regioni a settentrione, a oriente e a occidente di Mosul. Sulle montagne vivevano i curdi, mentre a ovest, verso il deserto, stavano gli Yazidi, o adoratori del diavolo, appartenenti a una strana setta a cui Gertrude era particolarmente affezionata. I loro sceicchi erano dotati della singolare abilità di catturare le vipere e i loro indovini erano giudicati capaci di predire il futuro. «Gli adoratori del diavolo sono docili e disponibili, seppure di scarsa moralità»[31] aveva scritto Gertrude a proposito dei suoi incontri con loro, osservando che nel 1915 avevano offerto rifugio a numerosi profughi armeni. Oltre alle tribù curde vi erano numerose sette cristiane, le più importanti delle quali erano quelle dei caldei, dei giacobiti, dei nestoriani e dei turcomanni, i quali sostenevano di discendere da Tamerlano. Sulla sponda sinistra del Tigri vivevano, fra vari gruppi bizzarri, gli Shabak e i Sarli, depositari di una fede segreta, nonché gli Ali-Ilahis, i Tai e una comunità ebraica. La tribù araba preminente era quella dei nemici tradizionali degli Azaneh, ossia gli Shammar, al soldo dell'esercito turco e pronti ad assaltare convogli, danneggiare canali e depredare chiunque incontrassero.

Anche se era scrupolosamente organizzato, e anche se condusse l'occupazione con successo fino al termine della guerra, il governo britannico della Mesopotamia stava per essere compromesso da interminabili ritardi nell'attesa delle decisioni da cui sarebbero dipesi non solo il futuro dell'Iraq, ma soprattutto la questione fondamentale della definizione dei suoi confini. Soltanto quando i vincitori si fossero riuniti per concordare la pace sarebbe stato possibile preparare il terreno all'autogoverno del popolo iracheno con una concreta prospettiva d'indipendenza, senza la quale molte correnti minori di dissenso, spesso fomentate dai turchi, sarebbero sfociate in aperta rivolta, minacciando tutto ciò che si era ottenuto nei tre anni precedenti. Come Gertrude avrebbe scritto nel 1920:

La verità sottostante a ogni critica, e ciò che rende tanto difficile rispondere alle critiche, [era] che avevamo promesso istituzioni di autogoverno, e non solo non avevamo proceduto in tale direzione, bensì eravamo impegnati a creare qualcosa di completamente diverso. Un quotidiano afferma, con assoluta correttezza, che avevamo promesso un governo arabo con consiglieri britannici e invece abbiamo istituito un governo britannico con consiglieri arabi. Questa è un'affermazione perfettamente giusta[32].

Nel settembre del 1918, Cox, il più abile degli amministratori, era stato trasferito da Baghdad a Teheran. Così, nel momento più esplosivo della storia dell'Iraq, Gertrude ebbe come nuovo capo A.T. Wilson, sostituto commissario civile, le cui tattiche sprezzanti, le cui rappresaglie punitive contro i dissidenti e la cui predilezione per le politiche imperialiste le avevano rivelato, nel corso degli ultimi ventiquattro mesi, la spaventosa verità, ossia che Wilson non aveva alcuna simpatia per l'autodeterminazione e che quindi avrebbe fatto del suo meglio per impedire che si realizzasse. Cosa ne sarebbe stato del sogno di Gertrude?

13.
Collera

Fu il sagace T.E. Lawrence a notare che uno dei punti deboli di Gertrude era la propensione ad ammirare coloro che le piacevano, soltanto per poi disprezzarli in seguito, una volta interrotto il rapporto. Inizialmente aveva beneficiato di un rapporto di lavoro ragionevolmente buono con A.T. Wilson, sotto la rispettosa egida dell'imparziale Cox. In qualità di sostituto di quest'ultimo, A.T. aveva assicurato quotidianamente l'efficienza e lo sviluppo del governo, e Gertrude lo aveva coadiuvato nell'ottenere la collaborazione della popolazione e nell'armonizzare il nuovo regime alle realtà concrete del territorio. Tuttavia A.T. aveva sempre desiderato essere la massima autorità, e a differenza di Cox non coinvolgeva Gertrude, né la consultava prima di prendere decisioni. Inoltre i loro atteggiamenti nei confronti degli arabi non avrebbero potuto essere più diversi. A.T. trattava rudemente i loro rappresentanti e accordava scarso rispetto ai loro capi, per quanto prestigiosi. Gertrude giudicava questo atteggiamento peggio che imbarazzante e, in modo molto più serio, riteneva se stessa radicalmente diversa da quel «dinosauro coloniale» (come lo aveva definito Lawrence) del suo capo. Infatti Wilson considerava ripugnante persino il termine "autodeterminazione", che invece per Gertrude definiva un principio sacro: «Forse potrò contribuire a fare in modo che le cose vadano per il verso giusto, se mi sarà permesso. [...] Le circostanze attuali sono alquanto avverse all'autodeterminazione. [...] Vorrei moltissimo che Sir Percy fosse qui»[1] scrisse nel gennaio del 1919.

Finalmente la prima guerra mondiale era conclusa e Gertrude, convalescente dopo un nuovo attacco di malaria, si concesse un po' di svago in modo piuttosto singolare. Navigò il Tigri a bordo di un lussuoso piroscafo appartenente a un generale, leggendo romanzi. Assistette a una conferenza sulla storia abbaside, e per visitare un rudere si addentrò nel deserto, scortata da trentadue cavalieri della tribù Bani Tamim. Inoltre volò in aeroplano per la prima volta: «Durante il primo quarto d'ora ho pensato che fosse la cosa più allarmante che avessi mai fatto. [...] Era una giornata ventosa e l'aeroplano oscillava parecchio. Tuttavia mi sono abituata ed è stato molto interessante, molto eccitante. Volerò di nuovo ogni volta che ne avrò occasione in modo da adattarmici alla perfezione»[2].

Per un anno Hugh e Florence avevano esortato Gertrude a tornare a casa in vacanza, per riacquistare la salute e per sottrarsi alla torrida estate di Baghdad. Spesso lei aveva risposto che non avrebbe potuto partire fintanto che la sua presenza fosse stata così necessaria. Ora, esclusa dalla maggior parte delle riunioni importanti, fu costretta a riconoscere che A.T. non dipendeva da lei. Nonostante questo dichiarò alla famiglia che gli arabi avevano bisogno di lei, forse più che mai. Allora Hugh scrisse che avrebbe potuto andare a trovarla a Baghdad e lei fu immensamente contenta alla prospettiva di mostrargli il proprio mondo. Quando la visita di Hugh era ormai imminente, il dovere s'intromise, sotto forma della conferenza di pace di Parigi. Apparve chiaro che A.T. voleva che Gertrude lo precedesse per partecipare agli incontri, rappresentare gli interessi della Mesopotamia e mantenerlo informato. Fu deciso che Gertrude si sarebbe recata prima in Inghilterra, poi a Parigi, dove Hugh l'avrebbe raggiunta per alcuni giorni. La prospettiva di tornare a Londra era quasi insopportabile per Gertrude, che non desiderava affatto rivedere molti dei suoi amici e neppure i luoghi frequentati un tempo, perché tutto le avrebbe rammentato Dick Doughty-Wylie, l'angoscia degli ultimi giorni trascorsi insieme e la sofferenza che ne era seguita. Sapeva che le sue vere amiche avrebbero capito e scrisse a una di loro, Milly Lowther, figlia di Lord Ullswater, una delle poche che avrebbe desiderato incontrare. Era diventata intima amica di Milly all'Ufficio feriti e dispersi di Londra, dopo la morte di Doughty-Wylie. «Al mio ritorno avrò grande bisogno del tuo aiuto e della tua comprensione. Sarà così difficile ritornare a vivere in Inghilterra. Ne ho paura. Dovrai darmi una mano, come hai fatto un tempo»[3].

Il padre comprendeva alla perfezione i suoi sentimenti, quindi escogitò un piano per sottrarsi agli obblighi sociali londinesi. Sapeva che Gertrude avrebbe dedicato molto tempo ad acquistare vestiti e le propose di trascorrere insieme alcuni giorni a Parigi, per poi fare un giro in automobile in Belgio e in Francia, nonché proseguire per mare fino ad Algeri. Immensamente sollevata, Gertrude non vedeva l'ora di intraprendere il viaggio. Ciò che desiderava di più, scrisse, era rivedere la famiglia, e poi un cosciotto di montone dello Yorkshire.

Da Parigi, nel marzo 1919, scrisse a Florence cosa significava per lei essere di nuovo con Hugh: «Non so dirti com'è stato averlo con me in questi ultimi due giorni. È stato più meravigliosamente caro di quanto le parole possano esprimere, e così di ottimo spirito e aspetto. Stento a credere che siano trascorsi tre anni di guerra dall'ultimo nostro incontro»[4].

Padre e figlia erano sempre stati capaci di riallacciare il loro rapporto dopo lunghe interruzioni, e il tempo trascorso non aveva diminuito minimamente il loro affetto reciproco. Fu una gioiosa riunione, a cui seguirono un incontro con Domnul e un pranzo con Lord Robert Cecil, capo di Gertrude all'Ufficio feriti e dispersi. Qualche giorno più tardi Hugh partì e Gertrude ritornò al lavoro.

Nel marzo 1918 la Russia rivoluzionaria, guidata dal nuovo governo bolscevico, aveva firmato un trattato di pace con la Germania lasciando gli Alleati, ovvero Francia, Regno Unito, Italia e Stati Uniti, a proseguire la guerra sul fronte occidentale. Gli inglesi avevano continuato a respingere i turchi verso nord per scacciarli dall'Arabia, nella rinnovata speranza di aprire un nuovo fronte nordoccidentale avanzando in Austria e colpire la Germania lungo l'indifeso confine meridionale, una speranza che era stata abbandonata nel 1915 dopo il disastro dei Dardanelli. Dapprima la Germania, libera dal conflitto con la Russia, aveva potuto concentrare i propri sforzi su tutti questi fronti, lanciando per sei mesi attacchi furiosi contro le trincee degli Alleati, dalla costa del Mare del Nord al confine svizzero a sud. Gli Alleati avevano resistito finché l'esercito tedesco, spossato, era rimasto privo di equipaggiamento, di stivali e persino di cibo. In agosto il morale tedesco stava crollando, mentre i britannici stavano costituendo in segreto un esercito di centomila fanti freschi, guidati da cento dei nuovi carri armati voluti da Churchill. L'offensiva condotta con queste truppe e con questi mezzi sfondò il debole centro delle linee tedesche, scacciò i soldati nemici dalle trincee e li incalzò per chilometri durante la ritirata all'interno del territorio che non era stato possibile conquistare in quattro anni di battaglie. Subito i francesi nel Nord e gli americani nel Sud bombardarono le trincee tedesche per sostenere l'avanzata britannica al centro. Il capo supremo tedesco riconobbe la sconfitta e in pochi giorni la Germania chiese la pace.

Subito dopo nacquero le dispute interne fra gli Alleati, in conseguenza delle quali il progetto di Gertrude fu ostacolato per altri tre anni e la sua missione in Arabia rischiò il disastro. Dapprima gli Alleati non concordarono sulla strategia che suggeriva di inseguire l'esercito tedesco fino a Berlino, devastando sì il paese ma infliggendo nel contempo una lezione indimenticabile. Il maresciallo Foch, comandante supremo delle forze alleate, dichiarò che nessuno avrebbe beneficiato di ulteriori morti e distruzioni. Così gli

Alleati redassero un documento di armistizio che imponeva ai tedeschi di ammettere la sconfitta e accettare la smobilitazione totale del loro esercito, nonché di cedere il controllo della loro marina militare ai britannici. I tedeschi firmarono l'undicesimo giorno dell'undicesimo mese dell'anno 1918 e i combattimenti cessarono. Nel frattempo l'esercito britannico era giunto al confine turco. In Arabia, la fuga dei turchi non cancellò i problemi che la loro dominazione aveva creato.

Anche se l'armistizio pose fine alle ostilità, le forze alleate si tennero pronte a combattere di nuovo nell'eventualità che la Germania, l'Austria-Ungheria e la Turchia non si sottomettessero alle condizioni di un trattato di pace permanente. Quali avrebbero dovuto essere tali condizioni? Gli Stati Uniti volevano il risarcimento del denaro prestato alla Francia e al Regno Unito, che a sua volta voleva il risarcimento dei propri prestiti alla Francia. Tuttavia entrambi i paesi europei erano in bancarotta. La Francia esigeva la garanzia di non essere mai più aggredita dalla Germania, nonché la restituzione dei territori occupati dai tedeschi in Alsazia e Lorena. Dopo le terribili battaglie combattute per gli Alleati, l'Italia chiedeva territori strappati alle nazioni sconfitte. Il Regno Unito voleva un Impero sicuro, con la propria marina militare a controllare nuovamente gli oceani. Tutti volevano la Germania umiliata, disarmata e costretta a pagare un prezzo esorbitante, anche se nessuno era in grado di calcolare una cifra accettabile.

Tutti questi problemi erano sufficienti in se stessi a occupare interamente gli stremati statisti che giunsero a Parigi all'inizio del 1919. I tre principali contendenti erano il presidente degli Stati Uniti, Woodrow Wilson, il primo ministro britannico, Lloyd George, e l'anziano ma risoluto primo ministro francese, Clemenceau. Questi tre delegati, pur non possedendo la consapevolezza e le capacità necessarie, erano responsabili anche del futuro di tutti i popoli che erano rimasti privi di governo, di confini territoriali definiti e di identità nazionale. Con il crollo degli immensi imperi tedesco, russo, austriaco e turco, centinaia di popoli in Europa, in Africa e in Medio Oriente erano rimasti privi di istituzioni amministrative, politiche, militari ed economiche.

La conferenza di pace di Parigi del 1919 fu indetta per risolvere tutti questi problemi, il primo dei quali fu la scelta della lingua da adottare per condurre le trattative. Furono invitati ventisette paesi alleati. Ogni nazione danneggiata dalla guerra ebbe l'occasione di chiedere risarcimenti ai nemici sconfitti e di concordare la propria posizione nel nuovo ordine mondiale postbellico. I rappresentanti di paesi potenti come il Regno Unito e gli Stati Uniti arrivarono prima della fine del 1918 e s'installarono negli alberghi più lussuosi. Viceversa impiegarono mesi ad arrivare quelli delle piccole nazioni, alcune delle quali erano pressoché sconosciute alle grandi potenze alleate, incluse quelle dell'Arabia e di quello che era stato l'Impero turco, per il cui futuro Gertrude intendeva battersi.

Giunto a Parigi, il presidente Wilson pronunciò il discorso dei Quattordici punti che avrebbero dovuto guidare le future relazioni internazionali, incluso il diritto di ogni nazione a scegliere la propria forma di governo. Il dominio coloniale avrebbe dovuto essere consegnato alla storia. Era necessario un nuovo modello che consentisse a potenze quali il Regno Unito e la Francia di insegnare alle nuove nazioni come istituire buoni governi, nonché di fornire sostegno finanziario e amministratori esperti che aprissero la via all'indipendenza. La risposta fu il "mandato", un documento legale che vincolava i paesi prescelti a governare e ad assistere le nuove nazioni, forse persino per un ventennio, sino a quando fossero state del tutto autonome, ricevendo in cambio immediate opportunità commerciali e forte influenza diplomatica sui protettorati.

Persuaso che la prima guerra mondiale dovesse essere la fine di tutte le guerre, il presidente Wilson era deciso a creare un'organizzazione che consentisse alle nazioni di risolvere i problemi discutendone pacificamente e anche di imporre sanzioni a quei paesi che avessero manifestato intenzioni aggressive. Così propose la creazione della Società delle Nazioni, a cui avrebbero dovuto appartenere tutti i paesi indipendenti e mediante la quale avrebbero dovuto essere stabiliti i princìpi legali che ne avrebbero regolato i rapporti con gli altri stati. Mentre la conferenza di pace di Parigi avrebbe dovuto stabilire i termini dei trattati fra gli Alleati e i loro avversari, la Società delle Nazioni avrebbe dovuto approvare i confini dei nuovi stati, provvedere affinché ogni paese potesse scegliere la propria forma di governo e, mediante l'assegnazione dei mandati, nominare le potenze incaricate di sorvegliare e favorire lo svolgimento di tale processo. L'idea di un'organizzazione internazionale che governasse i rapporti fra gli stati era straordinariamente ambiziosa. Occorse un anno per redigere la costituzione della Società delle Nazioni e formare l'assemblea dei rappresentanti degli stati membri. Soltanto allora la Società poté iniziare a esaminare le condizioni delle nuove nazioni e a decidere se fossero in grado di autogovernarsi o se fosse necessario imporre mandati. Inoltre avrebbe dovuto approvare i trattati redatti per risolvere le dispute sui confini.

Nel frattempo proprio le dispute confinarie provocarono autentici conflitti. I governi deboli crollarono suscitando lotte civili e le incertezze sul futuro esasperarono le nascenti tendenze rivoluzionarie. La Turchia rifiutava di firmare un trattato di pace con gli Alleati e continuava a fomentare insurrezioni fra le popolazioni delle sue ex colonie. Proprio quando pensavano di avere conquistato un futuro d'indipendenza sostenendo gli inglesi contro i turchi, gli arabi appresero dell'accordo segreto Sykes-Picot del 1916, che divideva il Medio Oriente fra Regno Unito, Francia e Russia. Con la fine della guerra vi fu la dichiarazione anglofrancese sull'Iraq e sulla Siria, redatta dall'instancabile Mark Sykes per dimostrare agli Stati Uniti che gli Alleati stavano realizzando i propositi del presidente Wilson sull'autodeterminazione dei popoli colonizzati. La dichiarazione conteneva la promessa che con il sostegno britannico e francese «le popolazioni indigene avrebbero esercitato il diritto all'autodeterminazione relativamente alla forma nazionale di governo sotto la quale vivere».

Ma che cosa volevano davvero le popolazioni indigene dell'Iraq? Poco prima di lasciare il paese, Gertrude aveva redatto per A.T. un documento sull'autodeterminazione in Mesopotamia, motivato in gran parte dalla richiesta, da parte di Whitehall, di una consultazione con i capi arabi. Questa iniziativa insincera, che sembrava ignorare la complessità dei problemi da affrontare, si proponeva di accertare se la popolazione fosse favorevole a un singolo stato arabo, se il capo di tale stato dovesse essere un emiro arabo, e se la popolazione irachena avesse già un candidato. A.T. aveva compiuto un tentativo svogliato e alquanto stizzoso di soddisfare la richiesta, e le risposte, ridicolmente inconcludenti e non rappresentative, come previsto, erano riuscite soltanto a provocare disordini e a minare il prestigio del governo.

Gli Intrusi avevano vinto per abbandono. L'autodeterminazione si sarebbe realizzata perché l'America insisteva, perché Churchill intendeva ridurre al minimo l'impegno finanziario britannico nel Medio Oriente e altrove, perché la volontà di espansione imperialistica si era dissolta. Invece A.T. pensava che l'Iraq potesse essere governato soltanto come colonia, alla stregua dell'India, e si era indignato per la dichiarazione anglofrancese. Così chiese a Gertrude di redigere per l'imminente conferenza di Parigi un documento sulle prospettive di autogoverno, in cui fossero illustrate le insormontabili difficoltà che esso comportava. L'interrogativo fondamentale, posto dalla perspicace analisi della situazione e delle sue prospettive compiuta da Gertrude, era il seguente: «Se desiderassimo applicare il prezioso principio dell'autodeterminazione ai territori occupati, in qual modo ciò sarebbe possibile?»[5]

Il documento descriveva i problemi in modo tale che qualunque politica per il futuro dell'Iraq decisa nelle lontane capitali potesse avere alcune basi nella realtà del paese. Per prima cosa Gertrude dimostrò l'impossibilità di costituire qualsiasi governo panarabo o una repubblica democratica. Con il novanta per cento della popolazione ignaro di qualunque visione politica e in gran parte analfabeta, non poteva esservi praticamente nulla di simile a un movimento nazionale arabo. Il concetto di autodeterminazione suscitava più perplessità che interesse. Le famiglie e le tribù combattevano per i loro interessi nel contesto di una società sostanzialmente individualista. Ogni giorno Gertrude era assediata da arabi angosciati che si recavano nel suo ufficio a chiedere spiegazioni a proposito della dichiarazione anglofrancese. Si temeva sempre più che gli inglesi se ne andassero, abbandonando il paese all'illegalità e forse persino alla guerra civile, e che i turchi tornassero a vendicarsi di coloro che avevano collaborato con il Regno Unito.

Senza coscienza nazionale, senza personalità di spicco, senza comprensione della democrazia, come sarebbe stato possibile redigere una costituzione o trovare un capo in grado di unificare il paese in nome degli arabi? In Arabia esistevano in realtà soltanto due famiglie legittimate per tradizione a governare, ovvero i Saud e gli Hashemiti. Ibn Saud era già troppo potente per piacere all'Occidente e il suo puritanesimo wahhabita non aveva radici in Mesopotamia. Molti iracheni non conoscevano gli Hashemiti, i quali non avevano storia a est dell'Hegiaz, perciò se la conferenza di pace avesse deciso per questi ultimi sarebbe stato necessario molto lavoro per porre le basi del loro governo.

Nonostante tutte le difficoltà, Gertrude credeva che il momento fosse giunto. Per l'Iraq, l'autogoverno doveva essere deciso, organizzato e sostenuto dagli inglesi. Gli altri membri del vecchio Ufficio arabo erano stati ugualmente affascinati dagli arabi e dalla civiltà da essi creata e goduta prima dei cinquecento anni di malgoverno turco. L'ambizione di ripristinare la loro antica cultura era molto sentita, però era anche pragmatica. Ormai non esisteva più alcuna prospettiva che una qualsiasi nazione straniera avesse la volontà o le risorse per colonizzare l'Arabia interamente o in parte.

Lord Kitchener aveva scritto: «Se la nazione araba assisterà l'Inghilterra nella guerra che ci è stata imposta, [...] l'Inghilterra garantirà che nessun intervento interno avrà luogo in Arabia e fornirà agli arabi ogni assistenza contro imposizioni o aggressioni esterne»[6]. La promessa era stata fatta e secondo Gertrude doveva essere onorata. La possibilità di obiettivi politici meno degni o di intenti imperialistici occidentali suscitava in lei una collera appassionata e solenne.

Propongo di presumere [...] che il benessere e la prosperità dell'Iraq non siano incompatibili con il benessere e con la prosperità di qualunque altra parte del mondo. Considero perciò come assioma che se nel risolvere il problema della futura amministrazione dell'Iraq ci lasceremo influenzare da qualsivoglia considerazione che non sia il benessere del paese stesso e dei suoi abitanti, allora saremo colpevoli di una deliberata e vergognosa disonestà, resa ancora più odiosa e spregevole dalle nostre reiterate dichiarazioni di disinteressata sollecitudine nei confronti della popolazione[7].

Il suo furore protettivo non era provocato soltanto dai politici, ma anche dai militari. Subito dopo l'occupazione di Baghdad, nel 1917, le truppe britanniche erano entrate in contatto con le tribù curde più meridionali, le quali si erano ribellate alle imposizioni turche, sia a causa del cinico trattamento subito da parte dei Giovani Turchi, sia a causa di un profondo desiderio di autonomia etnica in cui storicamente erano confluiti interessi contrastanti. Esistevano due tribù curde, la Hamawand, nei dintorni di Sulaymaniyya, sul montuoso confine persiano a nordest di Baghdad, e la nomade Jaf, più a nord, lungo la sponda occidentale del fiume Diyala. Una terza regione curda era intorno a Kirkuk, quasi a mezza via fra Sulaymaniyya e il Diyala. Queste tribù avevano respinto la richiesta turca di predicare la *jihad* contro gli Alleati, anzi, gli Hamawand avevano accolto con favore l'esercito britannico, credendo che sarebbe diventato il benevolo occupante della importante città di Khanikin, a sud di Sulaymaniyya. Il capo di Khanikin era un certo Mustafa Bajlan.

Nel descrivere la sorte spaventosa di Khanikin e delle tribù curde, la collera di Gertrude è evidente, come lo è il motivo del suo disprezzo nei confronti dell'ex comandante in capo, generale Maude. L'importanza che l'occupazione militare di Khanikin avrebbe avuto per preservare l'influenza e gli interessi britannici, anche se fosse stata soltanto nominale, era stata sottolineata da Cox. Tuttavia Maude aveva rifiutato di agire per mancanza di truppe. Nel frattempo un reggimento di cosacchi si era avvicinato alla città. I russi, alleati dei britannici, avevano avuto il consenso di questi ultimi, perciò i curdi non si erano opposti, anche se i resoconti degli eccessi perpetrati dai cosacchi in altre regioni avevano causato panico e sgomento. Quasi subito dopo l'occupazione di Khanikin da parte dei cosacchi, nell'aprile del 1917, si erano diffusi racconti di devastazioni, stupri e saccheggi. Ritiratosi a Sulaymaniyya, Mustafa Bajlan aveva implorato che almeno un consulente politico britannico fosse inviato a osservare e dissuadere i russi, ma il generale Maude ancora una volta aveva rifiutato. Nel suo saggio *Review of the Civil Administration of Mesopotamia*, Gertrude commentò: «[Maude] non volle accettare, temendo che l'intrinseca differenza di metodo nel trattare con i nativi potesse provocare attriti fra noi e i nostri alleati»[8].

Il trattamento inflitto loro dai cosacchi aveva indotto i curdi a fuggire per tornare all'occupazione turca, anche se era stata orribile. Il capo di Khanikin, Mustafa pascià, si era recato personalmente a Baghdad per riferire delle devastazioni, nonché degli omicidi di uomini e donne e del furto di armenti e greggi. Quando Cox aveva chiesto per la terza volta di riconsiderare la loro posizione, i militari avevano risposto che «dubitavano dell'accuratezza dei resoconti di Khanikin» e rifiutavano di creare complicazioni fra gli Alleati. Erano arrivati persino a riferire le accuse di Mustafa pascià al comandante russo, il quale, e questa non era stata certo una sorpresa, aveva ribattuto che nessuna interferenza britannica era necessaria o richiesta. Appena i russi se n'erano andati, i turchi avevano occupato di nuovo Khanikin e avevano chiuso i canali per impedire l'irrigazione, essenziale alle coltivazioni. Soltanto in dicembre i britannici avevano scacciato i turchi dalla regione, e Gertrude aveva scritto: «In nessuna parte della Mesopotamia abbiamo incontrato alcunché di paragonabile alla miseria che ci ha accolti a Khanikin. La regione mietuta dai russi è stata assiduamente spigolata dai turchi, i quali, quando si sono ritirati, l'hanno lasciata in proprietà congiunta alla carestia e alla malattia»[9].

Con la prospettiva di ricevere aiuti, i curdi erano scesi dalle montagne ed erano ritornati nella città affamata e devastata dal tifo per morire, oppure si erano recati nei campi e negli ospedali britannici per trovare rifugio e curarsi. L'esercito inglese aveva distribuito le razioni eccedenti e aveva pagato in contanti ciò che aveva preso, ma la buona volontà curda era svanita. Quando era stata aperta la strada persiana per il Nordest, la profonda ostilità nei confronti degli Alleati suscitata dal comportamento dei cosacchi era diventata evidente. Un villaggio che costituiva una minaccia costante alle linee di comunicazione era stato bombardato dagli aerei britannici. Nel frattempo la rivoluzione si era diffusa all'esercito russo, che era sfuggito a ogni controllo e aveva cessato di battersi a fianco degli Alleati.

La tragedia curda era tutt'altro che conclusa. A Sulaymaniyya ebbe luogo un incontro di capi e di nobili, e fu istituito un governo provvisorio curdo, ma l'abbandono di Kirkuk, la città principale, da parte delle truppe britanniche, dovuto all'apertura della strada persiana, aveva permesso ai turchi di occupare di nuovo il territorio. I profughi indifesi in fuga da ogni distretto, esposti alle aggressioni di qualunque tribù o esercito, diventarono oggetto di vendetta. Nel dicembre 1917 Gertrude scrisse a Chirol: «Abbiamo occupato Khanikin. [...] Le tribù provenienti dal Nord hanno portato molte ragazze armene, tatuate come donne beduine. Ne ho viste alcune a Baghdad. Oh, Domnul, è spaventoso! I fiumi di lacrime, le piene di umana miseria incarnate da questi profughi!»[10]

Infine Mosul fu occupata dai britannici nel novembre del 1918. Così si ebbe di nuovo occasione di pacificare il paese. Però due anni prima l'accordo Sykes-Picot aveva stabilito che la *vilayet* di Mosul entrasse nella «sfera d'influenza» francese. Dopo tutto quello che avevano sopportato, i curdi erano in fermento. Non sapevano, e non lo avrebbero saputo ancora per un anno, chi avrebbe assicurato o negato la loro autonomia, o quali sarebbero stati i loro confini. Gertrude era furibonda. Funzionari politici isolati, misconosciuti eroi dell'amministrazione mesopotamica, ebbero la responsabilità di mutevoli distretti, assistiti da un paio di segretari e protetti da due o tre soldati, con l'ordine di mantenere la pace. Tre furono uccisi con i loro gruppi ad Amidiyah, a Zakho e a Bira Kapra.

La conferenza di pace di Parigi dimostrò una volta per tutte che l'ignoranza dell'Occidente a proposito del Medio Oriente era uguagliata soltanto dalla mancanza d'interesse. A.T. aveva osservato a Parigi:

Erano presenti numerosi esperti dell'Arabia occidentale, sia militari sia civili, ma nessuno, tranne Miss Bell, aveva alcuna conoscenza diretta dell'Iraq o del Najd, per non parlare della Persia. L'esistenza stessa di una maggioranza sciita in Iraq fu giudicata con noncuranza come una mia fantasia, e quindi negata, da un "esperto" di fama internazionale, e fu impossibile per Miss Bell e me convincere i militari e i delegati del ministero degli Esteri che i curdi della *vilayet* di Mosul erano numerosi e che molto probabilmente avrebbero causato problemi, [nonché] che Ibn Saud era molto potente e doveva essere preso in seria considerazione[11].

A proposito dei curdi incontrati nel corso delle sue spedizioni, Gertrude scrisse che se ne era «alquanto innamorata», ma erano, e lo sono tuttora, un problema particolare per qualunque amministrazione. Occupanti delle zone settentrionali della Mesopotamia sin dalla preistoria, erano costantemente in guerra con i loro vicini, in una regione in cui si mescolavano genti di razze e di religioni diverse, sunniti, sciiti e cristiani. Inoltre i curdi erano sparsi per tutta la Turchia e nel Nord della Persia. Gertrude riconosceva che un ideale nazionale arabo, ammesso che fosse possibile, non avrebbe giovato affatto ai curdi, quindi per tutto il resto della sua vita lottò per associare le loro nascenti aspirazioni nazionaliste alla costruzione della pace e del progresso. A proposito della questione curda, comunque, l'amministrazione irachena per il momento era costretta a procrastinare, sia perché non aveva truppe sufficienti a garantire l'ordine nella regione, sia perché il confine fra Turchia e Iraq sarebbe stato determinato soltanto molti anni più tardi. Inoltre i tre gruppi curdi in Mesopotamia non erano uniti fra loro, dato che quello di Kirkuk rifiutava qualunque tipo di connessione con quello di Sulaymaniyya. D'altronde erano tutti concordi nel chiedere «uno stato curdo indipendente sotto il nostro protettorato, anche se nessuno, né loro stessi né alcun altro, sa cosa intendano con questo» scrisse Gertrude. «Ed è tutto a proposito del nazionalismo curdo»[12].
Alcuni rappresentanti curdi parteciparono alla conferenza di pace di Parigi per formulare tale richiesta nazionale, ma nessuno era pronto ad ascoltarli, e ben pochi delegati parvero sapere chi fossero o da dove venissero.

Dopo il viaggio con il padre nella primavera del 1919, Gertrude ritornò alla conferenza, poi trascorse l'inizio

dell'estate con il resto della famiglia in Inghilterra, sottraen-
dosi agli inviti degli amici. «Adorata madre, ora desidero
immensamente vedere *te*»[13] aveva scritto a Florence.

Dopo avere riflettuto attentamente sui problemi domestici della figliastra («Ho bisogno di una moglie!»), Florence
aveva preparato il terreno con scrupolo e con tatto, quindi
fu in grado di proporle una soluzione. Se lo avesse desiderato, la sua domestica francese, Marie Delaire, sarebbe
stata disposta ad accompagnarla a Baghdad e a vivere con
lei come cameriera particolare, cucitrice e governante. Assunta diciassette anni prima, nel 1902, per «ventidue sterline [annue] e il bucato», Marie era ormai diventata parte
della famiglia Bell e lavorava per Gertrude ogni volta che
tornava in Inghilterra. Nelle referenze la sua precedente padrona aveva scritto che Marie aveva un brutto carattere, ma
Gertrude le aveva «parlato chiaro» fin dall'inizio e in seguito
l'aveva trovata ubbidiente e disponibile. Lei stessa aveva un
carattere tutt'altro che facile, eppure Marie la serviva con
devozione e senza dubbio era fiera della sua fama. Dopo
essersi occupata per molti anni dell'abbigliamento di Florence, anche lei estremamente esigente, e quando ormai era
soltanto una tra le tante serve della famiglia, Marie senza
dubbio considerò il trasferimento in Iraq come una grande
avventura. Avrebbe occupato due nuove stanze aggiunte da
Gertrude a uno dei padiglioni e sarebbe stata di grande aiuto e sostegno alla padrona. Alla fine di settembre, dopo la
sua seconda visita alla conferenza di Parigi, Gertrude s'imbarcò per Porto Said con Marie, che si dimostrò una viaggiatrice ammirevole e gioì di ogni minuto del viaggio. «Non
sono mai stata tanto ben vestita a bordo di un bastimento»
scrisse Gertrude in una lettera alla famiglia, il 26 settembre.
«Infatti lei fruga tra i bagagli e mi trova un abbigliamento
nuovo ogni giorno»[14].

Negli ultimi anni Gertrude si era interrogata a proposito
dell'incolumità di Fattuh, il fedele servo di Aleppo che l'aveva accompagnata in molti viaggi. Temeva che potesse essere

stato maltrattato dai turchi a causa dei suoi rapporti con gli inglesi. «Sa il cielo se [Fattuh] è ancora vivo» aveva scritto nel 1917. «Aleppo ha sofferto e soffre tuttora terribilmente a causa della persecuzione turca e io temo che i suoi ben noti rapporti con George [Lloyd], con Mr Hogarth e con me possano mettere a repentaglio la sua sicurezza»[15]. Così durante il viaggio a Baghdad decise di passare per Aleppo e cercare di trovarlo. Prima però intendeva compiere un'indagine. Si proponeva di ottenere un quadro chiaro e aggiornato della situazione siriana e degli sviluppi del movimento sionista in Palestina, dove gli ebrei erano stati introdotti senza troppa considerazione per la popolazione araba. Prevedeva che da tutto ciò sarebbero scaturiti gravi problemi, e a parte la Palestina, circa cinquantamila ebrei si trovavano già a Baghdad. L'ultima cosa che voleva era l'ostilità fra ebrei e arabi.

Nel frattempo Marie si recò per mare a Bassora, da cui avrebbe proseguito in treno fino a Baghdad, dove avrebbe dovuto arrivare quasi contemporaneamente alla padrona.

Gertrude passò al Cairo per farsi «un'idea della situazione» consultando Sir Gilbert Clayton, ora ministro dell'Interno del nuovo protettorato britannico dell'Egitto. Nel proseguire per Gerusalemme soggiornò presso l'amministratore generale, Sir Harry Watson, e incontrò spesso il suo buon amico Sir Ronald Storrs. Divenuto governatore di Gerusalemme, un titolo descritto dalla stessa Gertrude come «in linea di discendenza diretta da Ponzio Pilato», Sir Ronald era di ottimo umore e compagnia, disponibile sia a discutere di politica sia a visitare con lei i mercati di tappeti e di antichità. L'intensità del sentimento antifrancese a Damasco e a Beirut sorprese Gertrude, che poi proseguì per Aleppo, dove scoprì che Fattuh si trovava esattamente nella situazione da lei temuta. Una lettera datata 17 ottobre 1919 manifesta il suo grande affetto per il vecchio dipendente.

Fattuh appare invecchiato e sembra che abbia passato un periodo spaventoso, come in realtà gli è accaduto. Ha perduto tutto ciò che aveva quando stava cominciando a diventare benestante e adesso possiede soltanto un cavallo e un carretto con cui trasporta legna da vendere ad Aleppo. [...] Aveva due case di proprietà, povero Fattuh. [...] È stato sospettato soprattutto perché si sapeva che era stato mio servo. [...] Abbiamo condiviso tanti momenti felici. Ho ricordato le gioiose partenze da Aleppo e nell'osservare il suo volto sparuto ho dichiarato: «Oh, Fattuh! Prima della guerra i nostri cuori erano così leggeri quando eravamo in viaggio! Adesso invece sono tanto pesanti che un cammello non potrebbe trasportarci». [...] Mio povero Fattuh[16].

Nel far visita a sua moglie nella casetta in affitto in cui ora vivevano, Gertrude scoprì che Fattuh aveva conservato con perenne e immutato affetto il suo equipaggiamento da campo. Lui le chiese di suo padre con l'appellativo che l'aveva sempre fatta sorridere, «sua eccellenza il progenitore». Lei gli lasciò cento sterline e lo aiutò ad affittare un orto in cui coltivare ortaggi.

Ritornata a Baghdad, iniziò finalmente a mostrare gratitudine per l'assistenza e i talenti di Marie, scoprendola capace sia di cucinare una salsa deliziosa per la cena sia di costruire paralumi. A partire da quel periodo Marie divenne sua devota sarta e rammendatrice. Per i Bell era molto più facile inviare pezze di tessuto piuttosto che abiti, e Marie provvedeva a ricavarne vestiti. Le due donne consultavano le riviste di moda nella tranquillità serale, in particolare la nuova, britannica *Vogue*, acquistata da Lizzie, la cameriera di Florence, e spedita a Baghdad affinché potessero «conoscere le ultime tendenze». Amante degli animali, Marie confezionò cappottini per i due levrieri e non tardò a essere seguita ovunque dall'ultima arrivata nel serraglio, la pernice addomesticata di Gertrude. Durante i frequenti periodi in cui Gertrude soffriva di febbre e di raffreddore a causa del lavoro eccessivo e del clima difficile, Marie cucinava zuppe fredde e altre leccornie. Nonostante le loro divergenze, le due donne diventarono intime amiche. Gertrude scrisse: «Marie è stata inestimabile nel confezionare le tende e in generale nel provvedere a tutto. È d'immenso conforto. Non so come farei senza di lei»[17].

Hugh non aveva rinunciato all'intenzione di far visita a Gertrude a Baghdad, soprattutto da quando Hugo era tornato dal Sud Africa in Inghilterra e soggiornava presso Florence. In preparazione per questa visita, Gertrude aveva speso gran parte dei propri risparmi depositati a Londra per acquistare mobili eleganti da Maples. Furono spediti per mare sedie e tavoli, poltrone, letti, armadi, cassettoni e un nuovo servizio di stoviglie, di cui lei attese con impazienza l'arrivo a Baghdad.

Nella primavera del 1920 Hugh mantenne la promessa, portando l'equipaggiamento da viaggio raccomandato dalla figlia: un letto da campo, con le coperte in una valigia Wolseley[18], indumenti di flanella e di seta, un casco coloniale e un parasole. In una fotografia scattata a casa di lei, Hugh legge compostamente un quotidiano, seduto in una delle nuove poltrone con tappezzeria di lino di William Morris, un tappeto persiano sotto le scarpe lucidissime e un tavolino accanto. Sulla mensola del camino sono collocate alcune fotografie di famiglia incorniciate. Potrebbe sembrare il salotto di una confortevole residenza inglese di campagna, anziché un padiglione in un giardino nel cuore di una grande città asiatica. Comunque Hugh non ebbe modo di trattenervisi a lungo, perché Gertrude lo condusse a visitare il paese, incontrando notabili arabi e alloggiando presso i funzionari politici durante il viaggio, compiuto parzialmente in aereo. Oltre che dell'Iraq, padre e figlia discussero della Depressione e delle sue conseguenze sull'economia britannica. Per la prima volta Gertrude divenne consapevole della necessità di una preparazione specifica in economia, quando il padre accennò alle avvisaglie di incombenti difficoltà finanziarie per la famiglia Bell. Dopo la sua partenza, ne sentì terribilmente la mancanza. Lui rimaneva per lei quello che era sempre stato, con l'eccezione di Dick Doughty-Wylie, ossia l'amore della sua vita.

Mi chiedo come chiunque possa lagnarsi di una qualsiasi cosa quando ha un padre come te. Non so dirti cosa sia stato averti qui. Quando sei coinvolto è spontaneo non avere il minimo dubbio che tu sia in grado di comprendere subito e profondamente qualunque cosa vedi o senti, per quanto strana o complessa possa essere. [...] Quando sono rientrata la casa mi è parsa terribilmente vuota senza di te. I miei cani hanno fatto del loro meglio per confortarmi, però non è stato sufficiente. Ogni bene, carissimo[19].

Se l'impegno in ufficio era diminuito, la vita sociale si era ampliata. Due anni prima Gertrude aveva inaugurato i suoi "martedì", le giornate in cui offriva il tè in giardino alle mogli dei notabili arabi. Aveva seguito un suggerimento di Sir Percy, motivato dal fatto che Lady Cox non parlava arabo, e nessun altro era in grado di farlo. In quelle occasioni si servivano bibite, dolci e frutta, poi, al crepuscolo, si accendevano lanterne di vetro colorato fra gli alberi e gli arbusti. Alcune decine di donne, quasi tutte velate, erano felici di rompere la monotonia della loro esistenza di recluse condividendo la compagnia femminile e scambiando pettegolezzi. «L'altro giorno ho organizzato un tè a cui hanno partecipato tutte le signore più illustri» raccontò Gertrude a Chirol. «Era un gruppo molto selezionato, da cui avevo escluso tutte le cristiane di seconda categoria. Nawab [...] che aveva compilato la lista delle invitate [...] ha considerato suo dovere commentare: "Sahib! Non ci sono cristiane!" Io sono scoppiata a ridere e ho risposto: "Dimentichi che ci sarò io!"»[20].

Comunque Gertrude apprezzava di più le serate politiche, riservate agli uomini, da lei organizzate per i giovani nazionalisti arabi che partecipavano a decine, conoscendo la sua simpatia per la causa e la sua incrollabile fiducia nello scambio di punti di vista. Anche se A.T. ne era estremamente irritato, Gertrude le considerava preziosissime per mantenere aperte le linee di comunicazione e per preparare un eventuale governo arabo. Il suo giudizio sulle donne inglesi, mogli dei suoi colleghi, era immutabile e inflessibile. La loro incapacità di apprendere l'arabo e i loro insistenti inviti a partecipare alle attività sociali e sportive con cui colmavano le loro giornate altrimenti vuote la esasperavano. S'infuriava per la loro mancata partecipazione a eventi da lei considerati fondamentali, come l'apertura della prima scuola femminile a Baghdad, in occasione della quale pronunciò un discorso ufficiale in arabo. Il suo atteggiamento nei loro confronti presto divenne evidente e non la rese affatto benvoluta.

Trovo i doveri sociali alquanto insopportabili. Le donne oziose di qui non hanno nulla da fare per tutto il giorno e si aspettano scambi di visite proprio nell'unica ora del giorno in cui posso uscire e non pensare a nulla. Il risultato è che non esco mai. Ebbene, sono decisa a porre fine a questa situazione, che mi rende la vita intollerabile e nuoce alla mia salute. Pensino pure di me quello che vogliono. Io non mi preoccuperò più di loro[21].

Non era antipatia nei confronti delle donne. Semplicemente, Gertrude non aveva molto tempo, e selezionava. I suoi rapporti con le donne arabe miglioravano costantemente. Quando organizzò la conferenza di una nuova dottoressa sull'igiene femminile ebbe la soddisfazione di vedere tutti i posti occupati. In breve tempo incoraggiò le donne di Baghdad a costituire un comitato e a raccogliere i contributi delle famiglie ricche per un nuovo progetto, un ospedale femminile. Scrisse a Chirol:

Credo davvero di cominciare ad avere presa sulle donne di qui. […] Pas sans peine, nonostante la disponibilità e ciò che ci accomuna. Occorre molto impegno. […] Ma quel che più conta è il fatto che mi piace incontrarle e conoscere un aspetto di Baghdad che non potrei conoscere in altro modo. Sono sicura che ne vale la pena. Frequentare familiarmente le loro case e avere molte amiche migliora notevolmente le relazioni personali con gli uomini[22].

Gertrude aveva molto apprezzato la compagnia dei Van Esse, un missionario e sua moglie, donna estremamente interessante, conosciuti a Bassora. Sentiva la mancanza di Mrs Humphrey Bowman, moglie del direttore dell'istruzione, da quando entrambi si erano trasferiti in Egitto, e adorava Aurelia, la «cara piccola moglie italiana» di Mr Tod, che lavorava per Lynch Brothers a Baghdad, di cui era stata ospite nel 1914. Mrs Tod collaborava molto volentieri alle attività benefiche di Gertrude, e organizzò alcune raccolte di fondi per l'ospedale. Durante le assenze del marito cenava *à deux* con Gertrude, che scrisse alla famiglia di essere felice di avere Aurelia a Baghdad, perché la sentiva veramente amica. Inoltre c'era Miss Jones, capoinfermiera a Bassora durante la guerra e ora direttrice dell'ospedale civile a Baghdad. Anche se si incontravano di rado, diventò una delle amiche più intime di Gertrude in Iraq. Quando Miss Jones morì, poco tempo dopo, Gertrude ricordò la gentilezza con cui l'aveva assistita quando era stata ricoverata all'ospedale per ufficiali a causa di un attacco di itterizia. Al funerale militare seguì la bara dell'amica, su cui era drappeggiata la Union Jack, e nell'ascoltare la tromba che suonava *Last Post* si augurò che coloro i quali un giorno avrebbero seguito la bara alle sue esequie avessero pensieri non dissimili da quelli che aveva lei per la buona capoinfermiera.

La visita di Hugh aveva coinciso con alcuni eventi essenziali per l'Iraq. In quei giorni dell'aprile del 1920 Gertrude aveva scritto a Florence con sobrietà e preveggenza:

Credo che sia imminente una considerevole dimostrazione nazionalista araba con cui mi sento in grande sintonia. Tuttavia essa ci forzerà la mano e allora scopriremo se siamo in grado di mantenere una presa sufficiente a proseguire la nostra opera qui. [...] Sono sicurissima che se lasciassimo questo paese ai cani [...] saremmo costretti a riconsiderare tutta la nostra posizione in Asia. Perdere la Mesopotamia significherebbe perdere inevitabilmente la Persia, poi l'India, e lo spazio che lasceremmo vacante sarebbe occupato da demoni di gran lunga peggiori di tutti quelli che sono esistiti prima del nostro arrivo[23].

La riduzione delle truppe aveva lasciato forze insufficienti a presidiare il paese. Le reiterate richieste di rinforzi da parte di A.T. furono ignorate o respinte. L'allora segretario di stato per la Guerra e l'Aria, Winston Churchill, scrisse nell'estate del 1919: «Ci troviamo nell'impossibilità di inviare anche un solo soldato»[24]. Dunque A.T. aveva il compito di governare un territorio di quasi quattrocentomila chilometri quadrati, pieno di ribelli, con soli settanta funzionari amministrativi assegnati ai più remoti avamposti e coadiuvati da forse un paio di gendarmi, un sergente britannico e un'autoblindo, nonché alcuni impiegati. Le sommosse furono sempre più numerose e in alcuni casi i funzionari isolati furono uccisi. Nelle zone indifese l'unico modo per contenere le insurrezioni fu l'invio da Baghdad di aerei muniti di bombe incendiarie e iprite. Questa tattica molto discussa fu approvata da Churchill, che distingueva fra gas letali e gas che causavano infermità temporanea, tanto da scrivere al ministero della Guerra, nel maggio del 1919:

Non comprendo la riluttanza all'uso dei gas. Alla conferenza di pace abbiamo sostenuto con decisione il mantenimento dell'impiego dei gas quale metodo permanente di guerra. È pura simulazione dichiararsi favorevoli a squarciare un uomo con le schegge velenose di una granata ed esitare a farlo piangere con i gas lacrimogeni.
Sono assolutamente favorevole all'uso di gas nocivi contro le tribù non civilizzate [...] la perdita di vite dovrebbe essere ridotta

al minimo. Non è necessario utilizzare esclusivamente i gas più letali. Si possono usare gas che provocano gravi disagi e che diffondono il terrore senza infliggere danni permanenti alla maggior parte di coloro che ne sono vittime[25].

Quindici mesi più tardi, quando la rivolta era più aspra e più intensa, Churchill approvò l'invio di altre due squadriglie, che si unirono così alle due già presenti in Iraq, e suggerì che fossero equipaggiate con bombe all'iprite, «che puniranno i nativi recalcitranti senza infliggere danni troppo gravi». Furono usate anche le bombe incendiarie, ma soltanto come estrema risorsa. Nell'agosto del 1920 Gertrude rifletteva: «Se soltanto [le tribù ribelli] si arrendessero prima di costringerci a ricorrere a misure estreme sarebbe un sollievo immenso. L'ordine deve essere ripristinato, tuttavia è un trionfo molto dubbio ripristinarlo a spese di numerose vite arabe»[26].

Fra l'armistizio del novembre del 1918, le delibere decise senza fretta alla conferenza di pace di Parigi, la costituzione della Società delle Nazioni e l'annuncio del mandato britannico in Iraq nel maggio del 1920, trascorsero diciotto mesi di incertezza territoriale, di nazionalismo crescente, di violenta propaganda antibritannica, di insurrezioni finanziate dai turchi e di azioni sovversive ispirate dal bolscevismo. Dopo l'armistizio, il nome "Iraq" sostituì il più vago "Mesopotamia" per indicare le tre *vilayet* di Bassora, Baghdad e Mosul, benché non esistesse ancora nessuna nazione irachena e i confini settentrionali e occidentali rimanessero indefiniti. Eppure il paese acquistava per la prima volta una sua identità. Furibonda per l'infinito procrastinare, Gertrude vedeva il progresso cedere a una crescente anarchia provocata dalle violente ambizioni dei capi locali, dagli opportunisti che agivano surrettiziamente per sostituire i britannici al governo dell'Iraq e dalle macchinazioni dei partiti nazionalisti arabi clandestini.

La popolazione della Mesopotamia aveva ricevuto potenti avvisaglie della sostituzione dei britannici: Cox aveva parlato di autodeterminazione, il presidente Wilson aveva sostenuto ripetutamente che a tutte le «nazionalità» avrebbe dovuto essere «assicurata [...] un'occasione di sviluppo autonomo assolutamente indisturbato», la dichiarazione anglofrancese lo aveva promesso e il mandato l'avrebbe rafforzato.

In contrasto con gli arabi in cerca di potere personale e con le tribù più selvagge che rifiutavano qualunque forma di governo, si ergeva la massa dei cittadini tranquilli, degli imprenditori, dei proprietari terrieri e degli sceicchi desiderosi di un'amministrazione ordinata e duratura, che permettesse di conservare i loro mezzi di sostentamento. Il loro ideale era un governo arabo con il supporto britannico.

In tal caso, i curdi, i cristiani, gli ebrei e i turchi rimasti sarebbero diventati minoranze sottomesse a qualunque maggioranza araba dominante. Per gli arabi l'autodeterminazione evidenziava la fondamentale spaccatura fra la maggioranza sciita, spiritualista e apolitica, e la minoranza sunnita, istruita, potente, finanziariamente smaliziata. Per poter istituire un governo, queste due comunità avrebbero dovuto innanzitutto costituire un fronte religioso unito. Così sunniti e sciiti iniziarono a partecipare insieme ad alcuni incontri religiosi. Nel maggio 1920, nel periodo del Ramadan, durante le celebrazioni della nascita del profeta Maometto, in ogni moschea sunnita e sciita furono pronunciati discorsi politici e recitati versi patriottici, con un intenso entusiasmo che si diffuse nelle strade. Il mese successivo Gertrude commentò: «La propaganda nazionalista aumenta. Nelle moschee gli incontri si svolgono costantemente. [...] Gli estremisti vogliono l'indipendenza, senza mandato. Sfruttano al massimo le passioni della folla e con l'unità dell'Islam e i diritti della razza araba fanno un'ottima figura. Hanno creato un regno di terrore»[27].

Come entrare in contatto con gli sciiti, i fanatici cittadini delle città sacre, era uno dei principali problemi per l'amministrazione britannica. Le autorità religiose di fortezze quali

Najaf e Kadhimain non avrebbero mai accettato il governo degli infedeli. In un periodo in cui le mogli dei funzionari amministrativi venivano rimandate in Inghilterra affinché non corressero rischi, Gertrude fu davvero intrepida a recarsi in quelle fortezze dove la legge era amministrata dai *mujtahid*, ognuno dei quali aveva studiato vent'anni per riuscire a imporre ubbidienza con una sola parola. A questo proposito, Gertrude scrisse:

Siedono in un'atmosfera che puzza di antichità e in cui la polvere dei secoli è così densa da risultare impenetrabile alla vista. [...] In maggioranza ci sono profondamente ostili, e noi non possiamo cambiare questo sentimento perché è estremamente difficile giungere fino a loro. [...] Fino a pochissimo tempo fa mi è sempre stato impossibile incontrarli perché la loro dottrina religiosa proibisce di posare lo sguardo su una donna non velata e i miei princìpi non mi permettono d'indossare il velo[28].

Finalmente i Sadr di Kadhimain, forse la principale famiglia sciita, manifestarono abbastanza disponibilità perché Gertrude si offrisse con la massima cortesia di recarsi in visita presso di loro. Scortata da uno sciita libero pensatore di Baghdad che conosceva bene, Gertrude percorse le strette strade tortuose fino alla casa del *mujtahid* Sayyid Hassan e si fermò dinanzi a una piccola arcata. Entrò in un buio corridoio con il soffitto a volta lungo una quarantina di metri e sbucò nel silenzio vellutato di un antico cortile. Fra verande dalle imposte chiuse fu condotta alla presenza del *mujtahid* barbuto, in veste nera e turbante gigantesco, seduto sopra un tappeto di fronte a lei. Concluso il rituale scambio di saluti, Hassan iniziò a parlare con la facondia dell'erudito. «Ero fortemente consapevole del fatto che nessuna donna prima di me era mai stata invitata a bere caffè con un *mujtahid* e ad ascoltarne i discorsi» ricordò Gertrude. «Ero davvero in ansia, perché rischiavo di non fare buona impressione»[29].

Discussero delle biblioteche arabe, dei programmi francesi in Medio Oriente e di bolscevismo. Gertrude si trattenne due ore, alla conclusione delle quali il *mujtahid* si complimentò con lei, definendola la donna più erudita del suo tempo, e la invitò a fargli visita ogni volta che lo avesse desiderato.

Per Gertrude gli anni 1919 e 1920 furono caratterizzati in gran parte da sentimenti di collera per le decisioni sul Medio Oriente prese in Europa sulla base di informazioni inadeguate e mai aggiornate. I notabili arabi moderati le facevano visita in continuazione per rammentarle che tre anni erano trascorsi da quando era stato promesso per la prima volta un governo arabo e nulla era stato ancora realizzato.

Ai dubbi sulle intenzioni britanniche si aggiunse l'incertezza sul confine fra Iraq e Siria presso il corso superiore dell'Eufrate. Alla fine del 1919, nel periodo della riduzione delle truppe britanniche, ebbe luogo un grave incidente a Dair al Zor[30]. Gli abitanti avevano chiesto l'invio di un ufficiale britannico a mantenere la legge e l'ordine. Al suo arrivo il capitano Chamier aveva trovato già sul posto i rappresentanti della Siria, era riuscito a farli richiamare a Damasco, e stava tentando di comprendere quale fosse, nella situazione che doveva affrontare, il modo migliore di eseguire gli ordini ricevuti, quando un capo locale aveva organizzato una banda di duemila fanatici per compiere una rappresaglia a Dair in nome dell'indipendenza araba. Era Ramadhan al Shallash, della Lega mesopotamica, un circolo politico estremista. Dato che i partiti di opposizione erano proibiti e che le riunioni politiche dovevano avvenire in segreto, le associazioni si definivano "circoli" per allontanare i sospetti. Il deposito di petrolio fu distrutto con un'esplosione, l'ospedale, la chiesa e gli uffici furono saccheggiati, e novanta persone furono uccise. Nel frattempo la maggioranza dei capi cittadini, che aveva invitato Shallash e i suoi seguaci e si trovava impossibilitata a impedire omicidi e saccheggi, implorò Chamier di ripristinare la pace. Con soli venti uomini, il capitano percorse audacemente la strada principale al fianco del sindaco per tentare di calmare la popolazione, ma durante il ritorno fu aggredito e sopravvisse soltanto grazie all'arrivo simultaneo di due aerei decollati da Baghdad, che mitragliarono la città.

Un altro appartenente alla lega sostituì Shallash e subito dichiarò la *jihad* contro gli infedeli britannici. Con i confini ancora indefiniti e oggetto di disputa, Londra ordinò di ridurre l'estensione dell'area sottoposta al controllo inglese, che aveva il suo centro a Baghdad. Così le regioni settentrionali diventarono focolai d'insurrezione nonché vie d'infiltrazione per i nazionalisti iracheni provenienti dalla Siria. Peggio ancora, la progressiva ritirata dei britannici convinse le tribù di Shammar e di Dulaim che le voci sulla debolezza militare britannica non erano esagerate. Le scorrerie lungo la strada fra Baghdad e Mosul culminarono con l'incendio di un treno. I funzionari inglesi e i loro assistenti, quattro in tutto, furono uccisi a ovest di Mosul, che sarebbe stata conquistata, precipitando l'intera *vilayet* nell'anarchia, se una colonna britannica non fosse arrivata appena in tempo.

Le interminabili discussioni della conferenza di pace di Parigi avevano gettato nel caos anche i territori in cui era diviso il Kurdistan. I curdi mesopotamici non sapevano se sarebbero stati governati dai francesi, dai turchi o dai britannici. In una regione in cui ogni tribù combatteva i propri vicini, l'unico elemento di convergenza era il rifiuto di qualunque forma di ingerenza. Secondo alcuni la prospettiva peggiore era un governo cristiano, perché probabilmente avrebbe compiuto rappresaglie per vendicare gli armeni. Alla conferenza di pace, infatti, erano stati espressi sentimenti solidali nei confronti degli armeni e del loro tragico passato. Cristiano e vittima di genocidio, il popolo armeno aveva subito sin dalla fine del XIV secolo le persecuzioni della Russia, della Turchia e della Persia. Negli anni Novanta del XIX secolo, i turchi, aiutati dai curdi, avevano compiuto una serie di atrocità nei loro confronti a causa del loro crescente nazionalismo. Nel 1915 i turchi, dopo essere stati sconfitti dai russi, avevano ordinato la deportazione degli armeni dall'Anatolia orientale giudicandoli "traditori". Coloro che non erano stati uccisi prima di essere stati costretti ad abbandonare la terra natia erano morti in seguito per fame, spossatezza e malattie, durante le marce forzate verso sud. Il numero delle vittime della deportazione era compreso fra trecentomila e un milione e mezzo. I turchi erano ancora potenti e pericolosamente vicini, e oltre la Turchia stavano la Russia e i bolscevichi, pronti ad andare in aiuto di chiunque combattesse l'ordine dominante. «Condividiamo con la Francia e con l'America la colpa di ciò che sta accadendo» scrisse Gertrude. «Credo che ben di rado sia stata commessa una serie di errori tanto gravi e imbarazzanti quanto quella compiuta dall'Occidente nei confronti dell'Oriente dopo l'armistizio»[31].

Nel frattempo, a Baghdad, i giovani più colti diedero vita a un movimento per diffondere e migliorare l'istruzione. Il loro obiettivo apparente era irreprensibile, dato che in quel periodo, in Mesopotamia, soltanto trentatré persone avevano ricevuto l'istruzione secondaria. Così ottennero il sostegno finanziario delle famiglie facoltose della città e una sovvenzione dal ministero dell'Istruzione. La nuova scuola aprì all'inizio del 1920 e in soli quattro mesi diventò il quartier generale dei partiti nazionalisti estremisti. Come fu dimostrato dai documenti scoperti in seguito, i fondi erano stati utilizzati per assoldare sicari incaricati di eliminare le personalità influenti che si opponevano alle loro vedute.

Con il diffondersi dell'anarchia non fu più possibile mantenere l'ordine oltre il perimetro delle difese di Baghdad, e persino i capi non ostili avvisarono che non avrebbero più potuto rispondere dei loro guerrieri se gli inglesi non avessero conseguito qualche successo di rilievo. Nel Nord, sul fiume Diyala, le tribù interruppero le comunicazioni ferroviarie e attaccarono Ba'quba, che i britannici non riuscirono a proteggere dalla marmaglia. A Shahraban e a Kifri, a sud di Baghdad, il personale amministrativo fu massacrato. Un treno venne fatto deragliare e la guarnigione britannica di Al-Diwaniyah si trasferì a Hillah, che distava centocinquanta chilometri, prelevando binari e traversine dalla ferrovia già percorsa dal treno per riparare i tratti sabotati in quella ancora da percorrere. Così il viaggio verso la salvezza delle tre assetate compagnie di Manchester richiese undici terribili giorni. Durante il tragitto i militari raccolsero locomotive e carri abbandonati sui tratti intatti della linea. Così, quando arrivò a destinazione, il treno era lungo più di un chilometro e tutto perforato dai proiettili, dalla testa alla coda.

Le tribù più selvagge dell'Iraq meridionale avevano un motivo particolare di ostilità. Rifiutavano di pagare tasse agli inglesi, come già avevano rifiutato di pagarle ai turchi, perché in precedenza non ne avevano mai pagate. Erano popolazioni primitive di pastori e di agricoltori, che vivevano nei loro villaggi, dominati e protetti dai signori della guerra nelle loro torri difensive. A differenza dei turchi, gli inglesi spendevano tutti gli introiti fiscali a beneficio dell'Iraq. Il compito dell'amministrazione era quello di riscuotere le tasse, quale che ne fosse l'entità, e nonostante l'opposizione di alcuni colleghi A.T. ordinò che le torri dei condottieri più recalcitranti fossero bombardate. Gertrude aveva gravi riserve su queste tattiche, perciò lo esortò a negoziare tramite un comitato di nativi per ottenere la collaborazione tribale. Fu ignorata, e pensò che probabilmente il suo memorandum in proposito fosse stato gettato subito nel cestino della carta straccia. Frustrato dalla concezione liberale del mandato e convinto più che mai che il paese potesse essere amministrato adeguatamente soltanto mediante un governo coloniale, A.T. giudicò inevitabile quella resistenza e decise che doveva essere rapidamente isolata e repressa. «Quelle tribù sono alcune tra le più ribelli dell'Iraq» scrisse Gertrude nel luglio del 1920. «Sono tribù di furfanti, lo so.

[...] Tuttavia dubito che questo fosse il modo migliore per indurle ad apprezzare i benefici di un governo stabile. Per mesi io e altri abbiamo avvisato A.T. che li stavamo opprimendo troppo»[32].

Comunque A.T. non cambiò posizione e i britannici, nonostante i bombardamenti, non riuscirono a ottenere una vittoria schiacciante nell'Iraq meridionale. La rivolta si diffuse, con particolari ripercussioni per Gertrude, la cui influenza, sotto la direzione di Sir Percy Cox, aveva contribuito a persuadere gli sceicchi un tempo amici a consegnare circa cinquantamila fucili. Ora quelle stesse tribù, aggredite dalle tribù vicine, si trovavano in grave svantaggio e avevano validi motivi per essere scontente degli inglesi.

Fra i cittadini di Baghdad si diffuse l'allarme. Due distinti magnati sunniti, uno dei quali fautore del nazionalismo estremo, si recarono in ufficio da Gertrude per appurare se si potesse fare qualcosa per pacificare le tribù. Dopo avere avviato e aggravato i disordini nel Sud, i notabili di Baghdad si rendevano conto che la rivolta stava diventando incontrollabile. La marmaglia distruggeva proprietà in una regione in cui molti di loro possedevano terre, facendo saltare strade e ferrovie per interrompere le comunicazioni e i rifornimenti. È interessante osservare che i due magnati non si recarono da A.T., le cui vedute erano sin troppo note e le cui brusche maniere rasentavano la scortesia persino con i più prestigiosi visitatori arabi. Quando le fu suggerito di inviare una dichiarazione alle autorità religiose di Kerbela e di Najaf per chiedere che esercitassero la loro influenza e fermassero le tribù, Gertrude rispose che la richiesta sarebbe risultata più efficace se fosse stata avallata sia dai sunniti che dagli sciiti, rammentando astutamente le loro stesse recenti esortazioni all'unità dell'Islam. Con qualche riluttanza i due magnati riconobbero che aveva ragione. Così Gertrude redasse un compendio del progetto, con il suggerimento di alcuni nomi, e lo sottopose ad A.T. «Fu visibilmente contrariato e disse che avrebbe potuto ascoltare soltanto se la

424

questione gli fosse stata proposta dal capitano Clayton. [...]
Allora convocai il caro capitano Clayton, che rimase seduto
ad ascoltare tutta la discussione del mio progetto. [...] A.T.
fu costretto ad abbassare le arie»[33].
L'accumularsi delle sconfitte britanniche condusse a ulteriori disordini. Le installazioni inglesi furono devastate e
le comunità isolate. Nel febbraio 1920 Gertrude scrisse a
Florence:

Ora siamo nel bel mezzo di un'autentica *jihad*, vale a dire che si
oppongono a noi i più feroci pregiudizi di un popolo in una condizione di civilizzazione primitiva. Ciò significa che non è più
questione di ragione. [...] Siamo prossimi al collasso della società, e il crollo dell'Impero romano è un parallelo storico molto
pertinente. [...] Il credito della civiltà europea si è esaurito. [...]
Come possiamo, noi che abbiamo condotto così male i nostri
affari, pretendere d'insegnare agli altri come condurre meglio i
loro?[34]

Dato che il tracollo della società araba appariva imminente, Gertrude desiderava più che mai ciò che aveva sempre
desiderato, ovvero una nazione araba prospera e pacifica.
Persino in quella situazione era decisa a restare:

È tutto molto incerto. Un altro incidente come quello delle
compagnie di Manchester porterebbe subito le tribù del Tigri
sotto le mura di Baghdad. Viviamo in condizioni precarie. [...]
In qualunque momento potremmo rimanere isolati dal resto del
mondo se le tribù del Tigri si sollevassero. Sembra che non abbia
importanza. In verità, non mi preoccupo affatto[35].

Ebbene, se i britannici evacueranno la Mesopotamia, io rimarrò
qui, tranquillamente, a vedere che cosa succede[36].

Forse simili commenti estemporanei suscitarono i sospetti
di A.T. a proposito delle priorità e delle alleanze della sua

assistente politica. Negli ultimi due anni si era creato fra loro un contrasto che stava diventando sempre più profondo, e che non avrebbe potuto essere evitato, specialmente in assenza di Cox, perché A.T. portava tutto il peso dell'amministrazione, e benché avesse innegabilmente le spalle larghe, diventava sempre più scontroso, scorbutico e irascibile. Dopotutto gli era stato assegnato un compito impossibile. Amministrare l'intero paese in attesa della dichiarazione del mandato, con una sessantina di collaboratori e una settantina di funzionari britannici nelle regioni più lontane, era come un prodigioso gioco di destrezza. Le aggressioni delle tribù lungo le strade e le ferrovie intralciavano i trasferimenti di truppe laddove il loro intervento era necessario, soprattutto per difendere le installazioni essenziali, come il deposito di prodotti petroliferi, i porti, i magazzini e gli uffici governativi. Inoltre molti dei sessantamila soldati che avrebbero dovuto essere disponibili erano sempre assenti per usufruire delle licenze arretrate accumulate durante la guerra, oppure ricoverati negli ospedali militari per ipertermia o per malaria. Nel frattempo Londra rammentava costantemente che l'insurrezione costava ai contribuenti britannici due milioni di sterline al mese di spese militari.

«È stata una settimana piuttosto difficile» scrisse Gertrude, descrivendo eufemisticamente gli eventi del periodo. «A.T. è stato costretto a lavorare troppo, come di consueto, mentre a causa della sua condizione non avrebbe dovuto lavorare affatto, quindi è stato selvaggiamente irascibile, un fardello opprimente per tutti noi»[37].

Entrambi rigorosi e dinamici, Gertrude e A.T. erano su posizioni contrapposte sotto quasi ogni aspetto. Nel 1920 lui aveva trentaquattro anni ed era caratterizzato dall'eccentricità di una tradizione stoica tipicamente britannica. Aveva studiato nei pressi di Bristol, al Clifton College, un istituto di orientamento imperialista di cui suo padre era stato preside, quindi la sua formazione era reazionaria e sciovinista. La sua lettura prediletta era la Bibbia, il suo poeta preferito era Kipling, i suoi epiteti favoriti erano latini. Era un uomo di stampo eroico, con una visione saldamente radicata nel passato, mentre Gertrude, pur essendo più anziana di diciotto anni, con la sua straordinaria intelligenza e con la sua totale dedizione alla causa araba, apparteneva al futuro.

Le loro divergenze, a ogni modo, non erano tanto personali quanto professionali. A.T. stava diventando profondamente sospettoso dei rapporti di Gertrude con molte personalità prestigiose sia dell'Occidente sia dell'Oriente, e soprattutto di quelli con i nazionalisti arabi che si opponevano al governo. Lei cercava futuri rappresentanti fra i potenti capi iracheni e sfruttava le proprie aspirazioni per promuovere i mutamenti costituzionali che auspicava. Lui aveva scritto a un amico del ministero dell'India: «Dovrà ridurre le sue pretese. [...] È indubbiamente popolare a Baghdad fra i nativi, con cui si tiene in stretto contatto, a proprio vantaggio, benché talvolta sia pericoloso»[38]. Forse A.T. era persino geloso dell'influenza e della confidenza che caratterizzavano i rapporti di Gertrude con gli arabi in generale, perché non effettuava le proprie indagini solo fra i potenti, anzi, si recava di continuo nelle campagne, a cavallo o in automobile, a conoscere operai, contadini, pescatori e villici, di cui ascoltava e raccoglieva i punti di vista. A.T. giunse a sospettare che lei intendesse sabotare il suo operato. Era costituzionalmente incapace di amministrare il paese giorno per giorno e intanto preparare lo smantellamento del governo britannico a favore di un futuro incerto. Invece lei lavorava instancabilmente oltre i limiti convenzionali del proprio incarico nello sforzo di mostrare ciò che occorreva fare per predisporre un'amministrazione araba assistita dai britannici. Non le importava che fosse o non fosse pratica imperiale britannica per gli assistenti politici accogliere i locali nelle proprie case, recarsi dove le donne non avrebbero dovuto andare, o intrattenere conversazioni personali con gli estremisti. In un contesto di rinvii e di conseguenze disastrose, si era arrivati a un punto morto. «La mia impressione è che se al momento di instaurare un governo civile agiremo secondo princìpi liberali, e *non* avremo paura, allora il paese sarà con noi»[39]. «Vorrei essere più influente. La verità è che sono in minoranza, o quasi, nel servizio politico mesopotamico, eppure sono sicura di avere ragione»[40].

Nel maggio 1920, quando A.T. fu nominato Commendatore dell'Ordine dell'Impero indiano, Gertrude pensò che l'onore fosse meritato e ne fu sinceramente felice, anche se commentò: «Confesso di rammaricarmi che con il conferimento del cavalierato non sia stato possibile dotarlo anche delle maniere tradizionalmente attribuite ai cavalieri!»[41] In quel periodo, entrambi scrivevano a Sir Percy Cox, il loro capo assente. Gertrude lo informava e lo aggiornava dettagliatamente su tutto ciò che accadeva in Iraq, angosciata per la sua assenza, confidando che tornasse prima che fosse troppo tardi. «Sir P.C. è una grande risorsa umana e io vorrei che il governo gli permettesse di tornare subito. La sua opera è molto più importante qui che in Persia»[42].

Nel tentativo di sbarazzarsene, A.T. aveva incominciato a lagnarsi di Gertrude con Cox, e per il timore che lei scoprisse la corrispondenza usava un codice, riferendosi a lei con «l'individuo», oppure con «lui», e al loro difficile rapporto con «il problema». Sei mesi dopo la partenza di Cox, aveva abolito la succursale dell'Ufficio arabo a Baghdad, cui lei tecnicamente apparteneva, e aveva lasciato intendere a Cox di non sapere che cosa avrebbe potuto fare se fosse tornata dalla conferenza di pace di Parigi e dalla sua licenza prolungata. Cox era stato diplomatico, dichiarando di voler tornare a Baghdad e di aver bisogno di Gertrude.

Nel frattempo i furori di A.T. dominavano il segretariato, manifestandosi spesso con grida e porte sbattute, e la sua torva presenza incupiva i pranzi in ufficio, durante i quali Gertrude si impegnava a mantenere viva la conversazione proprio per sfuggire ai grevi silenzi di lui. Tuttavia non fu più possibile tornare indietro dopo la metà di giugno, quando ebbero uno scontro più aspro del solito, a proposito del quale Gertrude si confidò in una lettera a Hugh.

Il mio cammino è stato molto difficile. La settimana scorsa ho avuto un litigio spaventoso con A.T. Dopo un periodo abbastanza tranquillo e armonioso, ho avuto la sventura di fornire a uno dei nostri amici arabi un'informazione che tecnicamente avrei dovuto mantenere riservata. Era una cosa di scarsa importanza, perciò non mi sono accorta di avere sbagliato fino a quando ne ho accennato casualmente ad A.T., che quella mattina era già furibondo e si è subito sfogato con me. Ha dichiarato che le mie indiscrezioni erano intollerabili e che mai più avrei dovuto avere accesso ai documenti dell'ufficio. Anche se mi sono scusata di quella particolare indiscrezione, lui ha continuato: «Avete fatto più danni di chiunque altro qui! Se non dovessi andarmene io stesso, avrei chiesto le vostre dimissioni mesi fa! Voi e il vostro emiro!» A questo punto ha rischiato di soffocare per la rabbia[43].

Le divergenze sostanziali che li dividevano emersero con il disaccordo a proposito di una bozza di costituzione mesopotamica suggerita dal nazionalista Yasin pascià, futuro primo ministro dell'Iraq. Gertrude dichiarò di trovarla ragionevole. Con uno dei suoi consueti scoppi di collera, A.T. ribatté che qualunque proposta del genere era del tutto incompatibile con il governo britannico e che non l'avrebbe mai accettata. Ciononostante era costretto a seguire le indicazioni di Londra e poco tempo dopo dichiarò a una delegazione di ammettere la possibilità di un emiro dell'Iraq. A questo proposito, Gertrude scrisse:

Naturalmente non possiamo impedirlo, non abbiamo alcun interesse a farlo. Eppure io so bene che se avessimo adottato questa prospettiva otto mesi fa, non ci troveremmo in una situazione così delicata come quella in cui ci troviamo ora, e mi aspetto che anche A.T. ne sia consapevole. Personalmente ritengo che dovrebbe andarsene subito, perché non potrà mai essere in accordo con la linea politica decisa a Londra nel 1918. [...] Nel frattempo potrei andarmene io, ma non presenterò mai le mie dimissioni. Me ne andrò soltanto se mi sarà ordinato[44].

Tuttavia si intravedeva la luce in fondo al tunnel. Finalmente fu chiesto a Sir Percy Cox di lasciare Teheran. In giugno, nel tornare a Londra, Cox sostò a Baghdad per una lunga discussione con Gertrude e le affidò il proprio pappagallo, affinché lo accudisse fino al suo rientro in Iraq, in autunno. Alcuni giorni prima A.T. aveva ricevuto i rappresentanti di un comitato di Baghdad, i quali avevano chiesto la formazione di un'assemblea costituente per decidere la futura forma di governo. Cox concordò, annunciando che la Mesopotamia avrebbe dovuto diventare uno stato indipendente, sotto la tutela della Società delle Nazioni e soggetto al mandato britannico, che obbligava il Regno Unito a governare l'Iraq sino a quando si fosse qualificato per l'indipendenza e avesse aderito alla Società delle Nazioni. Aggiunse che sarebbe tornato a Baghdad in autunno per istituire un governo arabo provvisorio.

Quando partì per Londra, Cox portò con sé la prima metà di un testo a cui Gertrude lavorava da mesi e che si sarebbe dimostrato la sua *magnum opus*. Era un lungo rapporto in cui si illustrava tutto il duro lavoro preparatorio che era stato compiuto, con l'intento di dimostrare al governo britannico che, nonostante le insurrezioni, l'amministrazione della Mesopotamia aveva avuto un successo sufficiente a giustificarne la continuazione. Il resto di *Review of the Civil Administration of Mesopotamia*, di Miss Gertrude Bell, Commendatore dell'Ordine dell'Impero britannico, fu spedito in valigia diplomatica. Scritto in nove mesi, quasi interamente nel tempo libero, fu presentato come libro bianco a entrambe le camere del parlamento, dove ebbe straordinario riconoscimento. Tutti si alzarono per applaudire l'autrice, anche se era assente. Florence le scrisse subito, inviandole alcuni ritagli di giornale, trasmettendole le fervide congratulazioni della famiglia e domandandole se avesse scritto il rapporto su sollecitazione di Wilson. La risposta di Gertrude fu inequivocabile.

Ho appena ricevuto la lettera in cui mamma riferisce della sensazione suscitata dal mio rapporto. In generale la stampa ne parla osservando quanto sia notevole che un cane sia capace di alzarsi sulle zampe posteriori o, in altre parole, che una donna sia in grado di scrivere un libro bianco. Spero che allo sbalordimento per tale prodigio faccia seguito l'attenzione al rapporto stesso. [...] A proposito, mamma non deve pensare che A.T. mi abbia chiesto di scriverlo. È stato il ministero dell'India, e io ho insistito, opponendomi strenuamente alla volontà di A.T., per scriverlo a modo mio[45].

Seguirono altri quattro mesi difficili prima del ritorno di Cox, ma furono gli ultimi mesi durante i quali Gertrude fu costretta a collaborare con A.T., ormai ansioso di trasferirsi. Londra aveva avvisato che non si poteva permettere che la situazione in Iraq continuasse così. A.T. si era dimostrato incapace di abbandonare i suoi metodi colonialisti altezzosi e sprezzanti nel trattare con gli oppositori, di solito istigati e finanziati dai turchi, e nel rispondere alle istanze precoci di un governo arabo. Prima si era lasciato sfuggire di mano la situazione, poi aveva reagito in maniera spietata, aggravando i conflitti anziché risolverli. Inoltre era stato incapace di servirsi di Gertrude come aveva fatto Cox, cioè per trattare e per ottenere collaborazione mediante le lusinghe e la persuasione. Lei avrebbe potuto fare molto, ma lui l'aveva emarginata sin dall'inizio. Consapevole che non gli sarebbe stato chiesto di rimanere quando Cox fosse ritornato al suo posto, A.T. considerò di rassegnare le dimissioni. Poi ebbe un ultimo, devastante litigio con Gertrude.

Con le personalità influenti che conosceva a Londra, al Cairo, a Gerusalemme e a Delhi, Gertrude aveva sempre intrattenuto una vivace corrispondenza politica. Cox non aveva mai obiettato perché ne condivideva gli intenti e sapeva che il suo stile, persuasivo, seppure anticonvenzionale, aumentava la comprensione e aveva risultati benefici. Così Gertrude agì come un uomo forse non avrebbe fatto. Comunque riteneva di avere guadagnato il diritto di esprimersi ed era stata assai rispettata già molto tempo prima di diventare funzionaria governativa. Le sue ambizioni andavano ben oltre qualunque eventuale promozione ufficiale, anzi, non avrebbe potuto ottenere alcun incarico, benché si fosse divertita quando i colleghi l'avevano nominata seconda possibile candidata ad alto commissario, dopo Cox, tanto che poi, nello scrivere a Florence, si era firmata «alto commissario».

All'inizio del 1920 aveva riferito alla matrigna:

Ho appena scritto una lunga lettera a Lord Robert [Cecil] con una critica esaustiva sulla conduzione della conferenza [di pace di Parigi] rispetto all'Asia occidentale. [...] Infatti è stata assolutamente pessima dall'inizio alla fine e nessuna stabilità può derivare da ciò che è stato deciso[46].

Ho scritto una lettera circostanziata a Edwin Montagu sulla forma di governo che dovremmo istituire qui e gli ho inviato persino una bozza di costituzione. [...] Comunque ho fatto del mio meglio per determinare ciò che si dovrebbe fare e per illustrarglielo. Talvolta ho la sensazione che l'unica cosa che mi preme davvero sia vedere che in questo paese vada tutto bene[47].

Difficilmente Gertrude avrebbe potuto scegliere un corrispondente più prestigioso. Montagu era segretario di stato per l'India, e responsabile ultimo per la Mesopotamia. Forse chiese ad A.T. se approvasse la lettera in quanto sostituto commissario civile? O forse giudicò che Gertrude avesse esorbitato dalle sue mansioni? In ogni modo rispose alla lettera con un lungo telegramma che conteneva una pungente reprimenda.

Da Mr Montagu per Miss Bell, privato e personale.

Come mi auguro che comprendiate, in una situazione critica come quella attuale in Mesopotamia, dove il futuro del paese è quanto mai incerto, dovremmo essere tutti uniti. Sarei felice se per sottoporre le vostre valutazioni alla nostra considerazione pregaste il commissario civile di presentarle, oppure se chiedeste un permesso per tornare in patria a esporle personalmente. Siate certa che le vostre valutazioni saranno sempre tenute in considerazione, ma i consulenti politici dovrebbero essere molto prudenti nella loro corrispondenza privata con coloro che al momento non sono direttamente coinvolti nell'opera di amministrazione. A prescindere da ogni consuetudine e convenzione, ciò potrebbe accrescere le difficoltà, anziché diminuirle, e questa sarebbe una conseguenza che, ne sono certo, voi stessa deplorereste[48].

Se si aspettava di intimorirla, umiliarla o piegarla, Montagu sbagliava. Gertrude non aveva alcuna intenzione di sottomettersi. Dopotutto stava sostenendo il processo per l'autodeterminazione che era stato approvato, mentre A.T. insisteva a ignorarlo per quanto gli era possibile. In aprile, durante le sommosse nazionaliste, aveva compiuto un voltafaccia e aveva tentato di dissipare la tensione redigendo una costituzione provvisoria per l'Iraq, la quale prevedeva un consiglio di stato composto di britannici e di arabi, un presidente arabo scelto dall'alto commissario e un'assemblea legislativa elettiva, ma si era trattato di una proposta inadeguata e tardiva.

Senza esitare Gertrude inviò a Montagu la propria risposta, di cui non conservò copia, ma che riferì al padre, a memoria.

Il colonnello Wilson mi offre ogni opportunità di comunicargli qualunque mia considerazione. Inoltre sono del tutto concorde con la politica che persegue da aprile. Voi siete sufficientemente consapevole della mia opinione generale sulla questione araba per sapere che mi rammarico di non essere stata coinvolta prima.

Tuttavia esprimere pubblicamente questa opinione adesso sarebbe inutile e persino dannoso. A proposito della corrispondenza, non ricordo lettere di argomento politico a privati che non siano state precedentemente sottoposte al colonnello Wilson, tranne quelle personali a mio padre. Comunque i vostri commenti sono un utile avvertimento[49].

Dopo il telegramma di Montagu, di cui aveva ricevuto copia, A.T. inviò a Gertrude una nota interna rigidamente formale.

Miss Bell, in occasione del nostro ultimo incontro Sir Percy Cox mi ha domandato, *à propos* di eventi del recente passato, se i miei rapporti con voi fossero migliorati. Ho risposto di non sapere se lo fossero, spiegando che la vostra divergenza di opinioni è profonda ed è materia di pubblico dominio, nonché di pubblico dibattito. [...] Ho aggiunto che tale situazione sarebbe insostenibile se non fosse per la mia speranza di essere presto sostituito. Avete sempre affermato il vostro diritto in quanto persona di scrivere ciò che più vi aggrada a chi più vi piace [...] tuttavia non approvo che scriviate queste cose, e il fatto che io ne sia a conoscenza non deve essere considerato come un benestare. A parte questo, non ho altro da commentare[50].

Così ebbe luogo la rottura definitiva fra il commissario e la consulente. Il giorno dopo, quando si incontrarono, Gertrude gli rammentò che le loro divergenze erano inevitabilmente note perché lei aveva sempre manifestato il proprio pensiero, prima di tutto e soprattutto a lui. A.T. rispose che disapprovava qualunque comunicazione privata con il ministero dell'India, e lei replicò che giudicava assurdo il suo desiderio, anche se lo avrebbe rispettato. «Poi ci siamo stretti caldamente la mano. Infatti non ci si può stringere la mano se non caldamente con più di quaranta gradi di temperatura»[51].

Nonostante tutto, A.T. era stato un abile organizzatore e l'amministrazione quotidiana aveva continuato a beneficiare dei successi descritti dettagliatamente da Gertrude nel libro bianco. Il paese era diventato prosperoso, come dimostrava l'aumento del gettito fiscale dell'amministrazione, cresciuto del trecento per cento in tre anni fino al 1920. Inoltre era di fondamentale importanza il pareggio di bilancio. Il compito amministrativo di Churchill in qualità di segretario di stato per le Colonie consisteva nel ridurre della metà la spesa di trentasette milioni di sterline per il governo della Palestina, dell'Iraq e dell'Arabia, nonché nel trovare un sistema di governo affidabile per il Medio Oriente. In Iraq si proponeva di ridurre a sette milioni la spesa militare annuale di venti milioni di sterline, e presto avrebbe riferito a Lloyd George l'assoluta necessità di «placare» il sentimento arabo, «altrimenti la spesa per le guarnigioni ci costringerà certamente a evacuare i territori che ciascun paese ha conquistato con la guerra». Dunque ogni progetto in Medio Oriente sarebbe stato subordinato alla riduzione della spesa militare.

La notte prima della partenza, alla fine di settembre, A.T. si recò in ufficio a salutare Gertrude. Fu un momento di commozione in cui si manifestarono gli impulsi generosi di entrambi. Lei si alzò e gli andò incontro, dichiarando di sentirsi più profondamente scoraggiata di quanto sapesse esprimere e di rammaricarsi moltissimo che il suo rapporto di lavoro con lui non fosse stato migliore. Quando A.T. rispose di essere venuto a scusarsi, Gertrude lo interruppe, affermando che le mancanze erano state di entrambi, di lei non meno che di lui, e gli rese il più grande dei complimenti, invitandolo a far visita a suo padre e a sua madre, a Londra. Lui promise di farlo.

Poco tempo più tardi A.T. concluse la propria carriera di funzionario governativo. Sposò una giovane vedova e divenne direttore della Anglo-Persian Oil Company in Medio Oriente. Una lettera privata scritta un paio d'anni più tardi a un amico da al-Muhammarah, nel Golfo Persico, rivela che nutriva astio non soltanto nei confronti di Gertrude, ma anche verso Cox, accusato di disonestà e d'incompetenza, di «promettere tutto senza fare nulla». Inoltre descrive le

435

condizioni della Mesopotamia nel 1922 come «deplorevoli, senza guida, senza decisione», e fornisce la sua peculiare interpretazione degli eventi: «Gioisco ogni giorno di essermene andato con i colori al vento, insieme a tanti della vecchia guardia, tutti quelli che hanno potuto permetterselo. [...] Nessuno confida più in Cox, ormai, e la sua reputazione si è spaventosamente deteriorata»[52].

L'11 ottobre 1920 Sir Percy Cox ritornò a Baghdad, accolto alla stazione ferroviaria con bandiere, salve di fucile e passatoia da numerosi notabili arabi e britannici, nonché da ali di folla benaugurante lungo la strada. Mentre la banda suonava *God Save the King*, Sir Percy, in uniforme bianca e dorata, salutava militarmente.

Al discorso di benvenuto rispose in arabo, annunciando di essere inviato dal governo del Regno Unito per consultare il popolo dell'Iraq allo scopo di istituire un governo arabo sotto la supervisione britannica e chiese alla popolazione di collaborare con lui, permettendogli così di cominciare subito a svolgere il proprio incarico. Era un nuovo inizio, e nel salutarlo con una riverenza Gertrude si sforzò di non tradire le proprie emozioni. Nelle lettere alla famiglia di pochi giorni più tardi scrisse:

È del tutto impossibile esprimervi quanto sia di sollievo e di conforto lavorare alle dipendenze di qualcuno nel cui giudizio si ha completa fiducia. Al compito di straordinaria difficoltà che gli si prospetta, egli si accinge con il desiderio disinteressato, onesto e devoto di agire nell'interesse del popolo del paese[53].

Oh, se potessimo riuscire in questa impresa, e unire le giovani teste calde, gli sciiti oscurantisti, gli entusiasti, i raffinati, i vecchi statisti e gli studiosi, e se riuscissimo a indurli a collaborare e a trovare autonomamente la loro via di salvezza, quale bellissima cosa sarebbe! Vedo visioni e sogno sogni...[54]

14.
Faysal

Nel maggio 1885[1], quando Gertrude aveva sedici anni, un bambino nacque nel castello del padre, a Ta'if, nei deserti dell'Hegiaz, e ricevette il nome del fendente lampeggiante della spada: Faysal. Quante probabilità vi erano che una studentessa dello Yorkshire e il figlio dello *sharif* hashemita della Mecca si incontrassero, o che le loro esistenze si intrecciassero?

Faysal era figlio dello *sharif* Hussain ibn Ali, discendente del profeta Maometto attraverso la figlia Fatima, moglie di Ali, appartenente alla famiglia hashemita, e attraverso il figlio maggiore di lei, Hassan. *Sharif* era il titolo onorifico della famiglia. Da novecento anni la famiglia del Profeta aveva il governo temporale della Mecca. Faysal era doppiamente aristocratico. Sua madre, Abdiyah Hanem, era cugina, oltre che prima moglie, di suo padre Hussain, e dunque discendeva a sua volta dal Profeta. Rispettando la tradizione sacra, Faysal fu sottratto alla madre quando aveva soltanto sette giorni di vita e fu portato nel deserto, per essere allevato da una tribù beduina presso la quale avrebbe dovuto vivere fino all'età di sette anni[2]. Non vide mai più la madre, morta quando lui aveva tre anni. Anche Gertrude aveva perso la madre alla stessa età.

Come Ali e Abdullah, suoi fratelli maggiori, Faysal visse in una tenda nera come figlio della tribù e imparò a combattere partecipando a giochi rudi, durante i quali una volta si ruppe un braccio e subì una ferita alla testa, di cui gli rimase la cicatrice.

Lo psicopatico sultano dell'Impero ottomano, Abdul Hamid, considerava gli Hashemiti con un misto di sospetto e di rispetto. Periodicamente, per evitare che gli *sharif* acquistassero una posizione di supremazia, convocava i più potenti a Costantinopoli, dove li obbligava a vivere in "onorevole prigionia", con uno scarso reddito, costantemente sorvegliati da una sinistra falange di spie, di guardie e di eunuchi neri al suo servizio. Questo fu il destino dello *sharif* Hussain, che per diciotto lunghi anni sarebbe rimasto in quella città con la famiglia.

Nel 1891, a sei anni, Faysal lasciò la famiglia adottiva beduina con un anno d'anticipo e fu condotto con i fratelli a vivere con il padre, in una casa sul Corno d'Oro, a Costantinopoli. La famiglia comprendeva le trentadue donne dell'harem, con i loro seguiti e gli schiavi.

In famiglia Hussain era un despota, deciso a fare in modo che i suoi figli non godessero mai di comodità e di lussi. Nonostante avesse alcune cariche tradizionali ottomane, il suo reddito rimaneva modesto. La famiglia era così numerosa che poteva permettersi la carne soltanto una volta alla settimana. La disciplina era severa e i figli, soprattutto, dovevano sviluppare l'autocontrollo. Si usava ancora la *falaka*, una forma di tortura che consisteva nel legare le caviglie del bambino e poi bastonargli le piante dei piedi. D'altronde Hussain assicurò ai figli una solida educazione, impiegando numerosi precettori, inizialmente quattro e in seguito molti altri, via via che i figli crescevano. La tensione politica era molto intensa e la vita era colma di pericoli. In città fervevano i complotti delle società segrete e il sultano, responsabile della morte di forse mezzo milione di persone nel corso della sua esistenza, aveva la crudele abitudine di farsi consegnare le teste delle sue vittime in una scatola per accertarsi della loro morte.

Nel 1903, a diciotto anni, Faysal iniziò a studiare la strategia e la tattica dell'esercito turco, addestrato ai metodi tedeschi e composto sia da turchi che da arabi. Mentre Gertrude, nel corso del suo viaggio intorno al mondo con Hugo, giungeva in Giappone, Faysal era in servizio di pattuglia nel deserto con i corpi cammellati turchi. Alcuni anni dopo lui e Abdullah furono richiamati a Costantinopoli. I turchi avevano ordinato a Hussain di reprimere la rivolta delle tribù arabe nella regione meridionale dell'Asir. Abdullah ebbe il comando delle truppe turche e Faysal guidò i meharisti arabi. Combattuta una battaglia disperata a Quz Abu-al-Ir, si ritirarono con soli settanta soldati superstiti su tremila. Due settimane più tardi attaccarono di nuovo i ribelli. La battaglia durò due giorni e una notte. I ribelli fuggirono in rotta, ma fu una vittoria vana. Sopravvissero soltanto millesettecento soldati dei settemila dell'esercito dello *sharif.* Faysal e Abdullah non poterono impedire alle truppe turche di bruciare i villaggi e di massacrare la popolazione innocente, né poterono dimenticare le mutilazioni praticate sui cadaveri dei ribelli arabi. I dominatori turchi risposero sprezzanti alle loro proteste. Fu allora che lo *sharif* Hussain decise di guidare una rivolta contro i turchi, cioè quella che sarebbe diventata famosa come "rivolta araba".

Comunque i due fratelli entrarono al parlamento turco, l'emiro Abdullah come rappresentante della circoscrizione elettorale della Mecca e l'emiro Faysal come rappresentante di quella di Gedda. Le sorti della famiglia mutarono di nuovo con la rivoluzione dei Giovani Turchi e del loro Comitato di unione e progresso, il cui scopo era la modernizzazione dello stato a ogni costo. Nel 1909 Abdul Hamid fu deposto e sostituito da un nuovo sultano e califfo[3]. Allora Hussain ottenne il titolo prestigioso di emiro della Mecca, principe della città più sacra dell'Islam. Suoi principali doveri erano custodire i luoghi sacri nell'Hegiaz e sovrintendere all'Hajj, il pellegrinaggio annuale. Così ritornò nei propri palazzi alla Mecca e a Ta'if, ordinando ai figli di rimanere ai loro posti a Costantinopoli e di mantenerlo informato di ogni mutamento dell'opinione politica.

La possibile alleanza fra arabi e britannici si era prospettata prima della guerra, quando Lord Kitchener aveva scritto a Hussain. Quale inviato del padre, Abdullah viaggiò più volte fra la Mecca e Costantinopoli, sostando al Cairo per incontrare Lord Kitchener e il suo segretario diplomatico per l'Oriente, Ronald Storrs. Si giunse a una svolta che impose la necessità di agire allo scoppio della guerra, quando i turchi pretesero che Hussain, in quanto emiro della Mecca, dichiarasse una *jihad* di tutti i musulmani contro i cristiani. Devoto, coraggioso e dispotico, Hussain rifiutò di ubbidire, adducendo il pretesto che i turchi erano alleati di una potenza cristiana, ovvero la Germania.

Mentre Ali, suo fratello maggiore, arruolava truppe arabe nell'Hegiaz, fingendo di voler aiutare i turchi, Faysal assunse un ruolo più pericoloso. In qualità di spia del padre fu inviato clandestinamente a Damasco per proporre un'insurrezione militare contro gli ottomani in Siria. Mediante messaggi nascosti nelle impugnature delle spade, nei dolci, nelle suole dei sandali, o scritti con inchiostro simpatico sulla carta in cui erano avvolti i doni, e affidati a servi di provata lealtà, comunicò in segreto con Hussain. Gli amici appartenenti ai "circoli" politici nazionalisti arabi, cioè le società segrete, avrebbero potuto tradirlo in qualsiasi momento. Era particolarmente vulnerabile perché quando si trovava a Damasco era costretto a soggiornare come ospite presso il generale Mehmed Jemal pascià. Questi si aspettava da lui che, in quanto ufficiale dell'esercito turco, guidasse l'esercito che suo fratello Ali stava costituendo nell'Hegiaz. Al tempo stesso sospettava di lui perché suo padre aveva rifiutato di dichiarare la *jihad* contro i nemici della Turchia e lo metteva continuamente alla prova, convocandolo per costringerlo ad assistere alla pubblica impiccagione di decine di suoi amici siriani, i quali andavano coraggiosamente incontro alla morte senza chiedere il suo aiuto; per non tradire il disgusto e la rabbia, Faysal aveva bisogno di tutto l'autocontrollo appreso mediante un duro addestramento. Come scrisse Lawrence nei *Sette pilastri della saggezza*: «Una volta sola si lasciò andare dicendo che le esecuzioni sarebbero costate a Jemal tutto ciò ch'egli cercava appunto di evitare; ed occorse l'intervento dei suoi amici a Costantinopoli, gente di primo piano in Turchia, per risparmiargli il prezzo di quelle parole sconsiderate»[4]. Nel frattempo il primo ministro turco, replicando alle condizioni poste da Hussain per la collaborazione araba, dichiarò che se avesse voluto rivedere Faysal avrebbe dovuto ordinargli di unirsi alle truppe nell'Hegiaz.

Così le vite di Gertrude e di Faysal si avvicinarono l'una all'altra. Mentre lui rischiava la vita in missione segreta a Damasco, lei si recò da Charles Hardinge, in India, con l'intento nascosto di impedire che si opponesse al progetto della rivolta araba. Nel gennaio 1916, quando fu condannato un secondo gruppo di nazionalisti arabi, Jemal pascià notò che Faysal «mosse il cielo e la terra» per salvarli e protestò contro coloro che non li difendevano. Furono le uniche volte in cui Faysal lasciò trapelare i propri sentimenti. Era consapevole che un unico passo falso sarebbe stato sufficiente a porre fine alla sua missione per l'indipendenza araba. Finalmente Hussain gli annunciò che tutto era pronto per la rivolta[5], anche se lui era convinto che la situazione non fosse ancora matura. Ostinato e autoritario come sempre, il padre gli ordinò di recarsi subito a Medina per unirsi alle truppe che vi aveva ammassato.

Ubbidendo con riluttanza, Faysal chiese ai superiori turchi un permesso per recarsi a ispezionare le truppe a Medina prima di condurle al fronte turco, e si angosciò quando Jemal pascià gli annunciò che lo avrebbe accompagnato insieme a Enver pascià, comandante in capo aggiunto.

La recita cominciò. Frenato dalle leggi immutabili dell'ospitalità araba, Faysal impedì alle sue truppe di uccidere all'istante i due turchi, e nel frattempo assicurò a costoro che i soldati erano tutti volontari per la guerra santa contro i nemici dei credenti. Nelle sue memorie, Jemal scrisse che se fosse stato a conoscenza della verità non avrebbe esitato a imprigionare Faysal, lo *sharif* Hussain e gli altri suoi figli, stroncando la ribellione sul nascere.

Il 2 giugno 1916, da un balcone del suo palazzo alla Mecca, lo *sharif* Hussain imbracciò il fucile e sparò il colpo che diede inizio alla rivolta araba. Mentre Abdullah e Zeid, uno dei fratelli più giovani, erano inviati a scacciare i turchi da Ta'if, da Gedda e dalla Mecca, Faysal e Ali ebbero un compito immensamente più arduo, cioè guidare poche migliaia di soldati male equipaggiati contro i ventiduemila militari turchi della guarnigione di Medina. Quando ebbero appreso che i nemici erano tanto numerosi e che disponevano di una batteria di artiglieria pesante, si ritirarono nel deserto a reclutare beduini.

In seguito, anche se Medina non fu mai espugnata, la sua guarnigione fu isolata dal resto dell'esercito turco. Nel frattempo l'emiro Faysal con il suo coraggio si conquistò l'ammirazione e l'affetto dei soldati, che lo chiamarono Saidna Faisqal, cioè "nostro signore Faysal". Quando le sue truppe, che non erano avvezze ai bombardamenti pesanti, si mostrarono riluttanti a seguirlo allo scoperto sotto il fuoco dei difensori delle mura di Medina, Faysal rise di loro, poi cavalcò lentamente attraverso la valle della morte, procedendo al passo, senza mai accelerare, e compiuto l'attraversamento accennò ai suoi seguaci di seguirlo. Gridando e brandendo i fucili, i guerrieri si lanciarono al galoppo.

La vendetta turca fu rapida e devastante. La vicina città di Awali fu circondata e gli abitanti arabi sterminati. Come scrisse Lawrence, fu ordinato di «massacrare ogni essere vivente entro le mura. Centinaia di abitanti furono seviziati e fatti a pezzi, le case arse, e morti e vivi gettati in mezzo alle fiamme»[6]. L'orrore si diffuse in tutta l'Arabia, esasperando l'odio delle tribù nei confronti dei turchi e rafforzandone la determinazione. Come scrisse Lawrence, «la prima norma di guerra restava l'inviolabilità delle donne. La seconda norma stabiliva che la vita e l'onore dei ragazzi troppo giovani per combattere con gli uomini dovessero essere risparmiati;

la terza, che nessun danno fosse inferto ai beni immobili»[7]. Mentre i turchi tagliavano la gola ai loro prigionieri, Faysal offrì una taglia di una sterlina per ogni nemico catturato vivo.

Nell'autunno del 1916, mentre Gertrude intratteneva Ibn Saud a Bassora, Lawrence viaggiò con l'illustre Ronald Storrs da Suez a Gedda, dove Storrs, in qualità di segretario diplomatico per l'Oriente del governo del Cairo, incontrò Abdullah per discutere dell'iniziale fallimento della rivolta. Il problema era se l'esercito britannico in Egitto dovesse invadere Rabegh, sulla costa, per proteggere la vicina Mecca dai turchi. Esercitando le sue doti di persuasione, Storrs ottenne da Hussain per Lawrence il permesso di attraversare il deserto per raggiungere Faysal.

Lawrence descrive Faysal alto e sottile, vestito di seta bianca, con una *kefiyeh* bruna trattenuta da un *aqal* scarlatto e oro. Silenzioso e attento, teneva le palpebre abbassate e le belle mani sull'impugnatura della scimitarra. Numerosi sceicchi stavano in piedi nell'ombra alle sue spalle, silenziosi. In una quiete niente affatto cordiale, sedettero sul tappeto. Faysal chiese in tono estremamente pacato, senza sollevare lo sguardo, come fosse andato il viaggio, poi domandò: «E vi piace il nostro campo, qui nel Wadi Safra?»[8] Allora Lawrence rispose: «Molto. Ma è lontano da Damasco»[9]. Tutti rimasero sgomenti. Per la prima volta Faysal alzò gli occhi a fissare Lawrence, poi, lentamente, quasi con dolcezza, sorrise: «Sia lode a Dio, ci sono dei turchi più vicini a noi»[10].

In due famosi passi dei *Sette pilastri della saggezza*, Lawrence scrisse:

Io credevo che di tutte le disavventure della rivolta fosse soprattutto colpevole […] la mancanza d'un comando, sia arabo che inglese. Perciò andai a passare in rivista gli uomini più eminenti d'Arabia. Sapevamo che il primo, lo Sceriffo della Mecca, era ricco d'anni. Vidi Abdullah troppo abile, Alì troppo puro, Zeid troppo freddo. Poi risalii il paese fino ad incontrare Faysal. In lui trovai il capo ricco della passione necessaria[11].

Subito, al primo sguardo, capii che quello era l'uomo che cercavo in Arabia, il capo che avrebbe portato la rivolta araba al pieno successo[12].

In verità, Faysal era un condottiero nato. Anche se in quel periodo la gloria era ancora lontana, la sua guida paziente e la sua personalità carismatica esercitavano un ascendente irresistibile sulle tribù beduine che si raccoglievano intorno alla sua bandiera. Dalla sua tenda si dedicò all'opera incessante e multiforme di unire le tribù rivali Billi e Juheina, Ateiba e Ageyl. Le persuase a sospendere tutte le faide di sangue e spianò la strada al proprio esercito, affinché potesse viaggiare senza essere molestato attraverso il deserto, dove furti, saccheggi e omicidi intertribali erano la norma. Suo padre Hussain aveva inviato ordini, ma cibo scarso e poco denaro, mentre gli aiuti britannici si erano rivelati una burla amara: alcune mitragliatrici Maxim, con mitraglieri e serventi dell'esercito egiziano in Sudan, e quattro cannoni Krupp tanto vecchi da essere quasi inutilizzabili. Faysal era costretto a viaggiare con un forziere pieno di sassi per convincere i suoi seguaci di avere l'oro con cui pagarli.

Promettendo di tornare con provviste, rifornimenti e volontari, nonché con tutta l'artiglieria da montagna e con tutte le mitragliatrici leggere che fosse riuscito a procurare, Lawrence se ne andò. I britannici sarebbero sbarcati a Yanbu, il porto sul Mar Rosso più vicino a Medina, che sarebbe diventato la nuova base di Faysal. Lawrence ottenne dall'ammiraglio Wemyss, incrollabile sostenitore della causa araba, un passaggio da Gedda a Port Sudan, poi proseguì il viaggio sino a raggiungere Sir Reginald Wingate, *sirdar* dell'esercito egiziano, comandante delle forze militari britanniche che partecipavano all'avventura araba, e sostenitore della rivolta al pari del generale Clayton, ora direttore dell'Ufficio arabo, successiva destinazione di Lawrence. Frattanto nella lotta contro i turchi si giunse a una situazione di stallo e in qualsiasi momento la guarnigione turca di Medina avrebbe potuto muovere a sud contro la Mecca per ottenere una vittoria decisiva, che avrebbe avuto conseguenze in tutto l'Islam. I britannici non avevano fiducia nel piano che consisteva nello sbarcare una forza convenzionale a Rabegh per schierarla fra Medina e la Mecca, ma Lawrence aveva una soluzione: operazioni di guerriglia condotte da piccoli gruppi di combattenti arabi, con il sostegno dell'esperienza e degli armamenti britannici. Sebbene rischioso nella migliore delle ipotesi e proposto da un archeologo privo di addestramento militare, il piano servì a portare un gradito sollievo dopo mesi di indecisione. Valeva la pena tentare.

In cerca della propria odissea personale, nonché estremamente affascinato da Faysal, il veemente Lawrence mantenne la promessa d'indurre la Gran Bretagna all'azione. A Yanbu giunsero consiglieri militari britannici con denaro e armi, scelte considerando che gli arabi prediligevano quelle molto rumorose, come sottolineato da Lawrence che, dopo avere neutralizzato l'intromissione del colonnello Bremond, capo della missione militare francese a Gedda, ricevette da Clayton l'ordine di tornare ad affiancare Faysal. In seguito Lawrence sostenne sempre di essere stato riluttante a tornare a Yanbu e dall'emiro, tuttavia è difficile associare la riluttanza al ruolo leggendario da lui svolto nell'impresa. Benché anelasse ammirazione e fama, desiderava ancor di più apparire contrario alla celebrità, proprio come il suo eroe, Charles Doughty, autore di *Arabia Deserta*, immerso anima e cuore in un altro mondo.

Nello uadi presso Yanbu, di notte, in una selvaggia confusione di arabi e cammelli, Lawrence ritrovò Faysal, serenamente seduto sopra un tappeto steso sui sassi, intento a dettare a un segretario inginocchiato che scriveva alla luce di una lampada tenuta da uno schiavo. La tribù Harb era stata sgominata dai turchi, che avevano costretto a una rapida ritirata il loro capo, Zeid, fratello di Faysal. Nel frattempo, questi era sceso a bloccare la strada di Yanbu, dove un certo capitano Boyle difendeva il porto con le batterie dei suoi bastimenti, impedendo ai turchi di avvicinarsi. Sbrigata la corrispondenza, Faysal contrattò con i principali sceicchi dei territori tribali da attraversare affinché proteggessero il suo esercito e lo rinforzassero con i loro guerrieri. Poi rimase seduto pazientemente nel freddo della notte fino alle quattro del mattino ad amministrare la giustizia, rispondendo alle istanze dei suoi seguaci. Secondo le testimonianze, i giudizi di Faysal furono sempre equi e non lasciarono insoddisfatto un solo arabo. Infine l'emiro mangiò una dozzina di datteri e si stese a dormire sul tappeto bagnato di rugiada. L'attento Lawrence vide le sue guardie avvicinarsi silenziosamente durante il sonno per coprirlo con i loro mantelli. Un'ora più tardi fu destato dalla convocazione alla preghiera.

Con la sua costante opera quotidiana per dirimere le faide e altre questioni tribali, Faysal stava, come scrisse Lawrence,

riunendo e sistemando nel loro ordine naturale gli innumerevoli frammenti componenti il mondo arabo, e inserendoli nel suo grande piano di guerra contro i turchi [...] Faysal era la Corte d'Appello definitiva ed insindacabile di tutta l'Arabia occidentale[13].

Con la forza della sua personalità rese vivo e nazionale il movimento per l'indipendenza araba[14].

Quando gli sceicchi si recavano da lui per dichiarare fedeltà[15], Faysal teneva il Corano tra le mani, e faceva prestare solenne giuramento ai nuovi alleati «di aspettare quand'egli aspettava, di marciare quand'egli marciava, di non prestare mai obbedienza ad alcun Turco, di trattare come amici tutti coloro che parlavano arabo (sia che fossero di Bagdad, di Aleppo o della Siria, sia che fossero di sangue puro), e di tenere l'indipendenza in maggior conto della vita, della famiglia, degli averi»[16].

Inoltre Lawrence fu profondamente coinvolto nel persuadere le tribù a unirsi contro i turchi, guidato dai consigli di Gertrude e dalla sua conoscenza delle relazioni fra le genti del deserto[17]. Ammise di doverle molte delle informazioni che lo aiutarono a radunare e a incoraggiare le tribù in un momento critico della rivolta araba.

Gertrude aveva incontrato Lawrence per l'ultima volta nell'aprile del 1916, in occasione della sua fallita missione a Kut, durante l'assedio, quando avevano discusso a lungo del «governo dell'universo». Adesso, da Bassora, lei seguiva gli eventi come meglio poteva e fremeva per entrare in azione. Eccetto le lettere alla famiglia, Lawrence limitava la propria corrispondenza a rapporti dettagliati e a richieste di equipaggiamento. Viveva con Faysal, nella sua tenda, a Yanbu. Era una comunissima tenda circolare, con una branda, un paio di tappeti e un bel tappeto da preghiera. Fu lì che per la prima volta Faysal invitò Lawrence a sostituire l'uniforme cachi con indumenti arabi, in modo che nessuno degli ottomila guerrieri lo scambiasse per un ufficiale turco, cosa che Lawrence non tardò ad accettare.

A poco a poco gli aiuti britannici giunsero a Yanbu: quattro aerei e ventitré cannoni obsoleti estremamente rumorosi. Lawrence fece allestire una pista d'atterraggio. Per far saltare in aria la ferrovia dell'Hegiaz, opera dell'ingegnere Heinrich August Meissner, le avanguardie furono addestrate da un certo Garland, un esperto di esplosivi che s'interessava di fisica e che aveva escogitato metodi per tagliare il metallo e per abbattere i pali telegrafici. Allievo diligente, Lawrence non tardò a sviluppare una propria tecnica di accensione diretta delle cariche esplosive mediante l'elettricità.

La strategia della rivolta prevedeva di risalire la costa e di catturare la guarnigione turca di Wejh, un'importante città sulle rive del Mar Rosso, fra Yanbu e Aqaba. Nel frattempo, Ali, Abdullah e Zeid si sarebbero addentrati nell'interno, avrebbero concentrato le loro forze sulla ferrovia per Medina e l'avrebbero sabotata in più punti con la dinamite. Così sarebbero state interrotte sia dal mare sia dall'entroterra le linee di approvvigionamento dei turchi, al fine di privarli dei rifornimenti necessari per attaccare la Mecca.

Il 18 gennaio 1917 Faysal partì alla testa di diecimila seguaci per una marcia di tre settimane su Wejh, che si sarebbe rivelata il momento decisivo della rivolta araba. Le operazioni non erano più limitate all'Hegiaz meridionale. Le tribù dell'Arabia occidentale si erano unite per la prima volta contro un nemico comune. L'inizio della marcia che avrebbe condotto Faysal a Damasco avrebbe trasformato lui stesso e Lawrence in personaggi di fama internazionale, e avrebbe provocato l'inestinguibile gelosia di Hussain, suo padre, uguagliata soltanto da quella di Abdullah, suo fratello.

Vestito di bianco, Faysal passò in rassegna l'esercito, salutando cordialmente ognuno degli sceicchi. Costoro, in fila e in piedi accanto ai cammelli inginocchiati, si inchinarono e con un ampio gesto del braccio si toccarono le labbra nel saluto ufficiale. Poi l'emiro partì e tutti lo seguirono, tribù dopo tribù, mentre i tamburi suonavano e i poeti improvvisavano versi[18], diecimila voci s'innalzavano in un canto di guerra, e le bandiere purpuree sventolavano sulle picche dorate. Lunga quattrocento metri, la colonna era composta dalla massa selvaggia e scalpitante delle milleduecento guardie del corpo montate su cammelli dalle bardature cremisi e oro, seguita da una brigata cammellata di cinquemila guerrieri e da cinquemilatrecento fanti, con l'artiglieria da montagna Krupp e le mitragliatrici, e infine i trecentottanta cammelli delle salmerie.

Giunti a destinazione, Faysal e il suo esercito scoprirono che Wejh era già stata espugnata dalla marina militare britannica, ma distruggendo con gli esplosivi ponti, treni e ferrovie confusero e intimorirono i turchi, nonostante la loro preponderanza numerica, e catturarono l'attenzione del mondo.

Lawrence lasciò Wejh in compagnia dello *sharif* Nasir, di Medina, e di Audah Abu Tayyi, degli Howeitat orientali, in un'epica deviazione attraverso il deserto sino ad Aqaba. Nelle bisacce portava ventiduemila sterline del patrimonio privato di Faysal, che aveva approvato l'avventura. Con un corpo cammellato fornito da Abu Tayyi, il gruppo giunse ad Aqaba in luglio, catturò la guarnigione ed entrò in città con seicento prigionieri turchi al seguito. Gli arabi avevano sfruttato il vantaggio della sorpresa, perché nessuno aveva previsto un attacco ad Aqaba dal deserto. I cannoni dei difensori erano puntati nella direzione opposta per respingere eventuali attacchi dal mare. Quella vittoria affermò una volta per tutte l'importanza, per gli inglesi, degli alleati arabi, i quali, con Lawrence, avevano combattuto le battaglie più dure nel Sud e con la conquista del Mar Rosso avevano consentito all'esercito egiziano di marciare verso Damasco. Il generale Allenby, da poco tempo comandante delle forze armate britanniche, nominò Faysal comandante in capo di tutte le operazioni arabe a nord di Ma'an e autorizzò la distribuzione di denaro, munizioni e mezzi di trasporto lungo la via per Damasco.

Ritardi e impedimenti da parte di inglesi e arabi furono compensati dal successo delle operazioni di guerriglia contro le guarnigioni turche dislocate lungo la ferrovia e contro i treni che trasportavano munizioni e denaro. In seguito Jafar pascià el Askeri, sostenitore siriano di Faysal, descrisse centinaia di migliaia di banconote turche che uscivano fluttuando da un treno in fiamme senza che nessun guerriero si curasse di raccoglierle, tanto era il fervore di giungere a Damasco.

Mentre Allenby proseguiva per Gerusalemme, che sarebbe stata conquistata con una vittoria suprema nel dicembre del 1917, Faysal si accampò ad Aqaba per preparare l'esercito alla marcia verso nord per Damasco. Proprio in quel momento arrivò nell'accampamento, inaspettata e devastante come lo scoppio di una bomba, una copia dell'accordo Sykes-Picot, stipulato in segreto, consegnata per cortese iniziativa dei bolscevichi tramite l'antico nemico di Faysal, Jemal pascià, intenzionato a mostrare agli arabi cosa ci fosse in serbo per loro se gli Alleati avessero vinto la guerra. Faysal era al corrente dell'esistenza di un accordo, ma sino a quel momento non aveva saputo nulla di preciso.

L'accordo fra Sir Mark Sykes e François Georges-Picot stabiliva che in caso di vittoria l'"Arabia" sarebbe stata divisa in protettorati e amministrazioni da distribuire fra inglesi, francesi e russi, apparentemente ignorando che in precedenza Sir Henry McMahon aveva promesso che la regione in cui erano comprese le quattro città sacre dell'Islam sarebbe stata araba e indipendente. L'accordo Sykes-Picot, o meglio, il disaccordo, come già era chiamato a Londra, sarebbe diventato la base dell'intesa alla conferenza di Sanremo, che avrebbe sottoposto l'Arabia ai mandati britannico e francese.

In verità era stato proprio Hussain, il suo dispotico padre, a nascondere tale essenziale informazione a Faysal, come gli aveva nascosto anche la corrispondenza da lui intrattenuta per anni con Henry McMahon, custodita alla Mecca, e come aveva giudicato superfluo spiegargli i propri ordini. Tre mesi prima, cioè in maggio, Sykes e Picot avevano incontrato Hussain a Gedda proprio allo scopo di spiegare i termini dell'accordo in seguito ai mutamenti imposti ai britannici dalle esigenze francesi: la sfera d'influenza francese avrebbe incluso Siria e Libano, mentre quella britannica avrebbe incluso Iraq, Transgiordania e Palestina settentrionale. Saldo nelle proprie convinzioni e nei propri intenti a causa dell'età e della forte personalità, Hussain li aveva quasi ignorati.

Nulla avrebbe potuto mitigare la delusione di Faysal, e

si trattava proprio di ciò che Lawrence aveva temuto. Per alcuni giorni sembrò che la rivolta araba fosse conclusa, e Lawrence fu straziato da emozioni contrastanti. Faysal telegrafò immediatamente alla Mecca per dichiarare al padre che lui e il suo esercito rifiutavano di continuare la guerra contro i turchi perché il loro ideale era quello dell'indipendenza e dell'unità della nazione araba. Non intendevano tollerare che altre potenze straniere sostituissero i turchi. Allora Hussain telegrafò a Londra, ottenendo la superficiale assicurazione che la notizia era basata su mero intrigo e che l'unico scopo del governo britannico era la liberazione degli arabi. Ciò bastò allo *sharif*, che di conseguenza ordinò al figlio di continuare la guerra, «altrimenti ti considererò un traditore»[19]. Inebriato dal successo di Faysal, si considerava già «re degli arabi».

Sebbene tormentato dal dubbio, Lawrence garantì a Faysal che gli inglesi avrebbero mantenuto le promesse, sia nella sostanza che nella lettera. A partire da quel momento, scrisse, «anziché essere orgoglioso delle nostre azioni in comune, cedevo continuamente ad un sentimento di amara vergogna»[20]. Così l'esercito arabo proseguì la marcia verso Damasco e ricevette rinforzi dalle diverse tribù, diventando sempre più numeroso. Conquistata Dar'a, giunse al villaggio di Tafas, il cui capo, Tallal, era uno dei più fidati guerrieri di Faysal, e i cui abitanti avevano subito la terribile vendetta dei turchi in ritirata da Dar'a: donne e bambini erano stati torturati e mutilati, le case erano state bruciate. La provocazione era intollerabile. Folle di orrore, Tallal si coprì il volto con la *kefiyeh* e si lanciò al galoppo contro i nemici in ritirata, sfidandone il fuoco. Le scene di massacro che ne seguirono furono indescrivibili. Lawrence ebbe disgusto di se stesso per il resto della propria vita.

Damasco, la «perla incastonata negli smeraldi», fu assediata dall'esercito arabo. Non molto tempo dopo i turchi l'abbandonarono e le divisioni britanniche catturarono settantamila prigionieri. Gli irregolari dell'Hegiaz guidati da

Faysal vi entrarono il 30 settembre 1918 e sventolarono la bandiera dello *sharif* dal Serai, sede dell'amministrazione turca. Le donne gettarono i veli e sparsero profumi e fiori al loro passaggio, gli uomini gettarono in aria i fez, e i festeggiamenti continuarono notte e giorno. Il 3 ottobre, quando l'emiro Faysal si avvicinò al centro cittadino, si diffuse un profondo silenzio. La folla si aprì, e lui, preceduto dallo zoccolio dei cavalli, apparve, solo, al galoppo, con un braccio alzato in segno di saluto, accolto da migliaia di acclamazioni che si fusero in un immane ruggito di trionfo, la cui eco riverberò in tutta l'Arabia.

Probabile futuro governante del paese, Faysal srotolò la bandiera dell'Hegiaz e per la prima volta incontrò il generale Allenby. L'ammirazione fu reciproca. Nel 1933 Allenby dichiarò di Faysal: «Univa le qualità del soldato a quelle dello statista: prontezza di visione, rapidità d'azione, schiettezza, semplicità. [...] Pittoresco, sia in senso letterale sia in senso figurato! Alto, elegante, bello, con occhi espressivi che illuminavano un viso calmo e dignitoso, sembrava il modello della regalità»[21]. Il primo discorso di Faysal alla popolazione pose l'accento sull'unità e sull'indipendenza arabe, l'autorità della legge, il motivo dell'alleanza degli arabi con la Gran Bretagna, la Francia, l'Italia e l'America, ovvero porre fine alle atrocità dei turchi.

All'inizio l'amministrazione inaugurata da Faysal funzionò in modo efficiente e tranquillo in tutto il territorio, da Aqaba a Damasco, ma gli echi delle acclamazioni si erano appena spenti che la Siria fu di nuovo straziata dalle divergenze politiche, esasperate dalla dichiarazione anglofrancese del 7 novembre 1918, annunciata quasi simultaneamente all'armistizio e alla fine della guerra con la Germania. Diretta alla popolazione della Siria e dell'Iraq, la dichiarazione sembrava promettere l'istituzione di governi e amministrazioni nazionali che «deriveranno la loro autorità dal libero esercizio dell'iniziativa e della scelta della popolazione indigena», però stabiliva anche che mentre la Siria orientale sarebbe stata amministrata da Lord Allenby, il Territorio nemico occupato a occidente, la costa siriana e il Libano sarebbero stati sottoposti al controllo francese. Gli estremisti insorsero in massa, ma il paragrafo sull'autodeterminazione sembrava incapsulare una solenne promessa alleata e fu detto a Faysal che la suddivisione era un espediente puramente temporaneo. Così l'emiro partì per la conferenza di pace di Parigi confidando tranquillamente che la promessa sarebbe stata mantenuta.

Fra le centinaia di delegati e le migliaia di consiglieri, segretari e dattilografi che si recarono a Parigi fra il gennaio e il luglio del 1919 c'erano Gertrude, Lawrence e Faysal. Primi ministri, ministri degli Esteri, presidenti, principi e re arrivarono in bastimento e in treno. Giunsero inoltre i rappresentanti dei popoli che volevano diventare nazioni e delle nazioni che volevano sapere quali fossero i loro confini, nonché numerosi amministratori e rappresentanti militari, la stampa di tutto il mondo, e lobbisti dai mille interessi. Come scrisse Margaret MacMillan nel suo libro *Peacemakers*: «Per sei mesi [...] Parigi divenne il governo del mondo, la sua corte d'appello, il parlamento, il fulcro delle sue paure e delle sue speranze». Sotto la guida di Woodrow Wilson, Lloyd George e Clemenceau, fu necessario liquidare imperi in bancarotta e rispondere a domande cruciali, in particolare se la Germania e i suoi alleati dovessero essere puniti e costretti a pagare, oppure se dovessero essere ricostituiti.

Nel nostro paese [la Gran Bretagna] la crescente indifferenza di una grande democrazia verso problemi troppo remoti per essere facilmente compresi si abbinò al generoso impulso democratico di offrire a tutte le razze uguali opportunità e alla inquietante consapevolezza che l'Occidente non poteva essere giudicato privo di colpa rispetto all'accusa di sfruttare l'Oriente. La guerra [...] provocò la splendida collaborazione dell'India, lo sforzo valoroso degli arabi al fianco degli eserciti di Lord Allenby, finché i princìpi di pace pronunciati dal presidente Wilson non apparvero se non come un riconoscimento dei servigi resi a una causa comune. In un momento di estrema necessità le forze dell'Asia erano state arruolate per quella che era stata primariamente la difesa delle libertà europee, l'Oriente era stato convocato ai consigli di guerra e un regno arabo era stato accolto fra gli Alleati[22].

Il mondo aveva esaurito le proprie energie e stava per affrontare la grande influenza, o spagnola, che sarebbe scoppiata in Europa e avrebbe ucciso ventisette milioni di persone indebolite e debilitate, cioè il doppio delle vittime della guerra stessa. Una delle prime vittime fu Sir Mark Sykes, che morì durante la conferenza. È interessante domandarsi se i membri delle delegazioni fossero stati contagiati e se al ritorno avessero diffuso il virus nei loro paesi.

Nel terzo mese del suo ultimo orribile anno di collaborazione con A.T.[23], Gertrude prese alloggio all'Hotel Majestic, il più grande dei cinque alberghi occupati dalla delegazione dell'Impero britannico presso l'Arco di Trionfo, nonché centro residenziale e sociale della conferenza. Il cibo e il servizio solitamente eccellenti del Majestic – prima della guerra il dorato albergo prediletto delle ricche sudamericane che arrivavano a Parigi ogni stagione per rinnovare il guardaroba con le ultime novità dell'alta moda – erano stati sostituiti dal pessimo caffè e dal cibo troppo cotto tipici degli alberghi ferroviari inglesi. Il personale era stato rimpiazzato dai dipendenti inglesi degli alberghi delle Midlands nell'intento di prevenire operazioni di spionaggio. Dunque Gertrude non ebbe modo di soddisfare il suo desiderio di un delizioso cosciotto di montone. E non fu soltanto il cibo a rammentare la scuola ai delegati: ogni visitatore riceveva al proprio arrivo un manuale con le norme da rispettare. I pasti erano serviti a ore prestabilite, le bevande dovevano essere pagate, non era permesso cucinare in camera e l'arredamento non doveva essere danneggiato.

Naturalmente Gertrude si trovò nel proprio elemento dal momento stesso del proprio arrivo. L'intento iniziale di andarsene appena A.T. fosse arrivato fu abbandonato, e il suo viaggio in automobile con il padre fu rinviato, anche se Hugh giunse a Parigi per incontrarla. Il 7 marzo Gertrude scrisse:

Sono precipitata in un mondo tanto sbalorditivo e meraviglioso che finora non ho fatto altro se non restare a bocca aperta, incapace di scrivere una sola parola. Tutto ciò che concerne l'Oriente è indicibilmente complesso e prima del mio arrivo non c'era nessuno che potesse illustrare l'aspetto mesopotamico della questione sulla base dell'esperienza diretta. I magnati sono stati estremamente gentili. [...] Tutti mi hanno esortata a rimanere, e io credo, per il momento, che sia affar mio[24].

Il suo amico e corrispondente Chirol andò subito a trovarla e immediatamente iniziò fra loro due una conversazione che si sarebbe protratta per settimane.

L'arrivo alla conferenza di Lawrence e di Faysal fu di gran lunga peggiore. A Marsiglia, Faysal fu informato dalle autorità francesi di essere stato mal consigliato a intraprendere il viaggio perché non aveva alcuna posizione ufficiale alla conferenza. Fu necessario l'intervento britannico perché il suo nome fosse incluso fra quelli dei delegati ufficiali, seppure come semplice rappresentante dell'Hegiaz. Così affittò un'imponente dimora Luigi XVI a Parigi, descritta da A.T. come «pacchiana», e si adirò quando i servizi segreti francesi gli recapitavano le lettere già aperte e gli consegnavano in ritardo i telegrammi dal Medio Oriente.

Approdato a Marsiglia in abbigliamento arabo, Lawrence attirò sguardi increduli e offensivi, quindi fu informato che sarebbe stato il benvenuto soltanto come ufficiale britannico. Lawrence s'infuriò e lasciò la Francia. In seguito si disse che, dopo aver accettato la Croce di Guerra conferitagli dai francesi, l'avesse appesa al collare di un cane. Quando riapparve a Parigi per l'inizio della conferenza indossava una *kefiyeh* sopra l'uniforme cachi. Anziché avere il permesso di alloggiare al Majestic, fra i suoi conoscenti e amici, fu messo in disparte nel meno illustre Continental.

Se si considera l'inevitabile scontro fra le loro personalità, non sorprende sapere che A.T. se la prese con Lawrence per il copricapo arabo non meno che per il suo risoluto sostegno alla causa araba: «Il colonnello T.E. Lawrence [...] sembra avere arrecato danni immensi e le nostre difficoltà con i francesi in Siria mi paiono dovute principalmente al suo operato e ai suoi consigli»[25]. Con Faysal fu poco meno sprezzante, definendolo «l'autoproclamato campione della Siria».

Quando Hussain lo aveva istruito a rappresentarlo alla conferenza, Faysal aveva chiesto di esaminare i documenti in suo possesso relativi alle promesse britanniche, ottenendo un rifiuto. Dunque scoprì l'ampiezza delle promesse del Regno Unito alla Francia soltanto nel leggere il testo dell'accordo Sykes-Picot fornitogli appositamente da Lloyd George. In seguito dichiarò:

Il primo inganno avvenne quando il feldmaresciallo Lord Allenby annunciò che la Siria sarebbe stata divisa in tre zone soltanto temporaneamente e a scopo amministrativo. Il secondo colpo inflitto alla felicità degli arabi fu la conferma del trattato segreto Sykes-Picot, negato nel 1917. [...] In tal modo fummo costretti ad affrontare l'amara verità[26].

Tutti tradirono Faysal, ma gli inglesi meno degli altri. Le minute segrete del consiglio dei dieci della conferenza di Parigi, pubblicate successivamente, mostrano gli sforzi compiuti per adempiere alle promesse fatte agli arabi, sebbene fossero in contrasto con l'accordo Sykes-Picot. Lloyd George sostenne vigorosamente che l'intesa fra Hussain e il Regno Unito avrebbe dovuto essere rispettata. Invece Picot replicò che tale intesa non aveva nulla a che fare con la Francia e

aggiunse, senza vergogna, che sarebbe stata del tutto ignorata, se la Francia stessa avesse ottenuto il mandato sulla
Siria. Lloyd George ribatté che l'occupazione di Damasco
da parte delle truppe francesi sarebbe stata considerata una
violazione dell'accordo fra il Regno Unito e Hussain. I francesi scelsero di interpretare l'alleanza fra inglesi e Hashemiti come una cospirazione per consentire al Regno Unito
di avere il monopolio dell'influenza sul Medio Oriente. La
loro riluttanza e la confusione degli inglesi, che non intendevano mantenere la Siria, però avevano preso impegni
contrastanti con loro e con gli arabi, erano di cattivo auspi-
cio per gli interessi hashemiti.

Il 6 febbraio Faysal ebbe occasione di parlare al consiglio dei dieci e pronunciò il suo discorso in arabo, in periodi fluidi e risonanti tradotti da Lawrence, che lo affian-
cava[27]. Dichiarò che il mondo arabo doveva avere la sua
indipendenza. Sostenne che tutte le regioni di lingua araba avrebbero dovuto beneficiare di autonomia individuale
sotto uno stato arabo che avesse diritto di sovranità e che
fosse a sua volta sottoposto a un mandato sino a quando
fosse stato autosufficiente. Aggiunse che l'unità araba non
avrebbe potuto realizzarsi sotto le prospettate «sfere d'influenza». Rammentò al Regno Unito gli impegni a favore
dell'indipendenza araba documentati dalla corrispondenza
Hussain-McMahon. Ricordò ai francesi lo spirito di autodeterminazione promosso dal presidente Wilson e sancito
dalle clausole sulla «libertà di scelta» della dichiarazione anglofrancese. Infine sollecitò domande e rispose in ottimo
francese.

Il ministro degli Esteri francese, Stephen Pichon, chiese
a Faysal, nell'intento d'indurlo a un'indiscrezione, che cosa
avesse fatto la Francia per aiutarlo. Evitando abilmente la
trappola, Faysal rese il dovuto merito all'aiuto francese, ma in
modo tale che tutti comprendessero senza il minimo dubbio
che si era trattato di un sostegno estremamente limitato.

Lloyd George pose domande attentamente formulate

per dimostrare l'ampio contributo degli arabi alla vittoria alleata. Invece il presidente Wilson chiese soltanto se gli arabi preferissero essere sottoposti a un unico mandato, oppure a più mandati. Nel rispondere, Faysal dimostrò grande moderazione e diplomazia. In precedenza, a Londra, Lloyd George gli aveva consigliato di «agganciare il suo carro alla stella del presidente Wilson»[28] se gli fosse stato chiesto quale mandato preferisse, perché l'America era l'unica nazione capace di impedire che la Siria fosse sottoposta al mandato francese. Anche se seguì letteralmente questo consiglio, Faysal fu di nuovo deluso, in seguito, quando lui e Lawrence incontrarono Wilson. Questi evitò di assumere qualsivoglia impegno e poco dopo ritirò l'America dai negoziati. Non appena nel pubblico americano fosse scemato l'interesse per il Medio Oriente, come presto sarebbe accaduto, la causa araba sarebbe stata perduta.

Gertrude diventava sempre più severa e non sopportava di buon grado gli sciocchi, e lo stesso valeva per Lawrence. Entrambi sapevano essere affascinanti con coloro a cui erano interessati, che fossero beduini mediorientali o statisti occidentali, però sapevano essere anche brutalmente rudi. Di recente, a Baghdad, Gertrude aveva raggelato gli invitati a un rinfresco commentando alla presenza di un collega e della sua giovane moglie inglese: «Perché giovani inglesi promettenti sposano donne tanto sciocche?» Quando una commensale che gli sedeva accanto a un pranzo durante la conferenza di pace gli confessò nervosamente: «Temo che la mia conversazione non vi interessi granché», Lawrence ribatté che si sbagliava di grosso: «Non m'interessa affatto».

Il lento procedere della conferenza irritò sia Gertrude che Lawrence, i quali decisero di perseguire la realizzazione dei loro progetti. Con l'aiuto di Chirol organizzarono una cena nella casa parigina di Wickham Steed, redattore del *Times*, a cui furono invitati numerosi giornalisti francesi molto influenti. Tutti parlarono francese, incluso Lawrence, che aveva trascorso gran parte della propria gioventù in Bretagna. In una lettera datata 26 marzo 1919, Gertrude scrisse:

Dopo cena, T.E.L. ha spiegato esattamente la posizione di Faysal e dei siriani, da una parte, e quella della Francia, dall'altra, poi ha delineato il progetto di un possibile accordo senza il ritardo che è il difetto principale della proposta di inviare una commissione, e ci è riuscito in maniera ammirevole. Ha fatto profonda impressione con il suo fascino, con la sua semplicità, con la sua sincerità, e ha persuaso i suoi ascoltatori. Ora il problema è se non sia troppo tardi per convincere il Quai d'Orsay e Clemenceau, e proprio di questo stiamo discutendo attualmente[29].

Al suo vecchio collega dell'Ufficio arabo, Aubrey Herbert, scrisse da Parigi:

Oh, mio caro, stanno facendo una tale confusione nel Vicino Oriente, e prevedo senza alcun dubbio che sarà molto peggio di quanto era prima della guerra, tranne la Mesopotamia, che possiamo riuscire a tenere fuori del caos generale. È come un incubo in cui si prevedono tutte le cose orribili che stanno per succedere senza poter neppure allungare una mano per impedirlo[30].

Naturalmente, Gertrude provava un desiderio immenso d'incontrare Faysal, l'eroe della rivolta, colui che in un modo o nell'altro avrebbe svolto un ruolo fondamentale in Medio Oriente. Era arrivata troppo tardi per ascoltarne il discorso, tuttavia gli fu presentata da Lawrence e la sua simpatia si accentuò. Come d'abitudine, Faysal indossava abiti bianchi ricamati in oro, portava la spada cerimoniale, e con l'aura del condottiero e del mistico era proprio il tipo di arabo del deserto da cui Gertrude era sempre stata attratta. Anzi, era molto di più. La sua cordialità e il suo umorismo, in contrasto con l'espressione pensosa degli obliqui occhi nocciola, la colsero di sorpresa. In seguito a una fugace allusione alle guerre combattute per il possesso della Terra Santa, Faysal aveva sorriso: «Perdonate, ma... Chi di noi ha vinto le crociate?» A trentatré anni era un guerriero veterano, la cui aria malinconica era accentuata dall'esperienza e dal tradimento. Mai in perfetta salute, era segnato e smagrito dai ripetuti sforzi con cui si prodigava sino ai limiti delle proprie energie. Sebbene avesse le sopracciglia e i baffi folti e neri, la barba fitta iniziava già a ingrigire. Lawrence disse a Gertrude della passione di Faysal per la poesia araba e le raccontò che spesso, insieme, avevano ascoltato per ore le recite di versi. Parlò della sua abilità nel gioco degli scacchi e della misteriosa malattia per cui talvolta cadeva tramortito dopo avere guidato i guerrieri in combattimento e doveva essere portato via dal campo di battaglia.

Profondamente impressionata, speranzosa che i francesi non gli impedissero di diventare re di Siria, Gertrude chiese un incontro con Faysal e una mattina conversò con lui per un paio d'ore, mentre lui era in compagnia di Augustus John, che aveva preso uno studio a Parigi per ritrarre i delegati più interessanti. Fra le carte di Gertrude esiste un resoconto senza titolo e senza data di due dei suoi primi incontri con Faysal, uno dei quali avvenuto a Parigi:

Nello studio di John gli dissi di credere che nessun potere terreno avrebbe indotto la Francia a rinunciare al mandato siriano. Lui ne rimase sorpreso e sgomento. Subito dopo questo incontro pranzai con Mr Balfour e, dopo pranzo, quando gli altri ospiti se ne furono andati, gli riferii la mia conversazione con Faysal, ribadendo la mia convinzione a proposito dell'atteggiamento francese. Mr Balfour [...] mi assicurò in via del tutto privata di essere d'accordo con me. Allora lo implorai di disilludere Faysal [...] affinché potesse comportarsi di conseguenza. Così Mr Balfour convocò Ian Malcolm e gli disse: «Ian, prendete nota di ciò che dice, in modo che io non dimentichi di informare Lloyd George». Da una tasca impeccabile Ian sfilò un taccuino squisito e scrisse ciò che gli era stato chiesto. Con la sensazione che il suo taccuino fosse il più tipico esempio di *cul-de-sac*, lasciai Parigi un giorno o due più tardi[31].

Nel novembre del 1917, Lord Arthur James Balfour, fiacco ministro degli Esteri di Lloyd George, aveva rilasciato una dichiarazione in cui si affermava che il governo britannico approvava «la costituzione in Palestina di un focolare nazionale ebraico»[32]. Pensando a tutti i guai che l'accordo Sykes-Picot aveva provocato, Gertrude scrisse in una lettera a Sir Gilbert Clayton, ex capo dell'Ufficio arabo al Cairo: «Considero il pronunciamento sionista di Mr Balfour con la più profonda diffidenza. Se soltanto chi sta in patria si astenesse dai pronunciamenti sarebbe tutto molto più facile per chi si trova sul posto!»[33]

Sebbene controversa, la dichiarazione era attenuata rispetto alla sua formulazione originale, in cui si auspicava che «la Palestina sia ricostituita come focolare nazionale ebraico». Quando la prima bozza della dichiarazione era stata mostrata al consiglio dei ministri, Sir Edwin Montagu, segretario di stato per l'India, lo stesso che aveva redarguito Gertrude per avergli comunicato la propria visione politica e amministrativa scavalcando A.T. Wilson, si oppose con vigore, pur essendo ebreo, e affermò che il sionismo era un «credo politico nocivo, indifendibile per qualunque cittadino patriottico del Regno Unito». Chiese se la sua lealtà dovesse andare alla Palestina e quali sarebbero state le ripercussioni per i diritti degli ebrei che vivevano in altri paesi. Molti notabili ebrei in Occidente credevano che offrire la Palestina agli ebrei non giovasse affatto alla comunità ebraica. Inoltre gli ebrei che già si trovavano in Palestina prevedevano e temevano i problemi che il sionismo avrebbe creato. A conferma di questa tesi Montagu aveva letto al consiglio dei ministri una lettera di Gertrude, i cui solidi e persuasivi argomenti avevano ispirato una nuova formulazione del documento. La stessa Gertrude era infuriata a causa della tendenza dei sionisti e degli statisti presenti alla conferenza a discutere il problema come se la

Palestina fosse disabitata, e prevedeva che arabi ed ebrei non avrebbero potuto convivere pacificamente. Già nel gennaio del 1918 aveva scritto a Clayton:

Il progetto della Palestina agli ebrei ci è sempre sembrato impossibile. Non credo che possa realizzarsi e personalmente non voglio che si realizzi, come ho detto in ogni possibile occasione. [...] Per gratificare il sentimento ebraico bisognerebbe opporsi a ogni considerazione politica concepibile, inclusi i desideri di gran parte della popolazione[34].

Non era la prima volta che il sogno sionista di una patria escludeva ogni considerazione per la popolazione che già viveva nella regione. Nel 1897 il primo congresso sionista aveva proposto il progetto di acquistare l'Uganda come patria per gli ebrei. Trent'anni più tardi, cosa ne era dei diritti della comunità esistente in Palestina? Cinquecentomila arabi formavano i quattro quinti della popolazione. Come si sarebbe potuta realizzare la protezione promessa dalla dichiarazione, se la Palestina fosse diventata la patria della nazione ebraica?

Metà della popolazione ebraica mondiale viveva in abietta miseria nella Zona di residenza, corrispondente alle attuali Bielorussia, Ucraina e Polonia orientale. Era soffocante in estate, gelida in inverno, e sempre disperatamente povera. Il governo russo non offriva alcuna protezione ai suoi sette milioni di ebrei, che erano continuamente soggetti ai pogrom, alle persecuzioni e ai massacri antisemiti. Alcuni, come Trockij, aderirono alla rivoluzione, mentre centinaia di migliaia emigrarono in America e in Europa occidentale per iniziare una nuova vita. All'inizio della guerra gli ebrei erano tre milioni in America e trecentomila nel Regno Unito, in gran parte profughi.

La crescente diffusione delle idee nazionaliste nel corso di tutta la guerra suscitò in Francia, in Germania e in Austria un clima generale di sospetto nei confronti delle minoranze, soprattutto ebraiche. Al tempo stesso si intensificò fra gli ebrei il desiderio di avere una nazione. Nel Regno Unito, il movimento sionista fu guidato da Chaim Weizmann, docente di chimica all'università di Manchester, dotato di una personalità straordinariamente affascinante[35]. Per lui la Palestina, ultimo regno ebraico a essere stato distrutto dai romani, era l'unica regione che potesse diventare patria ebraica. Desiderava una terra in cui ogni ebreo potesse essere «ebreo al cento per cento», non assimilato e non costretto a definirsi come appartenente a un'altra nazionalità. Disprezzava gli ebrei assimilati, inclusi individui potenti e prestigiosi come Lord Rothschild e Edwin Montagu. Prima della guerra aveva incontrato circa duemila persone nel tentativo di conquistarle alla causa e ne aveva persuase molte, compreso Lord Robert Cecil, che lo aveva aiutato a convincere Balfour. Il sogno sionista faceva vibrare una corda romantica nel ministro degli Esteri, il quale credeva che dovesse esistere una patria per «la razza più dotata che l'umanità avesse visto dall'epoca dei greci del V secolo». Inoltre Weizmann aveva convertito Mark Sykes, Lloyd George e Churchill, le cui simpatie erano già state conquistate dal sostegno che aveva ricevuto in occasione della sua prima elezione dalla importante comunità ebraica di Manchester.

All'inizio della guerra, quando Balfour era primo lord dell'ammiragliato e Lloyd George ministro delle Munizioni, Weizmann aveva creato un debito pressoché inestinguibile nei propri confronti. Nel periodo in cui il Regno Unito aveva fronteggiato una disperata carenza di esplosivi, aveva inventato un processo per produrre l'acetone, indispensabile alla fabbricazione di sostanze esplosive. Lo aveva presentato al governo e per tutta la durata della guerra non aveva chiesto neppure un penny di compenso. Aveva domandato soltanto il sostegno del Regno Unito alla causa sionista, una promessa impossibile da dimenticare.

La legione ebraica, composta di volontari e organizzata

in cinque battaglioni appartenenti al reggimento Royal Fusiliers, aveva combattuto coraggiosamente durante l'avanzata su Damasco al fianco di Allenby, il quale, quando aveva istituito la propria amministrazione, aveva pronunciato doverosamente le proprie dichiarazioni sia in ebraico sia in arabo. Alcuni mesi più tardi i sionisti avevano acquistato una proprietà a Gerusalemme, dove Weizmann aveva posto la prima pietra dell'Università Ebraica. Giunto alla conferenza di pace di Parigi, pronunciò discorsi appassionati e sostenne la richiesta di mandato britannico sulla Palestina. Quando furono presentati, Weizmann e Faysal scoprirono di avere molto in comune, e ciò non fu affatto sorprendente. Entrambi erano contrari al mandato francese. Piuttosto sprezzante nei confronti dei palestinesi, che non considerava neppure come arabi, e molto preoccupato per i propri problemi, Faysal convenne genericamente con Weizmann che vi era «terra in abbondanza». Prevedeva un prospero futuro per gli arabi palestinesi in collaborazione con gli immigrati ebrei, che in una terra arida avrebbero portato l'istruzione e l'intraprendenza occidentali. Il 3 gennaio 1919 Weizmann e Faysal firmarono un accordo per incoraggiare l'immigrazione in cambio del sostegno sionista alla costituzione di uno stato arabo indipendente.

Dopo la conferenza, una commissione che si distinse per la sua irrilevanza fu inviata dall'America a indagare sul futuro della Palestina e a interrogare l'opinione pubblica in merito alla Siria. Come Gertrude avrebbe potuto dire loro, i due commissari scoprirono che gli arabi palestinesi erano profondamente avversi al programma sionista e raccomandavano la rinuncia a una patria ebraica. Gertrude era ben consapevole che fino a quel momento gli arabi in Palestina non si erano considerati una nazione: «Sotto un certo aspetto la Palestina ha motivo di essere grata alla dichiarazione Balfour, perché proprio nell'opporvisi si è fondata come paese. La coscienza nazionale è cresciuta a grandi balzi. [...] Il fervido desiderio di istruzione ovunque manifestato è stato provocato dal geloso desiderio di essere alla pari con gli ebrei»[36].

Nessuno prestò attenzione alle scoperte dei commissari, né vi fu alcuna possibilità di leggerne il rapporto, dato che non fu mai pubblicato.

Purtroppo i palestinesi, a differenza di Weizmann, che vi si impegnò con tutto il fascino della sua personalità, non parteciparono alla conferenza. Invece insorsero per la prima volta a Gerusalemme contro la proposta dello stanziamento degli ebrei in Palestina e inviarono una serie di lettere e petizioni a Balfour, che non ebbe modo di leggerle perché il suo segretario privato le distrusse tutte anziché consegnargliele. In verità, nessuno voleva occuparsi del problema. Era opinione di coloro che vi avevano riflettuto anche soltanto superficialmente, che la Palestina sarebbe stata «una spina nel fianco di chiunque avrà il mandato», come dichiarò Lord Curzon. E così fu per l'alto commissario di Sua Maestà britannica in Palestina, Sir Herbert Samuel. Al suo insediamento Gertrude scrisse con imparzialità della tensione fra ebrei e arabi, della mancanza di tatto dei sionisti nell'esprimere liberamente le proprie speranze per il futuro della Palestina e del profondo risentimento degli arabi a causa dei poteri economici e finanziari concessi alla Commissione sionista, costituita di recente, presieduta da Weizmann e designata dai britannici affinché si insediasse a Gerusalemme e illustrasse le istanze ebraiche ai funzionari britannici locali. «I ruggiti dei membri responsabili della Commissione, come, per esempio, la dichiarazione secondo cui la Palestina dovrà essere ebraica come l'America è americana, continueranno a echeggiare sullo sfondo delle miti note dell'alto commissario, che in effetti vi annegano» commentò Gertrude.

Nell'aprile del 1919 Faysal lasciò la Francia, deluso, e incontrò il papa a Roma prima di tornare in Siria a sopprimere la guerriglia lungo la costa. In settembre Lloyd George e Clemenceau giunsero a un accordo provvisorio,

secondo cui le truppe britanniche in Siria sarebbero state
sostituite da guarnigioni francesi e le truppe arabe sarebbero
rimaste nella regione orientale, sottoposte alla supervisione francese. Invitato a Londra dal governo britannico per
discutere la situazione, Faysal ripartì. Nuovamente trattato
in modo scortese a Marsiglia, fu costretto a evitare Parigi.
A Boulogne e a Dover fu ricevuto rispettosamente da un
ammiraglio britannico e da una guardia d'onore. Alla stazione di Londra fu accolto da rappresentanti del ministero
degli Esteri. Fu informato dell'accordo recentemente stipulato dal primo ministro, con l'assicurazione che era soltanto
temporaneo.

Tornato in Siria scoprì che suo padre, Hussain, rifiutava
di riconoscere i suoi negoziati, nonché gli accordi di pace
contenuti nel trattato di Versailles, che non intendeva ratificare[37]. Quando arrivò a Damasco, Faysal fu accolto da diecimila arabi in marcia di protesta contro l'imminente mandato francese. Nel marzo successivo un congresso arabo si
riunì per chiedere la totale indipendenza araba in Siria. Nel
frattempo in Mesopotamia, lungo l'Eufrate, le tribù arabe
combattevano contro i britannici, unici alleati di Faysal,
così descritto da Gertrude quale era in questo periodo:

Con i suoi alti ideali, con la sua giusta concezione della causa araba, rappresentata e difesa soltanto da lui, Faysal era acutamente
sensibile all'accordo o all'antagonismo in politica, e tentava di
resistere alla celata ostilità dei francesi e all'ardente follia dei suoi
seguaci, tormentato dalla famiglia, abbandonato dal governo britannico [...] senza alcuno accanto in cui cercare affetto e guida
imparziale[38].

Stretto nella morsa delle priorità dell'Occidente e dell'estremismo in Siria, Faysal fu costretto ad affrontare i nazionalisti arabi, i quali esigevano che accettasse la corona della
Siria, e prese tempo per decidere. Per chiedere consiglio inviò un cablogramma a Lord Allenby, che si trovava al Cai-

ro, spiegando che se avesse accettato avrebbe potuto evitare un'insurrezione, mentre in caso contrario avrebbe rischiato di provocarne una. Giunta dopo un lungo intervallo, la risposta era formulata in modo tanto vago e tanto evasivo che Faysal acconsentì a essere eletto re. Né l'Inghilterra né la Francia riconobbero la sua incoronazione, la prima perché non poteva, la seconda perché non voleva. Lui stesso fu accusato di essere passato agli estremisti da coloro che lo giudicavano autoproclamato.

Nell'aprile del 1920, alla conferenza di Sanremo, la Siria fu ufficialmente sottoposta al mandato francese. Benché invitato a partecipare, Faysal era ormai stanco di correre in giro per il mondo in risposta alle convocazioni dell'Occidente soltanto per essere trattato in modo scortese e poi ignorato. Con un processo tanto graduale quanto inesorabile la Siria era arrivata al punto in cui un conflitto non si poteva più evitare.

Appena il mandato francese fu approvato alla conferenza, Damasco esplose. La posizione di Faysal era impossibile. I siriani lo accusavano di essere favorevole ai francesi, che a loro volta lo accusavano di essere probritannico, e gli inglesi affermavano che appoggiava la causa dell'estremismo arabo. Avrebbe potuto sottomettersi ai francesi oppure sostenere gli arabi, come sarebbe stato naturale per lui. Tuttavia non ebbe la possibilità di decidere. Ironicamente, il generale Gouraud, lo stesso che gli aveva conferito la Legion d'onore, giunse a Damasco in qualità di primo alto commissario francese e trovò un'atmosfera di rivolta[39].

I francesi avevano novantamila soldati in Siria, di cui avevano occupato tutti i porti principali. Quando Faysal protestò ufficialmente contro l'occupazione straniera e si appellò contro il mandato al consiglio dei dieci, Gouraud agì, esigendo da lui il riconoscimento incondizionato del mandato, l'adozione del francese come lingua di governo, l'immediata riduzione dell'esercito siriano, l'abolizione della coscrizione, il libero trasporto ferroviario delle truppe, l'occupazione francese di Aleppo e la punizione di tutti gli arabi che si erano ribellati al mandato. Faysal chiese quarantott'ore di tempo per riflettere, ma prima che tale periodo fosse scaduto i francesi posero un'altra serie di ultimatum. Poi, il 22 luglio, le tribù arabe presero la legge nelle loro mani e attaccarono un avamposto francese. Il giorno successivo i francesi li cacciarono e marciarono su Damasco per occuparla. «La resistenza degli arabi [...] non fu guidata da Faysal, anzi, avvenne sfidandone gli ordini» osservò Gertrude. «Il generale Gouraud emanò immediatamente un proclama che esordiva con queste parole: "L'emiro Faysal, che ha condotto questo paese sull'orlo della rovina, ha cessato di regnare"»[40]. Infine Gouraud ingiunse a Faysal di lasciare Damasco entro ventiquattr'ore.

Così il primo esperimento di autodeterminazione araba fu schiacciato dall'esercito francese. Dopo un regno durato meno di cinque mesi, Faysal lasciò Damasco insieme a Zeid, il fratello minore. Da Dar'a, luogo del più grande trionfo della rivolta araba, si recò sotto protezione britannica ad Haifa, poi in Egitto e in Europa. Sulla banchina della stazione di al-Qantara, dove era andato ad accoglierlo, Ronald Storrs trovò l'ex re di Siria seduto sul proprio bagaglio ad attendere il treno e vide che «aveva gli occhi colmi di lacrime ed era ferito nell'anima»[41].

Gertrude soffrì e s'infuriò. «È mia opinione che non vi siano parole abbastanza forti per esprimere la mia consapevolezza della nostra responsabilità nel disastro siriano. È impossibile vedere dove i francesi siano condotti dalla loro politica, e credo che neppure loro stessi lo vedano»[42]. In seguito Faysal le confessò di avere confidato nella solida alleanza fra il governo britannico e l'Hegiaz:

In Siria mi avete abbandonato, perciò mi è necessario concepire un nuovo progetto. Dovete ricordare che sono stato e che sono tuttora del tutto solo. Non ho mai avuto il sostegno di mio padre, né quello di mio fratello Abdullah, entrambi aspramente gelosi della posizione che il successo della campagna araba mi aveva conferito in Siria. [...] Non ho mai avuto la fiducia della mia famiglia.

Parlando a Gertrude con notevole franchezza, dato che il suo rapporto con lei era ormai confidenziale, Faysal continuava:

Mentre ero a Parigi, nel 1919, mio padre mi esortava costantemente a forzare gli Alleati a mantenere le promesse fatte agli arabi. Non sapevo neppure quali fossero tali promesse perché non avevo mai visto la sua corrispondenza con McMahon. In ogni caso forzare gli Alleati era escluso. Quale potere avevo? Quale ricchezza? Potevo soltanto argomentare e negoziare, ed è proprio quello che ho fatto. Ho continuato a farlo finché mi sono trovato faccia a faccia con i francesi.

Faysal dichiarò che i suoi seguaci gli avevano forzato la mano. Nello stesso periodo in cui lo avevano nominato re di Siria, avevano nominato Abdullah re dell'Iraq.

Sapevo che l'intera faccenda era ridicola, ma ho concesso la mia approvazione per placare mio fratello, il quale, come sapete, è più anziano di me. Volevo offrirgli una posizione prestigiosa nel mondo arabo in modo da placare la sua ostilità.

Ormai Gertrude vedeva abbastanza bene dove stesse conducendo la politica francese in Siria:

L'odio crescente nei confronti del dominio francese, che è una caratteristica permanente nella storia della Siria sin da quando l'abbiamo lasciata nel novembre del 1919, è stato tanto profondamente esasperato dai recenti avvenimenti che nessun palliativo da parte del governo francese potrebbe risultare efficace[43].

[Oltre ai musulmani siriani e ai cristiani] sono intervenuti anche i Drusi che, impeccabilmente intrepidi, implacabilmente vendi-

cativi e spietatamente crudeli, non avranno alcun timore a opporsi alle forze della Repubblica francese, pur essendo pochi, e
non perdoneranno le offese [...].
È stata la politica francese a unire [...] i Drusi e gli arabi siriani.
[...] La loro causa è diventata una sola. [...] Prima o poi i francesi dovranno andarsene[44].

Negli anni successivi, la Francia, tentando di sottomettere
gli arabi al dominio militare, frammentò ulteriormente la
Siria. Nell'estate del 1925, i Drusi fomentarono un'insurrezione nazionalista. Ancora una volta la guerra esplose a
Damasco e i francesi bombardarono indiscriminatamente
l'antica città, riducendola in rovina. Per anni la Siria sarebbe
rimasta in una condizione di caos ingovernàbile.
     Se si considerano il suo incontro e la sua conoscenza
con Faysal, l'orrore provato nell'assistere agli eventi che si
svolgevano a Damasco, la preoccupazione per la violenza
in Palestina, il terrore per la vastità dell'insurrezione lungo
l'Eufrate durante gli ultimi mesi dell'incarico di A.T., non è
sorprendente che Gertrude abbia descritto la disintegrazio-
ne del Medio Oriente paragonandola al crollo dell'Impero
romano.

     Quando il mandato britannico in Iraq diventò ufficiale,
A.T. si preparò a partire e a Baghdad si procedette a formare
un'assemblea costituente araba, anche se tutti erano in attesa del ritorno da Londra di Sir Percy Cox, universalmente
stimato. Felice dell'arrivo imminente di colui in cui confidava e con cui poteva collaborare, Gertrude si dedicò a un
progetto sostenibile per innescare un processo democratico
di qualche genere: «Sono felice e interessata al mio lavoro,
e felicissima di confidare nel mio capo. Quando penso a
questo periodo, l'anno scorso...»
     Proprio nel momento meno adatto Gertrude si ammalò
di nuovo di bronchite e fu costretta a rassegnarsi a lasciare
l'ufficio per quasi una settimana. Tuttavia non le fu permes-

so di rimanere del tutto inattiva. Nel padiglione in giardino accolse a tutte le ore visitatori che in apparenza desideravano informarsi sulle sue condizioni di salute, mentre in realtà volevano sfogare paure e aspirazioni. Così Gertrude rinunciò a qualunque speranza di una tranquilla convalescenza. In vestaglia, un abbigliamento estremamente inadeguato all'occasione, ricevette un gruppo di distinti musulmani di Baghdad, inclusi il sindaco e il figlio dell'anziano *naqib*, un nobile e uno dei più importanti capi religiosi in Iraq. Inoltre, Cox non poteva fare a meno di lei e convocò nel salotto di Gertrude un incontro speciale per discutere la nomina dei ministri arabi e dei consiglieri britannici.

Rientrata in ufficio, Gertrude ricevette una visita dell'amico Fahad Beg, ormai quasi ottantenne, il quale la informò di avere acquistato due nuove mogli. In giardino, durante la festa in suo onore, lo sceicco a un tratto si scoprì il torace per mostrare il grosso foro di una ferita inflittagli in giovane età, durante una *ghazzu*, da una lancia che lo aveva trafitto. I sospiri soffocati e gli strilli delle gentildonne furono molto gratificanti.

Frattanto Cox aveva redatto una lista di candidati arabi fidati e rappresentativi. Il primo da scegliere per il consiglio dei ministri sarebbe stato senza dubbio il *naqib* di Baghdad, il venerabile Sayyid Abdul Rahman effendi. Anziano e riverito, era il capo della comunità sunnita. Discendeva dal Profeta, come Faysal, ed era custode del sacro santuario di Abdul Qadir Gilani. Era buon amico di Gertrude, con cui amava conversare, e lei spesso faceva visita a sua moglie e alle sue sorelle. «L'amicizia di Abdul Rahman effendi assume una connotazione gradevolmente tangibile» scrisse Gertrude. «Ogni settimana manda un grande cesto di frutta della sua proprietà, colmo, in questa stagione, di grandi grappoli di uva bianca». Tuttavia il *naqib* viveva in dignitoso isolamento religioso, quindi lei giudicava improbabile che accettasse la proposta. Cox andò a trovarlo, e dopo un breve intervallo, con piacere di tutti, Abdul Rahman accettò e si dispose a formare il governo provvisorio.

In brevissimo tempo i diciotto uomini da lui invitati costituirono il consiglio di Stato, che si installò nel Serai, la vecchia e vasta sede dell'amministrazione turca. Due dei consiglieri più prestigiosi erano Jafar pascià el Askeri, condottiero di Faysal durante la rivolta e in seguito suo sostenitore in Siria, e Nuri pascià Said, individuo ancora più formidabile, che Gertrude, nell'approfondirne la conoscenza, giunse ad ammirare. Questi furono i primi sostenitori dell'indipendenza a essere ricondotti a Baghdad a spese del governo dopo il crollo del regime arabo a Damasco. Jafar pascià, arabo di Baghdad che parlava correntemente otto lingue, fu invitato dal *naqib* a diventare ministro della Difesa e a formare un esercito nativo che sostituisse quello britannico. Si era unito alle forze arabe dopo aver saputo che Jemal pascià aveva fatto impiccare pubblicamente i suoi amici nazionalisti siriani a Damasco. Gertrude commentò: «Vorrei che vi fossero altre persone dotate della sua integrità e della sua moderazione»[45]. Come lui stesso confessò a Gertrude, dopo l'esperienza con Faysal in Siria aveva accettato con molti dubbi e con altrettanta diffidenza di entrare a far parte del consiglio dei ministri. Lei gli promise che la completa indipendenza era ciò che il governo britannico sperava di donare finalmente all'Iraq. «Stavamo parlando in arabo, e lui rispose: "Mia signora, la completa indipendenza non è mai donata, ma sempre conquistata". Era una considerazione profonda»[46].

Inevitabilmente vi furono subito difficoltà con gli sciiti, sia perché giudicavano il consiglio dei ministri sottomesso ai britannici, sia perché esso era a maggioranza sunnita. A tutti coloro che protestarono, Gertrude replicò che gli sciiti erano quasi tutti sudditi persiani e non potevano essere eletti a incarichi governativi in Mesopotamia. Poco tempo dopo, uno sciita di Kerbela accettò il ministero dell'Istruzione offertogli dal *naqib*.

Il consiglio dei ministri provvisorio aveva l'incarico di governare il paese durante i preparativi per la prima elezione generale. Uno dei compiti di Gertrude consisteva nel suggerire un sistema di voto ragionevolmente equo e rappresentativo, da sottoporre alla commissione per la legge elettorale. A questo proposito osservò: «Cox ha inviato al consiglio una lettera ammirevole, in cui afferma che nell'assemblea elettorale incaricata di decidere del futuro dell'Iraq dovrà essere rappresentata ogni componente della comunità, e che lui dovrà essere in grado di assicurarlo al proprio governo»[47]. Bisognava risolvere il problema dei grandi proprietari terrieri presenti nel consiglio, i quali avrebbero fatto del loro meglio per escludere le tribù dal processo di voto. Sasun effendi, capo della comunità ebraica, e Daud Yusafani, di Mosul, si recarono a discuterne, e Gertrude scrisse: «Concordiamo tutti che sarebbe disastroso se le tribù prevalessero sui cittadini, ma io ho insistito sulla considerazione secondo cui [...] un governo nazionale arabo non potrebbe mai sperare di avere successo se non riuscisse a coinvolgere le tribù nel proprio operato»[48].

Inizialmente Gertrude pensò di includere nell'assemblea elettorale trenta rappresentanti tribali, uno per ognuna delle venti tribù più numerose e gli altri dieci per le meno numerose. Tuttavia Jafar pascià e Sasun le proposero due rappresentanti tribali per ogni circoscrizione dell'Iraq. Inoltre, tutti i componenti delle tribù che avessero voluto registrarsi avrebbero potuto votare in via ordinaria. Gertrude ne fu deliziata, sia perché il consiglio dei ministri aveva ideato un progetto migliore, sia perché aveva assicurato la presenza minima di dieci rappresentanti tribali nell'assemblea. Alla prima riunione del consiglio di Stato del primo governo arabo in Mesopotamia dopo l'epoca abbaside, il suo entusiasmo era alle stelle.

Il primo compito del consiglio fu quello di pacificare il paese. Le violenze continuavano lungo l'Eufrate e nel Nord, dove gli aerei della RAF bombardavano le tribù che continuavano ad aggredire le guarnigioni britanniche. Cox era deciso ad assicurare la pace prima di compiere nuovi passi, e per reprimere le rivolte impiegò ogni forza disponibile, facilitato dai rinforzi inviati dall'India, di cui ora disponeva. Un'amnistia generale fu promessa ai capi dei rivoltosi, e dato che Cox intendeva concederla soltanto una volta sottomesse le tribù, Gertrude lo esortò a concederla subito perché voleva che i britannici avessero il merito di aver agito autonomamente, anziché suscitare l'impressione di avere ceduto alla pressione araba. Così scrisse a Chirol: «L'opinione sunnita [in Iraq] sta virando [...] a favore di un principe turco. Benché non mi piaccia affatto, sono pronta ad accettarlo. Sono pronta ad accettare qualunque cosa che prometta stabilità immediata»[49].

Il suo scopo era sempre quello di portare pace e stabilità in Iraq, affinché la vita della gente comune potesse prosperare. La violenza tribale contro i britannici era una pillola amara da inghiottire. La responsabilità era tanto dell'amministrazione screditata di A.T. quanto delle potenze occidentali e dei loro interminabili rinvii nel mantenere la promessa dell'autodeterminazione. Gertrude si era infuriata per tutto questo e adesso doveva subirne le conseguenze. Odiava i bombardamenti e gli incendi. Al tempo stesso concordava con Cox che un nuovo governo arabo privo di esperienza non avrebbe potuto affrontare una violenta insurrezione, perciò lo sostenne, seppure con riluttanza, nell'agire con inflessibilità per riportare la pace. La sua apparente disponibilità ad accettare un principe turco, se tale fosse stata la volontà del futuro Iraq democratico, risulta meno sorprendente se si considera un suo commento ironico in una lettera ad Hardinge redatta in un momento di esasperazione: «Talvolta mi domando se non avremmo fatto meglio ad abbandonare le province arabe alla sovranità nominale della Turchia, visto che la nascita dei nuovi stati esige tanto travaglio!»

Comunque, democrazia significava accettare la volon-

474

tà espressa dalla popolazione senza timori. In una lettera a Hugh del 18 dicembre 1920, Gertrude scrisse: «Ho detto che tutto dipendeva interamente da loro, che non ci importava chi avrebbero nominato emiro, né quale forma di governo avrebbero scelto, purché avessimo la certezza che tali scelte fossero libere ed eque, senza subire pressioni né intimidazioni»[50].

A questo proposito non era del tutto sincera, perché sapeva esattamente quale re voleva per la Mesopotamia. Soltanto una settimana più tardi scrisse al padre: «Vedo con chiarezza assoluta nella mia mente che esiste un'unica soluzione praticabile, un figlio dello *sharif*, e per scelta Faysal: assolutamente la primissima scelta»[51].

15.
Incoronazione

Nel ritenere che Faysal fosse l'unico possibile re dell'Iraq, Gertrude aveva importanti alleati. Churchill, il nuovo segretario di stato per le Colonie, aveva scelto Lawrence come consigliere per gli affari arabi, e Lawrence, come Gertrude, era rimasto scosso dal tradimento di Faysal da parte dei francesi e voleva alleviare il proprio senso di colpa e di responsabilità per quello che era accaduto in Siria. Al pari di Gertrude, riteneva che Faysal fosse la soluzione migliore per la corona dell'Iraq. Prima però fu necessario consultare i francesi, e il risultato fu la richiesta di una condizione. A questo proposito Lawrence non tardò a informare Churchill, che in quel periodo si trovava in vacanza nel Sud della Francia per dipingere. I francesi avevano chiesto che Faysal rinunciasse a ogni pretesa sulla Siria e che cessasse completamente di sostenere i nazionalisti siriani. Ebbene, Faysal aveva accettato, abbandonando le pretese del padre sulla Siria, in cambio del trono dell'Iraq per se stesso e della Transgiordania, creata di recente, per suo fratello Abdullah.

Tuttavia Churchill aveva un compito amministrativo più urgente, cioè ridurre sostanzialmente la spesa pubblica di trentasette milioni di sterline per il controllo militare del Medio Oriente e il costo enorme del mantenimento dell'ordine pubblico in Iraq[1]. A questo scopo convocò i funzionari inglesi operanti in Iraq per una conferenza di dieci giorni che si sarebbe tenuta al Cairo, e alla quale lui stesso avrebbe partecipato.

Lo scopo della conferenza, che ebbe inizio il 12 marzo 1921, era quello di esaminare i problemi del Medio Orien-

476

te in tutti i loro aspetti. In Iraq, Cox aveva stroncato in gran parte la rivolta di alcuni mesi prima e sosteneva con la stessa decisione di Churchill che non bisognava tardare nel compiere un ulteriore passo verso la formazione di un governo arabo indipendente. Alla conferenza parteciparono il maresciallo dell'aria Hugh Trenchard, della RAF, Kinahan Cornwallis, l'esperto dei servizi segreti che, dopo aver recentemente diretto l'Ufficio arabo, era stato destinato al ministero delle Finanze in Egitto, e il maggiore generale Sir Edmund Ironside, comandante delle forze armate britanniche in Persia. Il gruppo di Sir Percy era composto di sei persone, inclusi Gertrude, Jafar pascià e Sasun effendi Eskail, l'uomo d'affari ebreo che adesso era ministro delle Finanze. Pur lavorando ormai nell'industria petrolifera, anche A.T. Wilson partecipò, e non mancò di occupare un posto preminente nella foto di gruppo ufficiale, lasciando Gertrude sullo sfondo.

Alla stazione del Cairo la delegazione irachena fu accolta da Lawrence, il quale, nel periodo trascorso dal suo ultimo incontro con Gertrude alla conferenza di pace di Parigi, era diventato universalmente famoso grazie al giornalista Lowell Thomas, che aveva scritto una sua biografia e teneva in tutto il mondo conferenze e interviste sul suo eroe. Lawrence era torturato e lusingato da tanta pubblicità, e pur rifuggendola, era stato visto in un cinema, seduto in ultima fila, a guardare un film che raccontava le sue imprese. Per la prima volta era più famoso di Gertrude, che peraltro non avrebbe potuto essere meno interessata a tanta celebrità. Appena furono soli in camera sua, al Semiramis Hotel, Gertrude gli chiese conto di alcuni giudizi, sia elogiativi sia critici, da lui espressi pubblicamente a proposito dell'amministrazione civile a Baghdad. In un articolo per il *Sunday Times* Lawrence aveva scritto: «In Mesopotamia il popolo inglese è stato attirato in una trappola da cui difficilmente potrà sfuggire con dignità e onore. La situazione è molto più grave di quanto ci è stata descritta e la nostra amministrazione è più sanguinaria e inefficiente di quanto sia noto all'opinione pubblica»[2]. Inoltre aveva dichiarato che la lingua inglese era stata imposta con la forza in Iraq. Dopo avergli ricordato tutto questo, Gertrude dichiarò che si trattava di menzogne e che lui lo sapeva. «Sono tutte sciocchezze!»

Nonostante questa discussione, Gertrude e Lawrence rimasero grandi amici. Ancora Intrusi, come un tempo, erano entrambi fra i principali promotori dei nuovi assetti mediorientali e decisi a vedere Faysal re dell'Iraq. Quando Lawrence se ne fu andato, Gertrude si recò per una breve visita nella suite di Churchill e di sua moglie Clementine. Il giorno successivo iniziarono i lavori.

Cox dichiarò a Churchill che il consiglio di Stato provvisorio riferiva ancora agli inglesi e che presto avrebbe dovuto essere sostituito da una nuova autorità, preferibilmente un sovrano arabo. Gertrude nominò alcuni candidati, cioè il *naqib*, Sayyid Abdul Rahman, anziano capo sunnita che senza dubbio avrebbe rifiutato, un principe turco, e lo sceicco di al-Muhammarah, nonché due forti contendenti, ovvero Faysal e il meno integro e meno promettente Sayyid Talib.

Quest'ultimo, figlio del *naqib* di Bassora, era un personaggio formidabile, famoso nella regione, politicamente astuto e descritto in passato da Gertrude come «un furfante». Attuale ministro dell'Interno, era stato accuratamente escluso dalla delegazione perché era un noto omicida, o almeno si sapeva per certo che aveva assassinato alcune persone. Durante la guerra aveva tentato di vendere i propri servigi a un prezzo a dir poco bizzarro sia ai turchi sia ai britannici. Incarcerato in India, era stato infine rilasciato grazie all'intercessione di A.T. Wilson e dell'amministrazione britannica a Baghdad, perché dopotutto apparteneva a un'importante famiglia irachena e suo padre era capo della potente fazione sunnita nell'Iraq meridionale. Di recente Talib aveva collaborato con i britannici nel reprimere le rivolte a Baghdad e a Bassora, e la notte prima che Gertrude partisse per Il Cairo aveva tentato di ottenerne il sostegno, come lei stessa raccontò:

Fra una bevuta di whisky e l'altra mi sussurrò all'orecchio, in toni sempre più melliflui, di avermi sempre considerata una sorella, di avere sempre seguito i miei consigli e di vedere ora in me il suo unico aiuto e sostegno. Allora io, profondamente convinta che le sue ambizioni non si realizzeranno mai, e mai dovranno realizzarsi, non ho potuto fare altro che mormorare incolori espressioni di amicizia[3].

Alla conferenza, Cox, Gertrude e Lawrence perorarono la causa di Faysal, eroe di guerra e audace alleato degli inglesi durante la rivolta araba. Era un capo onorevole, dotato di uno straordinario ascendente sui suoi seguaci, e inoltre era disponibile. Churchill approvò la proposta perché apprezzava anche il fatto che tramite Faysal i britannici avrebbero potuto influire su suo padre, lo *sharif* Hussain, e su suo fratello, Abdullah. Così la votazione favorì Faysal. Mediante un cablogramma trasmesso in patria, Churchill sottolineò quello che a suo giudizio era l'aspetto più importante: «Faysal, figlio dello *sharif*, offre la miglior soluzione a minor prezzo». E il 25 marzo Gertrude scrisse a Frank Balfour: «In quindici giorni abbiamo fatto più di quanto sia mai stato realizzato in un anno intero. Mr Churchill è stato ammirevole, sempre pronto ad andare incontro a tutti e al tempo stesso autorevole nel guidare un grande incontro politico, nonché nel sovrintendere alle piccole commissioni in cui ci siamo divisi»[4].

L'Iraq di Gertrude stava incominciando a prendere forma. La piccola commissione composta da lei, Cox, Lawrence e i ministri iracheni si occupò del coordinamento e della geografia. In quanto regnante sunnita in un paese a maggioranza sciita, l'emiro avrebbe dovuto giocare la carta vincente della propria discendenza dal Profeta e avrebbe dovuto essere invitato subito a Baghdad, prima delle elezioni.

Prima ancora, però, avrebbe dovuto recarsi alla Mecca e là annunciare la propria candidatura, così da raccogliere consensi sempre più diffusi nel suo viaggio verso oriente. Churchill telegrafò in patria: «Cox e Miss Bell convengono che seguendo tale procedimento Faysal sarà accolto con favore dalla maggior parte della popolazione quando giungerà in Mesopotamia».

Il secondo argomento più importante da discutere, per quanto concerneva Gertrude, era la Palestina. Churchill si trovava ad affrontare molti problemi contrastanti. Doveva concordare insieme ai francesi i confini della Palestina con la Siria e con l'Egitto in modo tale che tutte le parti interessate risultassero soddisfatte. Doveva onorare la promessa di una patria per gli ebrei e al tempo stesso quella dell'autodeterminazione per il mezzo milione di arabi che viveva in Palestina. Inoltre governare la Palestina avrebbe comunque dovuto costare al Regno Unito meno degli attuali sei milioni di sterline l'anno. Con il procedere della conferenza, Churchill si persuase che una soluzione fosse emersa. Sarebbe stato creato un nuovo stato arabo a est del Giordano. Si sarebbe chiamato Transgiordania, avrebbe avuto un governo arabo, e Abdullah sarebbe stato invitato a regnarvi. Gli ebrei avrebbero avuto il permesso di stabilirsi fra gli arabi a ovest del Giordano, ma gli inglesi avrebbero mantenuto il mandato e sarebbero rimasti. Probabilmente fu soprattutto Lawrence a indurlo a estendere i confini del mandato a sud sino ad Aqaba, inserendo un cuneo fra il sempre più minaccioso Ibn Saud e la presenza britannica in Egitto.

L'alto commissario per la Palestina, Herbert Samuel, ebbe ordine di limitare le proprie responsabilità alle terre a ovest del Giordano, dove si sarebbero insediati gli ebrei, e per difenderle avrebbe avuto truppe ebraiche. Gertrude giudicava disastroso tale progetto e concordava con Sir Wyndham Deedes, sionista idealista, il quale non poteva celare i propri timori per le decisioni che si stavano prendendo a proposito della Palestina. In una conversazione privata, Deedes era sbottato: «Abbiamo forse una politica? Il nostro governo sa forse dove sta andando? Se si chiedesse a Mr Churchill quale sarà a suo avviso la situazione nei paesi arabi fra vent'anni, saprebbe forse fornire la più vaga risposta? Lo ignora, non riflette, agisce senza nessun coordinamento»[5].

Dal primo all'ultimo momento Gertrude fu esplicita nell'opporsi al sionismo. Scrisse a Domnul: «I francesi in Siria e il sionismo in Palestina oppongono una barriera formidabile a onesti rapporti con gli arabi. Soltanto in Mesopotamia possiamo condurre una politica onesta. [...] La situazione di stallo in Palestina è estremamente diversa da quella in Siria e offre una via d'uscita del tutto evidente, ovvero l'abbandono della politica sionista»[6]. Le sue previsioni erano giuste. Nel luglio del 1922 gli arabi avrebbero rifiutato di riconoscere la dichiarazione Balfour, avrebbero respinto il mandato sulla Palestina assegnato al Regno Unito dalla Società delle Nazioni, e folle arabe avrebbero massacrato gli ebrei nei loro insediamenti.

Conclusa la conferenza, Gertrude fu raggiunta per alcuni giorni dal padre che, come Churchill, desiderava discutere di problemi finanziari. L'impero costruito da suo nonno stava per crollare. Le azioni della Dorman Long Company, di cui Sir Hugh e Sir Arthur Dorman detenevano la maggioranza, si stavano svalutando. Per rivalutarle, ciascuno aveva iniziato a comprarne, ma il declino della compagnia accelerava. Per la prima volta Gertrude ebbe l'impressione di doversi preoccupare del denaro, di cui si era sempre interessata soltanto marginalmente perché la sua vita era il lavoro e il lusso non l'attirava in alcun modo. Comunque sentì di dover sacrificare qualcosa. Ritornata a Baghdad fu così presa dal lavoro da non saper escogitare altro che risparmiare sulle piume. Scrisse a Florence affinché le procurasse lana tricotin azzurra, abbastanza perché Marie potesse confezionarle un vestito da indossare in ufficio, inclusa una pezza con cui la sua modista potesse realizzare un cappellino dello stesso colore «adorno di penne di fagiano bruno-ramate [...] non di struzzo, perché sono troppo care».

Prima che si potesse pronunciare qualunque dichiarazione ufficiale a proposito della candidatura di Faysal, era inevitabile che Churchill consultasse il consiglio dei ministri e ottenesse il consenso del governo britannico. Il periodo di attesa fu una sorta di breve vacanza per gli inglesi a Baghdad, che per la prima volta dopo moltissimo tempo erano di nuovo di umore tanto allegro da poter ridere e scherzare. Gertrude raccontò di uno sceicco invitato con alcuni altri al concerto di un certo capitano Thomas, il quale aveva eseguito la *Patetica* di Beethoven. «Alla fine il capitano chiese agli arabi cosa ne pensassero e lo sceicco rispose: "*Wallahi khosh daqqah!*" cioè, "Per Dio, che belle martellate!"»[7].

Nel frattempo Gertrude partecipava al dibattito in corso su ciò che si sarebbe dovuto fare a Ctesifonte, il sito archeologico più famoso dell'Iraq, per salvare la grande facciata, che s'inclinava sempre più verso l'esterno. Inoltre incontrò l'amico Haji Naji, coltivatore di frutta e verdura nei pressi di Karradah, la cui piacevole compagnia motivò molte sue escursioni in campagna, sia a cavallo che in automobile. «Haji Naji [...] è il sale della terra, [...] è uno strano sostituto per un'amica, però è il meglio che ho potuto trovare»[8]. Insieme passeggiavano, sedevano sotto gli albicocchi e i gelsi carichi di frutta matura, e facevano merenda con insalata fresca. Talvolta lui si recava a casa di lei, in città, per discutere di politica o per consegnare un cesto di frutta e verdura coperto da un mazzo di fiori. Era un accanito sostenitore dei britannici, nonché del tutto favorevole a un emiro hashemita. L'amicizia per Gertrude gli era d'aiuto, ma anche d'impaccio. Viveva in campagna solo con la famiglia, era in qualche misura bersaglio degli estremisti nazionalisti, e di quando in quando aveva bisogno di guardie che sorvegliassero la casa durante la notte. In via ufficiosa Gertrude iniziò a servirsi di lui come informatore, tramite il quale osservare ciò che avveniva nelle zone rurali e raccogliere notizie. Quando Faysal arrivò a Bassora, Haji Naji fu presentato da Gertrude a Kinahan Cornwallis, incaricato di assisterlo, e così fu tra i primi ad accoglierlo.

Tre mesi dopo la conferenza del Cairo, la vacanza finì e gli eventi iniziarono a susseguirsi rapidamente. Faysal partì dalla Mecca per l'Iraq e giunse a Baghdad alla fine di giugno. Gertrude, consultata per disegnare una bandiera provvisoria per l'Iraq, nonché per addobbare le strade in occasione del suo arrivo, iniziò a manifestare una insolita inquietudine. «Credo che Faysal sia abbastanza statista per comprendere di dover affascinare le persone più anziane e più equilibrate, senza tuttavia raffreddare troppo gli entusiasmi dei suoi più ardenti sostenitori»[9].

Al Cairo, Churchill aveva chiesto se l'amministrazione potesse organizzare un'elezione tale da garantire la vittoria di Faysal: «Potete assicurare che sarà scelto?»[10] Aveva osservato che i metodi politici occidentali non erano «necessariamente applicabili in Oriente, e la base dell'elezione dovrebbe essere orchestrata». Era più di una raccomandazione, era un ordine. Se Faysal non fosse stato eletto le conseguenze sarebbero state disastrose e l'intera questione araba sarebbe stata riaperta. Così Cox seguì la direttiva alla lettera. Non poteva esistere alcun dubbio sul fatto che Faysal rappresentava la migliore speranza di stabilità per l'Iraq. Cox e Gertrude dovevano provvedere affinché salisse al potere per scelta del paese e affinché sembrasse eletto in assoluta autonomia dal volere britannico. «Non dubito neppure per un istante che la nostra politica sia giusta» commentò Gertrude. «Non possiamo continuare a esercitare un controllo diretto. [...] Tuttavia è divertente ripetere costantemente alla gente che debbono avere un governo arabo e non britannico, che a loro piaccia o meno»[11].

Per educazione, per formazione, per cultura e per esperienza dell'Arabia, Gertrude aveva sviluppato una concezione pragmatica della democrazia. Nel suo *Review of the Civil Administration of Mesopotamia* scrisse:

> Di sicuro la gente comune delle tribù, i pastori, gli abitanti delle paludi, i coltivatori di riso, di orzo e di datteri dell'Eufrate e del Tigri, la cui esperienza dell'arte di governo era confinata alle speculazioni e ai comportamenti dei loro vicini, non potevano essere consultati su chi dovesse essere il nuovo sovrano del paese, e in base a quali procedure dovesse essere scelto. In ogni caso non avrebbero fatto altro che ripetere a comando la formula prescritta dai loro capi, dunque era tanto più proficuo quanto più rapido consultare soltanto i capi[12].

I critici moderni delle procedure mediante le quali gli inglesi ottennero il sostegno all'elezione di Faysal potrebbero riflettere sulla tanto vantata democrazia odierna. Ogni paese europeo ha il suo tipo di democrazia. Nel periodo in cui è stato scritto questo libro, il sistema elettorale "libero ed equo" ha prodotto nel Regno Unito un governo votato soltanto dal trentasei per cento degli elettori, mentre negli Stati Uniti non è con il peso dei numeri che si vince un'elezione, ma con il voto orientato dagli interessi di pochi.

Era compito di Gertrude garantire che nessuna minoranza fosse oppressa in un paese diviso da differenze razziali, religiose ed economiche. Gli appartenenti alle minoranze erano in mani sicure. Tutti i suoi scritti suggeriscono che Gertrude era guidata dall'ambizione di proteggere le persone, soprattutto le minoranze, dalla discriminazione e dalla persecuzione. Molte sue lettere esprimono turbamento per le ingiustizie, soprattutto per i massacri degli armeni, dei curdi e di altri gruppi nell'Impero turco. Aveva visto i superstiti di queste stragi arrivare a Baghdad zoppicando, malati e affamati («Oh, Domnul, la marea dell'umana miseria!»). Durante l'anno trascorso in Francia all'Ufficio feriti e dispersi aveva avuto esperienza ogni giorno della barbarie più immane che fosse mai stata perpetrata, e nello svolgimento delle sue funzioni a Bassora e a Baghdad era stata inevitabilmente informata di altre atrocità. I suoi sforzi per risolvere le dispute confinarie e per sviluppare le strutture necessarie alle nuove forme di governo erano stati dedicati a evitare accostamenti fra razze e religioni incompatibili. L'Iraq era popolato in gran parte di minoranze etniche e religiose. Qualunque sistema elettorale basato semplicemente sulla maggioranza numerica avrebbe lasciato vaste zone del paese prive di rappresentanza. Se il sistema democratico britannico dell'epoca fosse stato applicato in Iraq, il voto sarebbe stato prerogativa soltanto dei possidenti e la ricca minoranza sunnita sarebbe ritornata al potere, come già era successo durante la dominazione turca.

Al ritorno dal Cairo, Cox e Gertrude scoprirono che Sayyid Talib stava svolgendo propaganda elettorale duramente intimidatoria. A una cena in onore di un corrispondente del *Daily Telegraph*, Talib dichiarò che alcuni funzionari britannici erano ben noti per la loro partigianeria e stavano influenzando indebitamente le elezioni. Poi chiese al giornalista se fosse doveroso appellarsi a re Giorgio affinché li destituisse, e in tal modo pronunciò una minaccia molto precisa, affermando che, se fosse stato compiuto qualsiasi tentativo di condizionare le elezioni, lì c'erano «l'emiro al Rabiah con trentamila fucili, e lo sceicco di Chabaish con tutti i suoi uomini, a cui rendere conto». Presente alla cena, Gertrude commentò: «È stato un incitamento alla ribellione non meno grave e pericoloso di qualsivoglia affermazione di coloro che hanno provocato le rivolte dello scorso anno, molto prossimo a una dichiarazione di *jihad*. Non è da escludere che Talib prosegua la campagna elettorale con tanto ardore da finire in prigione»[13].

Gertrude aveva sentito dire che Talib stava radunando gli assassini prezzolati di cui si credeva che si fosse servito a Bassora durante la dominazione turca, perciò riferì subito a Cox ciò che lo stesso Talib aveva dichiarato e confidò l'orribile incubo di un Faysal assassinato dai tagliagole di

Talib. Allora Cox fu spinto ad agire in maniera risolutiva senza preavvisare Gertrude. Il giorno seguente, subito dopo un tè offerto da Lady Cox a cui era stato invitato, Talib fu arrestato. Lo stesso Cox riferì a Churchill: «Questo pomeriggio è stato tratto in arresto nella pubblica via e trasferito a valle, a Fao. Non prevedo problemi perché credo che la vasta maggioranza della popolazione ne sia sollevata. Confido che possiate sostenermi in questa azione e autorizzarmi a inviarlo a Ceylon»[14]. Churchill rispose che Talib aveva pronunciato un discorso sedizioso e meritava l'esilio. In realtà, Talib trascorse quasi tutto il resto della sua vita in Europa, beneficiando di un sussidio inglese che sarebbe stato immediatamente revocato se mai avesse fatto rientro in Iraq.

Sebbene Cox non l'avesse consultata prima di agire in modo così autoritario e brutale, insolito da parte sua, e benché eliminare un candidato alla vigilia delle elezioni fosse contrario a tutti i princìpi democratici, Gertrude ne fu immensamente sollevata, soprattutto quando il provvedimento rivelò l'ampiezza delle sue attività di raccolta fondi, in gran parte mediante ricatto. Gertrude sostenne che le minacce avevano reso Talib indegno di partecipare a un processo democratico. L'unica protesta per la deportazione di Talib fu quella di Harry St John Bridger Philby, consulente politico dell'ufficio di Cox, che aveva svolto la funzione di consigliere britannico per Talib quando questi era stato ministro dell'Interno. Ex funzionario della pubblica amministrazione indiana, nonché viaggiatore esperto dell'Oriente, la cui vasta ammirazione per Talib era sempre parsa incomprensibile tanto a Gertrude quanto a Cox, "Jack" Philby aveva opinioni decise. Com'era prevedibile, rimase disgustato dal provvedimento, si recò risolutamente in ufficio ed ebbe un tremendo litigio con Cox. In quella occasione rifiutò di parlare con Gertrude e in seguito fu sempre estremamente gelido con lei.

Ritornata a occuparsi dell'accoglienza all'emiro, Gertrude fu lieta di apprendere che il *naqib*, e non gli inglesi, si era incaricato di provvedere affinché Faysal fosse ricevuto e alloggiato in modo appropriato. Purtroppo in seno al comitato scelto per organizzare l'accoglienza sorsero tali divergenze che i suoi componenti rischiarono di venire alle mani. Gertrude partecipò alla prima riunione, poi, sospirando, ignorò le diatribe per assumere personalmente l'iniziativa. Accordandosi con i funzionari delle ferrovie ottenne che un treno speciale fosse inviato a Bassora appositamente per Faysal[15]. L'unico alloggio adeguato per Faysal e per il suo seguito era il Serai, l'edificio un tempo sede dell'amministrazione turca. Dato che necessitava di un restauro, Gertrude interpellò il ministero dei Lavori pubblici e organizzò un programma d'intervento, poi raccolse fondi presso i nobili di Baghdad per acquistare tappeti, mobili e arazzi. Alcuni mercanti vennero incaricati di procurare stoviglie, argenteria e altri mobili. Furono assunti servitori competenti e sessanta notabili ebbero il compito di accogliere Faysal al suo arrivo. La guardia d'onore fu appositamente addestrata. Gertrude scrisse alla famiglia: «Ieri abbiamo saputo dell'arrivo di Faysal a Bassora [23 giugno 1921] e di un'accoglienza eccellente, sia lodato il cielo! [...] Ora Faysal si è recato a Najaf e a Kerbela. Arriverà qui mercoledì 29»[16].

Fortunatamente Faysal era un oratore nato. In occasione di una grande cerimonia in suo onore a Bassora aveva già conquistato i cuori e le menti. Avrebbe trascorso la notte in treno e sarebbe arrivato a Baghdad la mattina del 29. La città, addobbata con archi trionfali e bandiere arabe, si riempì di gente. Una folla immensa si recò alla stazione, dove attendevano la guardia d'onore e una banda musicale. Poi fu annunciato che l'emiro sarebbe arrivato in automobile a causa di un guasto alla linea ferroviaria. Mentre la folla attendeva nella giornata afosa, Cox assunse il controllo della situazione. Rimandò tutti a casa, dicendo di tornare in stazione alle sei del pomeriggio. Inviò un messaggio a Faysal affinché attendesse sul treno fino alla soluzione del problema ferroviario e poi riprendesse il viaggio a un'ora tale che gli consentisse di arrivare con il fresco della sera. La popolazione si disperse, per radunarsi di nuovo in seguito, e Faysal finalmente arrivò.

L'accoglienza si realizzò come era stata progettata e Faysal strinse la mano a Gertrude, la quale rimase accanto a Kinahan Cornwallis, consigliere personale dell'emiro, da cui apprese che la visita a Bassora non era stata così positiva come aveva sperato. I consulenti politici avevano ricevuto Faysal con gelida scortesia. Il più offensivo era stato Philby, a cui Cox aveva stranamente affidato l'incarico di accompagnarlo a Baghdad, forse sperando di dimostrare che i britannici erano imparziali e che non trattavano ancora Faysal come l'unico candidato, o forse per offrire a Philby una seconda occasione. Di sicuro aveva pensato che Faysal sarebbe riuscito, con il fascino della sua personalità, a persuadere Philby di possedere qualità superiori. Purtroppo ciò non era avvenuto. Sul treno Philby aveva provocato la collera dell'emiro elogiando insistentemente i meriti del suo avversario hashemita, Ibn Saud, con cui era stato in contatto dopo la morte del capitano Shakespear, e dichiarando la propria convinzione che l'Iraq avrebbe dovuto essere una repubblica. Così Faysal era arrivato a Baghdad irritato e confuso. L'alto commissario iracheno lo sosteneva oppure no? E se lo sosteneva, perché non si poteva dire lo stesso dei suoi funzionari?

Di fronte a tale comportamento, Cox esaurì la pazienza. A causa di una presunta indisposizione, Philby scomparve subito dopo essere smontato dal treno. Quando ritornò in ufficio, dopo alcuni giorni di assenza, fu convocato da Cox e destituito. Diplomaticamente, Cox spiegò: «Ho dovuto separarmi da Mr Philby perché nella fase di sviluppo alla quale eravamo giunti la sua concezione della politica del governo di Sua Maestà iniziava a divergere troppo dalla mia»[17].

Sebbene dispiaciuta, Gertrude pensò che Cox avesse ragione. Conosceva Philby dai tempi di Bassora, aveva trascorso un Natale con lui, sulla sua lancia, fra gli arabi delle paludi, e aveva collaborato spesso con il suo quotidiano arabo. Era sempre stato un fidato intermediario nei rapporti con il *naqib*, eppure era chiaro che ormai non ci si poteva più fidare di lui. Quando Gertrude si recò a far visita a Philby e a sua moglie per esprimere il suo rammarico, ebbe

un incontro molto doloroso. Mrs Philby scoppiò in lacrime, accusandomi di essere stata la causa della destituzione di suo marito, e lasciò la stanza. Allora io rammentai a lui la nostra lunga amicizia e gli chiesi di credere che avevo fatto tutto il possibile. [...] Come avesse potuto abbracciare la causa di quel furfante di Talib superava ogni comprensione, eppure si era identificato con lui[18].

Appena possibile Gertrude lasciò il proprio biglietto da visita all'alloggio dell'emiro al Serai e fu subito seguita dal suo assistente, il quale la informò che l'emiro sarebbe stato lieto di vederla. «Faysal ha chiesto subito di me» scrisse Gertrude. «Sono stata accompagnata in una sala e lui si è affrettato ad accogliermi. Indossava lunghe vesti bianche. Mi ha preso le mani e ha detto: "Non mi aspettavo che foste in grado di aiutarmi così tanto come avete fatto". [...] E così ci siamo seduti su un divano»[19]. Poi ebbe luogo un sontuoso banchetto ai giardini Maude. In onore dell'amore di Faysal per la poesia, il poeta Jamil Zahawi si alzò a recitare una magnifica ode, colma di allusioni a Faysal, re dell'Iraq.

Allora avanzò sullo spazio erboso fra i tavoli uno sciita in vesti bianche, mantello nero e grande turbante nero, a recitare un poema di cui non compresi una sola parola. Era esageratamente lungo e del tutto inintelligibile, eppure meraviglioso. L'uomo di alta statura avvolto in un mantello, che declamava versi segnando il tempo con una mano sollevata, in un cerchio illuminato, circondato dall'oscurità fra le palme, esercitava un effetto ipnotico[20].

Non mancarono le difficoltà. Le tribù del corso inferiore dell'Eufrate stavano preparando petizioni a favore di una repubblica e molti *mujtahid* sciiti si stavano schierando contro Faysal. La tensione crescente fu ardua da sopportare per Gertrude, impegnata con tutta se stessa a spiegare, persuadere, scrivere e argomentare persino nel sonno. Pensava che Baghdad fosse ormai conquistata e poteva soltanto sperare che il resto del paese ne seguisse l'esempio.

I ricevimenti e le cene continuarono. L'accoglienza più sontuosa fu quella del *naqib*, che all'avvicinarsi di Faysal si recò, malfermo sulle gambe, in cima alle scale. Là lui e l'emiro si abbracciarono formalmente, poi s'incamminarono, mano nella mano, verso gli ospiti in attesa. Gertrude sedette alla destra di Faysal e in seguito raccontò: «È stato un ricevimento meraviglioso [...] nel portico, le vesti e le uniformi e le folle di servi, tutti cresciuti nella casa del *naqib*, l'ordine e la dignità, l'autentica, solida magnificenza, la tensione spirituale in cui si era immersi, come nel caldo della notte»[21].

L'11 luglio, su richiesta del *naqib*, il consiglio di Stato, unanime, proclamò Faysal re. Sebbene grandemente sollevato, Cox sapeva che occorreva un referendum per confermare che Faysal era stato scelto dal popolo, e ne aveva già discusso con Gertrude. Insieme avevano formulato il quesito: «Approvate Faysal re e guida dell'Iraq?» Stamparono i moduli e li distribuirono a numerosi rappresentanti tribali, inclusi trecento notabili.

Assidua frequentatrice degli appartamenti dell'emiro, Gertrude vi giungeva direttamente attraverso una serie di sale d'attesa, accompagnata dal consigliere britannico di Faysal, l'alto e bello Kinahan Cornwallis, che lei stava cominciando a considerare «una torre di forza». Faysal trascorreva le sue giornate a incontrare persone provenienti da ogni angolo del paese e le serate in compagnia di decine di commensali alle cene che organizzava o alle quali era invitato. L'importante comunità ebraica rese onore all'emiro con un grande ricevimento nella dimora ufficiale del gran rabbino. Molti ebrei nutrivano riserve su un re arabo, ma furono rassicurati proprio in quell'occasione, quando Faysal si alzò a improvvisare un discorso meraviglioso, assicurando cordialmente che gli arabi e gli ebrei erano un'unica razza. Infine ringraziò per i doni ricevuti, cioè un Talmud dalla bella rilegatura e una riproduzione in oro delle Tavole della legge. Gertrude commentò: «Sono immensamente felice di come stanno andando le cose. Mi sembra di essere in un sogno. [...] Su nostra garanzia, tutte le personalità più illustri incontrano Faysal, e in generale vi è la sensazione che la nostra scelta nel raccomandarlo sia stata giusta. Se riusciremo a ricavare un poco di ordine dal caos, sarà un'impresa davvero degna!»[22]

Poi vi fu la celebrazione a Ramadi[23], equivalente alla cerimonia europea d'incoronazione che avrebbe avuto luogo a Baghdad alcune settimane più tardi. Fu un convegno tribale in onore di Faysal, il culmine della lotta araba per l'indipendenza. Per Gertrude era il culmine della sua lunga lotta a favore degli arabi, l'apice sensazionale della gioia e del trionfo tribali, una occasione in cui lei, pur senza essere l'unica inglese presente, ebbe fra i suoi connazionali il posto più prestigioso, sul palco, accanto a Faysal, ad Ali Sulaiman, il potente sceicco probritannico dei Dulaim, e al suo grande amico Fahad Beg, degli Anazeh.

Per tre settimane la temperatura aveva superato i quarantacinque gradi. Ramadi, sull'Eufrate, distava cento chilometri da Baghdad. Gertrude e il suo autista furono costretti a partire alle quattro del mattino. Poco prima di arrivare a Falluja, quasi a metà strada, Gertrude vide innalzarsi più avanti la nube di polvere del corteo di Faysal. Affiancatasi all'auto dell'emiro, chiese il permesso di precederlo per poterne fotografare l'arrivo. A pochi chilometri da Falluja trovò le tende dei Dulaim. Da quel tratto in poi la strada era tutta fiancheggiata di beduini che gridavano saluti e brandivano i fucili, sollevando ondeggianti bastioni di polvere. All'appressarsi dell'automobile di Faysal, i beduini abbandonarono i bordi della strada per affiancare il veicolo, poi lo scortarono così fino a Falluja, dove trovarono tutte le case parate a festa e la popolazione che affollava le strade e i tetti.

Durante la sosta che seguì, Faysal tenne corte e mangiò, mentre i veicoli del corteo attraversavano l'Eufrate per mezzo di un ponte provvisorio. L'emiro e un suo piccolo seguito, che includeva Gertrude, attraversarono il fiume a bordo di una barca tutta addobbata. Oltre il ciglio della ripida sponda, dove iniziava il deserto siriano, erano schierati i guerrieri montati su cavalli e cammelli della tribù Anazeh, di Fahad Beg, e Faysal fermò la vettura per rendere omaggio al grande stendardo. Nel proseguire verso nordovest, il corteo fu scortato dalle tribù e il capo Ali Sulaiman si recò alla periferia di Ramadi per salutare l'emiro. Sulla riva li attendeva una vista straordinaria. Dinanzi alle fitte schiere di cavalli e di cammelli stava un gigantesco cammello candido come la neve, montato da un nero che brandiva lo stendardo dei Dulaim.

Presso l'Eufrate era stata eretta una tenda nera cinta di rami tagliati di fresco, che misurava sessanta metri quadrati ed era tutta affollata di guerrieri, dall'ingresso alla predella in fondo. Faysal entrò all'ombra e sedette sul divano alla destra di Fahad Beg, «un grande capo tribù fra le tribù più famose e un grande sunnita fra i sunniti. [...] Non l'ho mai visto [Faysal] con un aspetto più splendido. Indossava le sue consuete vesti bianche sotto una finissima *abba* [tunica] nera e un copricapo di stoffa bianca con i lembi che cadevano sulle spalle, trattenuto da un *aqal* [cordone] d'argento»[24].

Poi Faysal iniziò a parlare, sporgendosi in avanti per invitare a cenni coloro che erano indietro ad avvicinarsi. Con un vasto sommovimento, cinquecento guerrieri si accostarono e sedettero al suolo dinanzi a lui. Allora Faysal con la sua vigorosa voce musicale parlò come un capo tribale.

Parlò nella solenne lingua del deserto, così sonora e magnifica che nessun altro linguaggio può uguagliarla.
«Da quattro anni non mi trovavo più in un luogo simile né in

tale compagnia» esordì Faysal. Dopo avere affermato che l'Iraq avrebbe dovuto sorgere in virtù della loro intraprendenza e sotto la sua guida, domandò loro: «Arabi, siete in pace fra voi?» E loro risposero gridando: «Sì, siamo in pace!»

«A partire da questo momento... Che giorno è oggi? Che ora è adesso?» Ebbe la loro risposta e proseguì, pronunciando la data maomettana: «A partire da questo giorno e da quest'ora, a partire da questo momento, ogni arabo di ogni tribù che leverà la mano contro ogni altro arabo di ogni altra tribù ne risponderà a me. Io vi giudicherò convocando i vostri sceicchi a consiglio. Ho diritto su di voi come vostro signore [...] e voi come sudditi avete diritti che è mio dovere salvaguardare». Il suo discorso proseguì, intervallato dalle grida tribali: «Sì, per Dio», e «La verità, per Dio, la verità!»[25]

Così arrivò il momento supremo della carriera di Gertrude, il culmine di tutta la sua opera. Fahad Beg e Ali Sulaiman si alzarono ai lati di Faysal per giurare fedeltà, tuttavia pronunciarono queste parole: «Noi ti giuriamo fedeltà perché sei gradito al governo britannico». E Gertrude scrisse:

Faysal rimase alquanto sorpreso. Si girò un attimo a sorridermi, poi rispose: «Nessuno può dubitare dei miei rapporti con i britannici, tuttavia dobbiamo risolvere da noi le nostre faccende». Mi guardò di nuovo, e io protesi le mani allacciate a simbolo dell'unione fra i governi arabo e britannico. Fu un momento eccezionale[26].

Poi, accompagnati a uno a uno da Ali Sulaiman, quaranta o cinquanta sceicchi si avvicinarono per porre le loro mani in quelle di Faysal e giurare fedeltà. Infine Faysal, seguito da Sulaiman e da Fahad Beg, uscì alla luce del sole. A migliaia i guerrieri galopparono tutt'intorno lanciando grida selvagge nel procedere verso il giardino del palazzo dove era stato allestito un banchetto. In seguito, Faysal montò su un'alta predella dinanzi a una parete di tappeti appesi.

Alle sue spalle i capi e Gertrude sedettero. L'uno dopo l'altro i sindaci, i *qazi* e altri notabili di tutte le città dell'Iraq, da Falluja a Qaim, si alzarono dalle loro sedie sotto gli alberi per andare a porre le loro mani nelle sue. Gertrude ammirò la bellezza dell'ambiente, la varietà d'indumenti e di colori, i volti seri e solenni degli anziani del villaggio in turbante bianco o in *kefiyeh* rossa, e la dignità con cui Faysal accettò gli omaggi.

Erano trascorse soltanto sei settimane dal suo arrivo e il referendum era risultato quasi unanimemente a suo favore. Sarebbe stato incoronato a Baghdad quindici giorni più tardi e convocò il *naqib* affinché lo aiutasse a formare il suo primo governo. Gertrude volle mostrare a Faysal la grande arcata di Ctesifonte, che lui non aveva mai visto. Poco dopo l'alba si recò in automobile con i suoi servi a preparare la colazione che sarebbe stata consumata nel fresco della giornata. Così, seduti su fini tappeti, Gertrude e Faysal bevvero caffè e mangiarono uova, lingua, sardine e meloni. Il 6 agosto Gertrude scrisse alla famiglia:

È stato meraviglioso mostrare quel luogo splendido a Faysal, che è un turista ispirato. Dopo aver ricostruito la storia e l'architettura del palazzo e dopo avere ammirato la raffigurazione di Cosroe, l'ho accompagnato alle alte finestre che guardano a sud, dalle quali abbiamo potuto vedere il Tigri, e gli ho narrato le vicende della conquista araba come si leggono negli annali di Tabari. […] Potete ben immaginare quale emozione sia stata raccontargliele. Non so chi fra noi fosse più commosso. […] Faysal mi ha promesso un reggimento dell'esercito arabo, "il reggimento della Khatun". Intendo chiedervi di farne ricamare i colori. […] Oh, padre, non è meraviglioso? Talvolta credo di essere in un sogno[27].

Il reggimento fu un complimento delizioso che lei accolse con estremo piacere, tuttavia non fu mai costituito, perché sarebbe stato arduo ottenere l'approvazione di Cox.

Ritornata subito in ufficio dopo l'escursione a Ctesifonte, Gertrude lavorò per quattro ore, si concesse una pausa di un'ora per pranzare, si recò dal *naqib*, e poi, in quanto presidentessa della biblioteca pubblica di Baghdad, partecipò a una riunione di comitato. Era decisa a fare in modo che la biblioteca raccogliesse libri in tre lingue europee, oltre che in arabo e in altre cinque lingue orientali, e che pubblicasse un periodico di recensioni librarie, nonché un catalogo di tutti i manoscritti disponibili. Fece una visita di cortesia alla cognata di Sasun effendi Eskail, infine rientrò a casa per ospitare a cena Hamid khan, cugino dell'Aga khan. Anche per lei fu una giornata molto impegnativa. Il caldo era insopportabile, perciò andò a nuotare nel Tigri, nonostante le correnti impetuose e gli squali, uno dei quali aveva morso un ragazzo proprio quella stessa settimana. In seguito si divertì a scrivere alla famiglia dell'ultimo animale aggiunto da Cox al suo serraglio, cioè l'aquila più grande che lei avesse mai visto: «Vive su un trespolo all'ombra della casa e si nutre di pipistrelli, catturati con una rete al crepuscolo. [...] L'aquila ama mangiarli al mattino, perciò la pazientissima Lady Cox li conserva in una latta nella propria ghiacciaia»[28].

Gertrude non era mai stata tanto impegnata, né tanto felice. Era un grande piacere essere spesso accompagnata dal consigliere del re durante le visite di cortesia che effettuava regolarmente. Alto e abbronzato, sbarbato e di bell'aspetto, con naso aquilino e penetranti occhi azzurri, dotato di umorismo e di energica e risoluta integrità, "Ken" Cornwallis era ormai da cinque anni consigliere di Faysal, che gli aveva chiesto di seguirlo a Baghdad.

E poi c'era lo stesso Faysal, con il suo fascino e il suo umorismo, la sua gratitudine, il suo interesse per lei. L'affetto fra loro era tale che lui la chiamava sorella.

Una calda serata, nel costeggiare a cavallo l'Eufrate per godere della fresca brezza fluviale, Gertrude passò presso la nuova dimora di Faysal, ancora in corso di restauro, vide davanti alla porta l'automobile di lui, affidò il cavallo a uno schiavo e, in camicia e calzoni, salì sul tetto. Lo trovò seduto lassù con il suo aiutante di campo, ad ammirare i riflessi del sole al tramonto sull'acqua e il deserto che in lontananza si fondeva con il rosso del cielo. Quando la vide, Faysal sorrise, la invitò con un cenno a unirsi a loro nel picnic, poi si alzò a prenderle la mano. Nello spostarsi di lato le parlò in arabo usando il "tu" in forma confidenziale, e al tempo stesso solenne e rispettosa: «"*Enti Iraqiyah, enti badasiyak*", mi ha detto. "Sei irachena, una beduina"»[29].

Un evento dell'ultimo minuto prima dell'incoronazione provocò scompiglio. Il ministero delle Colonie inviò un cablogramma per chiedere perentoriamente a Faysal di annunciare nel suo discorso che l'autorità suprema del paese sarebbe stato l'alto commissario, e lui rispose di aver sempre affermato con chiarezza di essere un sovrano indipendente che aveva un trattato con il Regno Unito. Dichiarare che Cox sarebbe stato l'autorità suprema sarebbe stato come riattizzare l'opposizione degli estremisti. Gertrude ne convenne con lui. Accrescere la sua indipendenza era ciò che gli era stato chiesto di fare.

Il 23 agosto 1921 Faysal fu incoronato a Baghdad, nel cortile coperto di tappeti del Serai, dove lui stesso occupava in quel periodo le sale di ricevimento. Millecinquecento invitati erano seduti a gruppi: gli inglesi e gli arabi, i funzionari, i cittadini, i ministri e le delegazioni locali. La cerimonia iniziò nel fresco del primo mattino, alle sei. Faysal in uniforme, Sir Percy in divisa diplomatica bianca con tutte le decorazioni, e il generale Sir Aylmer Haldane, capo dell'esercito, superarono la guardia d'onore, i Dorset, e salirono sulla predella. «Faysal appariva molto dignitoso e anche molto teso» osservò Gertrude. «Quando guardò la prima fila e intercettò il mio sguardo, lo salutai con un brevissimo cenno»[30].

Un certo Sayyid Hussain, rappresentante dell'anziano *naqib*, lesse il proclama di Cox, in cui si osservava che Faysal era stato eletto re dal novantasei per cento della popolazione della Mesopotamia. Al grido di «Lunga vita al re!» tutti i presenti si alzarono, una bandiera fu spiegata, e dato che ancora mancava un inno nazionale, la banda suonò *God Save the King*. Ventuno fucili esplosero una salva di saluto, poi centinaia di delegazioni andarono a salutare Faysal.

Bassora e Amara arrivarono venerdì, Hillah e Mosul sabato [...] prima i magnati della città di Mosul, i miei ospiti e i loro colleghi, poi i vescovi e gli arcivescovi cristiani e il gran rabbino ebreo. [...] Il terzo gruppo fu più entusiasmante di tutti gli altri, composto dai capi curdi della frontiera che hanno scelto di stabilirsi nello stato dell'Iraq in attesa di appurare se si svilupperà un Kurdistan indipendente, per loro più apprezzabile[31].

La settimana culminò in un invito per il tè di Faysal a Gertrude per discutere il disegno della nuova bandiera nazionale e quello del suo stendardo personale, che doveva includere una corona d'oro sul triangolo rosso dell'Hegiaz. Quando fu formato il primo governo, Gertrude nutriva riserve su tre dei nove membri, e fu felice che non spettasse più a lei decidere.

Invitata da Faysal alla prima cena nella sua dimora sul fiume, Gertrude si abbigliò squisitamente per la serata e navigò sul Tigri con la lancia di lui. La popolazione del quartiere periferico di Karradah la riconobbe al passaggio e la salutò sorridendo. Il suo accompagnatore, Nuri pascià Said, le spiegò che proprio come Faysal sarebbe stato ricordato a Londra per il suo abbigliamento arabo, così anche lei sarebbe stata ricordata per sempre: «Esiste un'unica Khatun. [...] Dunque per cento anni si parlerà del passaggio della Khatun».

Vi ho mai descritto il fiume nelle calde notti estive? Al crepuscolo la bruma si libra in lunghi nastri bianchi sull'acqua, all'imbrunire le luci della città brillano su entrambe le rive, e il fiume, fosco, liscio, colmo di riflessi misteriosi, sembra una via trionfale nella nebbia. Silenziosamente, un naviglio dal fanale sfavillante scivola a valle sulla corrente, seguito da un gruppo di *quffah*, ciascuna con la sua lanternina e carica sino all'orlo di angurie di Samarra. [...] La nostra lancia rallenta per non sollevare onde che le scuotano, e infatti quelle che increspano il fiume al nostro passaggio non estinguono neppure le candele votive galleggianti che ardono sulle loro barchette di spata di dattero. Varate a monte della città da mani ansiose, se ardono ancora nel giungere all'ultima città, allora il malato guarirà e il bambino nascerà sano in questo mondo di calda oscurità e di luci scintillanti. [...] Ora vi ho condotti laddove le palme sono schierate lungo le rive. L'acqua è così immobile che vi si può vedere riflesso lo Scorpione in ogni sua singola stella. [...] Ed ecco qui i gradini di Faysal[32].

16.
Restare e partire

A cinquantatré anni, Gertrude si trovava sempre più attratta dalla compagnia del re. Il trentaseienne Faysal era un compagno molto affascinante e affettuoso con coloro di cui si fidava, ed era capace di esercitare un grande ascendente su chiunque gli stava attorno. La segretaria diplomatica per l'Oriente e il sovrano erano accomunati da un senso del ridicolo di cui gioivano in privato, tanto che talvolta gli assistenti indaffarati si domandavano con curiosità cosa provocasse le risate che si udivano attraverso le porte chiuse.

Il re vedeva in Gertrude una persona straordinaria, un'alleata formidabile, impeccabile, bene informata, e con una storia avventurosa a cui lui, in quanto arabo e maschio, stentava a credere. Era intraprendente e perspicace. S'infervorava nel discutere di politica. Scrutava l'interlocutore con uno sguardo singolarmente penetrante, in cui gli occasionali sprazzi d'irritazione erano abbondantemente compensati dai frequenti lampi di gaiezza. Nonostante il clima che nuoceva alla sua salute, amava ancora galoppare lungo le sponde del Tigri nelle brume del primo mattino, nuotare nel fiume di sera, e unirsi a lui nelle occasionali partite di caccia alla pernice che duravano tutto il giorno, con calzoni, stivali al ginocchio di cuoio marrone e tunica di tweed.

La giornalista americana Marguerite Harrison, che intervistò Gertrude per il *New York Times*, a Baghdad, nel 1923, ebbe una rara opportunità di incontrarla nel suo ufficio.

Fui ricevuta in una stanzetta dal soffitto alto, con alte porte finestre prospicienti il fiume. Era l'ambiente più disordinato che avessi mai visto, con sedie, tavoli e divani ingombri di documenti, mappe, libelli e manoscritti in inglese, francese e arabo. A una scrivania su cui si ammassavano mucchi di documenti parzialmente crollati sul tappeto, sedeva una donna snella con un elegante vestito in maglia di seta marrone chiaro. Mentre si alzava, notai che la sua figura era ancora flessuosa e aggraziata. Il viso di un ovale delicato, con la bocca e il mento decisi, gli occhi azzurri come l'acciaio e un'aureola di soffici capelli grigi, era quello di una *grande dame*. Nel suo aspetto e nel suo portamento non vi era nulla dell'esploratrice sciupata dalle intemperie. «Vestito parigino e maniere di Mayfair». E questa era la donna che aveva fatto tremare gli sceicchi!

Tuttora Gertrude era senza paura. Un mattino, mentre faceva colazione con Haji Naji nel padiglione di quest'ultimo, arrivò un derviscio con un bastone di ferro a pretendere scortesemente di essere trattato come ospite[1]. Haji Naji gli disse di andarsene. Guardando minacciosamente Gertrude, il derviscio ribatté di avere lo stesso diritto di rimanere che aveva lei. Poi sedette sulla soglia, dichiarò: «Confido in Dio», e iniziò a leggere il Corano ad alta voce. Né Haji Naji, né suo figlio, né i servi riuscirono a spostarlo. Così Gertrude disse al derviscio: «Dio è molto lontano e la polizia è molto vicina». Poi afferrò il suo bastone di ferro e lo picchiò con quello. Finalmente il derviscio se ne andò.

Insieme, Faysal e Gertrude dedicarono il cuore e la mente al benessere del nuovo paese da loro fondato e al supremo ideale di una maggiore indipendenza araba. Presto Sir Percy Cox si sarebbe ritirato dall'incarico per essere sostituito da Sir Henry Dobbs, ex commissario fiscale, funzionario del ministero delle Entrate. Gertrude sarebbe rimasta a Baghdad, disponibile a fornire aiuto e consiglio, sia ufficialmente sia ufficiosamente. Quel periodo della vita di Faysal e di Gertrude fu di grande soddisfazione e di grande entusiasmo per entrambi e li accomunò nell'intima confidenza propria della vera amicizia. Gertrude era felice e appagata nel lavoro.

Sono estremamente consapevole di quanto la vita mi ha donato, alla fin fine. Dopo tanti anni provo di nuovo il vecchio sentimento della gioia di esistere, e sono felice della sensazione di avere l'amore e la fiducia di una nazione intera. Potrà non essere la felicità più intima di cui ho sofferto la mancanza, tuttavia è una cosa davvero meravigliosa e appassionante, quasi troppo appassionante, forse[2].

Quanto fu intima la confidenza fra Gertrude e Faysal, e quanto fu segreta la loro fiducia, fu rivelato soltanto dopo la morte di lei, in esclusiva, da un modesto periodico britannico, *Everybody's Weekly*, che ebbe la brillante idea di intervistare il re a proposito di lei e del loro rapporto[3]. Per l'articolo fu scelto un titolo sensazionalistico, "Segreti della grande donna bianca del deserto mai rivelati nel suo libro", che Gertrude avrebbe detestato profondamente. Sebbene scritto in uno stile roboante ed eccessivamente romantico, senza dubbio una parafrasi delle risposte di Faysal, modificate come si conveniva a un periodico per casalinghe e senza correggere gli errori di ortografia, la testimonianza sottoscritta dal re contiene alcune asserzioni straordinarie.

Così esordiva Faysal:

Gertrude Bell è un nome scritto indelebilmente nella storia araba, un nome pronunciato con timore reverenziale, come quelli di Napoleone, di Nelson o di Mussolini. [...] Si potrebbe dire che fu la donna più grande del suo tempo. Senza dubbio la sua grandezza è tale da renderla paragonabile a donne quali Giovanna d'Arco, Florence Nightingale, Madame Curie e altre ancora.

Nel raccontare della passione di Gertrude per l'avventura e della sua incrollabile lealtà verso tutto ciò che era giusto e buono, Faysal proseguì dichiarando che il merito di avere provocato la rivolta delle tribù arabe contro i turchi non avrebbe dovuto essere attribuito soltanto al colonnello Lawrence. Al pari di lui,

[Gertrude] sapeva agire come un uomo. [...] Si avventurò sola e camuffata nelle regioni più remote a portare messaggi di rivolta, e quando i capi sembravano mancare del coraggio di ubbidire alla convocazione, lei li ispirava con il suo straordinario coraggio. [...] Credo che non conoscesse la paura. Non temeva affatto la morte. Per lei nessun pericolo e nessuna impresa erano troppo grandi per essere affrontati, e l'incolumità personale era l'ultima delle sue preoccupazioni.

Il re descrisse la sua abilità nel travestimento, la sua capacità di apparire araba, appartenente a qualunque tribù di sua scelta, con tale perfezione da non essere mai scoperta.

Una volta i miei seguaci mi condussero prigioniero un pittoresco cammelliere arabo che rispose a tutte le mie domande in dialetto, come se avesse svolto quell'umile occupazione per tutta la vita. Quando ebbi ottenuto da lui tutte le informazioni che desideravo [...] il cammelliere si rivelò essere Miss Bell.

Proseguiva Faysal:

Credo di poter rivelare ora che in una delle fasi critiche della nostra storia, quando alcuni dei nostri seguaci esitavano, la grande donna bianca li guidò personalmente in un attacco contro i turchi. Almeno una volta nella sua strana carriera fu alla mercé dei suoi nemici e affrontò la certezza di una morte terribile.
Un arabo traditore la denunciò ai turchi mentre tornava da una delle sue pericolose missioni nel deserto, travestita da arabo, e così fu catturata da una pattuglia turca. [...] Le fu detto che le sarebbe stata inflitta una tortura estremamente crudele se non avesse rivelato i segreti di coloro che in quel momento progettavano di rovesciare il dominio turco. Lei rimase sorda a tutte le minacce e chi l'aveva fatta prigioniera non apprese da Miss Bell neanche una parola dei segreti di cui era custode. Se avesse ceduto, le vite di alcuni dei migliori condottieri sarebbero state perdute. Invece lei preferì affrontare la tortura [...] anziché tradire chicchessia.

Per fortuna riuscì a fuggire prima che i suoi carcerieri avessero l'opportunità di dar seguito alle loro minacce.

Il re proseguì raccontando le vicende della sua fuga, che lei stessa gli aveva confidato. Era uscita furtivamente dall'accampamento turco nel cuore della notte e senza guida, senz'acqua e senza cibo, aveva vagato per tre giorni e per tre notti, riuscendo a nascondersi alle bande di predoni di passaggio. Infine era giunta alla salvezza più morta che viva. «Alcuni giorni dopo era di nuovo più attiva che mai, impegnata nella grande opera di ispirare i nostri uomini alla rivolta contro i loro oppressori».

Dotata di grande talento militare, Gertrude in varie occasioni aveva fornito agli arabi consigli tattici del massimo valore, concluse Faysal. «All'inizio della guerra i turchi avevano posto una taglia sulla sua testa, tale da tentare la cupidigia umana. Tuttavia la nostra gente la stimava così tanto, che non si trovò nessuno disposto a denunciarla ai suoi nemici».

La stessa Gertrude non lasciò alcun resoconto di queste avventure, e forse non deve sorprendere che non le abbia mai rivelate a Sir Percy e a Lady Cox. Anni prima il prudente Cox le aveva raccomandato di non intraprendere il viaggio ad Ha'il, e forse non si sarebbe affatto divertito a immaginare la sua segretaria diplomatica per l'Oriente travestita da cammelliere per burlarsi del re. Come omise o descrisse in modo tendenzioso le proprie esperienze nelle lettere ai genitori per non angosciarli, per lo stesso motivo evitò di raccontare le imprese in cui pose a repentaglio la propria vita. Forse una ragione del suo odio costante nei confronti della stampa fu il timore che quelle avventure sensazionali fossero scoperte e divulgate, inficiando la sua opera di seria amministratrice, oppure, in verità, di spia.

Esiste la possibilità particolarmente intrigante che nel 1916 Gertrude sia stata complice di T.E. Lawrence nel tentativo di corrompere i turchi affinché togliessero l'assedio a

Kut. A quell'epoca lei si trovava a Bassora, si sentiva frustrata perché non aveva alcun incarico da svolgere e si domandava se restare o andarsene. Era disperatamente angosciata dalle condizioni dell'esercito affamato. Il 16 aprile, una settimana dopo il passaggio a Bassora di Lawrence diretto a Kut, lei scrisse al padre: «Ho suggerito che dovrei risalire lo Shatt al Arab con una guida locale per verificare la correttezza delle mappe. A quanto pare, lo si giudica un buon piano». Nelle sue lettere alla famiglia si constata in seguito un insolito periodo di silenzio protratto sino al giorno 27 dello stesso mese, quando finalmente lei raccontò: «Carissima madre, la settimana scorsa non ho scritto perché ho trascorso una notte fuori città, in una piccola località ai margini del deserto chiamata Zubair, e al mio rientro ho scoperto che l'abominevole servizio postale aveva ritirato la corrispondenza con un giorno d'anticipo rispetto al consueto. [...] A Kut non succede nulla, e sembra del tutto improbabile che possa accadere qualcosa. È una faccenda disperata».

Dato che la preoccupazione per Kut era preminente sia per Lawrence che per Gertrude, si può presumere che i «grandi progetti» di cui discussero concernessero l'assedio e qualunque possibilità di salvare i soldati inglesi. Se si considera la loro natura non è impossibile che abbiano pensato di creare un diversivo per favorire un tentativo di rompere l'assedio. Nella sua opera *I sette pilastri della saggezza* Lawrence è evasivo a proposito di ciò che fece a Kut: «Intanto, il nostro Governo [...] mi mandò in Mesopotamia per rendermi conto dei mezzi indiretti con i quali prestare aiuto alla guarnigione assediata. [...] Comunque, era troppo tardi per agire, proprio mentre Kut cadeva, perciò non misi in atto niente di quanto avevo pensato ed avrei potuto realizzare»[4].

Esiste un'ulteriore allusione a un simile coinvolgimento da parte di Gertrude, seppure priva di data e di contesto. Il suo vecchio amico Leo Amery, segretario di stato per le Colonie dal 1924, scrisse nelle sue memorie, *My Political*

Life: «Nell'organizzare le forze arabe contro i turchi il suo campo di operazioni si sovrappose parzialmente a quello di Lawrence e le fu attribuito il merito di una straordinaria vittoria nel deserto, in cui i suoi protetti sconfissero quelli di Lawrence, catturandone tutte le mitragliatrici». Lawrence scrisse a Elsa dopo la morte di Gertrude: «Si distinse per essere l'unica a riflettere con lucidità e a vedere il vero scopo ultimo della nostra opera con gli arabi. Impavida dinanzi a qualunque pericolo e a qualsiasi difficoltà, si adoperò senza risparmio per conseguirlo»[5].

Dopo l'incoronazione, il re riorganizzò la propria vita e lasciò l'appartamento nel Serai per trasferirsi alla periferia di Baghdad, in un palazzo vasto ma semplice, e al tempo stesso maestoso. Dall'anticamera, gli ospiti accedevano al salone, con tendaggi di velluto alle finestre, tappeti sul pavimento, un divano addossato a una parete, e il fuoco acceso nel caminetto nelle giornate d'inverno. Due guardie sorvegliavano l'ingresso e l'usciere serviva il caffè, tranne le sere in cui Faysal riceveva ospiti in privato. Il salone fungeva anche da ufficio in cui il re conferiva con i suoi ministri. La sua dimora preferita era una villa ad Harithya, con i gradini che scendevano al fiume, un giardino di rose e una terrazza ombrosa. Il re l'aveva acquistata insieme a una piccola fattoria che amava dirigere personalmente. Ne possedeva anche una più grande a Khanikin, presso la frontiera persiana, in cui applicava le moderne tecniche agricole. In seguito, dopo avere imparato a pilotare l'aereo, vi si recò in volo.

Per l'indipendenza della nazione araba Gertrude aveva combattuto quasi quanto Faysal, conquistando seguaci al Cairo, a Bassora e a Baghdad. Nel periodo in cui aveva operato alle dipendenze di A. T. Wilson la sua era stata una voce solitaria, eppure aveva resistito risolutamente alle ripetute minacce britanniche di ritirata dall'Iraq, si era quasi disperata durante l'insurrezione, aveva visto trascorrere gli anni mentre l'Occidente rinviava le sue decisioni e i turchi ostacolavano in ogni modo la definizione del confine settentrionale dell'Iraq, e ancora sognava un libero governo arabo.

Nel 1921 molto era stato realizzato. Era tornato Cox, saggio e astuto negoziatore, guidato dai medesimi princìpi. Il trono era occupato da un re arabo. Il primo ministro era il *naqib*, un eminente anziano di Baghdad. Il paese era guidato da un governo composto da illustri rappresentanti iracheni. Era prevedibile che il processo di autodeterminazione, ancora in corso, generasse un sentimento di orgoglio nazionale, che a sua volta avrebbe inevitabilmente prodotto fermenti. Gertrude sosteneva i nazionalisti e li accoglieva in casa propria, mentre Londra insisteva per ottenere l'accettazione ufficiale del mandato, in assenza della quale gli inglesi avrebbero dovuto ritirarsi dall'Iraq. Se ciò fosse accaduto, Faysal non sarebbe riuscito a preservare la fedeltà e l'unione del suo popolo contro i turchi e contro Ibn Saud, come Gertrude aveva ripetutamente avvertito. Il re camminava sul filo del rasoio. La sua presa sulla Siria era stata spezzata dal mandato francese. Lui stesso era consapevole che la sua credibilità di capo arabo dipendeva dal rifiuto del mandato britannico, e quindi della sottomissione al suo controllo. Così rifiutò di riconoscerne l'esistenza, e nonostante tutte le implorazioni di Gertrude, era pronto ad ascoltare ogni estremista od opportunista da cui veniva avvicinato. A questo proposito Gertrude scrisse alla famiglia, il 25 settembre:

Ho pranzato con il re. [...] Dopo pranzo ci siamo seduti sul balcone che guarda il fiume, e quando l'ho esortato a portare via la moglie e i figli, Faysal ha confessato di sentirsi molto incerto sul futuro [...] non sapeva se il governo britannico avrebbe insistito, per il futuro trattato, su condizioni che lui sentiva di non poter accettare[6].

Era stato Cox a suggerire che Londra avrebbe potuto accettare un trattato al posto del mandato. La Società delle Nazioni sarebbe stata soddisfatta se il Regno Unito avesse comunque assolto ai propri obblighi nei confronti del paese appena nato, e l'Iraq sarebbe stato soddisfatto da un rapporto fra eguali con il Regno Unito, che avrebbe condotto all'autogoverno senza la guida britannica e con un esercito iracheno.

Iniziarono i tortuosi negoziati. Per la redazione di una bozza dettagliata il ministero delle Colonie inviò un certo Hubert Young, a capo di una squadra che includeva Cornwallis in qualità di sostituto di Faysal, nonché Edward Drower, consigliere giuridico del governo, e Nigel Davidson, segretario giuridico dell'alto commissario. Fu aggiunto uno «strumento di alleanza» per stabilire le modalità della collaborazione fra i due paesi, poi si passò alla legge organica, cioè alla costituzione, e quindi alla legge elettorale.

Londra pretese l'aderenza al mandato quale condizione del trattato. Faysal insistette sull'autonomia assoluta del trattato e il primo ministro iracheno minacciò, in caso di mancato accoglimento, di non sottoscriverlo. Comunque il re aveva un progetto più ampio. Sperava che il suo rifiuto del mandato britannico inducesse i siriani a rifiutare il mandato francese, e la sua missione restava quella di dimostrare al mondo che la via per uno stato musulmano sovrano era percorribile.

Frequentatrice quotidiana del palazzo, Gertrude incontrò difficoltà sempre maggiori nel suo rapporto con Faysal. Intransigente, manipolatore, persino insincero, il re tollerava la propaganda politica avversa al mandato nel governatorato di Hillah benché sfiorasse la rivolta. Quando gli inglesi cercarono di arrestare uno sceicco che aveva assassinato un loro funzionario, Faysal li accusò di essere suoi nemici e dichiarò alla stampa che a nessun nobile arabo avrebbe dovuto essere chiesto di ubbidire agli ordini di qualsivoglia straniero. Ogni volta che i ministri approvavano la formulazione del trattato, lui vi trovava nuove pecche. Ogni volta che Cox ne inviava l'ultima versione a Whitehall per l'approvazione, lui scopriva un movimento locale di opposizione.

Dopo aver tentato di tutto, Gertrude era disperata, al pari di Cox e di Cornwallis. Faysal stava mettendo a repentaglio la lealtà degli sceicchi moderati e dei ministri che lo sostenevano. Stava spingendo alle dimissioni gli amministratori e i funzionari britannici che assicuravano il funzionamento del suo governo, e stava persino tentando Whitehall ad abbandonare del tutto l'Iraq. Confidando nell'affetto che, come sapeva, il re nutriva per lei, Gertrude decise di appellarsi personalmente a lui un'ultima volta. Come scrisse in seguito, si proponeva di approfittare della

atmosfera emotiva di cui lui, con la sua acuta percezione, era del tutto consapevole. Infatti mi accingevo a giocare la mia ultima carta e gliel'ho detto. Ho esordito chiedendogli se credesse nella mia sincerità e nella mia devozione a lui. Ha risposto di non poterne dubitare. [...] Ho dichiarato che in tal caso potevo parlare in assoluta libertà e che mi sentivo estremamente infelice. Avevo modellato una figura di neve bella e squisita a cui avevo giurato fedeltà, e adesso la vedevo sciogliersi dinanzi ai miei occhi. Prima che ogni nobile forma scomparisse preferivo andarmene. Nonostante il mio amore per la nazione araba e il mio senso di responsabilità per il suo futuro, non credevo di poter assistere allo svanire di un sogno. [...] Vedevo lui, che avevo creduto mosso esclusivamente dai princìpi più elevati, vittima di ogni forma di maligna diceria. [...] Non intendevo aspettare che, inevitabilmente, i furfanti in cui riponeva la sua fiducia mi calunniassero. A questo proposito abbiamo avuto una tremenda discussione, durante la quale lui mi ha baciato la mano a più riprese, in modo alquanto sconcertante! [...] Rispetto a questo incontro mi sento ancora *sous le coup*. Faysal è uno degli esseri umani più amabili, però manca sorprendentemente di forza di carattere. [...] Questa sera l'ho lasciato convinto che il mio unico desiderio è quello di servirlo, eppure domani sarà di nuovo colmo di dubbi[7].

Alcuni giorni dopo Gertrude seppe che il re aveva già cambiato idea su uno degli argomenti di cui avevano discusso.

Con profonda tristezza fu costretta a rassegnarsi a quelle che considerava le mutevoli incertezze di Faysal. Nonostante i successivi e ancora più profondi disaccordi, lei era affascinata da Faysal, proprio come Cornwallis, e non avrebbe mai potuto abbandonarlo. Il re li aveva incantati entrambi con la sua magia. Esigeva costantemente la compagnia di Gertrude, ne ascoltava con calma le rimostranze, le baciava la mano, e continuava pervicacemente nella sua ostinazione. Gertrude scrisse:

Safwat pascià [il vecchio precettore del re] mi ha pregata di recarmi a palazzo il più spesso possibile, perché è chiaro che sono davvero l'unica ad amare il re, o a essere davvero amata da lui. Ciò rende scarsa giustizia a Mr Cornwallis, che per lui ha rinunciato a tutta la propria carriera [...] ma Safwat resta convinto che io sia diversa, e forse il re mi tiene di più la mano, anche se abbraccia più spesso Mr Cornwallis. Confrontiamo le nostre osservazioni. Non si può ottenere nulla da Faysal se non si sente certo di avere il più devoto affetto da parte dell'interlocutore, e lui ha il nostro[8].

Per una volta nella vita, Gertrude aveva incontrato chi sapeva starle alla pari.

Gli inglesi cedettero più volte sulle condizioni del trattato, senza mai rinunciare al mandato. Gertrude riassunse la situazione così: «Il trattato è in una condizione *statu quo ante*. Sir Percy ha inviato in patria un encomiabile telegramma per raccomandare fervidamente a Mr Churchill di cedere»[9].

Tuttavia Churchill rifiutò ogni compromesso. Chiese che Cox e Faysal si recassero a Londra, dove entrambi sapevano che lui li avrebbe posti dinanzi a un ultimatum. «Il mio cuore si è spezzato. Mi sono sentita morire»[10].

La battaglia rischiava di essere perduta. Faysal avrebbe rifiutato di firmare e l'Iraq che Gertrude conosceva avrebbe cessato di esistere. Attingendo forza dalla consapevolezza di essere prossimo alla conclusione dell'incarico, Cox esercitò la propria autorità personale. Rispose a Churchill di non vedere quale vantaggio avrebbe potuto derivare da un incontro a Londra e propose di pubblicare in Iraq il trattato approvato dal re, aggiungendo una clausola per specificare che l'unica divergenza concerneva il mandato. Allora il re avrebbe potuto dimostrare al popolo di essersi battuto per ottenere le migliori condizioni possibili. «Ma il nostro governo accetterà questo suggerimento?» chiese Gertrude. «È ciò che vogliamo sapere, perché saremo tutti lontano, a sparare ai galli cedroni, e non potremo ricevere alcuna risposta per telegramma»[11].

Nell'agosto del 1922 l'anniversario dell'incoronazione fu preceduto per Gertrude da una settimana di feste e di celebrazioni. Trascorse un giorno nella piantagione di cotone del re, a cavalcare per i campi con Faysal, il suo seguito, e il corteo degli assistenti e delle guardie del corpo. Quella sera giocarono a bridge. In cambio lei organizzò per il re una merenda sulla riva ombrosa del Tigri. «Abbiamo cotto allo spiedo grossi pesci su un fuoco di fronde di palma, il cibo più delizioso del mondo. Io ho portato tappeti e cuscini, ho appeso vecchie lanterne di Baghdad alle tamerici [...] nel silenzio roseo del tramonto. "Questa è pace" ha detto il re»[12].

Al ricevimento nel palazzo di Faysal a Baghdad, il gruppo della residenza ufficiale britannica giunse con due automobili. Gertrude indossava un abito di pizzo color crema ornato dalle onorificenze che portava per la prima volta, nonché il diadema che era cimelio di famiglia dei Bell e uno sfavillante girocollo, entrambi di diamanti. Il primo le era stato inviato di recente da Florence: «Ho aperto un pacchetto in ufficio [...] e ne è rotolato fuori un grande diadema. Era così inatteso fra i documenti dell'ufficio che ho rischiato di scoppiare a ridere. È troppo gentile da parte tua permettermi di averlo. Avevo dimenticato quanto fosse elegante. Nell'indossarlo temo di essere scambiata per la regina incoronata di Mesopotamia»[13].

A palazzo gli inglesi si unirono alla processione di tre o quattrocento persone che saliva i gradini d'ingresso, udirono grida indecifrabili e poi una tempesta di applausi della folla. Dapprima Gertrude pensò che l'acclamazione fosse per Cox, ma tutti rimasero perplessi. «Appena siamo rientrati in ufficio l'alto commissario mi ha detto di informarmi al più presto [...] e in meno di un'ora ho saputo che si era trattato di una dimostrazione da parte di due partiti politici estremisti»[14].

I dissidenti acquistavano potere e, con Faysal che rifiutava di autorizzare qualunque azione repressiva nei loro confronti a meno che il mandato fosse invalidato, l'intero governo rassegnò le dimissioni. Il *naqib* rimase solo e impossibilitato ad agire mentre l'insurrezione contro il mandato si diffondeva. A quel punto, però, il fato intervenne e fornì a Cox l'occasione di rompere lo stallo. Il re si ammalò di appendicite.

Nell'acconsentire a sottoporsi a intervento chirurgico, Faysal fece sapere, alquanto stranamente, di non avere obiezioni alla presenza di qualunque numero di osservatori durante l'operazione. Parecchi notabili e sceicchi accettarono l'offerta e si affollarono nella sala di osservazione. Nel frattempo Cox, in assenza del re e di qualunque governo, assunse brevemente la direzione del paese e sfruttò con la massima efficacia l'occasione che gli si offriva. Sette capi degli insorti di Baghdad furono incarcerati, e tutti gli altri fuggirono travestiti da donna. Nelle altre regioni i rivoltosi furono arrestati. Due quotidiani dissidenti furono chiusi e due partiti politici estremisti furono sciolti. Il 27 Gertrude scrisse:

Per una volta la Provvidenza si è comportata nobilmente. [...] La malattia del re è stata indicibilmente benefica. [...] Sir Percy ha salvato la situazione e ha fornito una scappatoia di cui il re potrà approfittare quando sarà in grado di camminare. Dato che la sua convalescenza sarà necessariamente prolungata, noi nel frattempo riceveremo istruzioni chiare. [...] I moderati esultano [...] e nelle province gli estremisti dovranno costruirsi un'arca se vorranno sfuggire al diluvio politico[15].

Moltissimi testimoni poterono confermare che Faysal era privo di conoscenza quando Cox aveva preso l'iniziativa. Nei giorni immediatamente successivi all'intervento chirurgico nessuno ebbe il permesso di vederlo. Cornwallis fu il primo a informarlo dell'accaduto. Quando Cox e Gertrude si recarono da lui in visita, il suo sollievo fu evidente e il suo apprezzamento fu espresso in maniera esagerata. «Mi avete risparmiato il biasimo» dichiarò. Poi l'alto commissario si recò a casa del *naqib* con il trattato, gli mise la penna fra le dita e gli chiese di firmare. Confuso e turbato, il *naqib* domandò che alcune parti della versione inglese gli fossero tradotte in arabo per accertarsi della perfetta corrispondenza fra le due versioni, infine firmò. Era il 10 ottobre 1922.

Tre giorni più tardi Faysal proclamò il trattato con un discorso altisonante che auspicava «la continuazione dell'amicizia con il nostro illustre alleato, il Regno Unito, e l'elezione di un'assemblea costituente che rediga la legge organica»[16]. Anche se ogni cosa avrebbe dovuto essere ratificata, il gioco era concluso. Era la seconda fase del processo che avrebbe condotto l'Iraq a essere accolto nella Società delle Nazioni come paese indipendente.

Dopo la disfatta di Damasco nel 1920, la prudenza aveva sconsigliato a Faysal, che lo aveva confidato a Gertrude, di condurre in Iraq la moglie e i figli. Ora, nel 1924, disponeva di due dimore, mentre nell'Hegiaz le aggressioni da parte di Ibn Saud erano sempre più frequenti. Così il re trasferì la propria famiglia a Baghdad, cominciando con il fratello minore prediletto, Zeid, che aveva combattuto al suo fianco durante la rivolta e che sarebbe stato prezioso in Kurdistan. In seguito, entro l'anno, sarebbe partito per Oxford, dove avrebbe studiato un anno al Balliol College. Dopo Zeid arrivò l'unico figlio di Faysal, il dodicenne emiro Ghazi, minuto per la sua età, accompagnato dai suoi schiavi e con una timida dignità che commosse profondamente Gertrude, la quale ebbe l'impressione che vivendo in una casa popolata di schiavi e di donne illetterate il ragazzo fosse stato trascurato. Infatti stentava a leggere e a scrivere in arabo. Aveva bisogno di bravi precettori e di compagnia maschile. Ma prima che del suo seguito occorreva occuparsi del suo abbigliamento. Ormai il re vestiva prevalentemente all'europea e voleva che suo figlio lo imitasse. Così Gertrude scrisse ai genitori:

Sono stata convocata a palazzo per contribuire alla scelta del vestiario di Ghazi. Abbiamo scelto camicie e completi fra i modelli portati da un sarto inglese giunto da Bombay, il quale si è comportato come un sarto di Thackeray Street, saltellando intorno, puntando il piede, porgendomi i modelli con una mano sul cuore. Intimidito e al tempo stesso compiaciuto, Ghazi si è lasciato prendere le misure[17].

Dopo il giovane emiro giunsero le sue tre sorelle e la madre, la regina, le quali si stabilirono in campagna, in una villa ad Harithya. Seguendo la tradizione di famiglia, Faysal aveva sposato la prima cugina, la *sharifa* Huzaima, che secondo la pratica islamica della *purdah* viveva segregata insieme alle figlie, la minore delle quali, invalida dalla nascita, non era mai stata vista. In precedenza, quando Gertrude lo aveva sollecitato a parlarne, Faysal era stato deliberatamente vago e ambiguo. «Gli ho chiesto della moglie [...] e ho aggiunto che anche lei dovrebbe essere incoraggiata a farsi una posizione e ad avere una corte. Lui è stato alquanto schivo a proposito di lei. Gli uomini sono sempre imbarazzati a proposito delle loro donne, perché le giudicano troppo ignoranti per essere presentabili. Comunque ha convenuto che si debba cominciare»[18].
La segregazione in cui la regina viveva rendeva impos-

sibile una corte all'occidentale. Gli ospiti di sesso maschile erano intrattenuti ai pranzi, alle cene, ai ricevimenti dal solo Faysal nel palazzo di Baghdad. Soltanto in seguito lui si recava in auto ad Harithya per trascorrere la notte con la famiglia. Gertrude fu una delle prime persone a essere ricevute dalla regina, che parlava soltanto l'arabo, benché comprendesse un poco l'inglese e il francese.

È incantevole. Sono felicissima di dirlo. Ha il viso delicato e sensibile degli Hashimi e gli stessi modi affascinanti del marito. Indossava una lunga veste marrone molto bella, [...] un lunghissimo filo di perle e uno splendido ciondolo di acquamarina. Ho visto anche le due figlie maggiori, identiche a lei, alquanto timide, ma desiderose di diventare espansive[19].

Appena la famiglia di Faysal si fu stabilita a Baghdad, Gertrude si divertì enormemente a creare una corte. Per prima cosa si trattò di confezionare gli abiti adatti per una regina, per i suoi ricevimenti e per i suoi tè, che sarebbero stati esclusivamente femminili. In pubblico, la regina, le principesse e le donne del loro seguito indossavano il tradizionale velo di seta nera, mentre quando si recavano in visita alle dimore delle amiche o delle parenti dovevano affidare il velo alla domestica che le riceveva. Così per la sartoria Gertrude raccomandò le monache che avevano confezionato il suo abbigliamento prima dell'arrivo di Marie e le presentò a palazzo. In seguito Elsa e Molly ebbero l'incarico di recarsi a Londra per acquistare vestiario occidentale adeguato alla regina e alle principesse, da indossare esclusivamente in privato. «Lunedì sono stata convocata dal re» scrisse Gertrude alla famiglia. «Abbiamo discusso di come arredare la dimora della regina. Sono stata molto felice che mi abbia consultata, perché bisognava affrontare e risolvere alcune terribili difficoltà. [...] Dunque sono molto impegnata!»[20]

La regina aveva bisogno di una maestra di cerimonie che l'aiutasse a organizzare i suoi trattenimenti, nonché ad assicurare l'esecuzione delle sue disposizioni e il rispetto del protocollo diplomatico. Gertrude suggerì che Faysal assegnasse il ruolo alla moglie di Jaudat bey, il suo assistente principale. Appartenente a un'illustre famiglia circassa, Mme Jaudat bey era adatta all'incarico sotto ogni aspetto, bene istruita, molto stimata, residente a Baghdad da lungo tempo. Il re fu felice di accogliere il suggerimento e Gertrude si congratulò con se stessa per avere sventato le manovre della moglie del ciambellano, una siriana volgare e odiosa, che promuoveva continuamente la figlia nel tentativo di persuadere il sovrano a sposarla, presumibilmente come nuova moglie oppure perché ignorava che era già sposato.

Un mattino in cui si trovava ad Harithya per aiutare Mme Jaudat bey a organizzare il primo ricevimento della regina, Gertrude fu presentata alla nuova istitutrice, che aveva la sua approvazione, ma con qualche riserva a causa delle differenze di classe. «È una ragazza minuta, buona e graziosa, e io sono contentissima che abbia trovato un posto permanente a palazzo. [...] Insegnerà alle ragazze l'inglese, il tennis e le maniere europee. Sicuramente con lei impareranno a chiamare tovagliolo il fazzoletto e io dovrò insegnare loro a distinguerli e a chiamarli ciascuno con il proprio nome».

Una volta Gertrude chiese alla regina il permesso di invitare Ghazi a prendere il té, e lui col tempo sviluppò la consuetudine di farle visita regolarmente, dapprima accompagnato dai suoi schiavi Hamid e Farese, poi con il precettore e l'istitutrice. Gertrude gli regalò meravigliosi giocattoli moderni ordinati a Londra. «Il trenino e i soldatini che ho ordinato per lui da Harrod's sono arrivati con l'ultima consegna postale e gli sono stati presentati con grande successo, in particolare il trenino. Ama le macchine di ogni genere, anzi, ha compreso il funzionamento della locomotiva molto meglio di tutti noi. [...] Ci siamo seduti tutti sul pavimento a guardarlo correre sui binari, lanciando grida di gioia!»[21] Rientrato a casa, Ghazi le scrisse una lettera di ringraziamento in inglese prima di recarsi, tenuto per mano dal padre, alla preghiera del tramonto. Pur essendo un sovrano moderno e progressista, Faysal non mancava mai di osservare la tradizionale convocazione alla preghiera. Educato a comportarsi allo stesso modo, Ghazi presumibilmente continuò così anche durante gli studi ad Harrow. Per la perdita del figlio, affidato a una scuola pubblica britannica, la regina avrebbe avuto difficoltà a perdonare Gertrude, che aveva raccomandato quel provvedimento.

Subito dopo l'arrivo della regina a Baghdad parve probabile che Faysal dovesse ricevere un altro parente, non altrettanto benvenuto. Suo padre, il settantenne Hussain, era stato cacciato dalla Mecca dalle forze del suo nemico ereditario, Ibn Saud, e quando l'Hegiaz era stato annesso all'Arabia Saudita era stato costretto ad abdicare. Gertrude temeva la presenza gelosa e invadente di Hussain. «Prego che Hussain non si rifugi qui, perché diventerebbe il fulcro di attività moleste di ogni genere contro Faysal e contro i britannici»[22].

Quando Hussain aveva assunto il titolo di califfo del mondo musulmano, benché tale titolo fosse stato abolito da Mustafa Kemal, o Atatürk, il modernizzatore della Turchia postbellica, era apparso subito evidente che non sarebbero mancate gravi conseguenze. Infatti fu proprio questa mossa provocatoria a offrire a Ibn Saud il pretesto per cacciare lo *sharif*. Nel 1921, anno dell'incoronazione di Faysal, lo stesso Ibn Saud aveva già conquistato Ha'il, la città dove Gertrude era stata prigioniera, e le ostilità scoppiarono quando le invincibili forze saudite attaccarono l'Hegiaz, nonché la Transgiordania, governata da Abdullah, e persino i confini dell'Iraq. L'offensiva degli Akhwan[23] provocò duecento vittime, costringendo gli aerei della Royal Air Force a intervenire per stroncarla. All'inizio del 1922 Gertrude aveva scritto al suo vecchio amico Charles Hardinge:

La conquista di Ha'il da parte di Ibn Saud ha alterato l'intero equilibrio politico. [...] L'ambizione di Ibn Saud è quella di essere Sovrano del Deserto, di tutto il deserto, incluse le regioni in cui si trovano i pascoli dove da tempo immemorabile si recano a primavera i pastori iracheni [...].
Hanno sparato ai nostri aeroplani e noi il giorno dopo abbiamo bombardato il loro accampamento. Così sono fuggiti a sud [...] e la mattina successiva i nostri aeroplani li hanno inseguiti e bombardati di nuovo. Hanno attaccato senza la minima provocazione, depredando e uccidendo i nostri pacifici pastori, e razziando le loro greggi. [...] Gli Akhwan, con il loro orribile e fanatico appello alla religione medievale, suscitano in me l'odio più acerrimo. Sono il peggiore esempio di quella cosa abominevole che è una sanzione religiosa onnipotente[24].

La setta islamica degli Akhwan proibiva i semplici piaceri, imponeva la rigida osservanza delle cerimonie religiose, e al tempo stesso condonava le distruzioni e i saccheggi commessi in guerra. Fu attaccata Ta'if, la dimora estiva dello *sharif*, in cui Faysal era nato, e i residenti furono massacrati. Hussain telegrafò a Londra per chiedere aerei e truppe, ma già da molto tempo, con la sua intransigenza sull'autodeterminazione araba, si era alienato il sostegno degli inglesi, che infatti rimasero neutrali. Dopo avere abdicato per insistente richiesta del suo stesso popolo, Hussain fu brevemente sostituito come re dell'Hegiaz dal figlio maggiore, Ali, che in seguito, finalmente, seguì il resto della famiglia e si riunì al fratello minore in Iraq.

Faysal era sostanzialmente un uomo d'azione intrappolato in un palazzo e in un ufficio, una personalità mutevole più abituata a comandare che a praticare la moderazione. Assillato da problemi difficili da risolvere, circondato di persone di cui non sempre era certo di potersi fidare, stava esaurendo la pazienza. Nel resistere a ulteriori tentativi di costringerlo a compromessi con i britannici, con i suoi ministri, con i curdi e con altri ancora, si sentì sempre più frustrato, e neppure adesso che era re poteva impedire che il padre interferisse nelle sue attività. Così fuggì in Transgiordania nel tentativo di salvare le fortune della famiglia; al ritorno, annunciò a Gertrude che se gli inglesi non fossero intervenuti nell'Hegiaz, sarebbe stato costretto a lasciare l'Iraq per tornare nella sua terra e morire per difendere la sua famiglia e le sue donne. Lei gli consigliò prudenza, ma lui non seguiva più i suoi consigli, e non sempre si confidava con lei. Gertrude reagiva con noncuranza ai suoi scoppi di collera e ai suoi sbalzi d'umore e nelle lettere lo descriveva ironicamente come una diva indisponente. Tuttavia la luna di miele era finita. Ai genitori Gertrude scrisse:

Il re è enormemente ossessionato dai Wahhabiti. [...] Tuttavia la peggior cosa che si possa fare è proprio quella che credo che sua maestà stia facendo, cioè incitare le nostre tribù ad aprire le danze attaccando i Wahhabiti. Ciò provocherebbe immediate rappresaglie e il deserto diventerebbe un campo di battaglia[25].

Lunedì il re ha avuto un violento accesso d'isterismo e martedì ha formalmente abdicato in favore dell'emiro Ghazi. [...] Ricordo che nel 1922 Ken Cornwallis ha tenuto in un cassetto per un mese l'abdicazione di Faysal[26].

Il «violento accesso d'isterismo» fu l'esplosione d'ira di Faysal, che perse la calma per l'inazione del suo governo dinanzi alle incursioni saudite ai confini del paese. Senza esitare ordinò a cinque suoi ministri di dimettersi. Cox riuscì magistralmente a placarlo. Aveva già inviato un messaggio a Ibn Saud per chiedere spiegazioni e non tardò a mostrare un telegramma in cui lo stesso Ibn Saud affermava di essere del tutto all'oscuro dell'aggressione dei suoi seguaci alle tribù di Faysal.

Anche se da tempo progettava di tornare in Inghilterra per una vacanza e incontrare il padre durante il tragitto, a Gerusalemme, Gertrude decise con rammarico che dato il precario equilibrio della situazione non era possibile. Di conseguenza decise di incontrare il padre a Ziza e di trascorrere con lui alcuni giorni.

Assordata e stordita dopo un lungo volo pieno di scossoni sul deserto a bordo di un aereo di stato, Gertrude si gettò fra le braccia del padre in attesa. Quando ebbe riacquistato l'udito, lui le riferì di essere stato invitato a cena dall'emiro Abdullah, accampato non lontano, nei pressi di Amman, e di avere rifiutato, presumendo che lei sarebbe arrivata troppo stanca. Invece Gertrude si dichiarò fresca come una rosa e prelevò dal proprio bagaglio gli abiti da sera. Così lei e il padre trascorsero la loro prima serata insieme ospiti del fratello di Faysal.

Durante la cena Gertrude osservò Abdullah con grande attenzione e con estremo interesse, non tardando a decidere di provare poco rispetto per lui. In seguito lo descrisse come «inutile» e lo definì «una costosa escrescenza».

Ho l'impressione che Abdullah non sarebbe neppure un valido alleato, se si arrivasse alla necessità di combattere. La sua qualità precipua è il fascino personale, guastato non tanto dalla sua scarsa vitalità quanto dall'opinione esagerata che ha dei propri poteri. [...] Unisce l'indolenza a una visione delle cose limitata e quasi fanatica. [...] Non riesce a escludere dalla conversazione la gelosia che nutre nei confronti del fratello Faysal. Di qualunque argomento discuta [...] ricade sempre nella delusione e nella mortificazione che prova per essere semplicemente emiro ad Amman, mentre Faysal è re a Baghdad[27].

Rientrata a Baghdad, Gertrude si recò a bere il tè con il re e si considerò fortunata, dopotutto.

Sono tornata con la convinzione che fossimo l'unica provincia araba avviata sul sentiero giusto, e che fallire qui avrebbe posto fine alle aspirazioni arabe. [...] [Il re] è stato molto affettuoso e affascinante. Sono felice che il sovrano sia lui e non Abdullah! Il rapporto con un essere così sensibile e inquieto può essere difficile, ma le sue qualità eccellenti e vitali, nonché la sua stupefacente ampiezza di vedute, compensano ogni cosa[28].

Infine Hussain si recò in Transgiordania da Abdullah, anziché in Iraq da Faysal, e una volta là si impegnò subito in un'aggressiva campagna contro la deferenza di Abdullah nei confronti degli inglesi e del governo sionista di Gerusalemme. Sovvenzionato da Londra con un appannaggio di centocinquantamila sterline annue, Abdullah aveva bisogno del sostegno britannico anche per combattere Ibn Saud. Dopo una serie di discussioni e di litigi con il figlio, lo *sharif* Hussain fu di nuovo cacciato, si trasferì con il suo panfilo dapprima nel Mar Rosso, dove rimase al largo di Aqaba fino a quando gli fu chiesto di andarsene, e poi nel Mediterraneo. Così le sventure hashemite incominciarono a somigliare a un'opera buffa dalla trama ingarbugliata. «A quanto sembra i parenti del re stanno navigando sul Mar Rosso come tanti Olandesi Volanti»[29] scrisse Gertrude, sarcastica.

Con il suo straordinario talento di spuntare ovunque vi fosse necessità della sua presenza, Sir Ronald Storrs risolse il problema procurando a Hussain un palazzo sull'isola di Cipro, di cui lo stesso Storrs era governatore. Là Hussain visse in esilio fino alla morte. Nel frattempo Ibn Saud accettò il trono dell'Hegiaz con pia riluttanza, cedendo soltanto «perché il popolo insisteva».

Nel 1923 il trattato di Losanna fu stipulato con l'intento di concludere definitivamente i negoziati di pace fra gli Alleati e la Turchia, ma quasi inevitabilmente fallì, e Cox sprecò due mesi a Costantinopoli tentando di giungere a un accordo. Intanto che la Società delle Nazioni procedeva lentamente a nominare una commissione confinaria per risolvere le dispute di confine fra la Turchia e l'Iraq settentrionale, i turchi oltrepassarono il confine tradizionale e devastarono ancora una volta l'Assiria. «Ci troviamo nella scomoda posizione di non sapere se siamo in guerra oppure no» scrisse Gertrude nel settembre del 1924. «Circa tremila soldati dell'esercito regolare turco hanno varcato il confine della nostra amministrazione e massacrato i nostri assiri, costretti ancora una volta a fuggire da profughi. [...] Nel frattempo il governo di Sua Maestà tace e i negoziati continuano tranquillamente a Ginevra»[30].

Soltanto sette anni dopo la fine della guerra la Società delle Nazioni arrivò a decidere che la *vilayet* di Mosul non sarebbe ritornata alla Turchia. Ancora una volta il governo iracheno si trovò disperatamente a corto di truppe e furono i funzionari amministrativi britannici, quasi completamente soli, a opporsi alle insurrezioni tribali e alle aggressioni turche. Churchill vacillò sul futuro delle regioni settentrionali. Nel 1921 aveva ordinato il ritiro da Mosul, poi, alla conferenza del Cairo, aveva stabilito che i curdi potessero decidere del loro futuro. Dopo aver eseguito l'ordine, Cox rispose, com'era prevedibile, che non esisteva alcuna risposta. Sulaymaniyya rifiutò di partecipare alla vicenda e Kirkuk chiese l'indipendenza curda senza saperne definire il significato, a parte il fatto che non voleva avere nulla a che fare con Sulaymaniyya. Gertrude commentò:

Sono arrivati i rappresentanti di Arbil e di tutti i distretti curdi intorno a Mosul, consapevoli che il loro benessere economico e politico è vincolato proprio a Mosul. Ebbene [...] otterranno certi privilegi. [...] Alcuni chiedono che la lingua dell'insegnamento scolastico sia soltanto il curdo, una richiesta che sarebbe ragionevole, se non fosse che non ci sono insegnanti curdi, la cui formazione potrebbe avvenire soltanto in arabo perché non esistono libri in curdo[31].

Pochi curdi erano disposti ad assumere la guida della nazione. L'unica famiglia che si offrì fu quella dello sceicco Muhammad, che per due volte ottenne il permesso di formare un governo a Sulaymaniyya e per due volte si servì del sostegno turco per fomentare la ribellione contro l'Iraq. Per rappresaglia la RAF bombardò la sua base e lui stesso fu espulso nel 1924. Gertrude osservò che probabilmente non aveva giovato alla sua causa il suo biglietto natalizio, firmato «Re del Kurdistan».

Faysal inviò Zeid a Mosul con il sostegno dell'esperto capitano Clayton per creare una corte hashemita nel Nord e promettere, proprio mentre i turchi si ammassavano al confine, che una volta risolte le dispute confinarie avrebbe assicurato ai curdi un governo regionale in Iraq. Inoltre promise di assegnare terre e di concedere l'autonomia amministrativa agli assiri cui erano state espropriate le case. «È possibile che la minaccia turca contribuisca grandemente a fare di noi una nazione» commentò Gertrude.

Nel suo lavoro quotidiano e nelle sue occasionali divergenze con il re, Gertrude si avvicinò sempre più al consigliere del sovrano, Kinahan Cornwallis, che conosceva Hussain e i suoi figli sin dall'inizio della rivolta araba. In Siria, Faysal aveva chiesto specificamente di avere lui come consigliere personale, e da quel momento Cornwallis gli aveva dedicato tutta la propria carriera. Era opinione di Lawrence che Cornwallis fosse «forgiato in uno di quegli incredibili metalli che non fondono se non a molte migliaia di gradi. Perciò poteva restar per mesi più ardente di altri giunti alla passione estrema, e tuttavia sembrar freddo e duro»[32]. Sin dal suo primo incontro con lui Gertrude lo giudicò «un grande sostenitore». Per coincidenza, era sposato a una donna di nome Gertrude che era con lui in Iraq, anche se di rado si mostravano insieme. Da parte sua, Cornwallis riconobbe subito le formidabili capacità della segretaria diplomatica per l'Oriente e non tardò a offrirle un incarico nella nuova amministrazione irachena come capo dei servizi segreti del ministero dell'Interno. Gertrude sorrise e rispose di non poter assolutamente lasciare Sir Percy. Avrebbe potuto aggiungere che in quanto funzionaria del governo iracheno avrebbe dovuto rinunciare alla condizione speciale che le consentiva di fungere da tramite con il re.

L'amicizia fra Gertrude e Cornwallis divenne più intima poco prima del Natale del 1922, quando, di ritorno dall'ufficio, lei trovò in cucina il cuoco e il servo Zaiya impegnati in una lotta mortale, in un mare di cocci e di stoviglie fracassate, per il possesso di un trinciante. «Li ho redarguiti severamente per avere celebrato il Natale in modo tanto inappropriato. Marie era uscita a cena, quindi ho cenato sola, chiedendomi mestamente quali misure avrei dovuto prendere per riorganizzare la mia casa»[33].

Alla fine del mese il contrasto fra il cuoco e Zaiya si chiarì.

Ho trascorso l'ultima settimana in grave disagio perché Zaiya si è tanto rappacificato con il cuoco da sposarne la figlia. Quando si prendono a botte in testa è meno imbarazzante di quando concludono alleanze matrimoniali, perché con Zaiya novello sposo e il cuoco che deve preparare il pranzo nuziale non resta nessuno a cucinare e a servire i pasti. Così mi sono trasferita presso Mr Cornwallis e Sir Aylmer[34].

L'amicizia fra Gertrude e Cornwallis fiorì con la vicinanza e con ciò che li accomunava, ossia la lealtà, l'affetto e persino l'amore nei confronti del re. A pranzo discutevano a fondo del suo carattere, e spesso in occasione dei numerosi eventi sociali organizzati da Faysal trascorrevano insieme le serate e i fine settimana, partecipando alle consuete colazioni sul fiume, nonché cenando, tirando di fucile e giocando a carte, dato che il re amava il bridge e lo chemin de fer.

Gertrude apprezzava sempre di più il refrigerio e la vivacità del nuoto, e i picnic le donarono alcuni dei momenti più felici. Si burlava del re per le sue scarse capacità di nuotatore. Si cambiava sotto i fichi, mangiava frutti maturi nell'asciugarsi i capelli, e si recava al fuoco per gustare il pesce arrostito sotto le tamerici, l'unico pasto della settimana che davvero le piaceva, come dichiarò lei stessa.

Forse a causa della differenza d'età, lei cinquantatreenne, lui trentottenne, Cornwallis riuscì, una sera, a confidarle qualcosa del proprio matrimonio infelice e della propria solitudine. Nel descrivere quelle serate, lo stile di Gertrude assume una nebulosa nota romantica.

Ho risalito il fiume agli ultimi bagliori di un tramonto meraviglioso, raggiungendo Mr Cornwallis, il capitano Clayton, il colonnello MacNiece e i Davidson, che avevano appena iniziato la cena presso il frutteto di fichi. Siamo rimasti là a conversare al buio fin dopo le dieci [...] mentre le stelle spuntavano a una a una. Non bisogna immaginare neppure per un istante che ci siano parse componenti di un firmamento infinito, perché per noi erano gli ornamenti dei cieli dell'Iraq[35].

In breve il gruppo prese l'abitudine di trascorrere le domeniche in compagnia, e una volta tanto Gertrude non fu l'unica donna. Aveva simpatia per Iris Davidson e la trovava intelligente. Iris aveva imparato l'arabo «straordinariamente in fretta», a differenza di tante mogli britanniche di Baghdad. «Ho aggiunto i Davidson e Mr Cornwallis al mio elenco di amicizie permanenti» riferì Gertrude.

Nel 1923, la mai menzionata Mrs Cornwallis lasciò il marito e s'imbarcò per ritornare in Inghilterra. Frattanto «Mr Cornwallis» diventò «Ken» nelle lettere di Gertrude, in cui era nominato di frequente. Di solito Natale era il nadir dell'anno per Gertrude, a cui la famiglia mancava più che mai nell'abbandonata Baghdad. Quell'anno tuttavia fu diverso, perché si unì al gruppo composto da Cornwallis, da Zeid, fratello di Faysal, e da Nigel Davidson, per una partita di caccia di sei giorni a Babilonia. Nel prepararle il baule, Marie ebbe cura di includere le più belle camicie da notte di seta e di pizzo. Allora Gertrude le rammentò che si trattava semplicemente di una partita di caccia e le chiese perché lo stesse facendo. Dopo un attimo di esitazione la cameriera francese rispose che Nur al Din, servo sudanese di Ken, avrebbe potuto vederle. È improbabile che di notte Ken o il suo servo fossero tanto vicini a Gertrude da poterne ammirare le camicie da notte. Eppure lei tornò dalla spedizione straordinariamente felice: «Credo che nell'insieme non sia mai stata effettuata in Iraq una spedizione più deliziosa»[36].

Purtroppo il bel periodo natalizio fu seguito da una sorta di rottura. In estate Cornwallis sarebbe ritornato in Inghilterra per sbrigare le pratiche di divorzio dalla moglie. Alla fine di gennaio Gertrude scrisse a Florence di essere profondamente infelice e nelle sue lettere delle dieci settimane successive non nominò più Ken neppure una volta. In seguito scrisse alla sorella[37] riassumendo i propri tentativi di convincerlo che avrebbe potuto renderlo felice e descrivendo il proprio amore per lui come quello di una madre e di una sorella, unito a «quell'altro amore». Estremamente a disagio, Cornwallis reagì con impenetrabile distacco a tali manifestazioni, poi iniziò a evitarla. La considerava una donna impareggiabile, una confidente preziosa, unica per i tanti interessi che aveva in comune con lui, però aveva quindici anni meno di lei e non cercava una madre, né una sorella. Mai meschina né ingenerosa nei confronti di coloro che amava, Gertrude continuò a considerarlo uno degli uomini migliori che avesse mai conosciuto e chiese a Molly di invitarlo a pranzo, quando lui ritornò in Inghilterra. La breccia che li separava si richiuse a poco a poco e la loro amicizia fu ripristinata quando lui le donò uno spaniel della propria cucciolata. Cornwallis ricominciò a ritirarle e a consegnarle la posta quando lei era costretta a letto, trattenendo però ciò che avrebbe potuto spossarla. Comunque questi tumulti emotivi lasciano cicatrici, e Gertrude, seppure coraggiosa come sempre, scoprì di avere in parte perduto la capacità di riprendersi prontamente dalle avversità e dalle delusioni. Diventò più solitaria, e dato che aveva confidato in lui per avere notizie dall'interno su quello che succedeva a palazzo e al governo, ebbe l'impressione di essere forse un po' meno informata di prima.

Una volta proclamato il trattato e accantonato il problema del mandato, il re ordinò di organizzare le elezioni dell'assemblea costituente, che avrebbe dovuto ratificare il trattato, approvare la legge organica per il futuro governo dell'Iraq e redigere una legge elettorale che consentisse di eleggere il primo parlamento. Allora il *naqib* rassegnò le dimissioni e fu sostituito come primo ministro dal più giovane Abdul Mahsin bey. Frattanto a Londra, nel 1922, ebbe luogo un analogo cambiamento, quando i conservatori andarono al governo con il primo ministro Bonar Law e assunsero l'impegno di evacuare precocemente il personale britannico dall'Iraq. Ancora una volta Cox fu convocato a Londra per rivedere la funzione svolta dal Regno Unito in Iraq e tornò con una nuova aggiunta al trattato, un protocollo che limitava il coinvolgimento britannico ad altri quattro anni, concedendo nondimeno a Faysal più di quanto avesse chiesto. Così il problema che si poneva era se in soli quattro anni l'Iraq potesse essere in grado di difendersi e di governarsi autonomamente.

Alla fine dell'aprile del 1923 Cox finalmente lasciò l'Iraq. La sua ultima gentilezza nei confronti di Gertrude fu l'approvazione della spesa per l'aggiunta di un salotto al padiglione, quale riconoscimento di tutti gli incontri che aveva ospitato a beneficio del segretariato. Quando ebbe affidato gli animali del serraglio a coloro che avevano accettato di occuparsene e quando ebbe organizzato l'ultimo ricevimento in giardino, non soltanto sembrò la fine di un'era, bensì lo fu davvero. Nessuno sentì la mancanza di Cox più acutamente di Gertrude, la quale scrisse ai genitori:

Dopo tutto questo tempo è alquanto straziante e molto commovente dire addio a Sir Percy. [...] Quale posizione si è creato qui! Credo che in Oriente nessun inglese abbia saputo ispirare maggiore fiducia. Lui stesso è terribilmente infelice di andarsene. Quarant'anni di servizio non sono cosa che ci si possa lasciare facilmente alle spalle[38].

Debbo riferirvi qualcosa di estremamente commovente. [...] Sir Percy mi ha inviato una fotografia in cornice d'argento che lo ritrae e che reca scritto in un angolo: "Alla migliore compagna". Non è forse la cosa più gentile e più bella che avrebbe mai potuto scrivere?[39]

Il nuovo alto commissario, Sir Henry Dobbs, era arrivato nel dicembre precedente per familiarizzarsi con il lavoro. Era stato fra i primi pochi funzionari a collaborare con Cox a Bassora come commissario fiscale, con considerevole successo. La stessa Gertrude aveva scritto delle sue imprese nel libro bianco sull'amministrazione civile della regione. Dobbs assunse e assolse con decisione le responsabilità britanniche relative alla sicurezza e alle relazioni estere, assicurando il corretto svolgimento delle elezioni. Faysal si recò in tutto il paese per incoraggiare la popolazione a partecipare e Dobbs lo seguì da presso, affinché l'impegno congiunto per realizzare la democrazia in Iraq risultasse evidente a tutti. «Come per magia, l'atmosfera politica si rasserenò e persino gli appartenenti alle tribù delle zone più remote dell'Eufrate e delle colline curde si iscrissero rapidamente alle liste elettorali»[40] scrisse in seguito Dobbs.

Nei sei anni in cui era stato commissario civile, Cox aveva avuto l'abitudine di consultare Gertrude più volte ogni settimana. Dobbs non mantenne tale consuetudine, e la stessa Gertrude riconobbe che non avrebbe avuto alcun motivo per farlo. Comunque aveva simpatia per il suo nuovo capo, e trovava che Lady Dobbs fosse gentile, sollecita, rispettosa e divertente conversatrice, nonché una padrona di casa che offriva i pranzi più deliziosi.

Per l'ottobre del 1924 Gertrude attendeva con gioia l'arrivo a Baghdad della sorella Elsa e del cognato, il viceammiraglio Sir Herbert Richmond, in viaggio per Ceylon a bordo della nave ammiraglia *Chatham*. Per lo stesso periodo era atteso anche George Trevelyan, figlio maggiore di Molly, che avrebbe proseguito con i Richmond fino alla loro destinazione. Gertrude aveva organizzato trattenimenti di ogni genere, e quando fu afflitta da una grave bronchite proprio poco tempo prima del loro arrivo ne fu affranta. Il medico personale del re, "Sinbad", ovvero Sir Harry Sinderson, la visitò due volte al giorno senza accettare neppure un penny per il proprio disturbo, e decise che non stava abbastanza bene per ospitare George, il quale dunque avrebbe alloggiato alla residenza ufficiale. Quando Gertrude fu migliorata abbastanza per accompagnare i Richmond a visitare Baghdad e dintorni, Lady Dobbs assegnò la propria vettura al loro servizio. Così alcuni parenti videro Gertrude gravemente malata e nella corrispondenza inviata in Inghilterra espressero le loro preoccupazioni per le sue condizioni di salute. Anche se Gertrude nelle lettere a Hugh e a Florence aveva minimizzato la malattia, la bronchite fu aggravata dalla spossatezza e da un collasso. Per giunta Elsa portava cattive notizie da casa. La Depressione e gli scioperi avevano inflitto duri colpi al patrimonio della famiglia Bell. Nel secondo volume della sua biografia, basata su documenti personali, Elizabeth Burgoyne rivela che Gertrude confidò all'amico Nigel Davidson che «una nera depressione si era posata su di lei come una nube e gli chiese persino di pregare per lei. Secondo Davidson, le sofferenze personali, la solitudine e la frustrazione le impedivano di poter tornare a essere davvero felice»[41].

Nel febbraio del 1925 Gertrude fu ulteriormente rattristata quando il suo amatissimo cane, e anche la cagna di Ken, affidata a lei in quel periodo, morirono di cimurro nel giro di ventiquattr'ore.

Non so quale dei due amavo di più, perché Sally è stata con me per tutta l'estate durante la licenza di Ken. Ora sentirò maggiormente la mancanza di Peter, che era sempre con noi, in ufficio e ovunque. [...] Nessuno di noi aveva idea che fosse cimurro nella sua forma peggiore, quella che provoca la polmonite. Peter si è ammalato e ha sofferto tanto prima di morire soffocato, alle quattro del mattino [...] e Sally dopo avere sofferto come lui è morta alle cinque del pomeriggio. Così potete capire che sono alquanto a pezzi[42].

Questa volta Hugh e Florence non tollerarono scuse. Affermarono che non era in condizione di trascorrere un'altra estate in Iraq e Gertrude fu costretta a convenirne. Il re invece non era d'accordo. «Quando gli ho annunciato di voler tornare a casa in estate, Faysal ha risposto aspramente: "Non dovete parlare di tornare a *casa*, perché la vostra casa è qui. Potete dire che intendete recarvi a rivedere vostro padre"».

Il 17 luglio Gertrude arrivò a Londra accompagnata da Marie. Come scrisse la sua matrigna, era «in una condizione di grande affaticamento nervoso [...] e sembrava mentalmente e fisicamente spossata»[43]. I medici a cui fu chiesto di visitarla, Sir Thomas Parkinson e il dottor Thomas Body, pronunciarono la medesima diagnosi: Gertrude aveva bisogno di moltissima assistenza e non avrebbe dovuto ritornare al clima dell'Iraq. Un grave avvertimento, e forse persino qualcosa di più. La sua vecchia amica di Oxford, Janet Courtney, rimase atterrita nel vederla smagrita e con i capelli bianchi, così diversa da come l'aveva vista durante il suo viaggio di due anni prima, quando era stata ritratta da John Singer Sargent.

Appena si fu rimessa in forze, Gertrude s'interessò ai membri più giovani della famiglia, in particolare la nipote diciannovenne, Pauline, figlia di Molly. Molti anni più tardi, Pauline Trevelyan ricordò che Gertrude aveva sempre freddo e indossava una lunga pelliccia di volpe argentata tutto il giorno, persino al chiuso, in estate, sia in Sloane Street sia a Rounton: «Di spalle al fuoco, era intenta a fu-

mare sigarette turche con un lungo bocchino e parlava di
[...] persone del passato e del presente, di storia, di lettere,
di arte e di architettura, dei suoi viaggi, di archeologia, della
nostra famiglia e di quanto fosse devota a tutti, a casa, specialmente a suo padre»[44].

Fragile, eppure ardente di perenne entusiasmo, Gertrude
tentò di trasmettere le proprie passioni a Pauline accompa-
gnandola al British Museum per spiegarle la storia delle mostre assire, e al Victoria and Albert Museum per ammirare
le opere di John Constable. Fece visita agli Stanley, e invitò
la cugina, Sylvia Henley, rimasta vedova di recente, ad accompagnarla in Iraq, poi si recò dai Churchill a Chartwell.
Una sera, quando Janet Courtney arrivò a Sloane Street per
cenare con lei e Hugh, Gertrude le chiese che cosa avrebbe
potuto fare, a suo parere, se fosse rimasta in Inghilterra. Alcuni giorni più tardi Janet le suggerì, per lettera, che avrebbe potuto candidarsi al parlamento, e Gertrude rispose:

Cara e amata Janet,
no, temo che non mi vedrai mai al parlamento. Nutro un odio
invincibile per quel genere di politica. [...] Non ho conoscenze
abbastanza vaste e il mio desiderio naturale è quello di scivolare di nuovo nel confortevole ambiente dell'archeologia e della
storia. [...] Credo che dovrò certamente tornare, quest'inverno,
anche se intimamente ho la profonda convinzione che sarà l'ultimo [...].
Addio, mia cara[45].

Intendeva l'ultimo inverno in Iraq, oppure l'ultimo inverno
della sua vita?

In quel periodo Hugh e Florence le dissero ciò che temeva di sentire, e cioè che per ragioni finanziarie si accingevano
a chiudere Rounton per trasferirsi in una casa piccola, ma
bella, nella proprietà della famiglia Bell. Mount Grace Priory, una dimora signorile restaurata fra le rovine di un'antica
abbazia e di un monastero, presentava un'elegante facciata

al tetro paesaggio dello Yorkshire, però aveva poche stanze. La consapevolezza che la villa di Philip Webb, simbolo del grande impero della famiglia Bell, sarebbe presto scomparsa con tutto ciò che conteneva pervase di angosciante fatalità quelle poche settimane.

Prima che la visita di Gertrude terminasse, Hugh si offrì di organizzare una cena all'Automobile Club per Faysal, che casualmente si trovava a Londra per cure mediche. Fra gli invitati vi fu Cornwallis, che si dimostrò particolarmente sollecito. Si recò in visita al 95 di Sloane Street e dalla banchina della stazione di King's Cross assistette alla partenza di Gertrude per lo Yorkshire, il giorno dopo la cena.

Alla fine di settembre, accompagnata da Sylvia e da Marie, Gertrude lasciò Londra, salutata a grandi gesti da un gruppo di amici devoti, inclusi Sir Percy, Domnul, Faysal, e scrisse una lettera affettuosa a ciascuno dei genitori. Florence commentò: «Dopo quest'ultima sua visita in Inghilterra avemmo tutti la sensazione che Gertrude non fosse mai parsa più felice di stare con noi, né mai più affettuosa e deliziata dall'ambiente dello Yorkshire in tutti i suoi aspetti»[46].

Il profondo affetto per il padre, definito da Florence il fondamento dell'esistenza di Gertrude, aveva sempre unito Hugh e la figlia isolandoli un poco dalla stessa Florence, che pure aveva proibito a se stessa di provare qualunque gelosia e di intromettersi in qualsiasi modo nel loro rapporto. Questa volta Gertrude aveva trovato Hugh addolorato e tormentato dalle sventure della famiglia. Se i medici le comunicarono in privato che stava infine subendo le conseguenze del suo fumo smodato e che le restavano soltanto pochi mesi di vita, allora forse lei non lo rivelò al padre.

D'altronde, qualcosa di significativo sicuramente accadde fra Gertrude e la matrigna in quelle poche ultime settimane a Rounton, e il loro legame diventò più stretto di quanto fosse mai stato in precedenza. Forse Gertrude, scoprendo di avere bisogno di quel sostegno e di quell'affetto a cui si era sempre parzialmente sottratta, riuscì a dirle ciò che non si era sentita capace di dire al padre. Senza dubbio Florence, con l'intrepida contemplazione delle verità della vita e della morte che era naturale in una madre e in una nonna esperta, reagì alla rivelazione di Gertrude con calma e con stoicismo, e forse fu lieta di cospirare per mantenere Hugh nell'ignoranza. Parlarono molte volte, e Gertrude era cambiata quando ripartì per l'Iraq e scrisse a Florence di «questa ultima estate», forse alludendo a più di un significato.

Cara madre,
[...] amo tanto pensare che ti sia piaciuto vedermi arrivare in biblioteca [a Rounton] ogni mattina, anche se ti interrompevo orribilmente. Sai che ho la sensazione di non averti mai conosciuta davvero prima, in tutti questi anni. Forse è stato a causa della crisi generale che stavamo attraversando e della mia immensa ammirazione per il tuo coraggio e per la tua saggezza. Qualunque cosa sia stata, mi sento certa di non averti mai amata tanto, per quanto possa averti amata in precedenza, e sono così grata che abbiamo trascorso insieme questa ultima estate e che entrambe abbiamo la sensazione che sia stata un'esperienza meravigliosa[47].

Nel febbraio del 1926, dopo essersi ammalato di tifo durante il viaggio di ritorno a casa dal Sudafrica, Hugo, il fratellastro di Gertrude, morì. La famiglia ne fu distrutta, e Florence, in particolare, stentò a riprendersi. La commovente lettera di Gertrude suggerisce le sue meste e dolenti preoccupazioni. Nei momenti di grande sofferenza e di grande pericolo aveva invocato Dio quasi involontariamente. In tutte le altre circostanze il suo intelletto pragmatico l'aveva lasciata ad affrontare un universo intransigente e inflessibile. Forse Florence meditò su quella lettera più a lungo di Hugh.

Mio caro padre e mia cara madre,
vi scrivo con il cuore infinitamente pesante. È così terribile pensare a ciò che avete passato. [...] La mia mente è stata tanto

piena di Hugo, ma la cosa che più importa è che ha vissuto una vita completa. Il suo matrimonio perfetto e la gioia dei suoi figli, e poi avervi rivisti alla fine. [...] Mi chiedo se saremmo più felici pensando di rivederci tutti ancora una volta. Non ho mai potuto pensarlo neppure quando ho perduto ciò che mi era più caro. Lo spirito senza il corpo sarebbe così strano come il corpo senza lo spirito. Si percepisce dietro la bella mente, però si conoscono i piccoli gesti, il dolce sorriso, l'espressione della mente. Comunque non è bene interrogarsi o meditare sulle ragioni per cui è impossibile credere all'incredibile, semplicemente non si può[48].

A Baghdad si recò direttamente in ufficio e subito moltissime persone si misero in fila per vederla. Per due giorni non riuscì affatto a lavorare. Alcuni le baciarono le mani e la chiamarono «luce dei nostri occhi». Confessò ai genitori che tutto questo le aveva dato un po' alla testa, tanto che quasi cominciava a credere di essere una Persona. Appena si fu risistemata, però, si ammalò. Con sua delusione, Sylvia si era rivelata incapace di resistere persino al clima invernale dell'Iraq e in breve tempo era stata costretta a ritornare in Inghilterra. Non molto tempo dopo, infagottata dalla testa ai piedi e con una borsa dell'acqua calda in grembo per proteggersi dal clima gelido, Gertrude si recò alla fattoria del re, a Khanikin, per una partita di caccia natalizia a cui partecipò anche Ken Cornwallis. Durante il viaggio furono trasportati alcuni nuovi mobili che Gertrude aveva ordinato a Londra per il sovrano. Dopo aver trascorso la prima serata con Faysal a provare vari modi di disporre i mobili, Gertrude andò a dormire, spossata. Il giorno successivo rimase a letto. La sera Faysal e Cornwallis si recarono nella sua camera per giocare a bridge sulle coperte del letto. La mattina seguente, subito dopo essere passato a trovarla, Ken telegrafò a Baghdad per convocare un medico. «Ormai non me ne curavo più granché, a parte la sensazione generale di scivolare a poco a poco nei grandi golfi»[49] scrisse Gertrude in seguito. Il medico arrivò con una infermiera che rimase ad assisterla durante la notte e nel giro di ventiquattr'ore Gertrude fu ricoverata in ospedale a Baghdad per pleurite. Stava ancora male quando scrisse, afflitta, la lettera per la morte di Hugo.

Dato che i suoi doveri d'ufficio erano diminuiti negli ultimi anni, ebbe un nuovo incarico, come aveva pensato il re ancora prima della partenza di Cox. Già nell'agosto del 1922 Gertrude aveva discusso con lui la necessità di una «legge per gli scavi archeologici» e aveva scritto: «Intende nominarmi provvisoriamente direttrice onoraria delle antichità, dato che non c'è nessun altro»[50].

Il primo incarico fu la redazione di una legge sulle antichità che riconoscesse adeguatamente i diritti della nazione e di coloro che intraprendevano gli scavi. Gertrude la compose collaborando scrupolosamente con le autorità. I saccheggi compiuti nel corso di centinaia di anni avevano enormemente impoverito l'immenso patrimonio archeologico dell'Iraq. Ora le spedizioni scientifiche provenienti da numerose nazioni stavano tentando di ricostruire la storia del paese.

Progettando di fondare un museo nazionale iracheno, Gertrude si applicò con entusiasmo a tutelare i diritti dell'Iraq sul proprio passato. In breve tempo acquistò la più ricca collezione al mondo di oggetti rappresentativi della più antica storia irachena e si oppose a un vecchio amico, Sir Leonard Woolley, ex capo dei servizi segreti a Porto Said, il quale aveva lavorato con Lawrence agli scavi di Karkemis e in quel periodo stava guidando una spedizione congiunta del British Museum e della University of Pennsylvania per scavare a Ur dei Caldei, dove si trovavano le tombe reali, il tempio e lo ziggurat della dinastia sumera. In veste ufficiale, Gertrude si sentì obbligata a reclamare per l'Iraq un determinato manufatto scoperto proprio allora, ovvero la famosa placca trovata nel tempio, sulla quale è raffigurata una scena di mungitura. «Gli ho spezzato il cuore» scrisse Gertrude.

«Lui [Woolley] la valuta almeno diecimila sterline e io non intendo rivelarlo al governo iracheno perché temo che possa decidere di venderla, macchiando così la mia e la loro reputazione. Lo scarabeo d'oro vale mille sterline, ma la provvidenza (il lancio di una rupia) lo ha consegnato a me»[51].

Con J.M. Wilson, consulente architettonico del ministero dei Lavori pubblici, Gertrude effettuò brevi spedizioni archeologiche, inizialmente semplici escursioni per lasciare l'ufficio, vaghissimi echi delle sue avventure di un tempo. Sentiva rinnovarsi le energie quando l'automobile s'imbatteva in un fosso o il suo bagaglio non arrivava, e spesso, incapace di resistere, prendeva a prestito un cavallo dall'anziano di un villaggio e vagava da sola per la campagna per un giorno o due, mentre Wilson tornava a Baghdad. Durante un viaggio a Kish con una delle numerose spedizioni dell'Università di Oxford, Gertrude scrisse: «Tutto ciò che avevo per la notte era un pezzo di sapone, una spazzola del professore [Langdon] e due pigiami di un benefattore sconosciuto. Abbiamo trascorso il tempo prima di cena a esaminare le loro meravigliose scoperte, e dopo cena a discutere degli antichi siti babilonesi»[52]. Così riuscì a ottenere il permesso di inviare a Oxford alcuni vasi squisitamente dipinti affinché fossero esaminati e restaurati da personale esperto e competente. Inoltre rivendicò il possesso di una statuetta semitica del 2800 a.C. mediante il suo espediente prediletto, ossia il lancio della moneta.

Nel 1926 si dedicò interamente all'archeologia. Con il problema dei confini finalmente risolto e con il trattato accettato dal parlamento iracheno, si concentrò sul suo nuovo progetto, cioè trovare una sede adeguata per il museo, anziché il ministero dei Lavori pubblici, dove erano custoditi i reperti già raccolti. La sala babilonese del museo fu inaugurata dal re in giugno. Come sempre quando s'impegnava in un progetto, Gertrude si assunse anche i compiti a lei meno congeniali. Sola, oppure con l'aiuto di un segretario, e talvolta con un ufficiale della RAF che era un abilissimo archeologo dilettante, catalogò meticolosamente i reperti di Ur e di Kish. Talvolta si alzava alle cinque del mattino per terminare il lavoro quotidiano prima di mezzogiorno, quando nelle sale del museo prive di ventilazione il caldo diventava insopportabile.

Ancora appassionata ai mutamenti che avvenivano intorno a lei, continuò a svolgere mansioni politiche. Nel gennaio del 1925, quando la commissione confinaria della Società delle Nazioni finalmente arrivò per determinare il confine fra Iraq e Turchia, Gertrude accolse e aggiornò i commissari, eminenti personalità svedesi, belghe e ungheresi, accompagnati però da un perito turco e da tre "esperti" turchi. A proposito di questi ultimi, Gertrude dichiarò a Dobbs di temere che le loro competenze includessero l'intrigo e l'intimidazione. A suo tempo, fu pubblicato il rapporto con cui la commissione raccomandava che tutta la *vilàyet* di Mosul fosse compresa entro i confini dell'Iraq, purché un nuovo trattato prolungasse di altri venticinque anni la collaborazione attiva del Regno Unito con l'Iraq. I due paesi acconsentirono, sperando che molto prima della conclusione di tale periodo l'Iraq diventasse membro indipendente della Società delle Nazioni.

L'assemblea costituente democraticamente eletta approvò la legge organica, ossia la costituzione. Fu istituita una legge elettorale che consentiva ai partiti politici legittimi di candidarsi alle elezioni per il primo parlamento. Con la garanzia a Faysal di un contributo finanziario britannico sufficiente a costituire una forza difensiva efficace, le votazioni iniziarono e i risultati giunsero entro giugno. Il 16 luglio Faysal avrebbe inaugurato il primo governo genuinamente democratico dell'Iraq. A degna conclusione di questo capitolo, l'ambasciatore britannico a Costantinopoli riuscì, collaborando con i turchi, a stipulare un trattato tripartito fra Iraq, Turchia e Regno Unito che offriva qualche speranza di pace permanente alla frontiera.

Era il momento di festeggiare. Il 25 giugno 1926, il re

celebrò la firma del trattato con un banchetto di stato in cui espresse la sua profonda gratitudine al governo britannico e ai suoi rappresentanti per tutto quello che avevano fatto a beneficio dell'Iraq. In seguito Henry Dobbs scrisse: «Miss Gertrude Bell fu tra le ospiti più illustri di questo banchetto e contribuì notevolmente alla generale atmosfera di gratitudine che segnò la fine della prima fase dell'esistenza dell'Iraq. Fu l'ultima cerimonia di stato a cui partecipò»[53].

Anche se le sue lettere alla famiglia rivelano i sentimenti meno positivi di quel periodo, Gertrude era ancora la donna vivace e stimolante che era sempre stata. All'inizio della primavera Vita Sackville-West trascorse un fine settimana con lei. Nella sua opera *Passaggio a Teheran* ha lasciato una vigorosa descrizione di Gertrude e della sua vita domestica in quel periodo.

Per giungere alla casa di Gertrude, la visitatrice attraversò «un polveroso guazzabuglio» di miseri fabbricati e un pantano.

Poi: una porta in una parete senza finestre [...] un cigolio di cardini, un servo con un largo sorriso, un accorrere di cani, la vista di un giardino attraversato da un sentiero fiancheggiato da vasi di garofani, una piccola veranda e una bassa casetta in fondo, una voce inglese – Gertrude Bell [...] eccola, nel luogo che le si addiceva, nella casa che le apparteneva, con il suo ufficio in città, e il pony bianco in un angolo del giardino, e i servi arabi, e i libri inglesi, e i cocci babilonesi sulla mensola del camino, e il suo lungo naso sottile, e la sua irrefrenabile vitalità. Sentii tutta la mia solitudine e disperazione abbandonarmi in un istante [...] mi sorpresi a ridere per la prima volta in dieci giorni. Il giardino era piccolo, ma fresco e accogliente; il suo spaniel non agitava soltanto la coda, bensì tutto il corpicino; il pony guardava da sopra lo sportello della posta e nitriva gentilmente; una pernice addomesticata saltellava per la veranda; alcuni bimbi nativi in un angolo interruppero i loro giochi per guardare e sorridere. [...] Preferivo prima la colazione, oppure un bagno? E mi sarebbe

piaciuto vedere il suo museo, vero? Sapevo che era direttrice onoraria delle antichità per l'Iraq? Non era divertente? E mi sarebbe
piaciuto prendere il tè con il re? [...] E doveva andare in ufficio,
però sarebbe tornata per pranzo. Oh, sì, e c'era gente a pranzo; e
così, sempre parlando, sempre ridendo, si appuntò un cappellino
senza guardare lo specchio e partì.

Gertrude aveva il dono di entusiasmare chiunque, come
scrisse Vita Sackville-West, il dono di suscitare la sensazione che la vita fosse piena, ricca, eccitante. Evidentemente,
rifiutava del tutto di abbattersi e di lagnarsi, quali che fossero le sue condizioni di salute e il suo stato mentale. Parlò
di recarsi con l'amica a Ctesifonte in autunno come se fosse
possibile realizzare il progetto.

Nel lavorare al museo, Gertrude meditò sulla propria
esistenza, sullo scarso reddito che avrebbe avuto se e quando
fosse andata in pensione, e sulla perdita di tutti gli amici che
avevano già lasciato l'Iraq. Scrisse a Hugh:

Mi sembra estremamente improbabile che io possa permettermi
di ritornare e di ripartire quest'estate, perché sarebbe molto co-
stoso. [...] Mi sento smarrita. Non vedo chiaramente cosa farò,
ma naturalmente non posso restare qui in eterno. [...] Non sono
affatto necessaria in ufficio. [...]
Però la mia esistenza qui è troppo solitaria, non si può rimanere
soli per sempre. Almeno, io non sento di poterci riuscire. [...]
I pomeriggi, dopo il tè, sono alquanto interminabili[54].

Domenica 11 luglio, dopo la consueta nuotata pomeridiana
in gruppo, Gertrude tornò a casa spossata dal caldo. Andò
a letto chiedendo di essere svegliata alle sei del mattino, o
forse di non essere disturbata fino a quell'ora. Forse disse
qualcosa d'insolito a Marie, o forse parve di nuovo malata. In ogni caso, Marie era preoccupata per lei e durante la
notte andò a trovarla. Gertrude dormiva, e accanto aveva
un flacone di pillole. Non si sa se vi fossero altri segni evi-

denti di suicidio, né se il flacone fosse vuoto, né se Marie chiamò subito l'ospedale. Si sa che il giorno prima Gertrude aveva scritto un biglietto a Ken Cornwallis per chiedergli di occuparsi della sua cagna, Tundra, «se qualcosa le fosse accaduto»[55].

Alcuni anni prima Gertrude aveva detto a Domnul che la morte non era più una cosa da lei temuta, perché il pungiglione le era stato strappato. «Mi chiedo [...] cosa ci sarà dopo, ammesso che vi sia qualche genere di "dopo"» aveva scritto. Ora era partita un'ultima volta per l'ignoto, e questa volta non si sarebbe mai destata.

Il suo certificato di morte, redatto dal direttore dell'Ospedale Reale di Baghdad, un certo dottor Dunlop, dichiarava che era morta per «avvelenamento da dial», cioè acido diallibarbiturico, o allobarbital, usato a quell'epoca come sedativo[56]. In seguito non fu più impiegato, anche perché era stato frequentemente utilizzato nei tentativi di suicidio. Dunlop scrisse che la morte aveva avuto luogo nelle prime ore del 12 luglio, due giorni prima del cinquantottesimo compleanno di Gertrude.

Cornwallis non si occupò di Tundra, ma senza dubbio Florence e Hugh chiesero a Marie di provvedere al suo trasporto in Inghilterra, perché la cagna arrivò a Mount Grace, dove i Bell non tardarono a ricevere una lettera colma di rimorso da parte di Cornwallis, il quale spiegava di essere stato in cattive condizioni di salute, all'epoca della morte di Gertrude, e di essersi reso conto soltanto in seguito del significato del biglietto che lei gli aveva inviato.

Nel suo *Letters*, Florence scrisse che la morte di Gertrude suscitò «un'immensa manifestazione di afflizione e di cordoglio in ogni parte del mondo, e noi comprendemmo di nuovo che il suo nome era conosciuto in ogni continente e che la sua storia aveva attraversato ogni mare». Una personalità leggendaria era emersa dalla Gertrude che la famiglia aveva conosciuto. Una delle prime lettere ad arrivare dall'Iraq fu quella del suo amico Haji Naji, il quale scrisse: «Era sempre mio impegno inviare a Miss Bell le mie primizie di frutta e di verdura, e ora non so più dove mandarle»[57]. Giorgio V scrisse:

La regina e io siamo afflitti dalla notizia della morte della vostra illustre figlia, dotata di grande talento e da noi tenuta in altissima stima. La nazione piangerà con noi la perdita di colei che con le sue facoltà intellettive, con la sua forza di carattere e con il suo coraggio personale ha reso benefici importanti, che io confido si dimostreranno duraturi, al paese e a quelle regioni in cui ha operato con tanta devozione e con tanto sacrificio di se stessa[58].

Il ministro delle Colonie, Leo Amery, dedicò a Gertrude il raro omaggio di un discorso alla Camera dei Comuni. Sir Valentine Chirol scrisse un commovente ritratto di Gertrude per il *Times*. Dall'India, Lawrence inviò a Hugh una lettera brillante, seppure eccentrica com'era sua caratteristica. In cerca di anonimato e di isolamento, si era arruolato nella RAF come aviere Shaw e aveva ottenuto un'assegnazione nei pressi di Karachi. Aveva saputo della morte di Gertrude soltanto quando la moglie di George Bernard Shaw gli aveva inviato la raccolta delle sue lettere pubblicata da Florence. Scrisse:

Credo che sia stata molto felice nella morte, perché la sua opera politica, una delle più grandi imprese mai compiute da una donna, era conclusa come la mia. Lo stato dell'Iraq è un monumento bellissimo, anche se durerà soltanto per pochi anni, come spesso temo e come talvolta spero. Sembra un beneficio assai dubbio, il governo, da donare a un popolo che per lungo tempo ha vissuto senza averne uno. Naturalmente siete voi a essere infelice nel non avere più Gertrude, eppure lei non era davvero vostra, anche se vi ha donato tanto.
Le sue lettere sono esattamente come lei, fervide, sollecite, quasi eccitate, sempre concernenti le sue compagnie e gli avvenimenti della giornata. Aveva una freschezza perenne, o almeno, per

quanto stanca fosse, riusciva sempre ad avere abbastanza interesse per uguagliare quello di chiunque incontrasse. Credo di non avere mai conosciuto nessuno che fosse più compiutamente civile, nel senso della sua ampiezza di comprensione intellettuale. Ed era anche entusiasmante, perché non si sapeva mai quanto sarebbe saltata lontano in qualunque direzione, sotto lo stimolo di qualche potente esperto che avesse attirato la sua mente nella propria direzione. Io e lei eravamo soliti ridere fra noi di questo. Ho conservato due sue lettere, in una delle quali mi descrive come un angelo, mentre nell'altra mi accusa di essere posseduto dal demonio, e io le mostravo prima un aspetto e poi l'altro, implorandola di essere caritatevole nei confronti di coloro che si trovavano al suo cospetto e suscitavano la sua ripugnanza. [...] La sua perdita dev'essere quasi intollerabile, eppure vi sono così grato per avere donato tanto della sua personalità al mondo[59].

David Hogarth, Salomon Reinach, direttore della *Revue Archéologique*, Leonard Woolley del British Museum, e centinaia di sceicchi, di funzionari britannici e di ministri iracheni aggiunsero le loro condoglianze. A Baghdad, re Faysal e il suo governo le dedicarono una sala del museo, chiamandola "Sala Gertrude Bell". Henry Dobbs scrisse a nome dei suoi amici in Iraq per dire che avevano ordinato una targa in ottone da affiggere al Museo nazionale iracheno:

GERTRUDE BELL
il cui ricordo sarà sempre custodito dagli arabi
con reverenza e con affetto
creò questo museo nel 1923
quale direttrice onoraria delle antichità per l'Iraq
con straordinaria competenza e devozione
vi raccolse i reperti più preziosi
e nel caldo dell'estate
vi lavorò sino al giorno della sua morte
il 12 luglio 1926

re Faysal e il governo dell'Iraq
con gratitudine per le sue grandi imprese in questo paese
hanno ordinato che l'ala principale rechi il suo nome
e con il loro permesso
i suoi amici hanno posto questa targa.

Al momento della morte di Gertrude, re Faysal era assente dall'Iraq. L'emiro Ali, suo reggente, ordinò subito esequie militari[60]. Quello stesso pomeriggio Gertrude fu sepolta nel cimitero fuori Baghdad. La sua salma fu trasportata a bordo di un'«ambulanza» dalla chiesa protestante al cimitero britannico, con la Union Jack e la bandiera irachena drappeggiate sulla bara coperta di corone inviate dalla famiglia di Faysal, dall'alto commissario britannico e da molti altri. Il corteo funebre sfilò lentamente per le strade fiancheggiate da soldati dell'esercito iracheno, seguito a piedi dal reggente, dal primo ministro, dall'alto commissario e da altri funzionari dello stato, sia civili sia militari. Una folla enorme era convenuta da tutto il paese per assistere al passaggio del feretro e porgere il suo silenzioso omaggio, i capi islamici accanto ai mercanti ebrei, gli effendi a fianco dei poveri e degli indigenti. I quotidiani riferirono che «l'intera popolazione della capitale partecipò alla processione funebre». Alle porte del cimitero i giovani dell'alto commissariato, visibilmente afflitti, trasportarono a spalla la bara sino al luogo dell'ultimo riposo. Il cappellano militare britannico celebrò il rito funebre e gli ufficiali superiori gettarono manciate di terra. Circondato da «una grande folla di iracheni e di inglesi», inclusi Sir Henry Dobbs e tutto il personale amministrativo britannico, il governo iracheno e numerosi sceicchi delle tribù del deserto, il feretro fu deposto nel semplice sepolcro di pietra. La notizia si era diffusa nel deserto con la consueta misteriosa rapidità e per l'intero pomeriggio le tribù erano giunte a Baghdad, prime fra tutte quelle degli Howeitat e dei Dulaim, poi quelle degli sceicchi di ogni regione del paese, vicina e lontana.

Scrisse Dobbs:

Negli ultimi dieci anni della sua vita ha consacrato tutto l'indomabile fervore del suo spirito e tutti i doni stupefacenti della sua mente al servizio della causa araba, e specialmente dell'Iraq. Infine il suo corpo, sempre fragile, è stato spezzato dall'energia della sua anima. Le sue ossa riposano dove lei stessa desiderava che riposassero, in suolo iracheno. I suoi amici sono straziati dal dolore per la sua perdita.

Il *Times* scrisse della sua capacità di lavoro:

Aveva in sé una forza che intrecciava l'amore per l'Oriente con un obiettivo pratico divenuto il suo scopo dominante [...]. Sopportando il lavoro ingrato e faticoso, senza mai lasciarsi sgomentare dalle continue delusioni e senza mai permettere al suo idealismo di trasformarsi in amarezza, ha dimostrato una forza di carattere davvero rara fra gli inglesi per i quali l'Oriente è diventato una passione. Si distingueva fra loro come unica donna e le sue qualità erano della più pura tempra inglese.

I numerosi necrologi onorarono il fatto che, grazie a lei, l'Iraq era meglio governato di quanto fosse mai stato in cinquecento anni, più pacifico, più prospero ed evidentemente più felice, con i britannici e gli arabi che operavano in stretta e cordiale collaborazione. Il necrologio del *Times of India* offrì un ritratto magistralmente conciso del suo carattere e della sua opera, dichiarando che i britannici, seppure apprezzandola come scrittrice, come viaggiatrice e come archeologa, avevano ignorato sino all'ultimo «la straordinaria posizione che si era costruita in Iraq, una posizione che l'aveva resa più responsabile di qualsiasi altra singola persona della forma e dell'aspetto dell'Iraq moderno quale è oggi». Riconoscendo che alcuni avevano prontamente criticato lei, i suoi scopi e i suoi metodi, l'autore dell'articolo rifletteva:

Una personalità così straordinaria e provocatoria non avrebbe potuto mancare di avere nemici [...]. Per uguagliare la devozione quasi fervida che suscitava nella sua cerchia, ha dovuto affrontare un'ostilità quasi altrettanto veemente da parte di coloro con cui era in disaccordo. Con il comune estraneo, forse soprattutto con il giornalista estraneo, lei era brusca e persino rude.

Il suo grande disegno era

la creazione di un Iraq libero, prospero e colto, la molla principale della rinascita della cultura e della civiltà arabe. [...] È stata Gertrude a perorare giorno per giorno la concessione della più completa autonomia locale, in assoluta compatibilità con la presenza britannica nel paese, non [...] per convenienza, bensì per il diritto naturale della razza araba ad avere il suo "posto al sole".

Gertrude aveva persuaso il governo britannico ad assumersi i rischi finanziari dell'Iraq e aveva convinto i capi iracheni che ciò era un bene per loro e che non vi sarebbe stato alcun ritorno ai metodi coloniali.

Sul *Times* Chirol pubblicò il proprio necrologio: «A tutte le qualità che sono solitamente descritte come virili, ella univa in alto grado il fascino della finezza femminile e, benché rivelate solo a pochi, anche fra i più intimi, grandi profondità di tenerezza e persino di affetto appassionato». Per coloro che amarono maggiormente Gertrude restano indimenticabili le parole scritte da Florence molto tempo prima: «In verità la base autentica della natura di Gertrude fu la sua capacità di provare emozioni profonde. Nella vita ebbe grandi gioie e grandi dolori. Come avrebbe potuto essere altrimenti, con un temperamento tanto avido di esperienze? Nel percorrere il proprio cammino, con la propria personalità ardente e magnetica, attirò vite altrui nella propria».

Abbattuti dai colpi inflitti dal fato, Hugh e Florence si trasferirono a Mount Grace con Maurice, lasciando

Rounton a mostrare una facciata ormai in rovina ai venti che soffiavano dalle brughiere.

Col tempo giunse inesorabile la demolizione di quella dimora, modello di architettura Arts and Crafts, ormai eccessivamente vasta e sontuosa per la famiglia Bell. Sin troppo presto, gli schianti fragorosi del ferro sulle mattonelle e sulla pietra imposero per sempre il silenzio alle campane di Rounton e sgretolarono il loggiato a volta in cui si erano conclusi affari internazionali e dove gli ospiti avevano consumato uova e pancetta a mezzanotte. Le mosche morte si ammassarono nello studio deserto in cui un tempo Gertrude e il professor Ramsay avevano lavorato a *The Thousand and One Churches*. Dalle finestre fracassate, il vasto giardino roccioso creato da Gertrude sprofondò nella buia boscaglia, il lago dove i bambini avevano pattinato sul ghiaccio divenne verde e stagnante, e il campo da tennis fu invaso dalle alte erbe selvatiche.

In sala da pranzo i mulinelli di vento incresparono l'arazzo in cui Morris e Burne-Jones avevano raffigurato *Il romanzo della rosa*, allegoria di un cavaliere innamorato che combatte e supera tutti i pericoli, tutti gli ostacoli e tutti gli scrupoli, per unirsi infine alla rosa sino ad allora irraggiungibile. E la carta da parati s'impregnò di umidità e si scrostò nella stanza in cui Dick Doughty-Wylie e Gertrude avevano un tempo giaciuto insieme, tenendosi per mano nell'oscurità.

Nota dell'autrice

•

Era l'estate del 1997. Noi autori del *Sunday Times Magazine* eravamo riuniti in un ristorante londinese, invitati a pranzo dall'editor Robin Morgan, che si proponeva di illustrarci i suoi progetti per le pubblicazioni invernali. Erano presenti, fra gli altri, Philip Norman, premiato per le interviste con cui aveva catturato la magia e la follia del rock'n'roll, il vaticanista John Cromwell, del Jesus College di Cambridge, e Bryan Appleyard, maestro nello spiegare e nel rendere magnificamente leggibile la scienza più progredita. Stavamo gustando anatra *en croûte*, quando ognuno di noi fu invitato a scrivere un servizio speciale per una serie che sarebbe stata intitolata *Il mio eroe*. Tornai a casa entusiasta, già sapendo quale sarebbe stata *La mia eroina*, persuasa che fosse arrivato il momento di ricordarne la gloriosa esistenza. Il servizio, pubblicato nell'ottobre di quello stesso anno, provocò la mole di lettere più imponente che avessi mai ricevuto in trentasei anni di giornalismo.

Per un certo periodo ancor più famosa di Lawrence d'Arabia, Gertrude Bell scelse di competere a condizioni maschili in un mondo maschile. Evitò ogni pubblicità. Sarebbe rimasta indifferente se avesse saputo che nel celebre film del 1996, *Il paziente inglese*, il protagonista intento a studiare una mappa la nomina scambiandola per un uomo.

Quando iniziai a scrivere di Gertrude Bell, la riverivo come una di quelle eroine del più avventuroso esotismo, le quali avevano inseguito le loro idee romantiche un po' in tutto il mondo. Amavo il modo in cui si vestiva e il modo in cui viveva, così elegante, con una pistola al polpaccio nascosta dalle sottovesti di seta, di pizzo e di mussola, la tavola apparecchiata con biancheria di lino e stoviglie d'argento persino nel deserto, le cartucce avvolte nelle calze bianche infilate a riempire le punte degli stivali Yapp. Non era femminista. Non aveva alcun bisogno né alcun

546

desiderio di un trattamento speciale. Come la signora Thatcher, ammirata o disprezzata che sia, accettò il mondo esattamente quale lo aveva trovato. Tuttavia ciò accadde negli anni Ottanta del XIX secolo, quando era molto difficile per le donne sviluppare la propria cultura o dare prova di loro stesse al di fuori della famiglia.

Anche se i Bell erano molto ricchi, non fu grazie al denaro che Gertrude ottenne il massimo dei voti a Oxford, o che riuscì a sopravvivere agli incontri con le tribù assassine del deserto, o che diventò una spia, o che ebbe il grado di maggiore dell'esercito britannico, o che fu poetessa, studiosa, storica, alpinista, fotografa, archeologa, giardiniera, cartografa e linguista, nonché esimia servitrice dello stato. Eccelse in ciascuno di questi campi e fu persino una pioniera. Per i suoi molteplici talenti può essere paragonata a giganti del genere umano quali Elisabetta I e Caterina la Grande di Russia. T.E. Lawrence scrisse che Gertrude era «nata con troppi doni». Eppure il suo vero retaggio fu il rigore, e lei stessa fu estremamente fiera del pragmatismo che consentiva alla sua famiglia di padroneggiare l'economia, di amministrare bene le acciaierie e di dispensare beneficenza. Quando fu necessario si dedicò al logorante, umile lavoro d'ufficio: l'organizzazione e il metodo di archiviazione con cui, in tempo di guerra, trasformò il caotico Ufficio feriti e dispersi della Croce Rossa in un organismo efficiente; le minuzie dell'amministrazione e della cartografia; le centinaia di misurazioni esatte eseguite nei siti archeologici; la redazione di enormi quantità di relazioni a Bassora e a Baghdad.

Promossi nel corso di tre generazioni dal ceto artigiano alla classe borghese medio-alta, i Bell ebbero la possibilità di imparentarsi con l'aristocrazia. Nonostante questo rimasero estranei alla vasta rete di rapporti sociali della vita inglese, costituita dai circoli esclusivi che conferivano privilegi ereditari e potere, oltre a determinare pregiudizi, alleanze e affiliazioni. Gertrude beneficiò di una rara libertà dalle trappole che imprigionano nella quotidianità della vita sociale. Incontrò i grandi da pari a pari, parzialmente consapevole di cosa significasse appartenere alla classe operaia, le cui famiglie erano perennemente in bilico fra la sopravvivenza e l'indigenza, il vagabondaggio, l'ospizio. La sua visione limpida e schietta non si lasciava offuscare dalle convenzioni, dalla falsa coscienza, dall'arroganza, dal privilegio e dalla fama. Non concedeva quartiere al vescovo ostinato nelle sue opinioni, né allo statista pomposo, né al professore compiaciuto di se stesso. A quindici anni decise che l'indimostrabile non esisteva e lo dichiarò senza mezzi termini al suo istruttore di Sacre Scritture. Affrontava senza timori chiunque, sia che fosse un accademico condiscendente, sia che fosse un derviscio armato di pugnale, oppure un funzionario turco corrotto, o un aristocratico inglese decadente. Aveva amici delle più diverse origini, da un giardiniere iracheno al viceré dell'India a un corrispondente del *Times* a un guerriero tribale coperto di cicatrici, da un *mujtahid* a un servo di Aleppo. Con chi si era conquistato la sua fiducia era la più affettuosa, sollecita e fedele delle amiche.

Naturalmente ebbe qualche nemico. Snobbava le mogli degli ufficiali britannici dotate di capacità modeste. «Che il diavolo si porti tutte le donne stupide!» inveì una volta. Era capace di aggredire chiunque la minacciasse. Affrontava a viso aperto i delinquenti e gli assassini, denunciandoli al tavolo da pranzo. A un certo punto, nel corso delle mie ricerche, ho avuto l'impressione che Gertrude abbia rischiato di essere assassinata da uno di costoro, come credono alcuni studiosi della sua opera, nonché, di recente, almeno un membro del British Council. Quasi che fosse consapevole di essere costantemente minacciata, Gertrude dormiva sempre con la pistola sotto il cuscino, persino in casa della sua famiglia, nello Yorkshire, dove preferiva trascorrere la notte nel chiosco, in giardino, anziché nella sua confortevole camera da letto, fra gli amati familiari. Stava forse cercando di proteggerli? Anche se indubbiamente c'era chi desiderava la sua morte, e pur tenendo conto che tali eventi sarebbero comunque difficili da accertare, non ho trovato alcuna prova che qualcuno abbia mai tentato di assassinarla. Credo che sia andata alla ventura un'ultima volta, colma di curiosità e di entusiasmo, proprio come si era sempre avventurata coraggiosamente nell'ignoto durante le sue spedizioni.

Desiderava intensamente sposarsi e avere una famiglia, ma più volte le sue speranze furono stroncate da tragici avvenimenti. Eppure fu molto amata, anche dalla grande famiglia a cui dedicò infine la vita e l'opera, cioè la popolazione dell'Arabia, da cui non è stata affatto dimenticata. Di recente il suo nome e il suo operato a beneficio dell'Iraq sono stati accolti di nuovo nel programma scolastico nazionale. Se fu Lawrence a provocare la rivolta araba, la via per diventare nazione fu indicata agli arabi da Gertrude, la quale esortò, s'intromise, guidò, progettò, e infine consegnò il premio dell'indipendenza, spesso promesso e quasi tradito. A differenza di lei, che nella buona e nella cattiva sorte rimase sempre fedele alla propria missione, Lawrence soffrì, esitò, infine abbandonò la causa araba e tentò di sfuggire alla propria tormentata personalità per ricomparire come anonimo aviere Shaw.

Con prodigiosa coerenza Gertrude Bell mantenne la propria predilezione per gli arabi. Ai suoi astuti ma goffi colleghi del servizio segreto del Cairo mostrò come svolgere con successo i loro compiti durante la Grande Guerra. Guidò la nuova e inesperta amministrazione britannica di Mesopotamia a un prospero futuro di collaborazione con gli arabi per reciproco vantaggio. Conservò le proprie armi da fuoco quando il suo capo colonialista cercò di provocare la sua estromissione, quando Churchill volle ritirare del tutto i britannici dall'Iraq, quando le macchinazioni politiche europee spinsero tutti i suoi conseguimenti sull'orlo del disastro, e quando, nel giocare la sua ultima carta, impedì a re Faysal di gettar via tutto in nome della supremazia araba.

Fondò la Biblioteca pubblica di Baghdad e il Museo nazionale iracheno, la cui ala principale fu dedicata nel 1930 alla sua memoria. Il museo conserva ancora oggi i tesori superstiti di un paese le cui origini coincidono con quelle delle civiltà più antiche. Anche se il futuro dell'Iraq è disperatamente incerto, un fatto rimane irrefutabile. Alla sua morte, nel 1926, Gertrude Bell lasciò un governo iracheno benevolo ed efficiente, privo di corruzione istituzionalizzata, favorevole all'eguaglianza e alla pace. Nei giorni in cui "Impero" e "colonialismo" erano parole infamanti, la Gran Bretagna ebbe poco di cui vergognarsi a proposito della costituzione dell'Iraq, con cui era stata finalmente onorata la promessa dell'indipendenza araba. Così sono arrivata a convenire con Janet Hogarth, vecchia amica di Gertrude dai tempi di Oxford, la quale scrisse di lei: «Credo che sia stata la donna più grande del nostro tempo, forse persino la più grande di tutti i tempi»[1].

Finché Faysal è rimasto in vita, l'Iraq è stato un paese in cui tutta la popolazione poteva condurre la sua vita quotidiana senza paura e senza sofferenza. Suo figlio, il principe Ghazi, il ragazzino per cui Gertrude aveva acquistato giocattoli da Harrods, ereditò la corona nel 1933 e continuò a governare il paese con forza e determinazione forse eccessive, dato che per reprimere un'insurrezione indipendentista in Assiria permise il massacro del 1933. Dopo la morte di Gertrude, la dinastia da lei insediata rimase sul trono per trentadue anni. Nel frattempo l'Europa precipitò di nuovo nella guerra dopo soli tredici anni, coinvolgendo il resto del mondo. Cosa darebbero oggi gli Stati Uniti e la Gran Bretagna per la promessa di un Iraq pacifico e ben governato anche soltanto per quattro anni?

La vasta corrispondenza, i diari, i documenti di posizione per il servizio segreto, non meno di otto libri e la sua *magnum opus*, *Review of the Civil Administration of Mesopotamia*, rendono la vita di Gertrude Bell una delle più documentate di tutti i tempi. Trasmessa dai suoi scritti, la sua voce, così personale, così visionaria, così ironica, e di una limpidezza cristallina nel suo proposito, mi ha indicato come scrivere questo libro. Anche se la sua voce non offriva la tensione narrativa necessaria per collocare tutto ciò che aveva da dire nel contesto della sua storia, mi è parso dovesse essere ascoltata e apprezzata. Per questo ho deciso di citare i suoi scritti molto più abbondantemente di quanto sia consueto in una biografia. Giustapposte alla narrazione, tali citazioni esaltano la prontezza e la vivacità del suo fervido ingegno, rivelando vividamente la sua arguzia, la sua perspicacia e il suo carattere.

Note

Abbreviazioni usate nelle Note e nella Bibliografia

DUL: Durham University Library.

RL: Robinson Library, University of Newcastle upon Tyne.

GLB lettere: citazioni dalle lettere di Gertrude Bell alla famiglia, custodite alla Robinson Library, University of Newcastle (RL). «Quasi mai Gertrude datava le lettere, tranne indicare il giorno della settimana, e talvolta neppure questo», ha scritto Florence, la sua matrigna, per l'edizione postuma della corrispondenza, da lei curata, ossia *The Letters of Gertrude Bell*, Londra, Ernest Benn, 1927. Numerose lettere sono pubblicate nel libro di Lady Bell.

GLB diari: citazioni dai diari di Gertrude Bell, anch'essi custoditi alla University of Newcastle.

Le copie dei documenti di Gertrude contengono una grande quantità di date scritte a matita, poi cancellate, e di punti interrogativi, a testimonianza dei numerosi tentativi compiuti dai curatori per determinarne la successione cronologica.

Le lettere e i diari sono disponibili in www.gerty.ncl.ac.uk.

Talvolta due o più citazioni tratte da diversi testi o lettere di Gertrude Bell sono state accostate per consolidare e comprovare altrettante affermazioni.

1. Gertrude e Florence

1. Janet Wallach, *Desert Queen*, p. 462.

2. Da un discorso pronunciato da Sir Hugh Bell il 10 gennaio 1910, durante la sua campagna elettorale per un seggio al parlamento tra le fila dei liberali.

3. Documenti relativi a Sir Isaac Lowthian Bell, scoperti a Mount Grace Priory.

4. *The Iron Trade of the United Kingdom*, Literary and Philosophical Society, Gallery, 669–1/13, 1875.

5. In possesso del dottor William Plowden. [Naturalmente una traduzione letterale dei versi citati dell'alfabeto non può rendere le allitterazioni: «A come noi Tutti giunti a trascorrere la settimana di Natale, B per i nostri Ansiosi sforzi di parlare, C per il Tirannico e Tracotante Pater» (*N.d.T.*).]

6. Aneddoto su Margaret Bell, da una conversazione con Mrs Susanna Richmond.

7. Dal discorso elettorale pronunciato da Hugh Bell il 10 gennaio 1910.

8. Informazioni biografiche su Florence Bell tratte da Kirsten Wang, *Deeds and Words: The Biography of Dame Florence Bell, 1851-1930*, manoscritto inedito in possesso del dottor William Plowden.

9. Fu Thomas Cubitt a ricostruire Osborne Castle, sull'Isola di Wight, per la regina Vittoria e per il principe Alberto.

10. Elsa, Lady Richmond, figlia di Florence, nel riferire una conversazione con la madre, in Wang, *Deeds and Words*.

11. Anne Tibble, *One Woman's Story*.

12. R. Russell, *London Fogs*.

13. Florence Bell, poco prima di morire, in Wang, *Deeds and Words*.

14. Lady Richmond, nel riferire una conversazione con la madre, Florence Bell, in *ibid.* [Anche in Wallach, *Desert Queen*, p. 34 (*N.d.T.*).]

15. Riferito da Mrs Susanna Richmond.

16. Florence Bell, *The Story of Ursula*.

17. Florence Bell, *The Letters of Gertrude Bell*, introduzione.

18. GLB lettere, 1881, Gertrude al cugino Horace Marshall.

19. Lettera alla figlia Molly, Lady Trevelyan, in Wang, *Deeds and Words*.

20. GLB, primo diario, 1879.

21. Molly Trevelyan, in Wang, *Deeds and Words*.

22. Florence Bell, nel suo saggio, *On the Better Teaching of Manners*, *ibid*.

23. *Ibid*.

24. Virginia Stephen, lettera a Emma Vaughan, giugno 1900, in Stephen, *Flight of the Mind*, vol. 1, p. 34.

25. Molly Bell in Lesley Gordon, *Gertrude Bell 1868-1926*, opuscolo per mostra, 1994, RL.

2. Istruzione

1. Elsa Richmond (a cura di), *The Earlier Letters of Gertrude Bell*.

2. Particolari sulla vita al numero 95 di Sloane Street nel resoconto di Lady Richmond, in Wang, *Deeds and Words*.

3. Pieghevole del centocinquantesimo anniversario, *Queen's College, 1848-1998*, 1998.

4. GLB lettere, in Anne Tibble, *Gertrude Bell*. Anne Tibble aveva lavorato a Rounton.

5. GLB lettere.

6. GLB lettere.

7. GLB lettere.

8. GLB lettere.

9. GLB lettere.

10. GLB lettere.

11. GLB lettere.

12. Da Lesley Gordon, *Gertrude Bell 1868-1926*.

13. GLB lettere, missiva al padre.

14. Da William Lillie, *The History of Middlesbrough*.

15. GLB lettere.

16. GLB lettere.

17. Wallach, *Desert Queen*, p. 45.

18. GLB lettere.

19. Josephine Kamm, *Gertrude Bell*, p. 52.

20. Aneddoto rammentato da Mr Arthur Hassal, di Christ Church, Oxford, in Florence Bell, *Letters*.

21. GLB lettere.

22. Courtney, *Oxford Portrait Gallery*.

3. Donna colta e raffinata

1. Lettera a Horace Marshall, 1889.

2. GLB lettere.

3. GLB lettere.

4. Florence Bell, *Letters*, p. 21.

5. GLB lettere.

6. GLB lettere.

7. GLB lettere.

8. GLB lettere.

9. GLB lettere.

10. GLB lettere.

11. GLB lettere.

12. GLB lettere.

13. GLB lettere.

14. GLB a Horace Marshall, 18 giugno 1892.

15. *Ibid.*

16. *Ibid.*

17. GLB lettere.

18. GLB lettere.

19. GLB lettere.

20. Gertrude Bell, «The Tower of Silence», in *Persian Pictures*.

21. *Ibid.*

22. *Ibid.*

23. GLB diari, 30 ottobre 1889.

24. GLB lettere.

25. GLB lettere.

26. Florence Bell, *Letters*, p. 34.

27. GLB lettere.

28. Florence Bell, *Letters*, p. 36.

4. Diventare Persona

1. GLB diari, 29 dicembre 1902.
2. Vescovo di St Albans a GLB, in Florence Bell, *Letters*.
3. E. Denison Ross, prefazione a Gertrude Lowthian Bell (traduzione), *The Teachings of Hafiz*.
4. GLB lettere, 1903.
5. GLB lettere.
6. GLB lettere.
7. GLB lettere.
8. GLB lettere.
9. GLB a Chirol, 25 dicembre 1900.
10. GLB lettere.
11. GLB lettere, 28 maggio 1903. I particolari su Reginald Farrer si trovano in *A Rage for Rock Gardening*, di Nicola Schulman.
12. GLB a Chirol, 22 aprile 1910.
13. GLB a Chirol, 21 novembre 1912.
14. GLB lettere, 28 ottobre 1908.
15. GLB lettere, ottobre 1908.
16. GLB a Chirol, 21 novembre 1912.

5. Alpinismo

Nelle descrizioni delle arrampicate di Gertrude mi sono aiutata con le fotografie e le informazioni reperite presso i seguenti siti web: www.summitpost.com, www.clasohm.com, www.peakware.com, www.panoramas.dk, www.skizermatt.com, www.caingram.info, www.womenclimbing.com, www.en.wikipedia.org.

1. GLB lettere.
2. GLB diario, 7 agosto 1897.
3. Gordon, *Gertrude Bell*, «Gertrude Bell as a mountaineer».
4. GLB lettere.
5. GLB lettere.
6. Elizabeth Burgoyne, *Gertrude Bell from her Personal Papers, 1889-1914*, p. 68.
7. GLB lettere.
8. Gordon, *Gertrude Bell*, «Gertrude Bell as a mountaineer».
9. GLB lettere.
10. GLB lettere.
11. GLB lettere.
12. GLB lettere.
13. GLB lettere.
14. GLB lettere.
15. GLB lettere.

16. GLB lettere.

17. GLB lettere.

18. GLB lettere.

19. GLB lettere.

20. GLB lettere.

21. GLB lettere.

22. GLB lettere.

23. GLB lettere.

24. GLB lettere.

25. GLB lettere.

26. GLB lettere.

27. GLB lettere.

28. GLB lettere.

29. Edward Whymper, *Scrambles among the Alps in the Years 1860-69*.

30. GLB lettere.

31. GLB lettere.

6. Viaggiare nel deserto

1. Lettera di Lord Cromer a Sir Henry McMahon, alto commissario britannico in Egitto, 1915.

2. GLB lettere, Hotel Jerusalem, 13 dicembre 1899. [«Vostra Presenza» e «sulla mia testa» sono espressioni di cortesia. «Sulla mia testa» esprime disponibilità a soddisfare con grande gioia i desideri o le richieste di un ospite o di un amico (v. www. arabiconline.eu/blog/how-express-appreciation-arabic) (*N.d.T.*).]

3. *Ibid.* L'incisore Heinrich Kiepert, di Weimar, era famoso intorno alla metà del XIX secolo per la precisione delle sue mappe.

4. GLB lettere.

5. GLB lettere.

6. Un terai era un cappello di feltro a falda larga, spesso con doppia fascia, indossato dai bianchi nelle regioni subtropicali. La *terai* è una giungla paludosa fra le colline ai piedi dell'Himalaya e le pianure.

7. GLB lettere. *Effendim*: di solito "effendi", appellativo turco che esprimeva rispetto, attribuito a funzionari governativi e a coloro che esercitavano le professioni liberali, necessariamente maschi.

8. GLB diario, 23 gennaio 1900.

9. GLB lettere.

10. GLB lettere.

11. GLB lettere.

12. GLB lettere.

13. GLB lettere.

14. GLB lettere.

15. GLB lettere.

16. GLB lettere.

17. GLB lettere.

18. GLB lettere.

19. GLB lettere.

20. GLB lettere.

21. GLB lettere. Per nutrirsi durante uno dei suoi viaggi, Lord Byron comprò un paio di oche che lo accompagnarono in un cesto, ma non riuscì mai a farle uccidere, così alla fine del viaggio le portò a casa, dove trascorsero il resto della vita.

22. GLB lettere.

23. GLB lettere.

24. GLB lettere.

25. GLB lettere.

26. GLB lettere.

27. GLB lettere.

28. GLB lettere.

29. GLB lettere.

30. GLB lettere.

31. GLB lettere.

32. GLB lettere.

33. Informazioni fotografiche fornite da Mr Jim Crow, School of Historical Studies, University of Newcastle.

34. GLB lettere, un sabato dell'ottobre 1907.

35. GLB lettere, lunedì 7 novembre 1904.

36. GLB lettere.

37. GLB lettere, 1° febbraio 1905.

38. GLB lettere.

39. *Muallakat* [poesie premaomettane]. GLB lettere.

40. GLB lettere.

41. GLB lettere.

42. GLB lettere.

43. GLB lettere.

44. GLB lettere.

45. GLB lettere.

46. GLB lettere.

47. GLB lettere.

48. GLB lettere.

49. GLB lettere.

50. GLB lettere.

51. GLB lettere.

52. GLB lettere.

53. GLB a Chirol.

54. Un esempio a caso dalla sua visita a Costantinopoli quell'anno: «Quanto alla caduta di Kiamil, è stata del tutto incostituzionale. Kiamil si è scontrato con i suoi avversari politici ed è stato sconfitto. Secondo le informazioni di cui Sir A è in possesso, Ap 13 era dovuto innanzitutto ai liberali, e merita grande biasimo Ismail Kemal, che non è stato all'altezza delle aspettative. Non è improbabile che loro stessi abbiano finanziato, o contribuito a finanziare, il comitato Muhammidiyyah».

55. GLB lettere, gennaio 1909.

56. GLB lettere.

57. GLB lettere, 18 aprile 1911.

58. Gordon, *Gertrude Bell*, «Desert Journeys and Archaeology», RL.

7. Dick Doughty-Wylie

1. Elogio di Sir Ian Hamilton a Doughty-Wylie, in Diana Condell, *Lieutenant-Colonel Charles Doughty-Wylie VC CMG – Sedd el Bahr and Hill 141*, www.iwm. org.uk.

2. GLB lettere, 28 aprile 1907.

3. GLB lettere, 1° maggio 1907.

4. *Ibid.*

5. GLB lettere, 25 maggio.

6. Le notizie su Doughty-Wylie provengono dall'archivio militare Army List.

7. GLB a Chirol, gennaio 1913, DUL.

8. Lettere di Doughty-Wylie, dal 13 agosto 1913 al 24 aprile 1915, poco tempo prima che fosse ucciso in battaglia a Gallipoli, il 26 aprile 1915. Sono rimaste alcune lettere scritte da GLB a Dick e da questi a lei rispedite alla vigilia della battaglia, RL.

9. Miles Richmond, ultimo appartenente della famiglia a dimorarvi, non sa nulla di spettri nella casa.

10. Dick allude alle rovine della pianura di Belka, presso Al-Salt.

11. Doughty-Wylie a Mrs H.H. Coe, nell'archivio di Mrs L.O. Doughty-Wylie, Department of Documents, Imperial War Museum.

12. Burgoyne, *Bell, 1914-1926*.

13. Per i giorni perduti si vedano i resoconti di L.A. Carlyon, *Gallipoli*; Michael Hickey, *Gallipoli*; Eric Wheeler Bush, *Gallipoli*.

14. L.A. Carlyon, *Gallipoli*.

15. Hickey, *Gallipoli*.

16. Department of Documents, Imperial War Museum.

17. Questa lettera non è inclusa in Florence Bell, *Letters*, tuttavia compare in Burgoyne, *Bell, 1914-1926*, p. 29.

8. Soglia di resistenza

Durante il viaggio ad Ha'il, Gertrude redasse due diari, uno per Doughty-Wylie (DW) e uno per se stessa, in cui documentò date e avvenimenti. Inoltre scrisse molte lettere ai genitori e alcune a Chirol. Probabilmente continuò a scrivere lettere d'amore a Doughty-Wylie, il quale però in seguito le distrusse affinché non entrassero in possesso di sua moglie, se lui fosse morto.

1. GLB a Chirol, dicembre 1913, DUL.

2. Storia di Al Saud e di Al Rashid, da T.E. Lawrence, *I sette pilastri della saggezza.* [Gertrude aveva discusso di questa ostilità nel 1902, in India, quando aveva incontrato Sir Percy Cox, «residente britannico con funzione di console a Mascate»: «Pranzando in compagnia del fedele Domnul – «Valentine Chirol» – e dell'informatissimo Cox, Gertrude apprese le ultime novità dall'Arabia Centrale, venendo così a sapere della sanguinosa faida tra l'Emiro del Neged – «*najd*» – Ibn Rashid, capo del clan seminomade della tribù Shammar e il suo potente rivale Ibn Saud, capo del clan beduino della tribù Anazeh. I due più potenti sceicchi d'Arabia si suddividevano il controllo del vasto e vuoto deserto che formava la pianura centrale della penisola araba e nella quale i loro clan avevano combattuto per generazioni. Anni di combattimenti avevano portato, nel 1891, alla sconfitta dei Sauditi da parte dei Rashid; esiliati nel Kuwait, un emirato amico degli inglesi, i Sauditi avevano a lungo covato la loro rabbia e sete di vendetta contro i Rashid. Ora giungeva voce di un ritorno di Ibn Saud» (Wallach, *Desert Queen*, pp. 118-119) (*N.d.T.*).]

3. Ibn Saud, cioè "figlio di Saud".

4. H.V.F. Winstone, *Gertrude Bell*; e Zahra Freeth e H.V.F. Winstone, *Explorers of Arabia from the Renaissance to the Victorian Era.*

5. T.E. Lawrence al fratello, 10 dicembre 1913.

6. Thomas Lowell, *With Lawrence in Arabia.*

7. GLB lettere, 27 novembre 1913.

8. GLB lettere.

9. GLB lettere.

10. GLB a Chirol, dicembre 1913.

11. GLB lettere, 12 dicembre 1913.

12. Un resoconto dell'incidente in GLB lettere, 21 dicembre 1913.

13. GLB lettere.

14. GLB lettere.

15. GLB lettere.

16. GLB, diario per Doughty-Wylie, 16 febbraio 1914.

17. GLB lettere, 9 gennaio 1914.

18. *Ibid.*

19. GLB, diario (personale), 14 gennaio 1914.

20. Questo diario sarà denominato "altro diario".

21. GLB, diario per Doughty-Wylie, 16 gennaio 1914.

22. GLB lettere, 15 gennaio 1914.

23. GLB a Chirol.

24. GLB, diario per Doughty-Wylie, 16 gennaio 1914.

25. T.E. Lawrence, prefazione a Charles M. Doughty, *Arabia Deserta*, p. 15.

26. Albert Hourani, *A History of the Arab Peoples*, p. 102.

27. Gertrude Bell, *The Desert and the Sown*, p. 66.

28. Ivi, prefazione, p. XXII.

29. GLB, diario per Doughty-Wylie, 24 gennaio 1914.

30. GLB, diario per Doughty-Wylie, 23 gennaio 1914.

31. GLB, diario per Doughty-Wylie, 2 febbraio 1914.

32. *Ibid.*

33. GLB, diario per Doughty-Wylie, 24 gennaio1914.

34. GLB, diario per Doughty-Wylie, 2 febbraio 1914.

35. GLB, diario per Doughty-Wylie, 16 febbraio 1914.

36. *Ibid.*

37. GLB lettere, 19 febbraio 1914.

9. Fuga

1. GLB, diario per Doughty-Wylie, 2 marzo 1914.

2. *Ibid.*

3. *Ibid.*

4. *Ibid.*

5. GLB, diario personale, 28 febbraio.

6. GLB, diario personale.

7. GLB, diario per Doughty-Wylie, 2 marzo.

8. *Ibid.*

9. Per l'assassinio di Zamil ibn Subhan, v. H.V.F. Winstone, *Gertrude Bell*, p. 210, e H.V.F. Winstone, *The Illicit Adventure*, capitolo 5.

10. GLB, diario per Doughty-Wylie, 6 marzo.

11. *Ibid.*

12. *Ibid.*

13. GLB, diario per Doughty-Wylie, 17 marzo.

14. GLB, diario per Doughty-Wylie.

15. GLB, diario per Doughty-Wylie.

16. GLB, diario per Doughty-Wylie.

17. GLB, diario per Doughty-Wylie.

18. GLB, diario per Doughty-Wylie, 16 febbraio.

19. GLB, diario per Doughty-Wylie, 26 marzo.

20. GLB, diario per Doughty-Wylie, 17 aprile.

21. GLB, diario per Doughty-Wylie, 28 marzo.

22. GLB, diario per Doughty-Wylie, 26 marzo.

23. GLB, diario per Doughty-Wylie, 28 marzo.

24. *Ibid.*

25. GLB, diario per Doughty-Wylie, 12 aprile.

26. Baghdad all'epoca di al-Muqtadir, dal resoconto di al-Khatib al-Baghdadi, in Albert Hourani, *A History of the Arab Peoples.*

27. GLB, diario per Doughty-Wylie, 13 aprile.

28. Ivi, 13, 15 e 22 aprile.

29. GLB, diario per Doughty-Wylie, 16 aprile.

30. GLB, diario per Doughty-Wylie, 19 aprile.

31. GLB, diario per Doughty-Wylie, 22 aprile.

32. GLB, diario per Doughty-Wylie.

33. GLB, diario per Doughty-Wylie, 19 aprile.

34. GLB, diario per Doughty-Wylie, 25 aprile.

35. GLB, diario per Doughty-Wylie, 1° maggio.

36. GLB a Doughty-Wylie, lettera non datata.

10. Prima guerra mondiale

1. Rapporto di GLB a Wyndham H. Deedes del Military Operations Directorate, inviato a Sir Edward Grey, sottosegretario di stato per gli Affari esteri, WO 33 doc 48014.

2. Erano chiamate *vilayet* le province dell'amministrazione ottomana nei territori arabi.

3. Georgina Howell, *In Vogue 1916-1975.*

4. GLB lettere, novembre 1914.

5. GLB lettere, 17 novembre.

6. Descrizione di Boulogne dal periodico *Red Cross*, febbraio 1915, p. 39.

7. GLB a Doughty-Wylie, in Winstone, *Gertrude Bell*, p. 229.

8. GLB lettere.

9. Organizzazione dell'Ufficio indagini feriti e dispersi, da un rapporto al comitato di guerra congiunto, primavera 1915.

10. GLB lettere, 16 dicembre.

11. GLB lettere, 26 novembre.

12. GLB lettere, Capodanno 1915.

13. GLB a Chirol, 11 dicembre 1914.

14. GLB a Chirol.

15. GLB a Chirol, 16 dicembre.

16. GLB lettere.

17. GLB a Chirol, 20 gennaio 1915, in Burgoyne, *Bell, 1914-1926*, p. 23.

18. GLB lettere, 27 dicembre 1914.

19. GLB lettere, 1° gennaio 1915.

20. GLB a Chirol, 20 gennaio 1915.

21. GLB a Chirol, 27 dicembre 1914.

22. GLB a Chirol, 12 gennaio 1915.

23. *Ibid.*

24. GLB a Chirol, 2 febbraio.

25. GLB a Chirol, 2 febbraio.

26. GLB lettere, 22 marzo 1915.

27. GLB a Chirol, 1° aprile.

28. GLB lettere.

29. GLB lettere, 5 agosto.

30. GLB lettere, 25 agosto.

31. GLB lettere, 20 agosto.

32. Ricordo di Janet Courtney, in un articolo su Gertrude per la *North American Review*, dicembre 1926.

11. Il Cairo, Delhi, Bassora

1. GLB lettere, 3 gennaio 1916.

2. GLB lettere, 6 dicembre 1915.

3. La storia dello *sharif* è in T.E. Lawrence, *I sette pilastri della saggezza*, capitoli IV e V.

4. Visita di Abdullah a Sir Ronald Storrs, in Ronald Storrs, *Orientations*, e in John Keay, *Sowing the Wind: The Mismanagement of the Middle East 1900-1960*, p. 41.

5. T.E. Lawrence a D.G. Hogarth, 22 marzo 1915.

6. GLB lettere, 1° gennaio 1916.

7. Documento non datato, GLB Archives, Miscellaneous Collection, RL.

8. Lawrence, *I sette pilastri della saggezza*, capitolo XXX (*N.d.T.*).

9. John Keay, *Sowing the Wind: The Mismanagement of the Middle East 1900-1960*.

10. Charles Hardinge, lettera al ministero degli Esteri, in Wallach, *Desert Queen*, p. 252.

11. GLB al capitano R. Hall, 20 febbraio 1916.

12. Gilbert Clayton, General Staff Army Headquarters, Il Cairo, 28 gennaio 1916.

13. Hardinge of Penshurst, *My Indian Years 1910-1916*, p. 136.

14. GLB lettere, 24 gennaio.

15. GLB lettere, 28 gennaio.

16. GLB lettere, 1° febbraio.

17. GLB lettere, 18 febbraio.

18. *Ibid.*

19. *Ibid.*

20. Hardinge, *Old Diplomacy.*

21. Hardinge, *My Indian Years.*

22. GLB lettere, 18 marzo.

23. GLB lettere, 9 marzo.

24. GLB a Chirol, 12 giugno 1916.

25. *Ibid.*

26. *Ibid.*

27. GLB lettere, 27 aprile.

28. GLB lettere, 9 aprile.

29. GLB lettere, 27 aprile.

30. GLB a Chirol, 13 settembre.

31. GLB lettere, 24 maggio 1918, in Burgoyne, *Bell, 1914-1926*, p. 87.

32. Resoconto della conquista di Riyad, da Keay, *Sowing the Wind.*

33. GLB, «A Ruler of the Desert», in *The Arab of Mesopotamia.*

34. Sir Percy Cox, a proposito dell'incarico di GLB, in Florence Bell, *Letters.*

35. GLB lettere, 15 luglio.

36. GLB lettere, 29 luglio.

37. GLB lettere, 27 aprile 1916.

38. GLB lettere, 20 gennaio 1917.

39. GLB lettere, 20 settembre 1916.

40. GLB lettere, 2 marzo 1917.

41. GLB lettere, 13 gennaio 1917.

42. Kinahan Cornwallis, introduzione a Gertrude Bell, *The Arab War: Confidential Information for GHQ Cairo, Dispatches for the Arab Bulletin.*

43. GLB a Chirol, 13 settembre 1917.

44. GLB lettere, 10 marzo 1917.

12. Governare tramite Gertrude

Le descrizioni della dominazione ottomana e dell'amministrazione britannica derivano da *Review of the Civil Administration of Mesopotamia*, redatto da GLB per il ministero dell'India, 1920.

1. GLB lettere, 20 aprile 1917.

2. *Ibid.*

3. GLB lettere, maggio 1917, in Burgoyne, *Bell, 1914-1926*, p. 60.

4. GLB lettere, 22 novembre, ivi, p. 67.

5. GLB lettere, 18 maggio.

6. GLB lettere, 2 febbraio, in Burgoyne, *Bell, 1914-1926*, p. 54.

7. GLB lettere, 26 maggio, ivi, p. 58.

8. GLB lettere, 1° giugno.

9. GLB lettere, 24 maggio 1918.

10. GLB lettere, 24 aprile 1917, in Burgoyne, *Bell, 1914-1926*, p. 84.

11. GLB lettere, 26 ottobre.

12. GLB lettere, 6 settembre.

13. Sir Percy Cox, in Florence Bell, *Letters*, p. 428.

14. Bell, *Review of the Civil Administration of Mesopotamia.*

15. *Ibid.*

16. GLB a Chirol, 9 novembre, in Burgoyne, *Bell, 1914-1926*, p. 67.

17. Bell, *Review of the Civil Administration of Mesopotamia.*

18. Florence Bell, *Letters*, p. 402.

19. GLB lettere, 25 gennaio 1918, in Burgoyne, *Bell, 1914-1926*, p. 75.

20. GLB lettere, 26 maggio 1917.

21. GLB lettere, 14 giugno 1918.

22. GLB lettere, 15 febbraio 1918, in Burgoyne, *Bell, 1914-1926*, p. 77.

23. GLB lettere, 22 febbraio, ivi, p. 78.

24. GLB a Chirol, fine 1917, ivi.

25. GLB lettere, 28 marzo1918, ivi, p. 81.

26. GLB lettere, 30 novembre 1919.

27. GLB lettere, 20 luglio 1920.

28. GLB lettere, 2 marzo 1917, in Burgoyne, *Bell, 1914-1926*, p. 55.

29. GLB lettere, 5 settembre, ivi, p. 63.

30. GLB lettere, 25 settembre, ivi, p. 65.

31. GLB lettere, 28 giugno 1918, ivi, p. 89.

32. GLB lettere, 10 ottobre 1920.

13. Collera

1. GLB lettere, 17 gennaio 1919.

2. *Ibid.*

3. GLB a Mildred Lowther, 6 luglio 1918.

4. GLB lettere, 16 marzo 1919.

5. GLB, *Self Determination as Applied to the Iraq.*

6. Telegramma n. 233 da Kitchener, in Winstone, *Gertrude Bell*, pp. 243, 452.

7. GLB, *The Political Future of Iraq.*

8. GLB, *Review of the Civil Administration of Mesopotamia.*

9. *Ibid.*

10. GLB a Chirol, dicembre 1917.

11. A.T. Wilson, in Burgoyne, *Bell, 1914-1926*, p. 110.

12. GLB lettere, 14 agosto 1921.

13. GLB lettere, 16 marzo 1919.

14. GLB lettere, 26 settembre 1919.

15. GLB lettere, 1° giugno 1917.

16. GLB lettere, 17 ottobre 1919.

17. GLB lettere, 7 dicembre 1919.

18. La Wolseley Valise (letteralmente "valigia Wolseley", così chiamata forse dal nome dell'ufficiale superiore durante le cui campagne fu utilizzata per la prima volta, cioè Garnet Joseph Wolseley, Primo Visconte Wolseley, generale britannico distintosi in Birmania, Crimea, India, Canada, Africa, Egitto e Sudan, poi divenuto feldmaresciallo e comandante in capo dell'esercito britannico) era una robusta tela impermeabile che misurava cm 180 × 207 quando era completamente aperta e stesa, con una tasca di cm 80 × 25 × 7 alla testa e una tasca di cm 30 × 80 × 7 ai piedi. Quando era piegata e rimboccata come una coperta, con la tasca alla testa imbottita di biancheria intima e trasformata in cuscino, diventava un giaciglio di circa cm 200 × 90, mentre arrotolata diventava una sorta di valigia del diametro di circa 60 cm, e conteneva gli oggetti che l'ufficiale non poteva portare addosso, come stivali, biancheria, libri, sacco a pelo, giacche, camicie, calzoni. Rispetto a una valigia vera e propria era più maneggevole e meno ingombrante, inoltre era impermeabile. Tuttavia piegarla alla perfezione e arrotolarla il più strettamente possibile con il suo contenuto era un'arte estremamente difficile da padroneggiare. La valigia Wolseley era usata dagli ufficiali, che la acquistavano privatamente, e fu molto in voga nel periodo compreso fra gli anni Ottanta del XIX secolo e gli anni Cinquanta del XX secolo (Mari Demar, *Officer's Baggage: Where the Good Batman Is Proved*, The Dominion, XI, 282, 17 agosto 1918, p. 9, consultabile in rete all'indirizzo paperspast.natlib.govt.nz/cgi-bin/paperspast?a=d&d=DOM19180817.2.75; Richard Harding Davis, *Notes of a War Correspondent*, Charles Scribner's Sons, New York 1910, p. 250, consultabile in rete all'indirizzo www.online-literature.com/richard-davis/war-correspondent/6/; v. anche thejungleisneutral.wordpress.com/category/equipment/camping-equipment/) (*N.d.T.*).

19. GLB lettere, 6 maggio 1920.

20. GLB a Chirol, 10 maggio 1918.

21. Gordon, *Gertrude Bell*.

22. GLB a Chirol, 12 febbraio 1920.

23. GLB lettere, 10 aprile 1920.

24. In Margaret MacMillan, *Peacemakers: The Paris Conference of 1919 and Its Attempt to End War*, p. 419.

25. Martin Gilbert, *Winston S. Churchill*, Companion, vol. 4, part 1.

26. GLB lettere, 8 agosto 1920.

27. GLB lettere, 14 giugno 1920.

28. GLB lettere, 14 marzo 1920.

29. *Ibid.*

30. Per l'incidente a Dair, v. *ibid.*

31. GLB lettere, 1° febbraio 1920.

32. GLB lettere, 4 luglio 1920.

33. GLB lettere, 26 luglio 1920.

34. GLB lettere, febbraio 1920.

35. GLB lettere, 2 agosto 1920.

36. GLB lettere, 26 luglio 1920.

37. GLB lettere, 20 dicembre 1920.

38. Lettera di A.T. Wilson, ottobre 1919.

39. GLB lettere, 12 febbraio, in Burgoyne, *Bell*, p. 128.

40. GLB lettere, 12 gennaio 1920, ivi, p. 125.

41. GLB lettere, 23 maggio 1920.

42. GLB a Chirol, 28 dicembre 1919.

43. GLB lettere, 14 giugno 1920, in Burgoyne, *Bell*, p. 140.

44. *Ibid.*

45. GLB lettere, 17 gennaio 1921.

46. GLB lettere, 7 marzo 1920, in Burgoyne, *Bell*, p. 131.

47. GLB lettere, 14 gennaio 1920, ivi, p. 124.

48. 6 agosto 1920, ivi, p. 154.

49. *Ibid.*

50. A.T. Wilson, 6 agosto 1920, ivi, p. 155.

51. GLB lettere, 7 agosto 1920, ivi.

52. Una lettera privata, 17 giugno 1922.

53. GLB lettere, 17 ottobre 1920, in Burgoyne, *Bell*, p. 455.

54. GLB lettere, 1° novembre 1920, ivi, p. 462.

14. Faysal

1. Per il primo periodo della vita di Faysal, vedi Mrs Steuart Erskine, *King Faysal of Iraq*, e Philip Graves (a cura di), *King Abdullah of Transjordan: Memoirs*.

2. T.E. Lawrence, *I sette pilastri della saggezza*.

3. I sultani di Costantinopoli si erano appropriati del ruolo di califfo nel xviii secolo.

4. T.E. Lawrence, *I sette pilastri della saggezza*, introduzione: *Preliminari di una rivolta*, capitolo v (*N.d.T.*).

5. *Ibid.*

6. Ivi, libro primo, *La scoperta di Feisal*, capitolo xiii (*N.d.T.*).

7. *Ibid.* (*N.d.T.*).

8. Ivi, capitolo XII.

9. *Ibid.*

10. *Ibid.*

11. Ivi, prologo (*N.d.T.*).

12. Ivi, capitolo xii (*N.d.T.*).

13. Lawrence, *I sette pilastri della saggezza*, libro terzo, *Diversioni sulla ferrovia*, capitolo xxx (*N.d.T.*).

14. «Faysal of Iraq», *The Sidney Morning Herald*, 17 febbraio 1934, p. 10, recensione anonima di «King Faysal of Iraq», di Mrs Steuart Erskine (news.google.com/newspapers?id=iPVUAAAAIBAJ&sjid=8ZEDAAAAIBAJ&hl=it&pg=2285%2C7032366) (*N.d.T.*).

15. Frase di raccordo inserita dall'autrice (*N.d.T.*).

16. Lawrence, *I sette pilastri della saggezza*, libro terzo, *Diversioni sulla ferrovia*, capitolo XXX (*N.d.T.*).

17. Lawrence riconobbe di dovere molto a Gertrude a proposito della rivolta araba (trasmissione radiofonica di Elizabeth Robins, 17 settembre 1927, numeri 14 e 36, Miscellaneous Collection, GLB Archives, RL, citata in Liora Lukitz, *A Quest in the Middle East*, p. 237).

18. Nei *Sette pilastri della saggezza*, Lawrence racconta più volte della funzione dei poeti arabi. Ecco un esempio: «Feisal si coricava tardissimo, e non mostrava mai il desiderio d'affrettare la nostra partenza. Di sera cercava di riposare il più possibile, ed evitava ogni lavoro evitabile. Spesso mandava a chiamare uno sceicco del luogo, per farsi raccontare le storie della regione, o le cronache e la genealogia della tribù; oppure i poeti delle tribù venivano a cantare i loro poemi di guerra: lunghi componimenti tradizionali, con epiteti abusati, sentimenti abusati, fatti abusati, imposti nuovamente alle vicende di ciascuna generazione. Feisal era amantissimo della poesia araba, e organizzava volentieri recite, giudicando e premiando i versi migliori della sera» (Lawrence, *I sette pilastri della saggezza*, libro secondo, *Ha inizio l'offensiva araba*, capitolo XIX). Ed ecco un altro esempio: «Quel pomeriggio, però, gli Ageyl pensavano più a noi che a Dio, e quando Ibn Dakhil li dispose ai nostri fianchi, formarono rapidamente le file. Ad un rullo d'avvertimento dei tamburi, il poeta dell'ala destra attaccò un canto stridulo, una rima di sua invenzione, su Feisal e sui piaceri che egli avrebbe procurato a Wejh. L'ala destra ascoltò attentamente poi s'impadronì a sua volta dei versi, e li ripeté in coro, per una, due, tre volte, con orgoglio, con soddisfazione, e con un po' di derisione. Ma, prima che potessero intonarlo una quarta volta, il cantore dell'ala sinistra ruppe in una ironica risposta improvvisata nello stesso metro e con la medesima rima. L'ala sinistra lanciò un urlo di trionfo, i tamburi rullarono daccapo, gli alfieri agitarono i grandi stendardi cremisi, e tutta la guardia, a destra, a sinistra, al centro, si unì al rumoroso coro del reggimento» (ivi, capitolo XXIV) (*N.d.T.*).

19. Steuart Erskine, *Faisal*, p. 76

20. Lawrence, *I sette pilastri della saggezza*, libro quarto, *La marcia su Akaba*, capitolo XLVIII (*N.d.T.*).

21. Trasmissione radiofonica, 8 settembre 1933.

22. Documento senza firma e senza data, scritto in parte a mano, *Great Britain and the Iraq; an Experiment in Anglo-Asiatic relations*, in Miscellaneous Collection, GLB Archives, RL.

23. Descrizioni della conferenza di pace di Parigi, tratte da Margaret MacMillan, *Peacemakers: The Paris Conference*.

24. GLB lettere, 7 marzo 1919.

25. John Keay, *Sowing the Wind*, p. 132.

26. Steuart Erskine, *Faisal*, pp. 96-97.

27. Discorso al consiglio dei dieci, MacMillan, *Peacemakers*, p. 402.

28. Allusione a una famosa frase di Ralph Waldo Emerson, «*Hitch your wagon to a star*», dal saggio *American Civilization*, pubblicato sul periodico *The Atlantic Monthly* nell'aprile del 1862 (*N.d.T.*).

29. GLB lettere, 26 marzo 1919, in Burgoyne, *Bell, 1914-1926*, p. 110.

30. GLB a Aubrey Herbert, in MacMillan, *Peacemakers*, p. 411.

31. Documento di GLB, senza titolo e senza data, in Miscellaneous Collection, GLB Archives, RL.

32. MacMillan, *Peacemakers*, p. 427.

33. *Ibid.*

34. GLB al generale Clayton, 22 gennaio 1918.

35. A proposito di Weizmann, v. MacMillan, *Peacemakers*, p. 427.

36. Documento senza firma e senza data, *Palestine*, in Miscellaneous Collection, GLB Archives, RL.

37. Dopo la conferenza di Parigi, il trattato di Versailles stabilì le condizioni della pace con la Germania, e l'anno successivo il trattato di Sèvres decretò quelle della pace con la Turchia.

38. GLB, intervista con Faysal, nello studio di Augustus John, in Miscellaneous Collection, GLB Archives, RL.

39. Resoconto dell'ultimatum di Gouraud a Faysal, Steuart Erskine, *Faisal*, p. 104.

40. GLB, note scritte a mano, senza data, item 12, *French Policy in Syria*, in Miscellaneous Collection, GLB Archives, RL .

41. Ronald Storrs, *Orientations*, p. 506.

42. GLB, documento senza titolo e senza data, Miscellaneous Collection, GLB Archives, RL.

43. GLB, documento, *The Syrian Situation and Its Bearings on Iraq*, dattiloscritto accluso a una lettera del 17 novembre 1925 e contrassegnato «strettamente confidenziale», Miscellaneous Collection, GLB Archives, RL.

44. *Ibid.*

45. GLB lettere, 18 dicembre 1922.

46. GLB lettere, 1° novembre 1920.

47. GLB lettere, luglio 1921.

48. GLB lettere, 18 dicembre 1920.

49. GLB a Chirol, 4 febbraio 1921.

50. GLB lettere, 18 dicembre 1920.

51. GLB lettere, Natale 1920, in Burgoyne, *Bell*, p. 193.

15. Incoronazione

1. A proposito di Churchill e della spesa pubblica, v. Martin Gilbert, *Churchill: a Life*, pp. 431, 433.

2. T.E. Lawrence, «Mesopotamia», articolo per il *Sunday Times*, 22 agosto 1920.

3. GLB lettere, 24 febbraio 1921, in Burgoyne, *Bell, 1914-1926*, p. 209.

4. GLB al colonnello Frank Balfour, 25 marzo 1921, ivi, p. 211.

5. Dichiarazione di Wyndham Deedes, riferita da GLB in un documento senza firma e senza data, Miscellaneous Collection, GLB Archives, RL.

6. GLB a Chirol, 4 febbraio 1921.

7. GLB lettere, 25 aprile 1921.

8. GLB lettere, 8 maggio 1921.

9. GLB lettere, 19 giugno 1921.

10. Churchill a Cox, 10 gennaio 1921, Gilbert, *A Life*, p. 431.

11. GLB lettere, 12 giugno 1921.

12. GLB, *Review of the Civil Administration of Mesopotamia*, p. 127.

13. GLB lettere, 17 aprile 1921.

14. Cox a Churchill, aprile 1921, in Winstone, *Gertrude Bell*.

15. Secondo Ronald Bodley, un discendente di Gertrude, che ne scrisse una biografia negli anni Quaranta del xx secolo.

16. GLB lettere, 23 giugno 1921, in Burgoyne, *Bell, 1914-1926*, p. 221.

17. Cox, in Florence Bell, *Letters*, p. 428.

18 GLB lettere, 7 luglio 1921, in Burgoyne, *Bell, 1914-1926*, p. 224.

19. GLB lettere, 30 giugno 1921.

20. *Ibid.*

21. GLB lettere, 8 luglio 1921.

22. GLB lettere, 27 luglio 1921.

23. Descrizione della cerimonia in GLB lettere, 31 luglio 1921.

24. *Ibid.*

25. *Ibid.*

26. *Ibid.*

27. GLB lettere, 6 agosto 1921.

28. GLB lettere, 21 agosto 1921.

29. *Ibid.*

30. GLB lettere, 28 agosto 1921.

31. *Ibid.*

32. GLB lettere, 11 settembre 1921.

16. Restare e partire

1. GLB lettere, 17 luglio 1922.

2. GLB lettere, 16 febbraio 1920.

3. Racconto di Faysal, in *Everybody's Weekly*, 1° ottobre 1927.

4. Lawrence, *I sette pilastri della saggezza*, introduzione, *Preliminari di una rivolta*, capitolo vi.

5. Lettera di Lawrence a Elsa Richmond, menzionata anche nella trasmissione radiofonica di Elizabeth Robins del 17 settembre 1927, numeri 14 e 36, Miscellaneous Collection, GLB Archives, RL.

6. GLB lettere, 25 settembre 1921, Burgoyne, *Bell, 1914-1926*, p. 247.

7. GLB lettere, 4 giugno 1922, ivi, p. 271.

8. GLB lettere, 16 luglio 1922.

9. GLB lettere, 30 luglio 1922.

10. GLB lettere, 15 agosto 1922.

11. *Ibid.*

12. GLB lettere, 27 agosto 1922.

13. GLB lettere, 22 febbraio 1922.

14. GLB lettere, 27 agosto 1922.

15. In Burgoyne, *Bell, 1914-1926* p. 291.

16. Steuart Erskine, *Faisal*, p. 156.

17. GLB lettere, 7 ottobre 1924, in Burgoyne, *Bell, 1914-1926*, p. 355.

18. GLB lettere, 24 luglio 1921, in ivi, p. 229.

19. GLB lettere, 23 dicembre 1924.

20. GLB lettere, 31 dicembre 1924, in Burgoyne, *Bell, 1914-1926*, p. 360.

21. GLB lettere, 14 dicembre 1924.

22. GLB lettere, 7 ottobre 1924.

23. Con questo nome era allora conosciuta la setta wahhabita di Ibn Saud.

24. GLB a Hardinge, 6 gennaio e 16 marzo 1922, in Burgoyne, *Bell, 1914-1926*, p. 266.

25. GLB lettere, 10 dicembre 1924, ivi, p. 359.

26. GLB lettere, 15 ottobre 1924, ivi, p. 356.

27. GLB, *Transjordania*, documento contrassegnato «strettamente confidenziale», senza firma e senza data, Miscellaneous Collection, GLB Archives, RL.

28. GLB lettere, 18 maggio 1922.

29. GLB lettere, 15 ottobre 1924, in Burgoyne, *Bell, 1914-1926*, p. 356.

30. GLB lettere, 24 settembre 1924.

31. GLB lettere 14 agosto 1921, in Burgoyne, *Bell, 1914-1926*, p. 234.

32. Lawrence, *I sette pilastri della saggezza*, introduzione, *Preliminari di una rivolta*, capitolo VI (*N.d.T.*).

33. GLB lettere, 2 gennaio 1922, in Burgoyne, *Bell, 1914-1926*, p. 258.

34. GLB lettere, 31 gennaio 1922, ivi, p. 261.

35. GLB lettere, 17 luglio 1924, ivi, p. 284.

36. GLB lettere, 31 dicembre 1923.

37. Confidenze su Cornwallis, a Molly Trevelyan, GLB, corrispondenza privata, Miscellaneous Collection, GLB Archives, RL.

38. GLB lettere, 24 aprile, 9 maggio 1923, in Burgoyne, *Bell, 1914-1926*, p. 539.

39. GLB lettere, 13 febbraio 1924.

40. Sir Henry Dobbs, in Florence Bell, *Letters*, p. 441.

41. Burgoyne, *Bell, 1914-1926*, p. 352.

42. GLB lettere, 11 febbraio 1925, ivi, p. 581.

43. Florence Bell, *Letters*, p. 591.

44. Conferenza di Mrs Pauline Dower, University of Newcastle upon Tyne, maggio 1976.

45. GLB a Mrs W. Courtney, 4 agosto 1925.

46. Florence Bell, *Letters*, p. 592.

47. GLB lettere, 21 ottobre 1925.

48. GLB lettere, 9 febbraio 1926, in Burgoyne, *Bell, 1914-1926*, p. 384.

49. GLB lettere, 30 dicembre 1925.

50. GLB lettere, 18 agosto 1922, in Burgoyne, *Bell, 1914-1926*, p. 290.

51. GLB lettere, gennaio 1924, ivi, p. 333.

52. GLB lettere, gennaio 1924, ivi, p. 325.

53. Henry Dobbs, in Florence Bell, *Letters*, p. 453.

54. GLB lettere, 13 maggio 1926.

55. Richiesta che si occupasse della sua cagna, da una conversazione con Mrs Susanna Richmond.

56. Informazione da M. Murphy, Association of the British Pharmaceutical Industry, lettera a David Bittner.

57. Haji Naji a Lady Bell, in Florence Bell, *Letters*, p. 623.

58. Re Giorgio v a Lady Bell, ivi, p. 624.

59. T.E. Shaw a Sir Hugh Bell, 4 novembre 1927, in Malcolm Brown (a cura di), *The Letters of T.E. Lawrence: The Years in India 1927-29*.

60. Articolo sul funerale di GLB, *The Times*, martedì 13 luglio 1926.

Nota dell'autrice

1. Janet E. Courtney, *An Oxford Portrait Gallery*.

Bibliografia

Gertrude Bell. Opere inedite
Bell, Gertrude, documenti e taccuini archeologici, Royal Geographical Society, London.
- *The Camel Trade of Arabia*, bozza, Miscellaneous Collection, GLB Archives, RL.
- lettere a [Sir] Valentine Chirol, DUL.
- taccuini di appunti, RL.
- *Confidences re Cornwallis to Molly Trevelyan*, lettera privata, Miscellaneous Collection, GLB Archives, RL.
- Report of Wyndham Deedes Statement, senza firma e senza data, Miscellaneous Collection, GLB Archives, RL.
- estratto da una lettera a W.H. Deedes, inoltrata al sottosegretario di stato per gli Affari esteri, WO 33 doc 48014, DUL 303/1/5.
- diari, www.gerty.ncl.ac.uk, RL.
- lettera a Lord Hardinge, 8 febbraio 1921, Miscellaneous Collection, GLB Archives 11, RL.
- *In John's studio*, intervista a Faysal, nello studio di Augustus John durante la conferenza di pace di Parigi, senza titolo e senza data, Miscellaneous Collection, GLB Archives, RL.
- lettere, RL, www.gerty.ncl.ac.uk.
- archivio fotografico, RL, www.gerty.ncl.ac.uk.
- *The Political Future of Iraq*, saggio, DUL, 150/7/69.
- documenti personali, RL.
- *The Resistance of the Arabs*, note manoscritte non datate, articolo 12, Miscellaneous Collection, GLB Archives, RL.
- *Self Determination as Applied to the Iraq*, saggio, DUL, 150/7/62.
- *Self Determination in Mesopotamia*, memorandum n. S-24, datato Baghdad, 22 febbraio 1919, contrassegnato a mano «By G.L.B.», DUL, 303/1/60.
- *Note by Miss Gertrude Bell on the Settlement of the Arab Provinces*, senza data, RL.
- *The Syrian Situation and its Bearings on Iraq*, dattiloscritto accluso a una lettera datata 17 novembre 1925, firmata GLB, RL.
- *Transjordania*, contrassegnato «strettamente confidenziale», senza firma e senza data, Miscellaneous Collection, GLB Archives, RL.
- *Gertrude Bell Archive, Part 2: Miscellaneous 1892-1938*, RL, 1961-91.

Gertrude Bell. Opere edite

Bell, Gertrude, *The Vaulting System at Ukhaidir, Journal of Hellenic Studies*, XXX, 1910.

– *The Palace and Mosque at Ukhaidir*, Oxford, Clarendon Press, 1914.

– *Review of the Civil Administration of Mesopotamia*, London, HMSO, 1920.

– *Great Britain and Iraq: An Experiment in Anglo-Asiatic Relations*, London, Round Table, pubblicato anonimamente, 1924.

– *Persian Pictures*, New York, Boni & Liveright, 1928 (*Ritratti persiani*, a cura di C. Veltri, Roma, Elliot, 2014).

– *The Arab War: Confidential Information for GHQ Cairo, Dispatches for the Arab Bulletin*, London, Golden Cockerel Press, 1940.

– Lowthian, *The Teachings of Hafiz*, London, Octagon Press, 1979.

– *Arab War Lords and Iraqi Star Gazers, Gertrude Bell's The Arab of Mesopotamia*, USA, Authors' Choice Press, 1992.

– *The Hafez Poems of Gertrude Bell*, Bethesda (MD), Iranbooks, 1995.

– *The Desert and the Sown*, New York, Cooper Square Press, 2001 (*Viaggio in Siria*, a cura di L. Palianti, Vicchio di Mugello [Firenze], Polaris, 2014).

– *Amurath to Amurath, A Journey along the Banks of the Euphrates*, Piscataway (NJ), Gorgias Press, 2002.

– e Ramsey, Sir William, *The Thousand and One Churches*, London, Hodder & Stoughton, 1909.

Bibliografia generale

Alpine Club, *Miss Gertrude Lowthian Bell, Alpine Journal*, XXXVIII, 1926, pp. 296-9.

Amery, L.S., *My Political Life, England before the Storm 1896-1914*, London, Hutchinson, 1953.

The Leo Amery Diaries, vol. 1, 1896-1929, London, Barnes & Nicolson, 1980.

Anonimo, *Arab Revolt*, rapporto al segretario di stato da Simla, 29 giugno, DUL, 137/6/102.

Archivi della Women's National Anti-Suffrage League, Archives Hub, Women's Library, GLB 0106 2/WNA.

Balfour, Lord F.C.C., Gertrude Bell Letters, DUL.

Bell, Lady Florence, *Alan's Wife*, London, Henry & Co., 1893.

– *The Story of Ursula*, London, Hutchinson, 1895.

– *Angela*, London, Ernest Benn, 1926.

– *The Letters of Gertrude Bell*, London, Ernest Benn, 1927.

– *At the Works: A Study of a Manufacturing Town*, London, Virago Press, 1985.

Anonimo, *Lady [Florence] Bell's Scheme, North Eastern Daily Gazette*, 10 settembre 1906.

Bell, Sir Hugh, *High Wages: Their Cause and Effect*, discorso alla National Association of Merchants and Manufacturers, rist. in *Contemporary Review*, dicembre 1920.

– *Speeches in Defence of Free Trade and Sound Finance*, pronunciati agli elettori di Londra, gennaio 1910, Literary and Philosophical Society Library, Newcastle upon Tyne.

Bell, Sir Isaac Lowthian, *Chemical Phenomena of Iron Smelting*, London, 1872.

– *The Iron Trade of the United Kingdom Compared with that of the Other Chief Iron-making Nations*, Literary and Philosophical Society, Newcastle upon Tyne, 1875.

– *Obituary, The Times*, Durham Mining Museum, 21 dicembre 1904.

– Voci di catalogo, Literary and Philosophical Society, Newcastle upon Tyne.

Berchem, M. van, Strzygowski, J., e Bell, Gertrude L., *Amida: matériaux pour l'épigraphie et l'histoire musulmane du Diyar-Bekr*, Heidelberg, Amida, 1910; Berchem: *Beitrage zur Kunstgeschichte von Nordmesopotamien Hellas und dem Abendlande*; Strzygowski, Bell, *The Churches and Monasteries of the Tur Abdin*.

Blunt, Lady Anne, *A Pilgrimage to Nejd, the Cradle of the Arab Race*, London, Century Travellers, 1885.

Bodley, Ronald, e Hearst, Lorna, *Gertrude Bell*, New York, Macmillan Co., 1940.

Brown, Malcolm, *The Letters of T.E. Lawrence*, London, Dent, 1988.

Brunner Mond, *A Profile of Brunner Mond*, www.brunnermond.com.

Burgoyne, Elizabeth, *Gertrude Bell from Her Personal Papers, 1889-1914*, London, Ernest Benn, 1958.

– *Gertrude Bell from Her Personal Papers, 1914-1926*, London, Ernest Benn, 1961.

Burke, Catherine, *Description of Archive of Mrs L.O. Doughty-Wylie, Diaries 1910-20*, Imperial War Museum, London.

Bush, Eric Wheeler, *Gallipoli*, London, George Allen & Unwin, 1975.

Cambon, Paul, lettera a M. Balfour, Principal Secrétaire d'Etat, 19 ottobre 1918, DUL, 693/14/14.

Cannadine, David, *The Decline and Fall of the British Aristocracy*, New Haven (Conn.), Yale University Press, 1990.

Carlyon, L.A., *Gallipoli*, Australia, Pan Macmillan, 2001.

Casualties in the Great War [Vittime della Grande Guerra], *Casualties WWI/Schlachtaffers WOI*, www.greatwar.nl, e *The Heritage of the Great War*, Rob Ruggenberg, *It is my painful duty to inform you*, www.greatwar.nl.

Chapman, Mike, *Doughty-Wylie, Charles Hotham Montagu*, www.victoriacross.net, 2000.

Chirol, Sir Ignatius Valentine, lettere, DUL.

Clayton, General Sir Gilbert, lettere, DUL.

– lettera personale a «My dear General», 28 gennaio 1916, DUL, 136/1/183.

Condell, Diana, *Lieutenant Colonel Charles Doughty-Wylie VC CMG – Sedd el Bahr and Hill 141*, archive.iwm.org.uk/upload/package/2/gallipoli/hellesHill141.htm.

Coppack, Glyn, *Mount Grace Priory*, London, English Heritage, 1996.

Courtney, Janet E., *An Oxford Portrait Gallery*, London, Chapman & Hall, 1931.

Cowlin, Dorothy, *A Woman in the Desert: The Story of Gertrude Bell*, London, Frederick Muller, 1967.

Cox, P.Z., Al Sa'adun e Abdul Mahsin, *IRAQ. Protocol of the 30th April, 1923 and the Agreements Subsidiary to the Treaty with King Feisal*, London, HMSO, 1924.

Cromer, Lord, *Woman Suffrage*, discorso alla Queen's Hall, 26 marzo 1909, RL.
– lettera a Wingate, 18 novembre 1915, DUL, 135/6/12.

Stepney Areas, The Man who Built Cubitts Town, www.website.lineone.net.

Daugherty, Leo J., *The Mesopotamian Front! As observed by Lieutenant Colonel Edward Davis, US Cavalry, 1918, Armor*, 3 gennaio 2003.

Dearden, Seton, *Gertrude Bell, Cornhill Magazine*, inverno 1969-70.

Denny, C.J., e K.C. Jordan, *Europe and the Middle East*, British Council map n. 1, London, Royal Geographical Society, 1941.

Dixon, John, *Magnificent but not War: The Role of Col. Sir Maurice Bell in the Attack on Fortuin*, www.rollofhonour.com.

Dolan, Frances E., *Battered Women, Petty Traitors, and the Legacy of Coverture, Feminist Studies*, giugno 2003.

Doughty, Charles M., *Arabia Deserta*, London, Bloomsbury, 1989 (*Arabia deserta*, a cura di H.L. MacRitchie, intr. di T.E. Lawrence, trad. di M. Biondi, Milano, Longanesi, 2008).

Doughty-Wylie, Charles H.M., lettera a Jean Coe, 20 aprile 1915, Imperial War Museum, London.

Doughty-Wylie, finestra commemorativa, Theberton Church, Suffolk, www.syllysuffolk.co.uk.

Dower, Pauline, discorso alla University of Newcastle upon Tyne, maggio 1976, RL.

An Appeal against Female Suffrage, manifesto, National League for Opposing Woman Suffrage, London.

Farrer, Reginald J., *The Garden of Asia: Impressions from Japan*, London, Methuen & Co., 1904.

Faysal, emiro, lettera a *General Clayton Pasha*, 24 Shawal 1336, con traduzione del testo arabo, DUL, 693/14/7.

Faysal, re d'Iraq, *Secrets of Great White Woman of the Desert which were not revealed in her book*, intervista, *Everybody's Weekly*, 1° ottobre 1927.

Flanders, Judith, *The Victorian House*, London, HarperCollins, 2003.

Forth Rail Bridge, Heritage Trail Publications, www.theheritagetrail.co.uk.

Freeth, Zahra, e Winstone, H.V.F., *Explorers of Arabia from the Renaissance to the Victorian Era*, London, George Allen & Unwin, 1978.

Garnett, David, *The Letters of T.E. Lawrence*, Oxford, Alden Press, 1938.

Gilbert, Martin, *Churchill: A Life*, London, Pimlico, 2000.

– *Winston S. Churchill*, Companion, vol. 4, part 1 (a *Churchill: A Life*); minuta dipartimentale del 12 maggio 1919, Churchill Papers 16/16.

Girouard, Mark, *The Victorian Country House*, London, Yale University Press, 1979.

Glover, Brian, *Middlesbrough Transporter Bridge*, pieghevole, Middlesbrough Council.

Gordon, Lesley, *Gertrude Bell 1868-1926*, British Council/University of Newcastle, opuscolo per mostra, 1994.

Graves, Philip (a cura di), *King Abdullah of Transjordan: Memoirs*, London, Jonathan Cape, 1950.

The Great Eastern Railway, Its Predecessors and Successors, Great Eastern Railway Society, www.gersociety.org.uk.

Green, John Richard, *A Short History of the English People*, London, J.M. Dent, 1945.

Greenwood, Paul, *The British Expeditionary Force, August to September 1914*, www.geocities.com.

Hague, William, *William Pitt the Younger*, London, Harper Perennial, 2005.

Hardinge, Lord, lettera a Miss Bell, 27 dicembre 1920, firma mancante, autore presunto, Miscellaneous Collection, GLB Archives, 90, RL.

– lettera a Miss Bell, 17 marzo 1921, firma mancante, autore presunto, Miscellaneous Collection, GLB Archives, 92, RL.

– lettera a Miss Bell, 3 luglio 1921, firma mancante, autore presunto, Miscellaneous Collection, GLB Archives, 94, RL.

– lettera a Miss Bell, 20 settembre 1921, firma mancante, autore presunto, Miscellaneous Collection, GLB Archives, 96, RL.

– *Old Diplomacy*, London, John Murray, 1947.

– *My Indian Years 1910-1916*, London, John Murray, 1948.

Hattersley, Roy, *The Edwardians*, London, Little Brown, 2004.

Hickey, Michael, *Gallipoli*, London, John Murray, 1995.

Hill, Stephen, *Gertrude Bell (1868-1926): A Selection from the Photographic Archive of an Archaeologist and Traveller*, University of Newcastle, Department of Archaeology, 1977.

Hogarth, David, necrologio di Gertrude Bell, *Royal Geographical Society Journal*, 1926.

– *Gertrude Bell's Journey to Hayil*, discorso, Royal Geographical Society, 4 aprile 1927.

– conferenza sul viaggio di Gertrude Bell nel 1913, Royal Geographical Society, 1927.

Hourani, Albert, *A History of the Arab Peoples*, London, Faber & Faber, 1991 (*Storia dei popoli arabi: da Maometto ai nostri giorni*, Milano, CDE, 1994).

Howell, Georgina, *In Vogue 1916-1975*, London, Allen Lane, 1975.

Hunter, Sir William Wilson, *Rulers of India*, Oxford, Clarendon Press, 1891.

Anonimo, annotazioni segrete, *The Establishment of an Intelligence Centre in the Near East*, con schema manoscritto, a GFC 1918, DUL, 694/6/1.

A History of Iraq, BBC2, 17 settembre 2003.

Iraq and the Heart of the Middle East, mappa, National Geographic, Washington (DC), 2003.

Kamm, Josephine, *Gertrude Bell*, New York, Vanguard Press, 1956.

Keay, John, *Sowing the Wind: The Mismanagement of the Middle East 1900-1960*, London, John Murray, 2003.

Kitchener, Lord, telegramma all'emiro Abdullah, n. 233 L/P&S/18/B222.

Kleinbauer, W. Eugene, *Early Christian and Byzantine Architecture*, G.K. Hall, 1992.

Lady Margaret Hall, Oxford, www.clients.networks.co.uk/ladymargarethall, storia.

Lawrence, T.E., *Mesopotamia*, *Sunday Times*, 22 agosto 1920.

– *The Seven Pillars of Wisdom*, London, Jonathan Cape, 1926 (*I sette pilastri della saggezza*, trad. di Erich Linder, Milano, Bompiani, 1995).

– *Letters*, Karachi, 1927.

Lewis, Jonathan, *The First World War*, Channel 4, serie televisiva basata sull'omonimo libro di Hew Strachan, Simon & Schuster, 2003 (*La prima guerra mondiale: una storia illustrata*, trad. di L.A. Dalla Fontana, Milano, Mondadori, 2009).

Lillie, William, *The History of Middlesbrough*, Middlesbrough, the Mayor, aldermen and burgesses of the County Borough of Middlesbrough, 1968.

Lowell, Thomas, *With Lawrence in Arabia*, London, Hutchinson, 1924.

Lukitz, Liora, *A Quest in the Middle East: Gertrude Bell and the Making of Modern Iraq*, London, I.B. Tauris, 2006.

Mack, John E., *A Prince of Our Disorder: The Life of T.E. Lawrence*, Cambridge (Mass.), Harvard University Press, 1998.

MacMillan, Margaret, *Peacemakers: The Paris Conference of 1919 and Its Attempt to End War*, London, John Murray, 2001.

MacMunn, Lt-Gen. Sir George, *Gertrude Bell and T.E. Lawrence: The Other Side of Their Stories*, *The World Today*, novembre 1927.

Mallet, Louis, lettera a Sir Edward Grey, 20 maggio 1914, DUL, 303/1/2.

McEwan, Cheryl, *The Admission of Women Fellows to the Royal Geographical Society*, *Geographical Journal*, gennaio 1996.

Middlesbrough Transporter Bridge, filmato dell'inaugurazione da parte del principe Arthur nel 1911, Middlesbrough Council, Transporter Bridge Visitor Centre.

Mill, John Stuart, *On the Probable Futurity of the Labouring Classes*, in *Principles of Political Economy*, 2 voll., London, John W. Parker, 1848, vol. II, book IV, chapter VII (*Principi di economia politica*, a cura di B. Fontana, 2 voll., Milano, Il Sole 24 Ore, 2010).

– *The Subjection of Women*, Indianapolis, Hackett Publishing Co., 1988 (*La servitù delle donne*, trad. e pref. di A.M. Mozzoni, Lanciano, Carabba, 2011, rist. anastatica dell'ed. or., Lanciano, Carabba, s.d.).

Montgomery of Alamein, Lord, *A History of Warfare*, London, William Collins, 1968 (*Storia delle guerre*, Milano, Rizzoli, 1970).

Moorhead, Alan, *Gallipoli*, Australia, Macmillan, 1975.

The Battle of Neuve Chapelle, 1915, www.firstworldwar.com e www.1914-1918.net.

O'Brien, Rosemary, *Gertrude Bell, the Arabian Diaries 1913-1914*, Syracuse (NY), Syracuse University Press, 2000.

Officer, Lawrence H., *Comparing the Purchasing Power of Money in Great Britain from 1264 to 2002*, Economic History Services, 2004, www.eh.net.

Owen, Roger, *Lord Cromer and Gertrude Bell*, History Today, vol. 54, n. 1, gennaio 2004.

Women at Oxford, University of Oxford, www.ox.ac.uk.

Persian Poetry, recensione di *Poems from the Divan of Hafiz*, Bookman, agosto 1928.

Petticoats and Harnesses, Women in the History of Climbing, www.womenclimbing.com, storia.

Phillips, Melanie, *The Ascent of Woman*, Boston (Mass.), Little, Brown, 2003.

Pope-Hennessy, Una, *Charles Dickens, 1812-1970*, London, Chatto and Windus, 1945.

Pugh, Martin, *The March of the Women*, Oxford, Oxford University Press, 2000.

Queen's College, 1848-1998, pieghevole del centocinquantesimo anniversario del Queen's College, London, 1998.

Ramsay, Sir W.M., *Studies in the History and Art of the Eastern Provinces of the Roman Empire*, Aberdeen University Press, 1906.

Richmond, Lady Elsa (a cura di), *The Earlier Letters of Gertrude Bell*, London, Benn, 1937.

Robins, Elizabeth, *Gertrude Bell*, trascrizione dattiloscritta di trasmissione radio del 1926, RL.

Robson, Eric, *Uncrowned Queen of Iraq, Mysteries*, secondo episodio, Tyne Tees Granada Television.

Roosevelt, Kermit, *War in the Garden of Eden*, New York, Scribner's, 1919.

Royal Society of Chemistry, *A Brief History of the RSC*, gennaio 2006, www.rsc.org.

Russell, Hon. R., *London Fogs*, London, Edward Stanford, 1880.

Sackville-West, Vita, *Passenger to Teheran*, New York, Moyerbell, 1990 (*Passaggio a Teheran*, trad. di M. Premoli, Milano, Net, 2007).

Schulman, Nicola, *A Rage for Rock Gardening*, London, Short Books, 2001.

Sengupta, Ken, *Pillaging the Gardens of Babylon*, Independent, 9 novembre 2005.

Simons, Geoff, *Iraq: From Sumer to Saddam*, London, Macmillan e New York, St Martin's Press, 1998.

Simpson, John, *Gertrude Bell and the formation of Iraq*, News 24, 15 gennaio 2006.

Snelling, Stephen, *Heroes of the Bronze Cross (Norfolk), Charles Hotham Doughty-Wylie (1868-1915)*, www.edp24.co.uk.

– *VCs of the First War – Gallipoli*, Naval and Military Press, 1995.

Solomon, Gwladys Gladstone, *Letters to Lloyd George*, National League for Opposing Woman Suffrage, Women's Library.

Stephen [Woolf], Virginia, *Flight of the Mind: The Letters of Virginia Woolf*, vol. 1, London, Hogarth Press, 1975 (*Il volo della mente: lettere 1888-1912*, a cura di N. Nicolson e J. Trautmann, trad. di A. Cane, Torino, Einaudi, 1980).

Steuart Erskine, Mrs, *King Faisal of Iraq*, London, Hutchinson, 1933.

Storrs, Ronald, *Orientations*, London, Nicolson & Watson, 1945.

Strzygowski, Josef, *Kleinasien: ein Neuland der Kunstgeschichte*, Leipzig, 1903.

Resoconto del funerale di Gertrude Bell, *The Times*, 13 luglio 1926.

Tibble, Anne, *Gertrude Bell*, London, Adam & Charles Black, 1958.

– *One Woman's Story*, London, Peter Owen, 1976.

Treves, Frederick, *Boulogne under the Red Cross*, Red Cross, febbraio 1915, p. 39 (anche *The Times*, 25 gennaio 1915, www.newspapers.com/newspage/33265029/).

A Great Figure, What Miss Bell Has Done for Iraq, Times of India, Bombay, 8 agosto 1926.

Captain G.N. Walford VC Royal Field Artillery 29th Division, menzione d'onore per la Victoria Cross, *London Gazette*, 22 giugno 1915, tratto da *V Beach Cemetery*, battlefields1418.50megs.com/v_beach_cemetery.htm.

Walker, Christopher, *The Foreign Office and Foreign Policy, 1919-1926*, History Today, gennaio 1997.

Wallach, Janet, *Desert Queen*, London, Weidenfeld & Nicolson, 1996 (*Desert Queen: la vita straordinaria di Gertrude Bell, avventuriera, consigliera di re, alleata di Lawrence d'Arabia*, a cura di C. Menghini Dominco, Milano, Greco & Greco, 2005).

Wang, Kirsten, *Deeds and Words, The Biography of Dame Florence Bell, 1851-1930*, manoscritto inedito.

Ward, Philip, *Ha'il*, Cambridge, Oleander Press, 1983.

Weintraub, Stanley, *The Importance of Being Edward, King in Waiting*, London, John Murray, 2000.

Weizmann, Chaim, lettera al generale Clayton, 6 dicembre 1918, DUL, 693/14/9.

Whymper, Edward, *Scrambles among the Alps in the Years 1860-69*, J.P. Lippincott, 1873.

Wilson, A.T., lettera, *My Dear Frank*, 20 gennaio 1921, DUL, 303/1/95.
– lettera, *My Dear Frank*, 20 ottobre 1921, DUL, 303/1/99.
– lettera, *My Dear Frank*, 22 luglio 1922, DUL, 303/1/111.
– lettera, 17 giugno 1922, DUL, 303/1/110.
– *Loyalties: Mesopotamia: A Personal and Historical Record*, New York, Greenwood Press, 1930.
Woodrow Wilson, The White House, www.whitehouse.gov.
Wingate, General Sir Reginald, lettere, DUL.
Winstone, H.V.F., *The Illicit Adventure*, London, Jonathan Cape, 1982.
– *Gertrude Bell*, London, Barzan Publishing, 2004.
Woolley, C. Leonard, e Lawrence, T.E., *The Wilderness of Zin*, London, Stacey International, 2003.
The Working of the Wounded and Missing Enquiry Department, rapporto al Joint War Committee, primavera 1915.
Yoltas, Niyazi, *The Whirling Dervishes and the Stories from Mevlana*, Istanbul, Minyatur Publications, s.d.

Siti web di alpinismo
Alpenkalb, informazioni alpinistiche, Finsteraarhorn, 2003, Engelhorner, 2003, www.summitpost.com.
– fotografie e immagini, Engelhorner, 2003, Schreckhorn, 2002, Les Droites, 2001-3, www.summitpost.com.
Ginat, Jackson, informazioni alpinistiche, Brèche des Droites, www.summitpost.com.
Liu, Rachel Maria, informazioni alpinistiche, Ulrichshorn, 2003, www.summitpost.com.
Matterhorn, arrampicata e sentieri, fotografie, 2004, www.ski-Zermatt.com.
Mountaindoc, informazioni alpinistiche, Lauteraarhorn, 2003, www.summitpost.com.
Om, informazioni alpinistiche, Barre des Écrins, 2003, La Meije, 2003, www.summitpost.com.
Peakware, Matterhorn, Schreckhorn, Bernese Oberland, Finsteraarhorn, Mont Blanc, 2004, www.peakware.com.
Sahaguin, Diego, informazioni alpinistiche, Schreckhorn, www.summitpost.com.
Schreckhorn, www.summitpost.com, Grindelwald, www.clashohm.com.
Taugwalder, Matthias, Matterhorn-Zermatt Switzerland, 2004, www.panoramas.dk.

Cronologia

1807 Il bisnonno Thomas Bell, fabbricante di prodotti alcalini a Jarrow, apre una fonderia di ferro con James Losh e George Wilson a Walker, nei pressi di Newcastle upon Tyne.

1816 Il nonno, Isaac Lowthian Bell, nasce da Thomas e Katherine (nata Lowthian) a Washington New Hall, fratello maggiore di John e Tom.

1832 Il parlamento britannico approva la Grande Riforma.

1836 A Walker, Lowthian lavora nelle ferriere del padre, di cui in seguito diverrà socio.

1837 La regina Vittoria succede a Guglielmo IV.

1842 Lowthian sposa Margaret Pattinson, figlia di Hugh Lee Pattinson, membro della Royal Society.

1844 Il padre di Gertrude, Thomas Hugh Bell, nasce a Walker, fratello maggiore di Charles, Mary (Maisie), Florence, Ada e Sophie. Nasce la madre di Gertrude, Maria (Mary) Shield.

1845 Alla morte del padre, Lowthian Bell assume la direzione delle ferriere di Walker.

1850 Lowthian apre l'azienda chimica di Washington con Hugh Pattinson. Con Newall è tra i primi a produrre cavi d'acciaio e cavi subacquei (la società diventa Brunner Mond nel 1872).

1851 Esposizione universale al Crystal Palace di Londra. La futura matrigna di Gertrude, Florence, nasce dal dottor Sir Joseph e da Lady Olliffe (nata Cubitt).

1852 Lowthian Bell apre la fonderia di ferro Bell Brothers con i fratelli John e Thomas.

1854 Lowthian viene eletto sindaco di Newcastle (e di nuovo nel 1863); apre le ferriere di Clarence, a Middlesbrough.

1857 Posa del primo cavo atlantico utilizzando 1280 miglia di cavo Washington.

1860 Lowthian è tra i primi a produrre alluminio, a Washington.

1865 Lowthian fonde la sua Cleveland Railway con la North Eastern Railway Company (in seguito London and North Eastern Railway).

1867 23 aprile: Hugh Bell sposa Maria (Mary) Shield.

1868 14 luglio: Gertrude Margaret Lowthian Bell (GLB) nasce nella casa del nonno, Washington New Hall, nella contea di Durham.

1869 Lowthian Bell è tra i fondatori del British Iron and Steel Institute.

1870 Hugh Bell si trasferisce con la famiglia nella recentemente costruita Red Barns, a Redcar, presso Middlesbrough.

1871 Guerra franco-prussiana. La famiglia Olliffe è evacuata dall'ambasciata britannica a Parigi all'appressarsi delle truppe prussiane.
29 marzo: nasce il fratello di GLB, Maurice Hugh Lowthian Bell.
19 aprile: all'età di ventisette anni muore la madre, Mary Bell. La casa è amministrata da Ada, sorella di Hugh.

1872 Lowthian Bell inizia la costruzione di Rounton Grange in una proprietà acquistata di recente nei pressi di Northallerton.

1874 Hugh Bell viene eletto sindaco di Middlesbrough.

1875 Lowthian Bell viene eletto *fellow* della Royal Society e parlamentare liberale per Hartlepool.

1876 Sir Edward Poynter dipinge il ritratto di Gertrude e Hugh. Rounton Grange viene completata.
10 agosto: Hugh Bell sposa Florence Eveleen Eleanore Olliffe.

1877 Lowthian Bell è tra i fondatori del British Institute of Chemistry (in seguito, Royal Institute). La regina Vittoria è dichiarata imperatrice dell'India.

1878 Lowthian Bell riceve la Legion d'onore.
Nasce Hugh (Hugo), fratellastro di GLB.

1879 Nasce Elsa, sorellastra di GLB.

1880 Lowthian Bell si dimette dal parlamento.

1881 Nasce Mary (Molly), sorellastra di GLB.

1882 Si costituisce la Forth Bridge Company per la costruzione del ponte più grande del mondo, e Hugh Bell ne diventa direttore.

1884 Lowthian Bell viene nominato sceriffo della contea di Durham; ricostruisce la chiesa di East Rounton. Hugh è rieletto sindaco di Middlesbrough. Viene varato il traghetto sul Tees di Hugh Bell.
Aprile: GLB frequenta il Queen's College, a Londra, e abita presso la nonna acquisita, Lady Olliffe, al numero 95 di Sloane Street.

1885 Lowthian Bell accetta il titolo di baronetto. Maurice Bell inizia gli studi a Eton, dove rimane sino al 1889.

1886 Aprile: GLB frequenta il Lady Margaret Hall, Università di Oxford.
Luglio-agosto: alloggia presso una famiglia a Weilheim, in Germania.
Muore la nonna, Dame Margaret Bell.

1887 Muore il prozio John Bell, socio in affari di Sir Lowthian.

1888 Giugno: GLB si laurea a Oxford con il massimo dei voti.
Dicembre: soggiorna a Bucarest presso Sir Frank e Mary Lascelles (zia).

Conosce Valentine Chirol e Charles Hardinge. Diventa amica della regina Elisabetta di Romania (alias Carmen Sylva).

1889   Il cugino Billy Lascelles accompagna GLB a Costantinopoli. Ritornano in Inghilterra passando per Parigi.
Giugno: la famiglia in vacanza in Alsazia.
GLB sostituisce la matrigna nell'amministrazione di Red Barns e si dedica ad attività filantropiche a Middlesbrough.
GLB debutta alla stagione londinese ed è presentata alla regina Vittoria.
Ricomincia la guerra in Sud Africa dopo l'assalto dei Boeri alla colonia del Capo.

1890   GLB partecipa alle attività del gruppo di Florence, che studia le condizioni di vita delle famiglie operaie, e diventa tesoriera del suo comitato.

1891   Washington New Hall è ceduta e diventa orfanotrofio, con il nome di Dame Margaret's Hall.

1892   Hugh Bell si candida al parlamento per il Partito unionista e non è eletto.
Aprile: GLB si reca in Persia con la cugina Florence Lascelles e soggiorna presso i suoi genitori, a Teheran. Studia il persiano e comincia a leggere Hafez.
In Persia GLB inizia un rapporto sentimentale con il segretario di ambasciata Henry Cadogan e accetta di fidanzarsi con lui.
Dicembre: GLB ritorna a Londra con il cugino Gerald Lascelles. I genitori le negano il permesso di sposare Cadogan.

1893   Muore Cadogan.
Gennaio: GLB si reca in Svizzera e in Italia settentrionale con Mary Talbot.
Aprile: si reca ad Algeri con il padre per far visita a Lizzie, vedova del prozio John Bell.
Maggio: ritorna a Londra con Mary Talbot passando per la Svizzera e per Weimar, dove abita Maurice.
Giugno-dicembre: GLB in Inghilterra, studia persiano e latino, inizia a studiare arabo.

1894   Gennaio-febbraio: viaggio in Italia di GLB e Hugh.
Marzo-luglio: GLB in Inghilterra; pubblicazione di *Safar Nameh: Persian Pictures*.
Agosto-settembre: vacanza con la famiglia a Parigi, in Svizzera e in Austria.

1895   Agosto: vacanza con la famiglia in Svizzera.
Settembre: GLB in Inghilterra, lavora a *The Divan of Hafiz*.

1896   Marzo-aprile: visita l'Italia con Hugh e prende lezioni di italiano.
Sir Lowthian riceve l'onorificenza Albert Medal of the Royal Society of Arts.

Luglio-agosto: vacanza con la famiglia in Svizzera.

Settembre: GLB fa visita ai Lascelles, l'ambasciatore, Sir Frank, e Lady Mary, nella casa di campagna dell'ambasciata, a Potsdam.

Ottobre-dicembre: torna in Inghilterra; continua gli studi di persiano e di arabo.

1897 Gennaio-marzo: con la sorella Florence fa visita ai Lascelles a Berlino; prende il tè con l'imperatore e l'imperatrice di Germania.

Aprile: muore Lady Mary Lascelles.

Giugno: pubblicato *The Divan of Hafiz*.

Luglio-agosto: GLB inizia ad arrampicare durante una visita con la famiglia a La Grave, Svizzera.

Dicembre: GLB e Maurice compiono un viaggio intorno al mondo (Indie occidentali, Messico, San Francisco, Honolulu, Giappone, Cina, Singapore, Hong Kong, Birmania), poi tornano per Egitto, Grecia e Costantinopoli.

1898 Sir Lowthian acquista la proprietà di Mount Grace Priory e restaura la casa.

Giugno: GLB e Maurice rientrano in Inghilterra.

Agosto-settembre: vacanza di famiglia nei pressi di Fort William, Scozia.

Ottobre: GLB in Inghilterra, studia il persiano con Sir Denison Ross.

1899 Marzo: GLB fa un viaggio in Italia, poi incontra Hugh ad Atene; studia le antichità greche e conosce l'archeologo David Hogarth; ritorna sola per Costantinopoli, Praga e Berlino.

Agosto: si reca a Bayreuth per il festival musicale.

Agosto-settembre: scala Meije e Les Écrins.

Settembre-novembre: GLB in Inghilterra; la Bell Brothers diventa una società pubblica.

Novembre: GLB si reca a Gerusalemme e soggiorna presso i Rosen, al consolato tedesco; via Damasco si reca a Baalbek e a Beirut, Atene e Smirne; studia l'arabo e l'ebraico.

1900 Gennaio: Maurice Bell parte per la guerra boera come comandante dei volontari del reggimento Yorkshire; muore zia Ada.

Febbraio-giugno: primi viaggi nel deserto di GLB, Gerusalemme, Palmira, Damasco, Baalbek, Beirut.

Giugno-luglio: GLB in Inghilterra.

Agosto-settembre: sulle Alpi, scala il Monte Bianco, il Grépon e il Dru.

Settembre-dicembre: GLB in Inghilterra.

1901 Gennaio-febbraio: a Londra, assiste al corteo funebre della regina Vittoria; Edoardo VII succede al trono.

Marzo-agosto: GLB a Redcar e a Londra; Sir Lowthian vende la maggioranza del pacchetto azionario delle società Bell e realizza la fusione con Dorman Long (nel 1902), ottenendo una cospicua distribuzione di fondi. Hugh assume la direzione di tutte le associate Bell.

Agosto: nell'Oberland Bernese, GLB scala Schreckhorn e Engelhorn; Gertrudspitze prende il nome da lei.

Settembre-dicembre: in Inghilterra, si dedica alla fotografia.

1902 Gennaio-maggio: si reca con il padre e con Hugo a Malta; poi in Sicilia; incontra Winston Churchill; prosegue sola per Grecia, Turchia, Libano e Palestina. Maurice Bell ritorna dal Sudafrica ferito. Con un assalto notturno Ibn Saud riconquista Riyad, scacciando la dinastia Rashid.

Maggio: si conclude la guerra boera.

Luglio: GLB in Svizzera; tracciando nuove vie giunge quasi alla vetta del Finsteraarhorn e soffre di congelamento.

Settembre-novembre: in Inghilterra, assume Marie Delaire come cameriera.

Novembre: GLB parte per il secondo giro del mondo con Hugo.

1903 Gennaio: a Delhi, assiste al *durbar* come ospite del viceré.

Gennaio-luglio: viaggia in Afghanistan, Himalaya, Birmania, Singapore, Hong Kong, Cina, Corea, Giappone, Vancouver, Montagne Rocciose (dove arrampica), Canada, Boston.

Luglio: ritorna in Inghilterra con Hugo.

1904 Gennaio: la sorella Molly sposa Charles Trevelyan.

Febbraio: Sir Lowthian dona cinquemila sterline a ciascuno dei suoi nipoti.

Aprile: *Entente Cordiale* fra Regno Unito e Francia.

Agosto: GLB a Zermatt, scala il Matterhorn.

Settembre-novembre: GLB in Inghilterra.

Dicembre: studia antichità a Parigi con Salomon Reinach.

20 dicembre: Sir Lowthian muore all'età di ottantotto anni nella sua casa londinese, al numero 10 di Belgrave Terrace; Hugh eredita il titolo di baronetto e 750.000 sterline.

Dicembre: GLB intraprende un viaggio archeologico (Parigi, Marsiglia, Napoli, Beirut, Haifa, Gerusalemme), poi si addentra nel deserto (gebel Druso, Damasco, Homs, Baalbek, valle dell'Oronte, Aleppo); prosegue a cavallo (Antiochia, Osmaniye, Adana, Tarso, Karaman); poi in treno per Konya, esplora Binbirkilisse.

1905 Aprile: assume Fattuh, suo principale servo durante i futuri viaggi nel deserto.

Maggio: soggiorna a Costantinopoli prima di tornare in Inghilterra.

Giugno-settembre: in Inghilterra, inizia a scrivere *The Desert and the Sown*; Sir Hugh si trasferisce con la famiglia a Rounton Grange.

Ottobre: GLB studia manoscritti antichi a Parigi con Reinach; scrive un saggio sulla geometria della struttura cruciforme.

Novembre-dicembre: in Inghilterra, inizia a trasformare i giardini di Rounton Grange.

6 dicembre-febbraio: viaggio a Gibraltar, Tangeri, Spagna e Parigi con Sir Hugh.

1906 Febbraio-dicembre: GLB in Inghilterra; Sir Hugh è nominato lord luogotenente di North Riding (carica venticinquennale).
Dicembre: GLB e Sir Hugh arrivano al Cairo, dove Hugo li raggiunge dall'Australia.

1907 Febbraio: ritorno in Inghilterra, ritardato dalla malattia di Sir Hugh.
Febbraio-marzo: GLB in Inghilterra.
Marzo-luglio: in Turchia, viaggio a cavallo attraverso l'Anatolia per visitare siti antichi; collabora con il professor Sir William Ramsay a Binbirkilisse; incontra Dick Doughty-Wylie.
Luglio: la sorella Elsa sposa Hubert, che diventerà l'ammiraglio Sir Hubert Richmond.
Agosto: GLB accompagna Fattuh in ospedale a Costantinopoli; ospite del gran visir.
Agosto-dicembre: GLB in Inghilterra; è pubblicato *The Desert and the Sown*.

1908 Il Comitato di unione e progresso dei Giovani Turchi si ribella al sultano: impiegherà altri sei anni per completare la conquista del potere nell'Impero ottomano.
GLB in Inghilterra per tutto l'anno; segretaria onoraria della Lega nazionale antisuffragista; redige la prima stesura dell'opera *The Thousand and One Churches*; vacanze in Galles settentrionale con Valentine Chirol e Frank Balfour.
Benché non abbia alcun mandato ufficiale, Doughty-Wylie si prodiga, con l'aiuto di alcuni soldati turchi, per impedire il massacro degli armeni poi, rimasto ferito, organizza i soccorsi per ventiduemila profughi.
Settembre: Hugo Bell è ordinato sacerdote e diventa curato di Guiseley, Leeds.
Ottobre: GLB studia topografia e cartografia presso la Royal Geographical Society.

1909 Gennaio-luglio: viaggi in Siria e in Mesopotamia; GLB a cavallo costeggia l'Eufrate fino a Baghdad, compie misurazioni a Ukhaidir, poi segue il Tigri sino in Turchia.
Luglio: in Inghilterra; è pubblicato *The Thousand and One Churches*; GLB disegna il palazzo di Ukhaidir; scrive dei monasteri armeni per Josef Strzygowski; incontra Sir Percy Cox, con cui discute progetti di viaggi nel deserto; inizia la stesura di *Amurath to Amurath*; continua a curare i giardini di Rounton, che stanno diventando un modello da imitare.
La matrigna, Florence, è prima presidentessa della succursale della Croce Rossa britannica a North Riding (fino al 1930).

1910 Febbraio: GLB visita siti archeologici in Italia; si reca in volo a Monaco. Hugh Bell si candida per i liberali a Londra senza successo. Giorgio V succede a Edoardo VII.

1911 Gennaio-maggio: GLB da Beirut e Damasco attraversa il deserto sino a Baghdad per verificare le misurazioni compiute a Ukhaidir; viaggia lungo il Tigri.
Maggio: incontra T.E. Lawrence a Karkemis, in Siria, mentre lavora per David Hogarth.
Giugno: ritorna in Inghilterra; è pubblicato *Amurath to Amurath*.

1912 GLB in Inghilterra per tutto l'anno; partecipa a una raccolta fondi internazionale per i soccorsi a Costantinopoli dopo il grande incendio; crea un nuovo giardino d'acqua a Rounton; incontra Dick Doughty-Wylie a Londra.

1913 Gennaio-novembre: GLB in Inghilterra; eletta *fellow* della Royal Geographical Society; riceve il Gill Memorial Award e un teodolite, prima donna a ottenere un riconoscimento della Royal Geographical Society; completa *The Palace and Mosque of Ukhaidir*.
Woodrow Wilson diventa il ventottesimo presidente degli Stati Uniti d'America.
Novembre: GLB si reca a Damasco per organizzare il viaggio ad Ha'il, con l'intento di incontrare Ibn Saud a Riyad.
Dicembre: GLB parte con la sua carovana per Ha'il.

1914 Marzo: GLB arriva ad Ha'il, dove è confinata agli arresti domiciliari.
Marzo-maggio: liberata, continua il viaggio per Baghdad, attraverso i deserti mesopotamico e siriano; torna in Inghilterra.
Giugno: Churchill persuade il parlamento britannico ad approvare l'acquisto, da parte dell'ammiragliato, del cinquantuno per cento della compagnia petrolifera anglopersiana in modo da assicurare combustibile alla marina militare.
14 giugno: l'arciduca Ferdinando d'Austria è assassinato a Sarajevo.
Luglio: GLB riceve la medaglia d'oro della Royal Geographical Society.
Agosto: inizia la prima guerra mondiale; GLB pronuncia discorsi per esortare all'arruolamento; è pubblicato *The Palace and Mosque at Ukhaidir*; Maurice è mobilitato come tenente colonnello, comandante del quarto battaglione del reggimento Green Howards.
Ottobre: la Turchia entra in guerra come alleata della Germania.
Un corpo di spedizione dell'esercito dell'India britannica occupa lo Shatt al Arab e installa una base a Bassora.
Novembre: GLB lavora all'ospedale di Lord Onslow, a Clandon Park, Surrey.
Dicembre: GLB assume la direzione dell'Ufficio feriti e dispersi della Croce Rossa, a Boulogne.

1915 Aprile: in Francia, sul fronte occidentale, Maurice Bell guida un attacco a Fortuin.

Lady Florence organizza un ospedale della Croce Rossa al Rounton Village Institute.

Aprile-novembre: GLB apre l'Ufficio feriti e dispersi della Croce Rossa a Londra.

26 aprile: Dick Doughty-Wylie muore a Gallipoli.

Maggio: il primo ministro britannico, il liberale Asquith, invita i conservatori di Bonar Law a entrare in una coalizione di governo; Churchill costretto a rassegnare le dimissioni dall'ammiragliato.

Settembre: i britannici vincono una battaglia decisiva contro l'esercito turco a Kut e avanzano sino a Ctesifonte, nei pressi di Baghdad.

17 novembre: GLB lascia Sloane Street.

20 novembre: s'imbarca a Marsiglia.

26 novembre: cena con Lawrence e Hogarth a Porto Said. Probabilmente si reca ai Dardanelli.

30 novembre: GLB giunge al Cairo.

Novembre-dicembre: lavora per Gilbert Clayton, capo del servizio segreto militare e civile.

Novembre: gli inglesi sono sconfitti dai turchi a Ctesifonte e si ritirano a Kut.

Dicembre: gli inglesi sono circondati a Kut; inizia l'assedio.

1916 Gennaio-febbraio: GLB in India, consiglia il viceré; l'Ufficio arabo al Cairo ottiene l'autorizzazione.

Febbraio-dicembre: GLB, con il grado di maggiore, si reca a Bassora come assistente politica del capo degli ufficiali con mansioni politiche, Sir Percy Cox, e si presenta all'ufficiale generale comandante del corpo di ispezione indiano in Iraq.

Febbraio: Hogarth inizia la pubblicazione dell'*Arab Bulletin* quale periodico del servizio informazioni; GLB ne è la principale collaboratrice.

Marzo: gli inglesi evacuano Gallipoli; Maurice è ferito in Francia.

Aprile: T.E. Lawrence tenta di corrompere i turchi affinché tolgano l'assedio a Kut; ha lunghe discussioni con GLB.

I turchi entrano a Kut e massacrano la popolazione; molti soldati britannici muoiono durante il trasferimento a marce forzate nel Nord.

Maggio: l'accordo segreto Sykes-Picot anticipa la divisione postbellica delle sfere d'influenza in Medio Oriente tra Francia, Regno Unito e Russia.

Giugno: GLB è nominata capo della succursale irachena dell'Ufficio arabo come ufficiale del corpo di spedizione indiano D, con base a Bassora.

Maurice è congedato dal servizio attivo per invalidità.

La famiglia hashemita guida la rivolta araba contro i turchi nell'Arabia occidentale.

Settembre: GLB è ricoverata in ospedale per itterizia, poi è in vacanza sull'Eufrate.

Ottobre: Cox firma un trattato con Ibn Saud.

Novembre: GLB organizza una visita di Ibn Saud a Bassora.

L'emiro ashemita Hussain, *sharif* della Mecca, è proclamato re dell'Hegiaz.

Dicembre: Lloyd George diventa primo ministro.

1917 Gennaio-marzo: GLB rimane a Bassora come segretaria diplomatica per l'Oriente dell'amministrazione civile di Sir Percy Cox, nonché come capo dell'Ufficio arabo in Iraq.

Gennaio: in Arabia occidentale l'emiro Faysal e T.E. Lawrence si pongono in marcia con l'esercito arabo verso settentrione.

Marzo: Baghdad è abbandonata dall'esercito turco e occupata dai britannici.

Aprile: il presidente Wilson chiede al Congresso degli Stati Uniti d'America di dichiarare guerra alla Germania; truppe americane impegnate in Francia.

GLB si trasferisce a Baghdad dopo avere risalito il Tigri con un viaggio di nove giorni.

Maggio: occupa la sua casa permanente a Baghdad.

Luglio: Lawrence conquista Aqaba con le forze irregolari arabe.

Cox è nominato commissario civile della Mesopotamia e si presenta al segretario di stato per l'India a Londra.

Agosto: i britannici sconfiggono l'esercito turco a Gaza.

Ottobre: i bolscevichi assumono il controllo della rivoluzione russa; truppe cosacche commettono atrocità nella Mesopotamia settentrionale.

Il consiglio dei ministri britannico approva la dichiarazione Balfour, annunciata il 2 novembre, impegnandosi a favorire «la creazione in Palestina di una sede nazionale per il popolo ebraico».

GLB riceve l'onorificenza di Dama Comandante dell'Ordine dell'Impero britannico; è ricoverata in ospedale per esaurimento.

Novembre: nominata curatrice di *Al Arab*; scrive *The Arab of Mesopotamia*.

Dicembre: i britannici conquistano Gerusalemme.

1918 Gennaio: il presidente Wilson pronuncia il discorso dei Quattordici punti, l'ultimo dei quali sollecita la creazione di «un'associazione delle nazioni».

Febbraio: la Russia conclude la pace con la Germania; le truppe alleate combattono l'Armata Rossa in Russia.

Marzo: GLB riceve la Founder's Medal della Royal Geographical Society.

Luglio: GLB in vacanza a cavallo sui monti persiani; le donne di età superiore ai trent'anni ottengono il diritto di voto nel Regno Unito.

Settembre: GLB organizza un *durbar* degli sceicchi in Iraq.

Cox è assegnato a Teheran e temporaneamente sostituito da Sir Arnold

Wilson in qualità di sostituto commissario civile; restrizioni imposte alle funzioni di GLB.

Lady Florence nominata Dama Comandante dell'Ordine dell'Impero britannico per l'opera prestata alla Croce Rossa; Sir Hugh è nominato Commendatore dell'Ordine dell'Impero britannico.

Ottobre: l'esercito dell'emiro Faysal conquista Damasco con Lawrence; i turchi combattono l'ultima battaglia a Sharqat, poi si ritirano; i turchi firmano l'armistizio di Moudros, che sancisce la fine dell'Impero ottomano.

Novembre: gli Alleati firmano l'armistizio con la Germania.

Dicembre: GLB inaugura le serate del martedì per le mogli dei notabili arabi; l'influenza spagnola giunge a Baghdad.

1919   Marzo: GLB redige un documento sul futuro della Mesopotamia per la conferenza di pace di Parigi, a cui presenzia sino all'arrivo di A.T. Wilson.

Aprile-maggio: GLB viaggia in Francia e visita Algeri con Sir Hugh; ritorna alla conferenza di pace.

Maggio-settembre: GLB in Inghilterra.

Giugno: la Germania accetta le condizioni di pace e firma il trattato di Versailles; termina la prima guerra mondiale; viene fondata la Società delle Nazioni.

Settembre: GLB visita Il Cairo, Gerusalemme, Damasco, Beirut, Aleppo. Mentre sollecita l'adesione degli Stati Uniti d'America alla Società delle Nazioni, il presidente Wilson subisce un ictus che lo rende invalido.

Settembre: il senato non ratifica l'adesione degli Stati Uniti alla Società delle Nazioni.

Novembre-dicembre: GLB ritorna a Baghdad e inizia a scrivere *Review of the Civil Administration of Mesopotamia*; Marie Delaire si stabilisce permanentemente con lei a Baghdad.

1920   Gennaio: l'Ufficio arabo chiude; GLB si reca al sito archeologico di Babilonia.

Febbraio: GLB organizza il finanziamento di un ospedale femminile a Baghdad.

Marzo: l'emiro Faysal è eletto e incoronato re di Siria.

Marzo-aprile: Sir Hugh visita Baghdad.

Aprile: la conferenza di Sanremo stabilisce le condizioni del mandato britannico sull'Iraq durante il processo di indipendenza.

GLB redige rapporti annuali sulle condizioni dell'Iraq richiesti dalla Società delle Nazioni.

Giugno: Cox si reca in visita ufficiale a Baghdad; muore Sir Frank Lascelles.

Luglio: la Francia occupa Damasco; viene deposto re Faysal.

Agosto: trattato di Sèvres fra gli Alleati e la Turchia.

Ottobre: Cox ritorna come alto commissario per l'Iraq; il *naqib* di Baghdad forma un governo provvisorio arabo; A.T. Wilson si ritira a vita privata.

GLB inizia a redigere rapporti quattordicinali sui progressi dell'amministrazione in Iraq per il ministero delle Colonie.

Novembre: assume di nuovo la carica di segretaria diplomatica per l'Oriente; prima riunione del consiglio di stato iracheno.

Dicembre: è pubblicato *Review of the Civil Administration of Mesopotamia*, presentato al parlamento.

1921 Febbraio: Churchill è nominato segretario di stato per le Colonie, inclusa la responsabilità per il Medio Oriente.

Marzo: GLB presenzia alla conferenza del Cairo; vacanza in Egitto con Sir Hugh; ritorna a Baghdad.

23 giugno: l'emiro Faysal arriva a Bassora.

29 giugno: incontra GLB al proprio arrivo a Baghdad.

GLB eletta presidentessa della nuova biblioteca pubblica di Baghdad.

Ibn Saud conquista Ha'il; fine della dinastia Rashid; gli Shammar fuggono in Iraq; sciopero di tre mesi dei minatori britannici contro l'industria dell'acciaio.

Luglio: GLB annuncia i risultati del referendum in Iraq; Faysal è proclamato re dal *naqib* per conto del consiglio iracheno.

Agosto: Faysal ibn Hussain ibn Ali è incoronato Faysal I d'Iraq.

Settembre: il re invita il *naqib* a formare un governo.

Novembre: Hugo, fratello di GLB, sposa Frances Morkill.

1922 Aprile-maggio: l'assemblea costituente dell'Iraq approva la legge elettorale; Sir Hugh raggiunge GLB a Gerusalemme.

Luglio: GLB redige un progetto di legge sulle antichità per l'Iraq.

Agosto: il patrimonio della famiglia Bell diminuisce durante la recessione internazionale.

Ottobre: nell'intento di rispettare i termini del mandato, Cox e il primo ministro, il *naqib*, firmano un trattato di alleanza fra Iraq e Regno Unito, concordando venti anni di occupazione britannica con funzioni di consulenza.

13 ottobre: Faysal promulga il trattato.

Ottobre: gli Alleati e la Turchia firmano il trattato di pace, concludendo ufficialmente la guerra.

La casa editrice Macmillan dona dei libri alla biblioteca pubblica di Baghdad.

Cade il governo di coalizione formato da Lloyd George per affrontare l'emergenza della guerra; il partito conservatore di Bonar Law vince le elezioni; il duca di Devonshire sostituisce Churchill con responsabilità per il Medio Oriente; Charles Trevelyan viene eletto parlamentare per Newcastle upon Tyne.

Con l'approvazione del governo iracheno, Faysal nomina GLB direttrice onoraria delle antichità per l'Iraq.

Il maresciallo dell'aria Sir John Salmond assume il comando delle forze britanniche; la RAF è incaricata di controllare il dissenso tribale in Iraq.

Dicembre: Sir Henry Dobbs arriva come probabile futuro alto commissario, in carica durante il viaggio di Cox a Londra; GLB riceve la richiesta di rimanere segretaria diplomatica per l'Oriente; Cox firma accordi con Ibn Saud.

1923 Febbraio: è approvata la legge organica, cioè la costituzione.

Aprile: Cox firma un trattato che riduce a quattro anni la durata dell'occupazione consultiva.

Maggio: Cox cede la carica di alto commissario e lascia l'Iraq.

Il trattato con il Regno Unito annuncia l'indipendenza della Transgiordania sotto l'emiro Abdullah.

Luglio-agosto: GLB torna in Inghilterra via Haifa e soggiorna presso Sir Herbert Samuel, alto commissario per la Palestina; è ritratta da John Singer Sargent; visita i Churchill a Chartwell; corrisponde con Lawrence a proposito della pubblicazione dei *Sette pilastri della saggezza.* .

Luglio: la Società delle Nazioni ratifica il trattato di pace con la Turchia alla conferenza di Losanna.

Settembre: GLB modifica il proprio testamento, lasciando seimila sterline al British Museum per una scuola britannica di archeologia per l'Iraq.

Ottobre: ritorna a Baghdad con Sylvia Henley; fonda il Museo nazionale iracheno.

1924 Gennaio: Ramsay MacDonald forma il primo governo laburista in coalizione con i liberali; Charles Trevelyan è ministro dell'Istruzione.

Febbraio: prime elezioni nazionali in Iraq.

Marzo: Dorman Long ottiene l'appalto per la costruzione del Sydney Harbour Bridge.

Re Faysal inaugura l'assemblea nazionale dell'Iraq.

Re Hussain dell'Hegiaz si proclama califfo dell'Islam dopo l'abolizione della carica da parte di Atatürk, ma senza ottenere l'approvazione panislamica.

Settembre: il trattato fra Regno Unito e Iraq è accettato dalla Società delle Nazioni come coerente con il suo Patto sociale.

I Wahhabiti di Ibn Saud assaltano la reggia estiva hashemita di Taif nell'Hegiaz e massacrano la popolazione.

Ottobre: Ibn Saud conquista la Mecca; re Hussain abdica a favore del figlio Ali.

Dicembre: Giorgio V e Faysal ratificano il trattato fra Regno Unito e Iraq.

1925 Gennaio: GLB riferisce alla commissione per il confine turco della Società delle Nazioni.

Luglio-ottobre: GLB si reca in Inghilterra per l'ultima volta; torna a Baghdad via Beirut.

Autunno: Sir Hugh, Dame Florence e Maurice si trasferiscono a Mount Grace Priory per risparmiare e chiudono Rounton Grange.

1926 Gennaio: Ibn Saud spodesta Ali, fratello di Faysal, assume il titolo di re dell'Hegiaz e annette il territorio.

2 febbraio: il fratello Hugo muore di polmonite.

Marzo: Vita Sackville-West soggiorna con GLB in Iraq.

Maggio: sciopero generale in Gran Bretagna; sette mesi di sciopero dei minatori danneggiano gravemente l'industria dell'acciaio.

14 giugno: apre la prima sala del Museo nazionale iracheno.

Luglio: il trattato fra Regno Unito, Iraq e Turchia stabilisce i confini del distretto di Mosul.

12 luglio: GLB muore; funerale militare; è sepolta al cimitero britannico di Baghdad.

Luglio: cerimonia commemorativa alla chiesa di St Margaret, a Westminster.

Al parlamento britannico, i ministri rendono omaggio a GLB.

1927 Si trova il petrolio a Kirkuk.

Dame Florence organizza una solenne cerimonia a Mount Grace Priory alla presenza della regina Mary, parzialmente finanziata dalla vendita di edizioni firmate delle opere di Dickens e di lettere di questi alla famiglia.

Aprile: tributo a GLB presso la Royal Geographical Society, a Londra.

Agosto: è pubblicato *The Letters of Gertrude Bell*, di Dame Florence, la quale organizza una cena commemorativa a cui sono invitati Faysal, il primo ministro Jafar, i Dobbs, i Cox e i Richmond.

1928 Finestra commemorativa dedicata a GLB nella chiesa di St Lawrence, a East Rounton.

1930 Targa commemorativa in bronzo inaugurata da re Faysal; busto di GLB nell'ala principale del Museo nazionale iracheno, che porta il suo nome. Muore Dame Florence Bell.

1931 Muore Sir Hugh Bell; Maurice eredita il titolo di baronetto.

1932 Viene fondata a Londra la Scuola britannica di archeologia per l'Iraq, con una donazione di quattromila sterline da parte di Sir Hugh.

L'Iraq entra a far parte della Società delle Nazioni come stato indipendente.

1933 Muore re Faysal, a cui succede il figlio, Ghazi.

1939 Muore in un incidente motociclistico re Ghazi, a cui succede il figlio, Faysal II.

1940 Rounton Grange è utilizzata per accogliere sfollati della seconda guerra mondiale e prigionieri di guerra italiani.

1947 Una donazione del ministero del Tesoro britannico consente alla Scuola di archeologia di organizzare una spedizione archeologica in Iraq e di fondare una sede permanente a Baghdad.

1950 È demolita Rounton Grange.

1958 Durante un colpo di stato viene assassinato re Faysal II; l'Iraq è dichiarato repubblica.

1991 Gennaio: il Museo nazionale iracheno è chiuso durante la guerra del golfo.

2000 Aprile: viene riaperto il Museo nazionale iracheno.

2003 Aprile: dopo l'invasione dell'Iraq da parte delle forze armate statunitensi e britanniche, il museo è saccheggiato, perdendo circa diecimila reperti, e chiude.

Ringraziamenti

Quando questo libro era soltanto un progetto indefinito, è stata Valerie Pakenham, mia ex collega e amica di lunga data, a esortarmi a scriverlo. Simon Trewin, di Peters Fraser and Dunlop, è stato più che incoraggiante. Abbiamo avuto l'immensa fortuna di beneficiare del sostegno di Macmillan di Londra mediante Georgina Morley, la quale ci ha sempre guidate con inesauribile entusiasmo, accettando senza problemi lo stile biografico alquanto insolito, e poi, insieme a Sarah Crichton, di Farrar Strauss and Giroux di New York, ha curato magistralmente l'opera.

Quando ho scritto per la prima volta di Gertrude Bell per *The Sunday Times Magazine*, ho avuto il privilegio di ottenere l'aiuto di Lesley Gordon, archivista della Robinson Library, University of Newcastle upon Tyne, nonché custode dell'archivio Gertrude Bell, che ha dedicato la propria vita alla memoria di Gertrude. Ha compilato il catalogo e ha fornito il materiale per la mostra del British Council dedicata a Gertrude Bell nel 1994. Gli autori e gli storici dovranno esserle grati in eterno per avere curato il Gertrude Bell Project, mediante il quale ha raccolto fondi per rendere disponibili in Internet i diari, le lettere e settemila fotografie di Gertrude. Allorché le abbiamo scritto per informarla del libro, siamo rimaste rattristate nell'apprendere della sua morte. Nondimeno abbiamo potuto beneficiare ugualmente del suo aiuto, perché il suo opuscolo, *Gertrude Bell 1868-1926*, è la miglior guida che si possa sperare di trovare.

La nostra ricerca di documenti originali è stata facilitata dalla pazienza dei bibliotecari e degli archivisti della Robinson Library, Helen Arkwright, Melanie Wood, Elaine Archbold, Frank Addison e Alan Callender. L'erudito Jim Crow, della School of Historical Studies presso la Newcastle University, anch'egli entusiastico ammiratore di Gertrude, ci ha aiutate a cogliere l'essenza dei suoi contributi all'archeologia e alla fotografia. In un campo molto diverso, Yvonne Sibbold, dell'Alpine Club, e lo scalatore Michael Westmacott, sono stati così gentili da rivedere il nostro capitolo sulle arrampicate di Gertrude, una parte del libro che è stata difficile da drammatizzare a causa dei termini tecnici. Siamo in debito con Timothy Daunt per averci guidato nella campagna di Gallipoli, e a Patricia Daunt, che ha camminato sulle orme di Gertrude per i siti archeologici da lei studiati e amati, in Anatolia.

Gwen Howell ha letto ogni capitolo come è stato scritto, ha offerto commenti perspicaci, e ha reperito testi sfuggiti ai ricercatori di professione. Tom Buhler ha posto a nostra disposizione la sua competenza in tutte le fasi del processo di scrittura e fin dall'inizio ha sviluppato il carattere del libro. Anche la vasta esperienza grafica di Charlotte Stafford ci ha guidate sin dal principio. Daniel Bailey ha partecipato alle nostre prime discussioni del progetto di un libro su Gertrude e per due anni ci ha incoraggiate, oltre a rispondere di quando in quando a interrogativi sulle gerarchie e sulle pratiche militari. Alice Whittley ha manifestato un entusiastico interesse e ha suggerito idee.

I critici di Gertrude non esitano a dubitare delle sue credenziali democratiche, e anche se speriamo di averli disorientati, è difficile comprendere, a quasi un secolo di distanza, perché abbia aderito alla campagna contro il voto alle donne. Su entrambi gli argomenti Joanna Morritt ci ha procurato testi ben scelti.

Paul Miles ha collocato i progetti di giardini nello Yorkshire concepiti da Gertrude nel contesto della progettazione postvittoriana, e ha spiegato il mito e la leggenda della mandragora.

Per caso, durante una passeggiata fra le rovine invase dalle erbacce di Rounton Grange, appartenuta alla famiglia Bell e demolita da tempo, abbiamo incontrato Bob Richmond, pronipote di Gertrude, e suo padre Miles. Il loro aiuto, in quell'occasione e in seguito, è stato considerevole. Susanna Richmond, figlia di Elsa, sorellastra di Gertrude, ha vissuto per qualche tempo con Hugh e Florence, i genitori della stessa Gertrude, quindi ha potuto suggerirci numerose riflessioni e numerosi interrogativi fondamentali. Susanna continua a tenere conferenze sulla zia e rammenta un magico momento di empatia vissuto con lei durante il suo ultimo viaggio in Inghilterra. È stato molto piacevole fare visita a Patricia Jennings, nipote di Gertrude, che la ricorda con timore reverenziale. A casa sua, nella proprietà Trevelyan, nella contea di Durham, ci ha mostrato gli album di famiglia e il cedro del Libano cresciuto dal seme che Gertrude portò appositamente dal Medio Oriente.

Con estrema gentilezza, Sir John e Lady Venetia Bell – i quali, nello Yorkshire, coltivano la terra acquistata dal nonno di Gertrude – ci hanno mostrato fotografie e ricordi. Siamo particolarmente grate a Venetia per le presentazioni, la guida, le fotografie e i permessi. Il dottor William Plowden ci ha cortesemente riferito una grande quantità di aneddoti e una preziosa biografia inedita di Dame Florence Bell. Ringraziamo Nick Vester per le conoscenze che ci ha permesso di sviluppare.

Vorremmo esprimere un ringraziamento speciale alle seguenti persone: Jane Mulvagh e Anthony Bourne per la meravigliosa ospitalità e le presentazioni; Anne-Françoise Normand per l'identità storica dell'Iraq; Martin Brown, segretario di Rounton Parish Council, per la fotografia, e Terry Huck per l'accesso alla mostra sulle feste di Rounton. Malcolm Hamlyn di Edmund Carr si è meritato la nostra gratitudine per la sua consulenza professionale durante tutta l'intera realizzazione del progetto. Quando abbiamo soggiornato nella casa d'infanzia di Gertrude, Red Barns, ora un albergo, il proprietario, Martin Cooper, ci ha permesso di visitare i seminterrati e gli attici in cui Gertrude giocava. Durante la nostra esplorazione del luogo su cui sorgevano le fonderie Bell, a Clarence, Middlesbrough, Graham Bennet, del Bridge Museum, ci ha mostrato un filmato originale di Sir Hugh e Lady Bell all'inaugurazione del Transporter Bridge.

Siamo grate a Mrs Jane Hogan, della Durham University Library, per l'assistenza nel consultare le collezioni che includono le importantissime lettere di Gertrude e Valentine Chirol. All'Imperial War Museum, Gillian Robinson ci ha aiutate a reperire l'ultima lettera del tenente colonnello Doughty-Wylie alla moglie.

Mrs Abu Husainy dei National Archives, Judy Hunton della Redclar Public Library, Brenda Mitchell della Tyne Tees Television, Diana Wright della Literary and Philosophical Society di Newcastle, David Spooner del Cabinet Office, Julie Carrington della Royal Geographical Society e Helen Pugh della Croce Rossa meritano tutta la nostra gratitudine per il loro aiuto. Jessica Stewart, di Berkeley, California, ci ha reso un grande servigio condividendo le sue trascrizioni di numerosi manoscritti di Gertrude, leggibili a stento e inclusi nella collezione Bell Miscellaneous, custodita alla Robinson Library. La studiosa Anita Burdett, specialista del Medio Oriente, ha setacciato i National Archives, la Women's Library, gli archivi della Croce Rossa e l'Imperial War Museum.

Per la loro assistenza e per i loro suggerimenti ringraziamo la direttrice editoriale Georgina Difford e Kate Harvey di Macmillan; Zoe Pagnamenta di PfD, nostra agente a New York, nonché Claire Gill e Emily Sklar di PfD a Londra. Esprimiamo la nostra gratitudine a Emma Grey per l'illustrazione di copertina.

Fra i numerosi amici di tutta la vita nel mondo dei libri che ci hanno incoraggiate con idee e con critiche ringraziamo in particolare Virginia Ironside, Jonathan Mantle, Jean Moore e Nicky Hessenberg. Fiona McCarthy ha spiegato un'allusione di Gertrude all'oca di Byron. Le riflessioni sul carattere di Gertrude sono state una continua fonte di discussione con Betty Woodall. Peter e Anthea Pemberton ci hanno incoraggiate manifestando un continuo interesse, nonché esprimendo qualche critica di quando in quando perché non abbiamo scritto il libro a dorso di cammello.

Indice dei nomi

Deedes, Sir Wyndham, 286, 480-481
Delaire, Marie, cameriera, 172, 179,
   290, 307, 352, 409-412, 481, 514,
   523-524, 529, 531, 538-539
Dickens, Charles, 36-37, 49, 63
Dobbs, Sir Henry, 378-380, 500,
   527-528, 536-537, 541-543
Doughty, Charles Montagu, 169,
   175, 217, 254, 257, 445
Doughty-Wylie, Charles (Dick),
   169-180, 183-185, 187-190,
   192-209, 211-214, 217, 219-220,
   223, 225-226, 230, 234-235,
   241-242, 244, 248, 250, 263,
   269, 271-273, 277, 284, 290-
   291, 298, 301, 303-304, 307-
   308, 322-323, 330, 387, 396-
   397, 413, 545
Doughty-Wylie, Lilian (Judith),
   170-173, 175-176, 178-179, 185,
   187-190, 194-195, 199, 201-202,
   205-209, 212
Drower, Edward, 507

Enver pascià, Ismael, generale, ministro della Guerra turco, 441
Erskine, colonnello, 272

Fahad Beg ibn Hadhdbal, sceicco,
   278-279, 351, 369-370, 389, 392,
   471, 491-493
Farrer, Reginald, 92-94
Fatima, di Ha'il, 255-256, 262-263,
   267
Fattuh, servo armeno, 157, 163,
   168-169, 172, 221-222, 225, 230-
   232, 234, 241, 244-245, 249, 251,
   262, 271-272, 276-277, 409-411
Faysal ibn Hussain, *sharif*, re dell'I-
   raq, 9, 317, 354, 437-453, 455-
   460, 464-472, 475-476, 478-480,
   482-485, 487-497, 499-503, 505-
   520, 522-524, 526-527, 529, 531,
   533, 536, 541-542, 549-550

Fellah, cammelliere, 225, 227, 241,
   262, 276
Ferdinando, arciduca d'Austria, 284-
   285
Ferid pascià, gran visir, 172
Fisher, John, ammiraglio, primo barone Kilverstone, primo lord del
   mare, 319
Foch, maresciallo di Francia, 398
Führer, Heinrich, guida alpina,
   107-108, 110, 112-114, 116,
   119-123
Führer, Ulrich, guida alpina, 107-
   108, 110-117, 119-122, 124
Furse, Michael, reverendo, 86-87

Gardiner, S.R., professore, 55
Garland, H.G., maggiore, 447
Georges-Picot, François, 327, 450
Ghazi, emiro, figlio di re Faysal, 513,
   515-516, 518, 550
Giorgio V, re d'Inghilterra, 485, 540
Gouraud, Henri J.E., generale, 467-
   468
Green, John Richard, 31, 55
Grey, Edward, primo visconte Fallo-
   den, ministro degli Esteri britan-
   nico, 287, 312
Grieve, Miss, 142

Hafez, poeta persiano, 73, 79-82,
   213-214, 240
Haldane, Sir Aylmer, generale, 496
Halil pascià, generale, 345
Hall, R., capitano, 209, 311, 329
Hamad, *rafiq*, 226
Hamid khan, 495
Hamilton, Sir Ian C., generale, co-
   mandante del corpo di spedizione
   del Mediterraneo, 196, 203, 205
Harb al Daransheh, sceicco, 244,
   246-247
Hardinge, Charles, primo barone
   Penshurst, viceré dell'India, 62,

321, 328-330, 333-337, 339, 343, 357, 441, 474, 516
Harrison, Marguerite, 499
Hassan, Sayyid, *mujtahid*, 419
Herbert, Aubrey, 92-93, 316, 344-345, 459
Hickey, Michael, 207, 209
Hilah, moglie di Muhammad Abu Tayyi, 246
Hogarth, David, 57, 148-149, 165, 168, 209-210, 219, 313-314, 317, 323, 336, 338, 410, 541
Hogarth, Janet (poi Courtney), 57, 99, 148, 169, 309, 529-530, 550
Hourani, Albert, 238
Huber, Charles, 218
Hussain ibn Ali el-Aun, emiro, *sharif* della Mecca, 317-319, 325, 327, 329, 437-444, 448, 450-451, 456-457, 466, 479, 516-517, 520, 522
Huzaima, *sharifa*, regina dell'Iraq, moglie di re Faysal, 513

Ibn Mitab, sceicco, 229
Ibn Rashid, emiro, 217-219, 223-224, 228, 259-261, 269, 282, 349
Ibn Saud, Abdul Aziz, re dell'Arabia Saudita, 217-218, 228-229, 249, 264, 269-270, 275, 278, 282, 286, 348-351, 372, 403, 408, 443, 480, 488, 506, 512, 516-518, 520
Ibrahim (di Ha'il), 255, 257-259, 262-264, 267, 282-283
Ironside, Sir Edmund, generale, comandante in capo delle forze armate britanniche in Persia, poi capo di stato maggiore dell'esercito imperiale e primo barone, 477

Jafar pascià el Askeri, ministro della Difesa iracheno, ambasciatore in Gran Bretagna, 449, 472-473, 477

James, Henry, 68
Jamil Zahawi, 489
Jaudat bey, 515
Jemal pascià, generale turco, governatore generale della Siria, 440-441, 450, 472
John, Augustus, 460
Jones, Miss, capoinfermiera, 353, 415

Kemal, Mustafa (Atatürk), presidente della Repubblica di Turchia, 516
Kitchener, Horatio H., feldmaresciallo, primo conte di Khartoum, 273, 296, 298, 302, 316, 318, 325, 329, 332-333, 404, 439-440
Klug, Miss, istitutrice, 28-29, 39
Kuntze, Helene, 115-116

Lake, Sir Percy, generale, comandante in capo del corpo di spedizione indiano D, 336, 340
Langridge, Edith, 57
Lascelles, Billy, 32, 59-60, 63, 67, 74, 182
Lascelles, Florence, 32, 59, 70, 72, 101, 388
Lascelles, Sir Frank, ambasciatore britannico in Germania, 21-22, 59, 70, 75, 101, 103, 330
Lascelles, Gerald, 32, 59, 74
Lascelles, Mary, nata Olliffe, 21, 59-60, 62, 70, 73, 79, 101
Laurence, Alec, 97
Law, Andrew Bonar, primo ministro britannico, 526
Lawrence, T.E., 9, 165, 210, 220-221, 237-238, 313, 315-317, 322-323, 325-327, 332, 337-338, 340, 344-345, 395, 440, 442-449, 451, 453, 455-460, 476-480, 501, 503-505, 522, 534, 540, 546-547, 549

Indice

Finito di stampare
nel mese di ottobre 2015
per conto di Neri Pozza Editore, Vicenza
da Grafica Veneta S.p.A.
Trebaseleghe (Padova)

Questo libro è stato prodotto col sole

Azienda carbon-free